HISTOIRE DES CATHARES

collection tempus

MICHEL ROQUEBERT

HISTOIRE DES CATHARES

*Hérésie, Croisade, Inquisition
du XIe au XIVe siècle*

Perrin
www.editions-perrin.fr

© Perrin, 1999 et 2002 pour la présente édition.
ISBN : 978-2-262-01894-8
tempus est une collection des éditions Perrin.

Pour Gilles et René

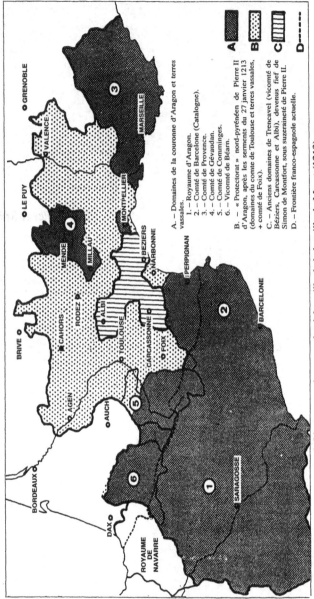

A. – Domaines de la couronne d'Aragon et terres vassales.

1. – Royaume d'Aragon.
2. – Comté de Barcelone (Catalogne).
3. – Comté de Provence.
4. – Comté de Gévaudan.
5. – Comté de Comminges.
6. – Vicomté de Béarn.

B. – « Protectorat » nord-pyrénéen de Pierre II d'Aragon, après les serments du 27 janvier 1213 (domaines du comté de Toulouse et terres vassales, + comté de Foix).

C. – Anciens domaines de Trencavel (vicomté de Béziers, Carcassonne et Albi), devenus fief de Simon de Montfort, sous suzeraineté de Pierre II.

D. – Frontière franco-espagnole actuelle.

1. L'espace occitano-catalan à la veille de la bataille de Muret (1213)

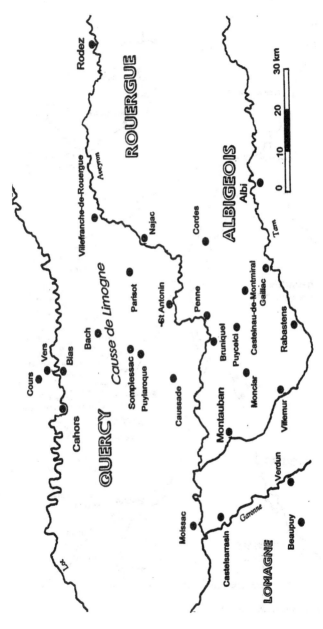

2. Quercy, Rouergue, Albigeois-Nord

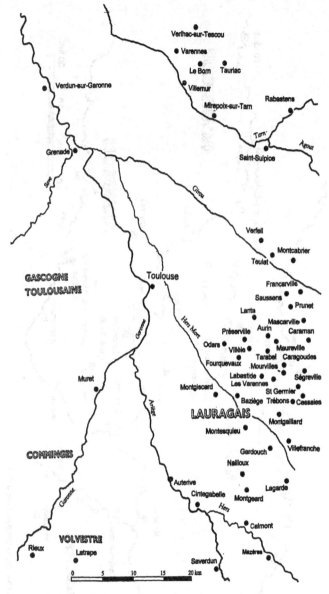

3. Toulousain, Lauragais-Ouest

4. Albigeois-Sud, Lauragais-Est

5. Comté de Foix et terre du Maréchal

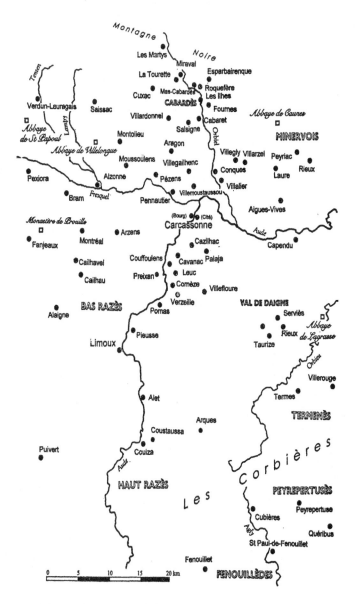

6. Cabardès, Carcassès, Razès, Corbières

Catharisme, Croisade, Inquisition

Écrire l'histoire des cathares, c'est peu ou prou écrire celle de leur persécution. Très brèves furent en effet les périodes durant lesquelles ils purent vivre leur foi en toute liberté – ce qui revient à dire qu'on ne leur laissa guère le temps de témoigner eux-mêmes de leur propre destin, alors que leurs adversaires eurent tout le loisir, et de surcroît le devoir, de relater les grandes étapes de leur anéantissement ; les chroniqueurs le firent directement – et c'est vrai, surtout, pour la croisade dite « albigeoise » qui se déroula de 1209 à 1229 dans le futur Languedoc –, soit en rapportant, parfois au jour le jour, les événements dont ils étaient témoins, soit en reconstituant soigneusement après coup ceux qu'ils n'avaient pas eux-mêmes vécus ; les notaires de l'Inquisition le firent indirectement, en consignant à partir de 1234 des milliers d'interrogatoires et des centaines de sentences, immense gisement documentaire dans lequel la société cathare s'est en quelque sorte inscrite en creux, en même temps qu'on y voit se dérouler sur un bon siècle le cours de son lent mais inexorable effacement.

Croisade, Inquisition : voilà donc les deux volets, rigoureusement inséparables, d'une histoire que les cathares n'ont écrite que de leurs malheurs, et souvent de leurs cendres. Non qu'ils aient oublié de laisser leurs propres traces. Mais les quelques textes authentiques qui émanent d'eux – trois *Rituels* et deux traités de théologie seulement ont été retrouvés à ce jour –, pour capitale que soit leur importance, ne nous renseignent que sur l'état de leurs croyances et de leur liturgie, ils ne nous disent rien de leur histoire interne – sauf à déceler peut-être quelque évolution dogmatique entre les deux traités, que trois ou quatre

décennies sans doute séparent. Mais sur la société cathare, sur
son Église, sur la foule des simples fidèles qui gravitaient autour
de son clergé de *parfaits* et de *parfaites*, sur la géographie comme
sur la chronologie de l'implantation et du développement du
catharisme, l'intérêt de ces écrits est nul, au regard de la trentaine
de traités anticathares connus, et parfois fort prolixes, que leur
opposèrent leurs adversaires catholiques. Ce qu'on sait, par
exemple, de la hiérarchie cathare d'Italie provient pour l'essentiel
de l'anonyme *De heresi catharorum in Lombardia* conservé à
Bâle et du *Tractatus de hereticis* de Budapest attribué à l'inquisiteur dominicain Anselme d'Alexandrie. Certes, on dispose bien
d'un écrit émanant des cathares occitans : les actes du concile
qu'ils tinrent en 1167 à Saint-Félix-Lauragais, près de Toulouse.
Mais outre que leur authenticité a parfois été mise en doute, il
ne s'agit que d'un traité de bornage entre les évêchés cathares de
Carcassonne et de Toulouse, tout ce qu'ils peuvent contenir
d'autre étant également connu par des documents catholiques
– ce qui rend d'ailleurs assez vain de se demander encore si ce
concile eut bien lieu ou non.

*

La pauvreté des empreintes laissées par le catharisme lui-
même dans le vaste corpus documentaire qui fait la mémoire des
peuples et des nations signifie-t-elle que cette religion disparue
n'a qu'un médiocre intérêt historique ? Ou, pour mieux dire, n'y
a-t-il pas quelque décalage entre la curiosité dont les chercheurs
comme le public témoignent depuis plus d'un siècle à son égard,
et l'importance réelle, en son temps, de ce qui ne fut à tout
prendre que l'une des dissidences religieuses qui traversèrent la
chrétienté médiévale ? Il va sans dire que la valeur intrinsèque et
la portée spirituelle qu'on peut attribuer au catharisme, les
regrets dont on peut accompagner son évocation comme les
condamnations qu'on peut toujours prononcer à son encontre,
ressortissent à la pure subjectivité. Aussi bien cet aspect des
choses ne sera-t-il guère évoqué dans ce livre.

On aurait mauvaise grâce, en revanche, à ne pas s'accorder sur
l'importance historique des moyens mis en œuvre pour l'éradiquer, eu égard à la fois à leur originalité et à leurs conséquences :
d'une part, une croisade lancée sur une partie de l'Europe

chrétienne[1], de l'autre, ou, pour être exact, immédiatement après, l'instauration d'un système judiciaire et policier appelé au destin que l'on sait.

Institution transposée, à de menus détails près, des guerres coloniales du Proche-Orient, la croisade albigeoise vit ses premiers succès sanctionnés en 1212 par des Statuts inspirés des Assises de Jérusalem. C'est assez dire l'étroite intrication des aspects religieux et politiques de l'entreprise. Prêchée comme une « guerre sainte », et canoniquement fondée en droit à coups de bulles et de décrétales, elle heurta *ipso facto*, dans ses principes mêmes, les institutions civiles qui reposaient sur le droit féodal. Source de difficultés diplomatiques parfois inextricables, le conflit religieux prit très vite le visage d'une pure et simple guerre de conquête. Il mit en jeu des intérêts temporels si nombreux et si complexes qu'il s'internationalisa rapidement. La mort, à la bataille de Muret, en septembre 1213, du roi d'Aragon Pierre II, prince catholique s'il en fut, mais venu au secours de ses parents, alliés et vassaux spoliés ou menacés par la croisade, écarta quasi définitivement la maison de Barcelone du théâtre nord-pyrénéen, ce qui ouvrit la voie de ce dernier à la couronne capétienne. Ce n'est qu'en 1229 cependant, au bout de vingt ans de guerre, que celle-ci cueillit les fruits d'une croisade qu'au départ elle n'avait pas voulue – et qu'elle avait même réussi à retarder de dix ans, sous prétexte qu'elle représentait une inadmissible ingérence du Saint-Siège dans les affaires du royaume. Le traité que le comte de Toulouse Raymond VII fut contraint de signer à Paris livra la moitié de ses États au domaine du roi Louis IX et, par des clauses successorales et matrimoniales aussi savantes que draconiennes, prépara en deux temps l'annexion du reste : l'héritière de Raymond VII épouserait un frère du roi – le successeur de Raymond serait donc un Capétien – et si les deux époux mouraient sans enfant le comté reviendrait au roi lui-même, qui verrait du même coup son domaine propre atteindre les Pyrénées et s'ouvrir une large fenêtre sur la Méditerranée. C'est ainsi que ce que la chancellerie royale appela bientôt *Occitania*, sur le modèle d'*Aquitania*, autrement dit notre futur

---

1. La croisade dite « albigeoise » fut en fait une croisade *contre* les albigeois. L'emploi de ce terme d'albigeois pour désigner, non les seuls habitants d'Albi, mais les cathares du pays d'oc, semble être apparu dans les actes du concile de Tours en 1163. Il est possible que le passage de saint Bernard de Clairvaux à Albi en juin 1145, pour combattre ces derniers, soit à l'origine de cette dénomination générique.

Languedoc, devint définitivement français en 1271. Si l'on songe qu'il avait été intégré un temps à l'éphémère mais très vaste État occitano-catalan – il s'étendait de l'Èbre et du Béarn aux Alpes – fondé en droit par les serments de janvier 1213, à Toulouse même, sous le pouvoir suzerain et souverain de Pierre II, on mesure l'ampleur des répercussions proprement politiques de la croisade sur cette partie de l'Europe occidentale : ce que le Saint-Siège n'avait sans doute envisagé au départ que comme une opération de police, sévère mais limitée, contre les hérétiques et contre les barons qui toléraient ces derniers sur leurs terres, avait profondément bouleversé, et de façon pérenne, l'espace géopolitique nord-pyrénéen. La croisade albigeoise fut à coup sûr une étape importante de la formation de la France.

Ces vingt années si riches de conséquences n'avaient cependant pas vu la question religieuse avancer d'un pas. Au contraire : le catharisme occitan se retrouva plus fort en 1229 qu'en 1209. Son Église avait même dû se doter d'un cinquième évêché... Le Saint-Siège, pas du tout décidé, évidemment, à lâcher prise, fut alors amené à changer de méthode. Le soin de la répression fut enlevé à la chevalerie catholique et conquérante jadis recrutée, pour l'essentiel, dans le nord du royaume et en Rhénanie – et qui, on s'en doute, n'avait pas massacré que des cathares – et confié en 1233 à des religieux issus de l'ordre des Frères prêcheurs. Ainsi l'office d'Inquisition naquit-il en Languedoc, avant d'être étendu à l'Europe entière pour achever sa carrière, six siècles plus tard, dans le Nouveau Monde.

*

Écartons tout de suite l'image d'Épinal d'un pays d'oc tout entier soumis à l'horreur d'une répression aveugle, avec des cortèges de cathares – parfaits, parfaites ou simples croyants – livrés en masse à la torture, aux bûchers, ou, au mieux, au cachot perpétuel. Épouvantable, le système assurément le fut. Mais d'une façon infiniment plus insidieuse qu'on ne le croit souvent, d'une cruauté plus psychologique que physique, avec des effets pervers qui – sauf pour la dernière Église des frères Authié, qui sera littéralement massacrée au début du XIVe siècle – déstabiliseront de l'intérieur la société cathare avec beaucoup plus d'efficacité que la liquidation par le feu d'une poignée d'impénitents. L'Inquisition languedocienne brûlera d'ailleurs infiniment moins de gens en un siècle que Simon de Montfort et ses croisés entre juillet 1210 et mai 1211... Faut-il rappeler en effet que la vocation de l'inquisiteur est alors de convertir, non de brûler, et que le bûcher, même si personne n'ose le dire, est un aveu d'échec ?

Au demeurant, le Languedoc du XIIIᵉ siècle n'est pas l'Espagne de la fin du XVᵉ, celle de Ferdinand, d'Isabelle et de Torquemada, et l'Inquisition n'y est pas la police politique dont les Rois Catholiques feront un organisme d'État. C'est une juridiction indépendante, parallèle à la justice civile, à laquelle elle emprunte d'ailleurs l'essentiel de sa procédure, et dont il lui arrive même parfois de tempérer les méthodes. Et elle n'a pas la tâche facile ! Dès sa création, elle connut bien des aléas, bien des difficultés, parfois de sanglantes avanies, elle eut maille à partir avec tous les pouvoirs en place, il lui fallut épisodiquement composer, voire s'effacer, mais les quelque quatre-vingts inquisiteurs successifs qui près d'un siècle durant eurent à gérer la répression de l'hérésie[1] en terre occitane, pour ne parler que d'eux, déployèrent un zèle tour à tour borné ou subtil, expéditif ou méticuleux, qui fut payant pour l'orthodoxie, sans qu'ait été cependant accompli le véritable holocauste qu'on n'évoque parfois que trop complaisamment.

Il reste que, même ramenée à sa vocation première et aux justes proportions qui furent celles de ses débuts, l'Inquisition demeure une écharde dans la chair de l'Église romaine. C'est qu'elle fut sans doute, dès le Languedoc des années 1230, la première émergence historique d'un système de contrôle idéologique exhaustif de toute une population au moyen d'enquêtes, de délation institutionnalisée, d'interrogatoires et de constitution de fichiers de renseignements. Le pape Grégoire IX n'imaginait certainement pas que, ce faisant, il forgeait l'outil privilégié de tous les totalitarismes à venir. De ce passé de sinistre mémoire, l'Église d'aujourd'hui souffre suffisamment encore pour que le Vatican ait organisé dans les derniers jours d'octobre 1998 un symposium propre à servir de base à une éventuelle « repentance »[2]. Que l'Inquisition ait fini par être abolie en 1821 n'enlève rien, en effet, à la dramatique actualité du problème. Il est

---

1. L'emploi que je fais des mots hérésie et hérétique est de pure commodité ; il n'implique bien sûr aucun jugement de valeur sur la religion que professaient les cathares ou les adeptes des autres mouvements de dissidence religieuse.

2. « Rome affronte le spectre de l'Inquisition », tel est le titre de la page que *Le Figaro* a consacrée à ce symposium dans son édition du 31 octobre 1998.

même certain que le système, ayant quitté le terrain religieux pour passer au politique, en connut un extraordinaire regain de santé. Le xxᵉ siècle restera même, sans doute, comme le siècle par excellence des inquisitions triomphantes.

Passage obligé de toute dictature, le système inquisitorial a donc de beaux jours devant lui. Il n'est pas sans intérêt de savoir qu'il est né, voici plus de sept siècles, de la volonté d'exterminer les cathares du pays d'oc... ; ni de savoir qu'à ce modèle de société de persécution répondit, sitôt sa mise en place, un modèle de société de résistance qui fut en quelque sorte le moule de toutes les guérillas futures – religieuses, politiques ou sociales.

*

Dans les trois premiers tomes de mon *Épopée cathare*, j'ai insisté sur le fait qu'on ne saurait ramener la croisade albigeoise au déferlement brutal et soudain de conquérants venus du nord, qui ne se seraient parés du masque de la « guerre sainte » que pour mieux camoufler les visées impérialistes de la couronne de France. Je me suis efforcé de montrer qu'il s'agissait au contraire d'une institution soigneusement élaborée, dont la Couronne, au demeurant, ne voulait pas, et que ce furent les principes mêmes sur lesquels le Saint-Siège l'avait juridiquement assise qui, ne pouvant qu'entrer en conflit avec les institutions féodales, se retournèrent contre la même « guerre sainte » et la pervertirent très vite en ruée conquérante.

Dans les deux ouvrages suivants, j'ai non moins systématiquement refusé toute lecture simplificatrice du rôle et du fonctionnement de l'Inquisition dominicaine, qu'il est impossible de traiter comme un bloc monolithe. Ses conflits successifs, en Languedoc, avec tous les pouvoirs en place, élites urbaines, comtes de Toulouse, petits et grands barons du pays, haut clergé local, administration royale, sans oublier certains franciscains insurgés contre ses méthodes, sans négliger non plus les crises ouvertes ou les luttes feutrées qui l'opposèrent parfois au Saint-Siège lui-même, voilà qui suffit à cerner les difficultés au travers desquelles elle fraya son chemin. Car ce ne furent pas toujours ses excès de rigueur, voire de cruauté, qui lui suscitèrent l'hostilité des uns ou des autres ; il s'en trouva maintes fois pour lui reprocher au contraire, au gré des circonstances et de la conjoncture, son indulgence et son laxisme... On comprend qu'il soit arrivé à des inquisiteurs de s'indigner à voir les juges civils brûler des gens qu'eux-mêmes avaient simplement condamnés à la prison – et cela à seule fin de saisir leurs biens au profit du trésor du comte capétien de Toulouse, Alphonse de Poitiers, le frère du roi...

Il est bien certain, en revanche, que le système, comme entraîné par sa propre pesanteur, finit lui-même par se dévoyer et par tomber dans de révoltants excès, en envoyant au supplice de simples croyants, si vieux parfois qu'ils avaient déjà un pied dans la tombe, lors même, paradoxalement, que le Saint-Siège mettait un terme à la répugnante coutume inquisitoriale des exhumations d'hérétiques et des bûchers de cadavres.

*

L'ouvrage de synthèse qui est aujourd'hui présenté aux lecteurs entend demeurer fidèle à la méthode et à l'esprit de mes précédents travaux. Me fondant exclusivement sur les sources du temps, je n'ai à me déterminer ni face aux thuriféraires ni face aux détracteurs d'un catharisme qui, dans l'un comme dans l'autre cas, est souvent reconstruit en imagination, soit en fonction d'*a priori* opposés, soit faute d'une information suffisante. Je tiens néanmoins à préciser dans cet avant-propos les contours de l'image que le présent ouvrage souhaite donner du catharisme et des cathares eux-mêmes. Elle vise essentiellement à tenir compte des acquis les plus récents de la recherche.

Jusqu'en 1939, on ne connaissait, en fait de textes authentiquement cathares, que le *Rituel* en occitan conservé à Lyon, très précise description de la cérémonie par laquelle les cathares donnaient leur unique sacrement, le *consolament*, conféré par imposition des mains, baptême dit « de feu et d'Esprit » – par opposition au baptême d'eau des catholiques. S'y exprime certes l'option fondamentale des cathares, à savoir que l'âme, qui est d'essence divine, est emprisonnée dans un corps d'essence diabolique. Mais tout ce qu'on savait d'autre du catharisme au plan dogmatique, notamment les raisons qui fondaient ce dualisme aussi bien que ses développements et ses conséquences, provenait des écrits de ses adversaires, ouvrages de polémique anticathare ou procédures inquisitoriales. Leur valeur est évidemment fonction de la bonne ou de la mauvaise foi de leurs auteurs, de leur intelligence ou de leur médiocrité intellectuelle. Si l'on excepte cependant quelques accusations infamantes ou simplement malveillantes, assez aisément décelables – telles que le prétendu suicide rituel qu'on nomme *endura* –, la description qu'ils donnent des croyances « hérétiques » et de la liturgie afférente est globalement acceptable. On accepta du même coup l'idée constamment affirmée par ces mêmes auteurs que le catharisme était un « néo-manichéisme », une résurgence en plein cœur de la chrétienté de la religion fondée au IIIe siècle par le prophète persan Mani ou Manès, et l'on s'efforça de reconstituer hypothétiquement les étapes par lesquelles une tradition manichéenne avait pu se maintenir et cheminer, de façon plus ou moins souterraine, à travers des mouvements tels que ceux des pauliciens, des thondrakiens, des messaliens, etc., tout en ne pouvant jamais déceler autre chose que de vagues ressemblances avec le catharisme.

Il y a des points communs, certes, entre ce dernier et le manichéisme des origines. Il y en a même suffisamment pour que des générations d'historiens aient accepté, sans penser manquer à tout esprit critique, la filiation proposée par les polémistes du Moyen Age ; et, de nos jours encore, bien des ouvrages, fidèles en toute honnêteté à ce vieux consensus, continuent à placer le catharisme, comme son homologue balkanique le bogomilisme, sous la rubrique « néo-manichéisme ». On pouvait même suggérer, il y a cinquante ans à peine, que si les cathares réfugiés à Montségur avaient demandé au sénéchal de Saint Louis qui les assiégeait, en mars 1244, une trêve de quinze jours, c'était pour pouvoir célébrer une fête solaire manichéenne avant de monter sur le bûcher...

Or voici qu'un érudit dominicain, le père Antoine Dondaine, découvre en 1939 à Florence, outre un second *Rituel* cathare – en latin cette fois –, un traité de théologie, plus exactement le résumé, rédigé vers 1250, d'un ouvrage dû à un docteur cathare de Bergame, Jean de Lugio, le *Livre des deux principes*. La même année, il trouve à Prague, inséré chapitre après chapitre dans un manuscrit du *Contra Manicheos* attribué à Durand de Huesca, un traité cathare anonyme dont tout laisse à penser qu'il est d'origine occitane et date du début du XIIIe siècle. Précieuses découvertes, qui donnaient enfin directement accès à la doctrine cathare. On se trouvait devant une pensée théorisée et mise en forme, au travers de textes non suspects cette fois d'avoir subi des distorsions à des fins polémiques ; des textes qui échappaient par ailleurs au caractère forcément schématique, partiel, voire parfois naïf, des aveux faits devant les inquisiteurs ; et des textes qui, de surcroît, dépassaient de beaucoup, par leur argumentaire soigneux et souvent très serré, les enseignements qu'on pouvait tirer des seuls témoignages recueillis par l'Inquisition.

Or il est extrêmement frappant de constater que ces écrits, qui ne sont avares ni de développements raisonnés ni de citations scripturaires propres à étayer leurs thèses, ne laissent absolument rien transparaître qui puisse évoquer une quelconque influence du manichéisme. On ne s'attend pas, certes, à les voir citer des écrits manichéens ! C'eût été se désigner aux coups de leurs adversaires. Au contraire, ils ne cessent de s'affirmer chrétiens, et rien de moins, mais rien de plus. Avant même de déceler ce en quoi cathares et manichéens se distinguent, par leur connaissance et leur utilisation des Écritures, par leurs mythologies, par leurs systèmes ecclésiaux, leurs prières et leurs pratiques cultuelles[1], on voit bien qu'ils évoluent dans des univers intellectuels, voire mentaux, tout à fait différents. Le mode de pensée des cathares, leur façon d'analyser, de raisonner, de s'exprimer ne sont pas ceux de l'Empire sassanide des rois Shâpûr et Bahrâm, ceux de la Perse fille de Zarathoustra, de l'*Avesta* et des *Gathas* ; ce sont ceux de la pensée discursive de l'Occident gréco-latin, d'Aristote à saint Thomas. Et là où les écrits manichéens – des *Psaumes* de Manès lui-même aux *Hymnes* des manuscrits de Turfân –, tout pétris de mythologie, ruissellent de troublante sensibilité et de la plus authentique magie poétique, nos cathares se livrent à de rigoureuses définitions, à de méthodiques exégèses des Saintes Écritures, à de méticuleuses déductions qui ne doivent qu'à l'exercice bien conduit de la raison épaulé par la connaissance littérale du Nouveau Testament comme de l'Ancien. On connaît notamment l'un des principaux arguments sur lesquels Jean de Lugio fonde le dualisme : une même cause ne pouvant produire à la fois un effet et son contraire, les principes des contraires sont nécessairement des contraires. C'est emprunté, quasiment mot pour mot, à la *Métaphysique* d'Aristote. Comment ne pas en voir un écho dans l'Évangile de Matthieu comme dans l'Épître de Jacques : « Tout arbre qui est mauvais porte de mauvais fruits. Un bon arbre ne peut porter de mauvais fruits, ni un mauvais arbre en porter de bons. » « Une fontaine jette-t-elle, par une même ouverture, de l'eau douce et

---

1. Cf. Ylva HAGMAN, « Le catharisme : un néo-manichéisme ? » dans *Heresis* n° 21 (décembre 1993), p. 47-59.

de l'eau amère ? » La raison raisonnante et l'Écriture s'allient donc pour amener Jean de Lugio à conclure que le bien et le mal, étant des contraires, ont nécessairement des principes contraires. Ailleurs, on voit le même auteur, et son confrère du *Traité anonyme*, n'être pas loin, à force de scrupules intellectuels, de ratiociner d'irritante façon.

Bref, il faut dépouiller le catharisme de cette fausse aura d'exotisme et d'ésotérisme liée à son imaginaire origine orientale, et qui a conduit à tant de dérapages littéraires et parahistoriques, pour se rendre à cette évidence : c'est un christianisme, et les cathares avaient raison de s'appeler entre eux « Bons Chrétiens », voire « Chrétiens » tout court. Déviants, certes, dissidents, au regard du dogme et de la liturgie élaborés et définis par la Grande Église ; mais chrétiens quand même, dans l'exacte mesure où il n'y avait pour eux qu'une seule révélation, celle dont le Christ était porteur, et où leur unique référence était le Nouveau Testament, complété par ce qui, dans l'Ancien, servait leurs démonstrations. Même s'ils ont pu subir l'influence ou faire usage de textes n'appartenant pas au canon catholique, comme *La Cène secrète*, ils ne se sont jamais aventurés au-delà des apocryphes chrétiens.

Le débat reste évidemment ouvert, de savoir si l'on peut légitimement se dire chrétien tout en étant dualiste, c'est-à-dire en posant que, Dieu ne pouvant, dans son infinie bonté, être cause des conditions qui permettent au mal de se manifester, il faut chercher la cause de l'univers visible – où justement le mal se manifeste – dans un principe créateur différent de lui, et par essence mauvais. Autrement dit, peut-on concevoir sans abus de langage un christianisme dualiste ? Non, a toujours répondu l'orthodoxie, très tôt dressée contre le multiple et protéiforme courant gnostique qui, bien avant le catharisme, prétendait imposer précisément ce christianisme-là. Mais qu'Irénée de Lyon dès avant l'an 180, Tertullien peu après l'an 200, Hippolyte de Rome deux décennies plus tard, aient âprement dénoncé et combattu « la gnose au nom menteur », l'aient marginalisée et finalement rejetée pour toujours hors du corps doctrinal de la Grande Église, ne signifie pas qu'ils aient éradiqué la tradition qui la fondait : celle d'une lecture « autre » des Évangiles, propre à déduire de leur opposition radicale du *Monde* et du *Royaume* une cosmologie dualiste et, partant, un système complet radicalement différent de celui qu'élaborait l'orthodoxie. On notera d'ailleurs au passage que voir Irénée dénoncer vers l'an 180 des positions doctrinales qu'on retrouvera des siècles plus tard comme fondamentalement constitutives du catharisme[1] suffit à montrer que ce dernier ne doit rien à Manès, qui naquit en 216...

Alors, pourquoi les docteurs catholiques des XIIᵉ et XIIIᵉ siècles ont-ils vu dans les cathares des néo-manichéens, voire des manichéens tout court, c'est-à-dire tout sauf des chrétiens ? On peut élargir notre interrogation : pourquoi cette véritable allergie, depuis les Pères du IIᵉ siècle, à l'égard de toute réponse qui, se refusant à chercher la source du mal dans la liberté de la créature, l'impute à un autre principe que le Dieu suprême et bon ? On pouvait craindre, certes, que poser un second principe à côté du Dieu bon ouvrît la porte au dithéisme et que, dès lors qu'on posait deux dieux, pourquoi pas trois, pourquoi pas quatre, pourquoi ne pas revenir au polythéisme des païens ? Mais il y a des raisons infiniment plus profondes que le simple refus de comprendre dans sa complexité le dualisme. Les polémistes catholiques ont très bien vu que celui-ci ne se borne pas à proposer une réponse spécifique à une question limitée : celle de l'origine du mal. Ils ont compris qu'il est la clef de voûte de tout un dispositif doctrinal au sein duquel il induit, non seulement une cosmologie, mais une théologie, une christologie, une sotériologie et une ecclésiologie radicalement différentes du système élaboré par la Grande Église. Un inquisiteur comme Bernard de Caux ne s'y est pas trompé, qui, interrogeant les gens sur leur religion, commençait par leur demander s'ils croyaient ou non que Dieu avait fait le monde visible. Les autres articles de foi venaient après.

Véritable maladie infantile du christianisme – au sens où Lénine écrivait en 1920 que le gauchisme était celle du communisme –, la gnose dualiste a toujours, qu'on me pardonne l'expression, donné des boutons à l'orthodoxie. Il était donc de bonne guerre, au fond, tant le dualisme était gros de toutes sortes de menaces et lourd de conséquences dogmatiques, de coller à ceux qui le professaient l'étiquette infamante par excellence, celle qui les ferait passer pour les héritiers d'une hérésie d'autant plus exécrable qu'on la croyait anéantie et que sa résurgence ne pouvait être que le fruit d'un dessein diabolique : manichéens... Sans

---

1. Irénée de Lyon, *Contre les hérésies. Dénonciation et réfutation de la gnose au nom menteur*, trad. Adelin Rousseau, Paris, Cerf, 5 vol., 1979 à 1982. Trad. en 1 vol., 1984. Cf. surtout le Livre I.

oublier l'aspect purement pratique d'un tel étiquetage : le manichéisme était bien connu par les écrits de saint Augustin, qui y
avait adhéré dans sa jeunesse avant d'écrire contre lui ; sa réfutation était donc pour ainsi dire toute prête, et le châtiment auquel
s'exposaient ses adeptes était fixé depuis longtemps. C'était le
bûcher.

*

Un petit détour par le dualisme est ici nécessaire afin de bien
clarifier les choses, et notamment de définir en termes simples
cette tradition « autre » sans laquelle il n'y aurait eu ni gnose ni
catharisme – compte tenu que tout ce qui va suivre n'a de sens
que dans une perspective créationniste : si le monde, en effet, est
incréé, si ce qui est est de toute éternité, sans avoir eu besoin
d'une cause ou d'un principe qui l'ait amené à l'existence, la théologie chrétienne – catholique ou cathare – est sans objet et n'est
que vue de l'esprit.

Si l'on conçoit au contraire la nécessité, pour que le monde
soit, d'un acte créateur originel, c'est un champ infini qui s'ouvre
à la réflexion. On connaît la position de l'Église catholique : Dieu
est le créateur unique, cause première et principe de tout, « du
ciel et de la terre » comme dit le Symbole des Apôtres, « des
choses visibles ou invisibles », précise le Symbole de Nicée, bref
des réalités matérielles et des spirituelles.

En opposition à ce dogme fondé, à la fois, sur l'Écriture révélée
et sur la tradition de l'Église, il est donc apparu, et très tôt, des
gens qui, tout en se disant chrétiens, c'est-à-dire se fondant sur
la même Écriture mais la lisant en lui appliquant une autre grille,
ont prétendu que Dieu ne pouvait pas être cause unique de tout.
Il ne peut pas, notamment, être cause du mal. On notera en passant que c'est ce que dit déjà Platon au Livre II de *La République* : « Dieu n'est pas la cause de tout, mais seulement du
bien. »

Mais pas plus que pour Platon, pour les gnostiques ou pour les
cathares, Dieu n'est pour les catholiques cause du mal ! Deux
mythes rendent compte en effet, très clairement, de leur position
sur l'origine du mal, celui de la chute des anges rebelles, devenus
des démons, et celui du péché d'Adam et Ève, séduits par le
prince de ces anges félons, et, de ce fait, voués en punition à la
pénible, douloureuse et mortelle condition humaine ; le mal a

donc pour cause le mauvais usage que des créatures de Dieu, des anges d'abord, puis l'homme et la femme, ont fait de leur liberté, Dieu n'y est pour rien.

A quoi le *Livre des deux principes* des cathares italiens du XIIIe siècle répond, tout d'abord, que Dieu, qui est parfait, n'a pu créer des êtres capables de faire le mal et par là même imparfaits ; le libre arbitre conçu comme la faculté de pécher volontairement est en soi une imperfection, mais aussi, de surcroît, une impossibilité formelle ; Dieu, dans son omniscience, savait en effet que ses anges pécheraient ; ils ne pouvaient donc pas ne pas pécher, c'est-à-dire faire autre chose que ce que Dieu savait, de toute éternité, qu'ils feraient ; autrement dit, ils n'avaient aucun libre arbitre Ce n'est pas leur chute, conçue comme leur rébellion volontaire, qui est l'acte de naissance du mal ; s'ils sont « tombés » dans le mal, c'est qu'ils n'ont pu faire autrement que d'y tomber. Et pour ce faire il fallait bien que le mal leur préexistât...

Si Dieu n'a pu, en raison de sa perfection, créer des êtres dotés de cette imperfection qu'eût été leur illusoire liberté de choisir le mal, il n'a pas pu non plus, en raison cette fois de son infinie bonté, créer les conditions qui permettent au mal de se manifester, c'est-à-dire la matière transitoire et corruptible, et tout particulièrement les corps de chair qui souffrent, vieillissent et meurent. Bref, il faut, à la matière, et au temps qui la corrompt, trouver une autre cause, un autre principe que le Dieu parfait et bon, lequel ne saurait, en quelque sorte par définition, être responsable, à quelque niveau que ce soit, directement ou indirectement, de l'existence du mal.

De ce dernier, Dieu est donc totalement innocenté. Mais c'est au prix de l'affirmation qu'il existe à côté de lui, ou en face de lui, comme on voudra, de toute façon en dehors de lui, un autre principe créateur responsable, lui, de la matière transitoire, corruptible et souffrante, et par là même – je cite toujours le *Livre des deux principes* – source de tout mal.

Force est donc d'appeler « dualiste » une telle doctrine qui prétend que Dieu ne peut pas être cause unique, quels que soient la conception qu'on possède de l'autre cause, le statut qu'on lui confère et le nom qu'on lui donne, qu'on la conçoive comme substance mauvaise ou comme travail destructeur du néant, qu'on l'appelle « mauvais principe », démiurge, diable, Satan, Prince de ce monde, Dieu étranger, Ennemi, etc. – toutes choses secondes par rapport à cette affirmation fondamentale qu'il y a nécessairement deux principes et non un seul.

Il reste à savoir à partir de quand une doctrine entre réellement dans le champ du dualisme. Car il n'est guère de religion qui n'oppose le bien et le mal, la matière et l'esprit, l'âme et le corps, le temps et l'éternité, la terre et le ciel, la lumière et les ténèbres, le fini et l'infini, le diable et le bon Dieu, et les philosophies ne sont pas en reste, de Platon à Hegel, voire à Marx, pour percevoir la totalité du réel à travers des ordres de réalités contraires, non plus que pour faire progresser la connaissance par position et dépassement de notions antithétiques. Bref, en un sens, le dualisme est partout, il semble fonder à la fois l'Être et le discours sur l'Être.

Dans la plupart des cas cependant, la mise en évidence de ces couples de contraires ne porte nullement atteinte à la conception de Dieu comme unique et absolu principe, comme cause première de toutes choses – le ciel *et* la terre, l'âme *et* le corps, la matière *et* l'esprit, etc. Autant de dualités qui viennent finalement mourir au bord de l'ultime unicité qui les sous-tend toutes, que ce soit l'unicité de la matière incréée ou celle du pur esprit qu'est le Dieu créateur. Globalement parlant, d'ailleurs, la vocation des philosophies comme celle des religions ont toujours été d'approcher, au travers des diverses réalités qui s'opposent, se contredisent et parfois se combattent, l'Un absolu qui serait l'ultime raison de tout, et d'en faire le suprême objet de la connaissance, et de l'amour des hommes.

Le dualisme des principes est évidemment tout autre chose que l'attention portée à ces séries de contraires qui ressortissent tour à tour à la morale, à la psychologie, à la logique, à la cosmologie, mais qui n'instillent nulle dualité au sein même de la racine des choses. Poser en revanche qu'à côté de Dieu il y a une autre cause, principe de la matière et source du mal, c'est toucher au tréfonds des choses, c'est en quelque sorte opérer une véritable fission au sein même du noyau de l'Être.

A partir de là, bien des choses seraient encore à préciser, qui permettraient d'ailleurs d'éclairer les divergences entre catharisme et manichéisme. Rappelons simplement que le dualisme cathare, dualisme des principes, dualisme des causes premières, n'implique nullement l'opposition simplificatrice d'un « Dieu du Bien » et d'un « Dieu du Mal ». Si les deux principes étaient égaux en puissance, c'est-à-dire s'ils pouvaient agir tous les deux sans limitation aucune, et égaux en valeur, c'est-à-dire agissant tous deux soit dans le bien, soit dans le mal, un seul suffirait, et il n'y aurait pas de vrai dualisme. « Il ne peut y avoir deux infinis... », fait dire Huysmans à l'un des personnages de *Là-bas*. Le dualisme ne peut pas impliquer la parfaite égalité des deux termes en présence ; au contraire, il l'exclut. Il est évident que lorsqu'il arrive aux cathares de parler du mauvais principe comme du Dieu mauvais ou du Dieu étranger, c'est uniquement par commodité de langage, il ne s'agit en rien d'un authentique Dieu. Si d'ailleurs, dès qu'on nomme le mauvais principe, on lui oppose quasi systématiquement le « vrai Dieu » – une vingtaine de fois dans le *Livre des deux principes* –, c'est qu'il n'est pas Dieu, ou qu'il en est un faux. De « Dieu suprême et vrai », il n'y en a qu'un, seul et unique, et son unicité est fortement proclamée ; mais c'est l'unicité du Dieu bon, unique créateur, certes, mais unique créateur de la « bonne création », laquelle est purement spirituelle et invisible : les anges, les âmes, la « terre nouvelle » et le « ciel nouveau » dont parle l'Apocalypse, miroir immatériel et céleste du monde d'ici-bas. Tant et si bien que les écrits cathares peuvent impunément affirmer : « Nous croyons en un seul Dieu » – et même ajouter « créateur du ciel et de la terre » – sans se départir du dualisme absolu, puisque l'autre principe n'est pas (un) Dieu, et que ce ciel et cette terre ne sont pas ceux que nous voyons de nos yeux de chair... Il n'est pas exclu, au demeurant, que les cathares aient sciemment joué sur les mots pour échapper à l'accusation de dithéisme, si souvent mise en avant par leurs adversaires.

D'autres équivoques peuvent naître de diverses alternatives, que les cathares italiens du xiiie siècle notamment ont eu à affronter : le mauvais principe a-t-il créé le monde visible à l'insu de Dieu, ou bien Dieu le sachant ? Et si Dieu le savait, pouvait-il ou non l'empêcher ? S'il le pouvait, pourquoi l'a-t-il autorisé ? Les polémistes catholiques de l'époque ont fortement appuyé sur la diversité des réponses données par telle ou telle Église cathare, parlant même non seulement de dissensions mais de schismes. Les historiens ont par la suite inventé les notions de « dualisme absolu » ou « radical » et de « dualisme modéré » ou « mitigé » pour distinguer du dualisme strict tous les points de vue qui pourraient introduire la moindre atténuation dans l'opposition des deux principes ou jeter entre eux un pont, aussi fragile soit-il. Entre ces deux types de dualismes cependant, l'absolu et le mitigé, la frontière est souvent très délicate à tracer, ce qui donne lieu, de nos jours encore, à d'érudites querelles d'école dans le détail desquelles on n'entrera pas ici. Beaucoup d'historiens, d'ailleurs, sont aujourd'hui d'accord pour estimer que les polémistes catholiques ont grandement exagéré, pour les besoins de leur cause, les divergences doctrinales qui auraient secoué le catharisme italien. Si les Églises lombardes se sont parfois opposées entre elles, comme d'ailleurs aussi celles des Balkans, ce fut beaucoup plus pour des questions de personnes que de doctrine. Pilar Jimenez a notamment montré que la notion d'*ordre* dans les Églises hérétiques – l'ordre bulgare, l'ordre de Dragovitie, etc. – ne désigne nullement une école professant une doctrine particulière, mais une filiation particulière de l'autorité ecclésiale[1]. Appartenir à tel ordre ne signifie pas qu'on pense ceci plutôt que cela, mais qu'on a reçu l'ordination d'Untel qui tenait la sienne d'Untel, etc.

*

Fondement de tout l'édifice « hérétique », le dualisme, autant qu'on puisse en juger par les témoignages recueillis par l'Inquisition, n'a cependant pas joué un rôle de premier plan dans la catéchèse cathare, évidemment plus portée à enseigner les voies du salut qu'à entraîner ses auditeurs dans les arcanes de la métaphysique et de la théologie. Ce n'est que chez quelques croyants particulièrement cultivés, comme le consul toulousain Pierre Garcias vers 1240, ou plus tard le notaire d'Ax-les-Thermes et futur parfait Pierre Authié, qu'on peut déceler avec certitude d'authentiques connaissances touchant à la théologie des deux créations, à l'exégèse cathare de l'Évangile de Jean, et même à la théorie du néant comme équivalent de la mauvaise création, voire du mauvais principe, toutes choses droit sorties du *Traité anonyme*.

Au croyant moyen, il suffisait d'être convaincu qu'il y a trop de mal et de méchanceté dans le monde pour qu'il puisse être l'œuvre du « bon Dieu ». Il reste qu'au plan de la réflexion savante comme à celui de la conviction populaire, c'est le dualisme qui induit tout le reste du système. Si tout ce qui est matériel appartient à la mauvaise création, ce qu'on schématisera en

1. Pilar JIMENEZ, « Relire la charte de Niquinta », dans *Heresis* n° 23 (décembre 1994), p. 17-19. Cf. également Anne BRENON, « Le catharisme, un ordre épiscopal », dans les Actes des rencontres 1998 du Centre d'études cathares (à paraître).

disant que c'est l'œuvre du diable, il est bien évident que les corps d'Adam et d'Ève n'ont pas été créés par le « bon Dieu », mais que leurs « tuniques de peau » sont des prisons dans lesquelles le mauvais créateur a enfermé des âmes qui appartiennent, elles, à la bonne création, purement spirituelle, invisible et éternelle. Ce sont même, à ce titre, des parcelles de substance divine. Il en est ainsi de chaque âme qui, endormie dans la matière qui la retient captive, en a fini par oublier sa céleste origine. C'est pour la lui rappeler, et comme pour la réveiller, que Dieu a envoyé Jésus-Christ, porteur du message révélateur propre à arracher les âmes à leurs prisons terrestres : l'imposition des mains, telle que les Apôtres l'ont pratiquée sur leurs disciples et telle qu'elle fut transmise depuis lors de génération en génération, infuse le Saint-Esprit consolateur – d'où le nom occitan de *consolament*, qui signifie consolation –, lequel, au moment de la mort du *consolé*, quittera son corps et ramènera son âme au royaume de Dieu. On notera tout de suite une saisissante différence avec la voie catholique du salut : ici l'âme préexiste au corps, et elle a moins à gagner le Paradis qu'à y retourner.

La diabolisation de toute matière, répercutée sur tout l'édifice théologique et éthique, a évidemment pour conséquence d'élargir sans cesse le fossé qui va séparer le catharisme de l'orthodoxie. A commencer par la conception même de l'Incarnation. Dieu n'a pu revêtir un corps de chair et être soumis à ses besoins. Le Christ ne fut homme, donc, qu'en apparence, n'a souffert et n'est mort sur la croix qu'en apparence, vieille hérésie qu'on nommait le *docétisme*, du verbe grec *dokein*, paraître, et que les Pères de l'Église avaient dénoncée dès le IIe siècle. Le corps qu'il revêtit fut un corps « spirituel », « aérien », « fantastique » ; les Évangiles portent suffisamment témoignage qu'il « n'est pas de ce monde », qu'il est céleste, venu du ciel, descendu du ciel. « En le voyant marcher sur la mer, les disciples furent effrayés et dirent que c'était un fantôme... ». « Passant au travers d'eux, il s'en alla... ». « Alors leurs yeux s'ouvrirent et le reconnurent, mais il leur devint invisible... »

Pas d'incarnation réelle, donc pas de souffrance réelle sur la croix! Autrement dit, pas de Passion rédemptrice... Le Christ est venu apporter un message, prodiguer un enseignement, mais point se sacrifier pour racheter l'humanité. Déroulons la logique du système. Le pain et le vin de la Cène, dont Jésus dit qu'ils sont son corps et son sang, sont à prendre en un sens exclusivement allégorique : Jésus veut dire que tout son être ne fait qu'un avec son enseignement, et demande qu'on ne l'oublie pas ; de fait, les parfaits cathares se rappelleront ses paroles en bénissant et partageant rituellement le pain, en souvenir de lui et en hommage à sa mission. Mais le rite n'a nullement le sens d'une eucharistie, sacrement que les cathares rejettent de façon catégorique : Dieu ne peut être présent dans cette pure parcelle de matière qu'est l'hostie, vouée à ce titre au vil destin qui est celui de toute nourriture – y compris le risque d'être mangée par les souris...

C'est encore le dualisme qui justifie l'ascèse cathare, du moins celle que la règle imposait aux croyants et aux croyantes qui avaient reçu le *consolament* d'ordination et qui, entrés en religion, s'agrégeaient à une communauté de parfaits ou de parfaites. Ascèse alimentaire et, cela va de soi, continence absolue, les deux etant d'ailleurs intimement liées. L'acte de génération qui, en donnant naissance à des corps, ne fait pas autre chose que créer de nouvelles prisons pour les âmes est diabolique par essence : il ne sert qu'à retarder le salut de ces âmes. L'acte lui-même est donc impur, et toute chair qui naît de lui est également impure par nature, d'où l'interdit frappant toute nourriture d'origine animale, viande, graisse, lait, œufs, beurre, fromage, renforcé, en ce qui concerne la viande, par la fidélité littérale que les cathares affichaient à l'égard des Écritures : « Tu ne tueras point... » Seul le poisson, qu'on croyait naître spontanément de l'eau, échappait à cet interdit. On a compris que loin d'avoir valeur simplement disciplinaire, l'abstinence alimentaire et sexuelle se fonde, pour les cathares, sur la nature mauvaise de la création visible, donc sur le dualisme, qui induit un véritable anathème jeté sur la chair.

*

Si l'on s'en tenait à ce rapide survol des principaux articles de la foi et de la règle, il serait aisé de conclure que le catharisme, du fait de son caractère totalement asocial, portait en lui, à terme, sa propre condamnation. Une telle appréciation, dont on ne s'est pas privé au cours des siècles, repose cependant sur un certain nombre de malentendus, qui ont leur source commune dans une acceptation sans critique, et en quelque sorte au premier degré, du vocabulaire employé dès le Moyen Age par les adversaires du catharisme.

Le seul mot de *cathare*, déjà, prête à confusion. Il est traditionnellement admis qu'il vient du grec *catharos*, qui signifie « pur » ; vient ensuite l'appellation de *parfait* et de *parfaite* pour désigner celui ou celle qui, par opposition au simple croyant, a reçu le sacrement du *consolament*, le « baptême de feu et d'Esprit ». Il est loisible, à partir de là, d'admirer ou de vilipender, c'est selon, des gens qui se donnent pour des fanatiques de la pureté et de la perfection.

Or ce vocabulaire n'est pas le leur, c'est celui de leurs ennemis. Et ceux-ci, aussi curieux que cela nous paraisse aujourd'hui, ne mettaient dans ces mots aucune connotation de pureté ou de perfection. *Cathare* est une injure née au milieu du XIIᵉ siècle sous la plume d'un moine rhénan, et le théologien Alain de Lille nous en livre le sens dans le *De fide catholica* qu'il écrivit vers 1200 : il vient du latin *catus*, « car, à ce qu'on dit, ils baisent le derrière d'un chat », accusation de toute évidence infamante propre à assimiler nos hérétiques à d'odieux adorateurs du diable ou à de vulgaires sorciers. Alain de Lille n'occulte cependant pas une possible étymologie grecque, bâtie sur la racine *cathar-*. Mais uniquement, dit-il, parce qu'elle signifie purge, écoulement, et que les hérétiques « suintent de vices »… On chercherait donc en vain un seul emploi du mot *cathare* qui évoquerait une quelconque idée de pureté, la contre-épreuve résidant d'ailleurs dans le fait qu'on ne le trouve jamais sous une plume « cathare ».

Il en est de même des mots *parfait* et *parfaite*. Ce sont les inquisiteurs qui employaient les formules *hereticus perfectus*, *heretica perfecta*, pour distinguer des simples croyants les hommes et les femmes qui, ayant reçu le *consolament*, étaient devenus *hérétiques accomplis*, *hérétiques achevés*, au sens étymologique du mot *perfectus*, sans qu'aucune idée de perfection morale n'intervienne là non plus. Et pas plus que le mot *cathare*, celui de *parfait* n'était en usage dans la société hérétique. Ceux et celles qui avaient reçu le *consolament* étaient dits « Amis de Dieu », « Bons Hommes », « Bonnes Dames », « Bons Chrétiens », « Bonnes Chrétiennes », parfois simplement « Chrétiens » et « Chrétiennes », puisque, aussi bien, comme chez les catholiques, c'est le baptême qui fait le chrétien, en l'occurrence, ici, l'imposition des mains.

Reste la rigueur de l'ascèse imposée aux *consolés*. Mais ce ne sont quand même pas les cathares qui ont inventé la continence et l'abstinence de nourriture carnée ! Ils ne font que reprendre la pratique du monachisme ou du cénobitisme le plus ancien.

Bien sûr, le *consolament* est chez eux la voie obligée du salut. Or il équivaut, on l'a dit, à une entrée en religion, qu'on le reçoive à titre de sacrement d'ordination pour s'agréger à une communauté, ou, sur son lit de mort, à titre de baptême des mourants, moyennant quoi les mêmes abstinences s'imposent jusqu'au dernier souffle. Autrement dit, le salut passe nécessairement par l'état religieux, quel que soit l'âge auquel on reçoit le sacrement qui y introduit, et quelle que soit la durée pendant laquelle on l'assume – quelques heures ou toute une vie. Mais rien n'est moins original ! Il a fallu des siècles à l'Église catholique pour admettre qu'on pouvait faire son salut en dehors du célibat de l'état monacal ou de la prêtrise – autrement dit dans l'état de mariage, ce qui ne fut accepté qu'en faisant de celui-ci une institution chrétienne, assortie d'un sacrement et d'une règle. En posant que le salut ne peut s'obtenir qu'en finissant sa vie, si peu de temps que ce fût, en état religieux, le catharisme campait donc sur des positions radicales qui avaient été celles de l'Église des premiers temps. Voilà qui exclut de voir en lui une sorte de soudaine explosion de révolution intégriste destinée à « purifier » le peuple chrétien, mais qui milite au contraire en faveur de l'ancienneté de la tradition dont il se nourrissait et, pour tout dire, de son archaïsme.

Suggérée par un vocabulaire inadéquat – mais que nous continuerons à utiliser pour des raisons de simple commodité, puisque la tradition historiographique l'a fixé –, la suspicion de fanatisme asocial ne pouvait que se trouver renforcée par l'emploi systématique, par ses adversaires, du mot *secte*. Les inquisiteurs étaient les premiers à le souffler aux gens qu'ils interrogeaient. « Entrer dans la secte », c'est recevoir le *consolament* d'ordination ou celui des mourants, c'est « se donner aux hérétiques », comme on dit aussi, soit tout à fait volontairement, soit parfois, dans sa prime jeunesse, contraint et forcé par une mère ou une grand-mère elle-même devenue parfaite. « Tenir la secte », c'est demeurer en l'état de parfait ou de parfaite, en respecter la règle et en assumer les charges et les devoirs, publiquement avant la croisade, clandestinement sous l'Inquisition. « Quitter la secte », c'est abandonner spontanément ledit état pour revenir au siècle, et en général se marier – tout en demeurant, dans la majorité des cas connus, bon croyant ou bonne croyante, quitte à recevoir un nouveau *consolament* au moment de mourir.

On voit bien ce que ce mot de *secte* a de réducteur. Il évoque immanquablement un milieu très minoritaire et, surtout, très fermé. Or la réalité sociologique du catharisme est tout autre. Il arrive d'ailleurs que le mot d'*Église* échappe aux déposants de l'Inquisition – et les notaires de celle-ci, honnêtement, l'enregistrent. Car c'est bien de cela qu'il s'agit en fait. Au sens large, d'abord : l'ensemble des hommes et des femmes qui partagent la même foi, c'est-à-dire les simples fidèles et ceux d'entre eux qui sont entrés en religion grâce à un sacrement et à l'engagement de se vouer à une vie différente régie par une règle. Ces derniers, hommes et femmes, constituent alors l'Église cathare au sens étroit, au sens institutionnel, autrement dit son clergé, avec sa hiérarchie, largement calquée d'ailleurs sur celle de l'Église catholique.

C'est ici que les recherches effectuées dans les dernières décennies ont été particulièrement fructueuses, grâce à l'étude des procédures inquisitoriales, non plus dans le but d'analyser le fonctionnement du système et son évolution, ce qui avait été remarquablement fait par des érudits tels qu'Émile Vacandard et Célestin Douais, plus récemment par Yves Dossat et Henri Maisonneuve, mais afin d'avoir une vision concrète et rapprochée de cette société cathare qui constitue le matériau humain auquel justement ces procédures s'appliquaient.

Napoléon Peyrat avait bien eu l'intuition, à la fin du XIXe siècle, que le catharisme avait été non seulement un fait religieux, mais aussi une réalité sociale. Mais la société qui habite sa « patrie romane », trop exclusivement peuplée de nobles héros, de troubadours, de chevaliers au cœur vaillant et de belles châtelaines, est – compte tenu, aussi, d'un nombre incommensurable d'erreurs – une transfiguration poétique et romanesque de la réalité bien plus que sa peinture. Jean Guiraud, dès 1907 puis dans les années 1930, exploita avec rigueur les sources judiciaires afin d'évoquer, avec infiniment plus de précision que ses prédécesseurs, les croyances et les comportements. Mais c'est avec Jean Duvernoy que l'exploration systématique et ordonnée de ces mêmes sources fit réellement pénétrer dans la société cathare, en même temps qu'elle débouchait sur la description concrète du vécu quotidien des parfaits autant que des croyants. Son article de 1963 sur « Les cathares dans la vie sociale et économique de leur temps[1] », outre ce qu'il apporta sur le fond – en montrant

---

1. *Annales de l'Institut d'études occitanes*, Actes du colloque de Toulouse de septembre 1963, Apt, 1964, p. 64-72.

notamment que la règle obligeait parfaits et parfaites à vivre du travail de leurs mains –, indiqua la méthode propre à mener des investigations nouvelles dans des documents connus, mais qu'il fallait attaquer désormais sous un angle nouveau. Les articles qu'il publia par la suite sur les évêques cathares Guilhabert de Castres et Bertrand Marty, sur la noblesse croyante du comté de Foix, les travaux d'Annie Cazenave, de John H. Mundy, de Walter L. Wakefield, d'Anne Brenon, les monographies que j'ai pu moi-même consacrer à des personnages, à des lignages ou à des communautés villageoises, tout conduisait à renoncer à voir dans l'Église cathare une secte arrachant ses adeptes au monde et à la vie sociale pour leur faire vivre une existence ascétique qui, généralisée, aurait à terme condamné l'espèce humaine à l'extinction.

Au contraire, et ce ne fut pas la moindre de mes surprises, je me suis trouvé devant des hommes et des femmes ordinaires, bien de leur temps, bien de chez eux et, pour parler familièrement, bien dans leur peau, dont il se trouve que les aspirations spirituelles et les inquiétudes religieuses – essentiellement le souci de faire le salut de leur âme – avaient été canalisées, pour mille raisons, sur d'autres voies que celles de l'Église officielle. Plusieurs centaines de parfaits et de parfaites, plusieurs dizaines de milliers de croyants sur lesquels on peut mettre aujourd'hui un nom, le panel sur lequel il est loisible de travailler est suffisamment large pour être tout à fait représentatif et, sans anticiper sur le chapitre que nous consacrerons, précisément, à la société cathare, on peut assurer le lecteur que l'on n'a pas affaire à une aberration sociologique, à une quelconque tératologie de la conscience occidentale, mais simplement à des gens convaincus que le salut passait par les recettes qu'indiquait « la bonne Église », comme disaient entre eux les croyants cathares – ce qui n'empêchait pas beaucoup d'entre eux de garder quand même un pied dans l'autre...

Société mouvante, assurément complexe, riche de toutes les nuances qui peuvent affecter l'adhésion à une foi donnée – de toutes les naïvetés aussi dont peut se parer une option religieuse qui ne repose évidemment pas, dans l'immense majorité des cas, sur une réflexion théologique. Société qui, c'est certain, aima profondément le « bon Dieu », mais que le spectacle du monde fit parfois douter de sa toute-puissance. Société bien installée dans les structures du monde féodal, mais qui n'hésita pas à en remettre en question certains aspects au nom, parfois, d'une référence appuyée au message apostolique. Société qui, enfin, fit preuve d'un réel courage et d'un sens éminent de la solidarité dans la défense de son bien commun.

Quant à savoir si les cathares lisaient les Évangiles à l'endroit ou bien, comme le leur reprochaient leurs adversaires, à l'envers, c'est évidemment une tout autre question...

NOTE SUR LES SOURCES

Le lecteur trouvera en fin de volume la liste des sources utilisées. Je n'ai pas cru devoir donner mes références au fur et à mesure et point par point dans le présent ouvrage : il s'en serait trouvé considérablement alourdi. Elles figurent toutes dans les cinq livres que j'ai précédemment consacrés à l'histoire du catharisme. En revanche, et afin mettre à jour la bibliographie, je mentionne en note les travaux parus postérieurement à ces cinq ouvrages, respectivement publiés en 1970, 1977, 1986, 1989 et 1998.

PREMIÈRE PARTIE

L'ESSOR DE L'HÉRÉSIE DUALISTE

1

Des bogomiles aux cathares

C'est aux environs de l'an 950, si l'on en croit le libelle du prêtre bulgare Cosmas, *Discours contre la récente hérésie de Bogomil*, qu'un certain pope ainsi nommé se mit à répandre en Bulgarie des croyances fort subversives, qu'on taxa vite de « manichéennes », du fait qu'elles imputaient au diable, et non à Dieu, la création du monde visible. Ses principaux centres de prédication étaient la région de Preslav, non loin de la mer Noire, et le cœur de la Macédoine, autour d'Okhrida. Les adeptes du pope hérétique furent vite appelés, en Bulgarie puis dans tout l'Empire byzantin, les *bogomiles*.

Comme *bogomil* signifie en vieux slave « digne de la pitié de Dieu » ou « aimé de Dieu », ce qu'on peut rapprocher du grec *théophile*, « qui aime Dieu », on peut penser que notre pope donna son nom à ses fidèles – en quelque sorte les *théophiliens*. Mais peut-être faut-il inverser l'ordre des choses, et considérer qu'on avait affaire à un mouvement qui se nommait les *bogomili*, les « Aimés de Dieu » ou les « Amis de Dieu », et que son fondateur prit alors ou qu'on lui donna pour pseudonyme *Bogomil*. Quoi qu'il en soit, une chose paraît certaine : une doctrine dualiste est prêchée au milieu du Xe siècle dans une partie des Balkans ; ses adeptes, qui se présentent comme meilleurs chrétiens que les orthodoxes, ne se contentent pas d'attribuer au diable la création du monde matériel et des corps : ils tournent en dérision la vénération de la croix et des reliques, comme le culte des icônes ; donnant une interprétation purement allégorique de la dernière Cène, selon laquelle, par « mon corps et mon sang », le Christ désignait son propre message, ils nient la présence réelle du Sauveur dans l'hostie, et rejettent donc l'eucharistie et la messe ; ils réprouvent également le baptême catholique, s'insurgeant surtout contre celui des petits enfants ; ils condamnent le sacrement du mariage et déclarent nulle la confession faite au prêtre ; ils nient que le Christ soit né de la Vierge Marie et qu'il ait fait des miracles ; ils s'interdisent de manger de la viande, non point par abstinence, comme les moines catholiques, mais parce qu'ils l'estiment impure ; ils dénient toute valeur à la Loi de Moïse et aux Livres des prophètes ; ils récusent l'autorité de l'Église catholique et de ses ministres...

Cent ans environ après le *Discours* de Cosmas, la *Panoplie dogmatique* du théologien grec Euthyme Zigabène complétera fort pertinemment cette description des bogomiles sur des points importants laissés dans l'ombre par le prêtre bulgare. Certes, ce dernier nous montre les hérétiques se confessant les uns aux autres, comme le feront les cathares occitans avec leur cérémonie de l'*apparelhament*. Il nous dit aussi qu'ils se contraignent à jeûner souvent, à réciter plusieurs fois par jour leur unique prière, le *Pater*, et à travailler de leurs mains, même les jours de fête. En revanche, il ne nous dit rien sur leur conception du salut et des voies qui y mènent. Il faut attendre Euthyme pour savoir que, récusant le baptême d'eau des catholiques, ils pratiquent leur propre baptême en imposant les mains et l'Évangile de Jean afin d'infuser le Saint-Esprit. On reconnaît là, déjà, le rituel du *consolament* des cathares. Euthyme comble du même coup une autre lacune laissée par Cosmas, et qui concerne l'organisation ecclésiale des bogomiles : le baptême par imposition des mains fait accéder le simple fidèle au rang d'*élu*, ce qui annonce évidemment la distinction qui se fera plus tard, à propos des cathares, entre les simples *croyants* et les « hérétiques accomplis » – ceux-là mêmes que l'Inquisition appellera les *hérétiques parfaits* et qui, hommes et femmes confondus, constitueront le clergé de leur Église. D'autres sources nous renseignent, quoique de façon sommaire et pas toujours très claire, sur la hiérarchie bogomile : elles nomment plusieurs successeurs de Bogomil lui-même, dont l'un, le médecin byzantin Basile, fut brûlé à Constantinople vers 1110. Elles nous livrent aussi diverses listes de *djed*, évêques ou dignitaires, dont l'une concerne une Église hérétique de Bosnie qui paraît remonter aux alentours de l'an mille, et qui pourrait avoir eu son origine chez les bogomiles de Macédoine[1].

---

1. Cf. J. DUVERNOY, *La religion des cathares*, Toulouse, Privat, 1976, p. 348-351.

Voilà donc, avec le bogomilisme, la plus ancienne manifestation du vaste et profond courant de contestation qui, cinq siècles
durant, va battre en brèche le dogme et l'autorité des Églises
catholiques – celle de Constantinople comme celle de Rome
après le schisme de 1054. L'hérésie bulgare affiche en effet dès
avant l'an mille tous les traits essentiels de la religion que profes-
seront dans une grande partie de l'Europe occidentale – fût-ce
avec des variantes selon les lieux et les époques – ceux qu'on
appellera deux siècles plus tard « cathares », qui s'appelleront
eux-mêmes « Amis de Dieu », et qui disparaîtront de l'Occident
latin au cours du XIVᵉ siècle, alors que leurs homologues balka-
niques se maintiendront en Bosnie jusqu'à l'arrivée des Turcs
dans la deuxième moitié du XVᵉ, puis se convertiront à l'islam,
qui est toujours la religion de leurs lointains descendants.

Ce qui ne veut pas dire qu'on tienne, avec le bogomilisme, le
point de départ absolu, la source unique et commune de toutes
les manifestations de l'hérésie dualiste. Que le bogomilisme ait
essaimé, certes ! On n'en saurait douter. Dans tous les Balkans
d'abord. Très tôt semblent apparaître deux « ordres » bogomiles,
celui dit de Bulgarie – Preslav et Okhrida – et celui de Dragovitie,
dans le sud de la Macédoine – sans parler de l'Église de Bosnie.
Les actes du concile cathare qui se tint en 1167 à Saint-Félix-
Lauragais près de Toulouse nous apprennent l'existence d'une
autre Église slave, celle de Dalmatie, et de l'Église de Mélinguie
dans le Péloponnèse, en plus, évidemment, de l'Église de
Constantinople, dite alors Église de Romanie. Quant à l'Asie
Mineure byzantine, elle fut atteinte, et très largement, dans toute
sa façade égéenne, dès le début du XIᵉ siècle, avec Philadelphie
comme centre d'une Église locale qui rayonnait sur Nicée,
Pergame, Smyrne, Éphèse, Milet, plus à l'intérieur sur Akmonia.

Qu'en fut-il de l'Occident ? Parler de missions bogomiles ou
de plusieurs vagues de prédication bogomile est une explication
parfois avancée, mais bien audacieuse[1] ! Les indices d'un véritable rayonnement du bogomilisme en tant que tel y sont en fait
extrêmement ténus. Ils suffisent quand même à montrer que l'hérésie balkanique était connue en Europe occidentale, et parfois
même pensée comme Église mère : aux alentours de 1143, des
hérétiques arrêtés près de Cologne révèlent, avant d'être brûlés,

---

1. Pour Raoul VANEIGEM, *La résistance au christianisme*, Paris, Fayard, 1993, p. 267-272,
une première vague se placerait dans la première moitié du XIᵉ siècle, une deuxième dans la
seconde moitié du XIIᵉ.

que leur religion « est restée cachée jusqu'à aujourd'hui depuis le temps des martyrs, et s'est maintenue en Grèce et en d'autres pays ». En 1167, c'est le chef de l'Église de Constantinople, Nicétas, qui vient en Languedoc présider le concile cathare de Saint-Félix, ce qui implique, s'il a vraiment eu lieu, qu'on lui reconnaît, sinon l'autorité suprême, au moins une certaine prééminence – ne fût-ce, peut-être, qu'eu égard à l'ancienneté de son Église. Au demeurant, la question de savoir si les diverses Églises dualistes avaient un pape – en l'occurrence un antipape – a préoccupé les polémistes catholiques du temps : ils y ont souvent répondu par l'affirmative, mais sans données suffisamment probantes pour qu'on puisse les suivre sans réserve. Le titre même que les Actes de Saint-Félix donnent à Nicétas – *papa* – peut être lu *pope*, *père* ou *pape*. Or c'est le seul texte d'origine cathare qu'on puisse verser au dossier – sous réserve de son authenticité –, tous les autres provenant des catholiques et les mentions d'un pape des hérétiques n'y étant qu'allusives, vagues et sans précisions[1]. On est au niveau de la rumeur – ou de l'effroi ! – beaucoup plus qu'à celui de la certitude. Il y a tout lieu de penser que même si, à l'occasion, les diverses Églises hérétiques savaient rappeler que les plus anciennes d'entre elles étaient celles des Balkans, et savaient également, quand il le fallait, en appeler à celle de Constantinople, il n'y eut jamais de réelle subordination à cette dernière comme si celle-ci avait été l'origine ou la matrice de toutes les autres. Qu'elle ait pu avoir, au moins à l'époque du concile de Saint-Félix, une relative prééminence, n'implique nullement qu'elle ait exercé sur les autres Églises une autorité sans partage, à l'image du Saint-Siège pour l'Église romaine. La nébuleuse hérétique ne fut jamais, du XIe au XIVe siècle, une institution centralisée. Ce fut une multitude d'Églises indépendantes. Mais – si l'on excepte quelques groupes aussi éphémères que marginaux dont le destin fut lié de très près à celui de leurs « prophètes » respectifs, un Tanchelm, un Éon de l'Étoile ou un Pierre de Bruis – cette indépendance des Églises dualistes ne les empêchait pas d'avoir profondément conscience d'être sœurs et d'appartenir toutes à la même et véritable Église du Christ héritée en ligne directe des apôtres, comme en est clairement persuadé le *Rituel* cathare occitan : « Ce saint baptême par lequel le Saint-Esprit est donné, l'Église de Dieu l'a gardé depuis les apôtres

---

1. Le point de la question dans J. DUVERNOY, *La religion*, *op. cit.*, p. 240-243.

jusqu'à maintenant, et il est venu de Bons Hommes en Bons Hommes jusqu'ici, et elle le fera jusqu'à la fin des temps... » De cette appartenance témoigne bien, d'ailleurs, l'identité des noms que les hérétiques se donnaient à eux-mêmes : Bons Hommes, mais aussi Bons Chrétiens, voire Chrétiens tout court en Occident, là où ceux de Bosnie se disaient *Krestjani*, ou encore Amis de Dieu, répondant quasi littéralement, on l'a vu, aux *Bogomili* de Bulgarie.

Quoique ayant intérêt à diviser le courant hérétique en un pullulement de groupuscules afin de mieux faire ressortir l'unité de la vraie foi – et ils ne s'en sont pas privés – les polémistes catholiques ont eux-mêmes reflété par leur vocabulaire l'identité qui liait entre elles les différentes Églises hérétiques d'Occident, et ont même involontairement accrédité l'idée d'une commune origine : cela par l'emploi qu'ils ont fait du mot *Bulgare*, ou *Bougre* qui en est un doublet populaire. Vladimir Topentcharov a relevé un nombre saisissant de textes du premier quart du XIIIe siècle où les mots *bulgari, boulgres, bogres,* etc., s'appliquent sans conteste aux cathares[1]. Il n'est pas jusqu'au poète Guillaume de Tudèle qui, au début de sa *Chanson de la Croisade albigeoise*, ne parle de *cels de Bolgaria*, « ceux de Bulgarie », pour désigner les docteurs hérétiques – tous occitans ! – avec lesquels les autorités catholiques disputèrent à Carcassonne en 1204... C'est assez dire qu'il devait être de notoriété publique que le catharisme avait son origine outre-Adriatique. Ce n'était certainement pas tout à fait vrai, si l'on entend par là une filiation directe qui aurait découlé d'une sorte d'évangélisation systématique de l'Occident par des missionnaires bogomiles : bien des victimes des bûchers qui se dressèrent à partir des premières années du XIe siècle ne paraissent rien devoir au bogomilisme. Mais ce n'était pas tout à fait faux non plus. Que, de la Lombardie à la Flandre et à la Rhénanie, de la Catalogne et de l'Occitanie à la Champagne, à la Bourgogne et à l'Angleterre, il y ait eu, sur le fond d'un grand brassage d'idées, d'une profonde agitation spirituelle et d'un anticléricalisme endémique, des surgissements spontanés de contestation à la fois éthique et théologique, n'interdit pas qu'une certaine influence balkanique ait aidé çà et là cette contestation à se théoriser en une cosmogonie et une sotériologie dualistes. Vers 1190

---

1. V. TOPENTCHAROV, *Bou(l)gres et Cathares,* Paris, Seghers, 1971, p. 13 et suiv. Cf. également J. DUVERNOY, *La religion, op. cit.,* p. 309-311.

encore, un apocryphe du IIe siècle en usage chez les bogomiles, l'*Interrogatio Johannis*, dit encore *La Cène secrète*, fut apporté « de Bulgarie » à l'évêque cathare italien de Concorezzo, Nazaire, et une copie en sera trouvée au XVIIe siècle dans les archives de l'Inquisition de Carcassonne, certainement saisie, et d'ailleurs annotée, par les inquisiteurs... Ce ne fut sans doute pas, sur les cinq siècles d'histoire de l'hérésie dualiste, le seul et unique échange entre bogomiles et cathares ! Il est du reste symptomatique que les grands foyers occidentaux de dualisme jalonnent les grandes voies commerciales, autrement dit les grands axes de circulation des gens, des choses, et des idées : vallées du Pô, du Rhône, de la Saône et du Rhin, Bourgogne, Champagne, Flandre, Val de Loire, seuil du Poitou, seuil du Languedoc, pays garonnais...

Mais n'est-ce pas, à tout prendre, une question quelque peu oiseuse, que de se demander si le catharisme vient tout entier du bogomilisme ou s'il a spontanément éclos sans son influence directe ? S'il n'en sort pas, il le rejoint en tout cas sur les points essentiels, et, à le traiter comme en étant, au fond, la version occidentale, on ne trahit ni l'un ni l'autre.

En Occident : la vague du XIe siècle

Les premiers indices d'une agitation hétérodoxe en Occident sont repérables dès l'an mille. Un habitant de Vertus, en Champagne, un certain Leutard, connu pour briser les croix et refuser de payer la dîme, aurait été expulsé par l'évêque de Châlons. Les quelques adeptes qu'il avait faits ayant été ramenés par ce dernier à la foi catholique, Leutard se serait suicidé en se jetant dans un puits. Les faits sont peut-être légendaires, mais il reste que douze ans plus tard un synode dut se réunir à Châlons pour sévir contre des manifestations patentes d'anticléricalisme. Faut-il voir en elles des prodromes d'hérésie ? On n'en sait rien, car les sources sont muettes sur les croyances qui pouvaient sous-tendre de tels comportements.

On n'est guère plus avancé avec les victimes du bûcher dressé à Toulouse vers 1022, si ce n'est que le seul chroniqueur qui en parle, Adémar de Chabannes, dit quand même que c'étaient des « manichéens » – sans autre précision, hélas ! « Manichéens » aussi, les hérétiques qui seraient apparus en Aquitaine quatre ou cinq ans plus tôt, et qu'on traite de « messagers de l'Antéchrist ». Adémar ne nous dit pas s'ils furent arrêtés, mais nous livre sur eux des informations minimales qui vont vite devenir, ou qui sont peut-être déjà, des clichés de l'hérésiologie médiévale : ils rejettent le baptême et la croix, ils se livrent au jeûne, se donnent l'apparence de moines et feignent la chasteté – mais se livrent entre eux à la luxure. Toujours selon Adémar de Chabannes, le duc d'Aquitaine aurait réuni vers 1027 à Charroux, en Poitou, un concile d'évêques et d'abbés « pour éteindre les hérésies répandues dans le peuple par les manichéens ».

Tout cela est bien vague et bien flou, et le chroniqueur lui-même ne paraît pas attacher grande importance à cette agitation. Ce qui se passa à Orléans à l'époque même du bûcher de Toulouse fut autrement grave. Un chanoine de la cathédrale Sainte-Croix et le supérieur de la collégiale Saint-Pierre, confesseur de la reine Constance, tous deux fort lettrés et passant pour des parangons de sainteté, furent dénoncés comme ayant fondé une véritable secte dans laquelle ils avaient entraîné une dizaine de clercs et quelques laïcs. Arrêtés par surprise au cours d'une réunion, ils comparurent devant un concile présidé par le roi Robert le Pieux, furent solennellement dégradés, et brûlés avec leurs adeptes le jour de la Noël 1022. C'est alors qu'il quittait la basilique, où avait eu lieu le procès, que la reine Constance, brandissant sa canne, creva un œil à son confesseur...

Si l'on inventorie les croyances que les diverses sources imputent à ces « manichéens », et si l'on exclut celles qui sont évidemment guidées par la pure malveillance – adoration du diable, communion avec de la poudre d'enfants morts apportée « par un paysan qui prétendait avoir des pouvoirs magiques », abominations, débauches et crimes divers accomplis en cachette –, on se trouve devant un corpus doctrinal assez cohérent très voisin de ce qu'on appellera plus tard l'hérésie des cathares : tout en se prétendant de vrais chrétiens, ils ne croient pas que le Christ soit réellement né de la Vierge Marie, ait réellement revêtu un corps de chair et ait réellement souffert – ce qui est du pur docétisme ; ils ne croient pas que le baptême d'eau fasse rémission des péchés ; ils ne croient pas que le pain et le vin de la messe puissent, par la consécration du prêtre, être changés en corps et en sang du Christ – toutes choses qui ne peuvent découler que de l'imputation de la création de la matière à un mauvais principe ; ils croient que le salut relève de l'imposition des mains, parce qu'elle est le don du Saint-Esprit consolateur, qui révèle « le sens profond et la vraie dignité des Écritures ». Le meneur de cette « abominable congrégation » reconnut sans difficulté devant ses juges les articles de la foi qu'il professait, et c'est justement parce qu'il ne voulut pas en démordre qu'il fut condamné, avec tous ses compagnons.

Les hérétiques interpellés à Arras en janvier 1025 et traduits devant un synode présidé par l'évêque du lieu n'échappèrent à un tel sort que parce que, après avoir confessé leurs croyances, ils se rendirent aux arguments du prélat, reconnurent être dans l'erreur et abjurèrent solennellement en souscrivant à une profession de foi écrite qui affirmait ce qu'auparavant ils niaient : l'efficacité du baptême d'eau, la valeur du sacrement de pénitence et du mariage, l'incarnation du Christ et sa présence réelle dans l'hostie, le bien-fondé de la vénération des saints et des martyrs. Ils avaient par ailleurs expliqué que leur foi leur faisait obligation de vivre du travail de leurs mains, de « retenir la chair de la concupiscence », de ne faire de mal à personne et de pratiquer la charité envers le prochain. Ce pourquoi ils s'étaient considérés comme d'authentiques chrétiens. Autres traits qui les rapprochent de ceux qu'un siècle et demi plus tard on dira cathares : ils pensaient que l'indignité d'un clerc rendait nuls les sacrements qu'il conférait – alors que pour l'orthodoxie le sacrement est opérant par lui-même – et qu'il est aberrant de donner le baptême à de petits enfants qui ne l'ont pas demandé et ne peuvent en connaître la signification. Enfin, ils avaient assuré tenir leurs croyances d'un certain Gondolphe qui était venu d'Italie avec un groupe de prédicateurs.

Cette dernière affirmation est invérifiable. Il est cependant assuré que l'hérésie se développait alors en Italie. A une date imprécise qui doit se situer aux alentours de 1030, l'archevêque de Milan découvrit qu'un certain Gérard avait converti à ses mauvaises croyances la noblesse de Monteforte, un *castrum* disparu que les sources situent tantôt dans le diocèse d'Asti, tantôt dans celui de Turin. Il fit arrêter Gérard et l'interrogea longuement. Ce qu'il entendit l'incita à opérer une véritable rafle. La comtesse de Monteforte fut parmi les personnes arrêtées et transférées à Milan. Le pouvoir laïc aurait alors dressé, malgré l'opposition de l'archevêque, d'un côté une grande croix, de l'autre un bûcher, et aurait obligé les hérétiques à choisir. « Quelques-uns vinrent à la croix du Seigneur, confessèrent la foi catholique et furent saufs, tandis que beaucoup allèrent aux flammes et moururent misérablement. »

C'est en Champagne cependant que la question de l'hérésie rebondit spectaculairement. En 1048, l'évêque de Châlons demanda conseil au prince-évêque de Liège, Wason, sur le sort à réserver aux paysans qui, dans son diocèse, suivaient « le dogme pervers des manichéens ». Et la lettre de l'évêque de préciser que lesdits paysans « prétendent donner le Saint-Esprit par une sacrilège imposition des mains, abhorrent le mariage, et ne mangent pas de viande ». Wason répondit qu'il fallait préférer la persuasion à la violence, la miséricorde à la vindicte, qu'il était donc exclu d'envoyer les hérétiques à la mort, et qu'il suffisait de les frapper d'excommunication.

Quand, l'année suivante, un concile se réunit à Reims sous la présidence du pape Léon IX, Wason était mort, et l'on ne tint guère compte de ses conseils de modération : certes, on décide d'excommunier « les nouveaux hérétiques qui surgissent de toute part » – on dit même que « l'hérésie pullule en Gaule » –, mais on ajoute que tout hérétique arrêté sur dénonciation sera traduit devant le tribunal épiscopal, condamné et brûlé. De fait, peu de temps après, un « manichéen » fut livré au bûcher par l'évêque d'Arras, tandis qu'à Châlons même ce fut la foule, paraît-il, qui arracha plusieurs hérétiques à leurs geôles et les brûla. C'est par la pendaison, en revanche, qu'à la Noël 1052, l'empereur Henri III régla le sort de quelques hérétiques arrêtés à Goslar, en Saxe.

Le concile qui se tint à Toulouse en septembre 1056 semble avoir un peu durci les mesures répressives édictées par celui de Reims, en ce sens qu'apparaît, dans son canon 13, la notion de complicité d'hérésie : doit être excommunié, en effet, quiconque a quelque relation que ce soit avec des hérétiques, « à moins que ce ne soit dans le but de les ramener à la foi catholique par la réprimande ou la persuasion ».

Et puis plus rien pendant un demi-siècle...

De la réforme grégorienne à la deuxième vague

Il est difficile d'appréhender globalement cette première vague d'hétérodoxie attestée durant toute la première moitié du XIᵉ siècle. Les accusations apparemment précises portées contre les divers hérétiques se recoupent certes sur plusieurs points, mais pas de façon constante. Si hérésie il y a, elle est en quelque sorte à géométrie variable. Il est incontestable que la quasi-totalité des croyances reprochées à ces divers hérétiques se retrouveront au siècle suivant comme constitutives du catharisme. Il serait cependant hasardeux de concevoir tous ces mouvements comme les manifestations successives d'un même et unique courant, à plus forte raison de considérer tous leurs adeptes comme les membres d'une sorte de Contre-Église unifiée. Tous participent certes d'une poussée à la fois antisacramentelle et antisacerdotale, compte tenu que s'ils remettent en question la validité des sacrements, c'est, disent-ils, à cause de l'indignité des clercs qui les dispensent, ce qui témoigne à tout le moins du sentiment bien ancré que l'Église doit se réformer. Mais on peut justement se demander si ce n'est pas parce que ces gens qui aspirent à la réforme, ces « refondateurs », dirait-on aujourd'hui, apparaissent peu ou prou comme des agents de rupture, qu'on va les faire passer pour de véritables dissidents en leur appliquant des accusations préfabriquées propres à faire croire qu'ils participent d'une entreprise unique de déstabilisation de la foi catholique, de l'Église romaine, voire de la chrétienté tout entière. Ainsi put naître le concept univoque d'hérésie, dont l'Église a peut-être même exagéré le danger qu'elle représentait réellement, au moins à cette époque, afin de mieux inciter les esprits à la redouter et à la combattre. D'où l'affirmation si souvent renouvelée qu'elle était une opération suscitée par le diable – que les hérétiques, d'ailleurs, veut-on nous faire accroire, adorent en cachette...

Si bien que les auteurs catholiques, polémistes ou chroniqueurs, vont se trouver pris, et ce jusqu'au début du XIIIe siècle, dans une contradiction certaine mais qui, apparemment, ne les gêne pas. Ils vont insister sur la multiplicité des courants, sur la diversité des hérétiques et sur ce qui les oppose parfois entre eux – ce qui ne fait que mieux ressortir l'unité de la foi catholique et du magistère romain –, et dans le même temps ils vont brandir le concept de l'hérésie au singulier, comme étant par excellence le péril qui menace la foi et l'Église. C'est assez dire que sous ce concept on regroupe toutes les formes d'opposition ou de contestation, voire simplement de marginalité. Citer par exemple le clerc toulousain Guillaume de Puylaurens, témoin et chroniqueur de la croisade albigeoise, est très symptomatique : « Le vieil ennemi introduisit en cachette dans ce pauvre pays des fils de perdition [...] Il y avait des ariens, des manichéens, et aussi des vaudois ou lyonnais. Bien qu'ils fussent divisés entre eux, ils conspiraient tous à la perte des âmes contre la foi catholique [...] Ainsi, grâce à eux, le diable possédait la terre dans sa paix à lui, comme son foyer. » Tout cela juste après avoir écrit qu'il allait relater « l'extirpation de l'hérésie », concept qui regroupe bel et bien sous lui toutes les hérésies... Une image mythologique viendra en 1198 sous la plume du pape Innocent III pour résoudre la contradiction : parlant des vaudois, des cathares et des patarins, qui sont autant de « petits renards qui ravagent la vigne du Seigneur », il dira que si leurs têtes sont diverses, ils sont attachés entre eux par leurs queues. Bref, l'hérésie est une hydre[1].

Pour en revenir au début du XIe siècle, deux choses sont encore à remarquer. Les procès faits aux hérétiques recouvrent si bien, parfois, des querelles d'ordre politique, qu'on peut se demander si dans certains cas — par exemple à Orléans en 1022, à Arras en 1025 – les accusations d'hérésie n'ont pas été fabriquées de toutes pièces[2]. Il reste qu'il fallait bien que les accusations aient au moins une apparence de crédibilité. La cohérence des croyances imputées aux hérétiques d'Orléans, qui découlent toutes de la même option docétiste fortement teintée de gnosticisme, ne peut être une construction tout à fait artificielle, le fruit spontané de la seule malveillance des juges. A supposer que les condamnés d'Orléans et d'Arras aient été faussement accusés d'être hérétiques, ce ne sont pas leurs juges qui ont pu inventer l'hérésie elle-même comme système idéologique homogène, dont nous savons que ses adeptes le tiraient point par point des Écritures. Il eût fallu que les juges catholiques aient été eux-mêmes parfaitement rompus à la lecture dualiste et pour tout dire gnostique de la Bible, afin d'élaborer pour les besoins de leur cause un système purement imaginaire qu'ils auraient ensuite imputé aux gens dont ils souhaitaient se débarrasser. D'une telle virtuosité à entrer dans les raisons et dans la logique d'une foi opposée à la leur, les premiers ouvrages antihérétiques permettent largement

---

1. Bulle du 21 avril 1198, dans *Die Register Innocenz III*, tome I, Cologne 1964, p. 136. Cf. J.-L. BIGET, « Les albigeois, remarques sur une dénomination », dans *Inventer l'hérésie ? Actes du actes du séminaire de Nice 1993-1996*, Nice, université Sophia-Antipolis, 1998, p. 219 et suiv.

2. Cf. Robert I. MOORE, *La persécution, sa formation en Europe, Xe-XIIIe siècle*, Paris, les Belles Lettres, 1991, p. 20-21 ; Guy LOBRICHON, « Arras 1025, ou le vrai procès d'une fausse accusation », dans *Inventer l'hérésie ?, op. cit.*, p. 67-85.

de douter. Même au début du XIIIe siècle, un Durand de Huesca ne comprendra pas grand-chose, finalement, au traité cathare anonyme qu'il tentera de réfuter.

Ce qui prouve par ailleurs qu'il y avait bien un terreau sur lequel l'« hérésie » pouvait naître par elle-même, c'est qu'il n'est plus question d'hérétiques tout au long de la seconde moitié du XIe siècle, pendant la mise en œuvre de la réforme grégorienne... Et ce parce que les pulsions réformatrices et les aspirations évangéliques qui avaient pu animer un certain nombre d'authentiques chrétiens, mais en générant l'« hérésie », avaient été enfin satisfaites, en grande partie, par la politique pontificale.

Il y eut bien, vers 1077, cet homme, un certain Ramihrd, qui, interrogé par l'évêque de Cambrai, refusa de recevoir la communion sous prétexte qu'il ne se trouvait pas un seul prêtre digne de la lui donner. Mais c'est bien la contre-épreuve de ce qu'on vient de dire. Ramihrd fut jugé, condamné comme hérétique, et brûlé. Sur quoi le pape Grégoire VII, le considérant comme un martyr, protesta auprès de l'évêque et jeta l'interdit sur la ville...

Ensuite, quand, au début du XIIe siècle, les effets de la réforme grégorienne, peu à peu atténués, ne se font plus sentir, l'« hérésie » repart de plus belle. Et cette fois, non seulement ses manifestations se rapprochent dans le temps mais elles s'élargissent dans l'espace. De plus, sur le fond d'une agitation multiforme et désordonnée qui prend parfois l'allure de soulèvements populaires incontrôlés ou de mouvements suscités par des illuminés – comme ce fort pittoresque Tanchelm, bonimenteur à la fois démagogue et libertin, qui fit des émules en Flandre dans les années 1110 avant de mourir assassiné –, se détachent des personnalités de meneurs anticléricaux dont les incontestables talents de prédicateurs firent des ravages, et pas seulement chez les gens simples ni chez les seuls laïcs. Pierre de Bruis était un curé dauphinois violemment contestataire qui, chassé des évêchés alpins, se réfugia dans la basse vallée du Rhône, où son comportement sacrilège et blasphémateur – il brûlait de grands tas de croix – finit par le faire arrêter. Il fut brûlé à Saint-Gilles aux alentours de 1140. Il avait été rejoint un temps par Henri de Lausanne, un moine apostat et lettré que sa prédication sulfureuse avait fait chasser successivement du Mans, de Poitiers, de Bordeaux. Connu de saint Bernard, qui lui offrit une retraite à Clairvaux après qu'il se fut rétracté devant un concile à Pise, il reprit ses activités subversives et s'installa vers 1136 à Toulouse, où l'indif-

férence du comte Alphonse-Jourdain au problème de la sauvegarde de l'unité de la foi semble avoir pratiquement garanti
l'impunité à diverses communautés d'hérétiques, dont les uns
étaient appelés *tisserands*, d'autres *ariens*. Arrêté cependant par
l'évêque de Toulouse en 1145, Henri de Lausanne dut mourir
dans les prisons de ce dernier.

Pendant ce temps, les choses continuent à se gâter dans le
Nord. A Soissons, en 1120, la foule arrache deux hérétiques de
la prison épiscopale et les brûle. En 1135, on dresse des bûchers
à Liège, à Trèves, à Utrecht. En 1143, Évervin, prévôt des pré-
montrés de Steinfeld, en Rhénanie, écrit à saint Bernard qu'on a
brûlé des hérétiques dans la région de Cologne[1] ; ils se disaient
authentiques disciples des apôtres et semblables aux « pauvres
du Christ » dont parle saint Matthieu ; ils s'abstenaient de toute
nourriture carnée ; ils baptisaient non dans l'eau mais « dans le
feu et l'Esprit », par imposition des mains ; ils condamnaient le
mariage. Il semble par ailleurs qu'avec eux, par rapport à toutes
les manifestations précédentes, l'hérésie soit passée, si l'on ose
dire, à la vitesse supérieure ; il ne s'agit pas de quelques sectaires
accrochés à un meneur douteux, mais d'une véritable organisation ecclésiale, avec sa propre hiérarchie : l'un d'eux se faisait
passer pour évêque. Ces hérétiques-là, de surcroît, affirment que
leur doctrine remonte aux apôtres, qu'elle s'est longtemps cachée
en Grèce... En 1145, les chanoines de Liège se plaignent au pape
Lucius II que des hérétiques se répandent dans le pays à partir
de Mont-Aimé, en Champagne. Et d'expliquer au Saint-Père
comment fonctionne leur Église : elle a ses simples croyants, et
ses initiés, ses *chrétiens*, « qui sont en quelque sorte ses prêtres ».
Et elle a ses prélats, « comme nous », disent les chanoines.

C'est dans ces années-là qu'apparaît pour la première fois le
mot de *cathares*, sous la plume d'un moine allemand, Eckbert de
Schonau, qui dit qu'on appelle ainsi en langue vulgaire les hérétiques de Germanie, alors qu'en Flandre on les dit *piphles* et en
Gaule *tisserands*.

En 1160, une trentaine de *publicains* comparurent devant un
concile réuni à Oxford. Ils furent marqués au fer rouge sur le
front, puis chassés sur les routes à coups de fouet. Comme on
était en hiver, et qu'on avait interdit à quiconque de leur donner
asile, ils moururent tous.

---

1. Cf. Anne BRENON, « La lettre d'Évervin de Steinfeld à Bernard de Clairvaux : un
document essentiel et méconnu », dans *Heresis* n° 25 (décembre 1995), p. 7-28.

Vers 1162, l'archevêque de Reims découvre « des manichéens qu'on appelle aussi *poplicains* ». L'année suivante on brûle à Cologne une dizaine d'hérétiques, dont un *archicathare*, en qui il faut voir évidemment un membre de la hiérarchie, diacre ou évêque. On en brûle un autre à Bonn, avec quelques compagnons, tandis qu'on en chasse de Mayence une quarantaine. Deux prédicateurs qu'on disait versés dans la nécromancie sont brûlés vers la même époque à Besançon.

En 1164, on supplicie à Trèves de prétendus lointains disciples de Tanchelm, et en 1167, sept *publicains* qui niaient l'autorité de l'Église catholique et la valeur de ses sacrements sont jetés au feu au Val d'Écouan, près de Vézelay.

La même année, un concile cathare se tient à Saint-Félix-Lauragais, aux portes de Toulouse, sous la présidence du pope Nicétas, venu tout exprès de Constantinople...

1145 : la mission de saint Bernard

Le contraste est en effet criant, entre la succession des actions répressives dans les pays du Nord – Rhénanie, Saxe, Champagne, Bourgogne, Flandre – et la situation qui se développe dans le futur Languedoc. Il y a bien eu un concile à Toulouse en 1119, un autre à Montpellier en 1162. Ils ont condamné l'hérésie quelles que soient ses formes et excommunié ses adeptes, ainsi que quiconque entretient des relations avec eux ; excommuniés aussi, les détenteurs du pouvoir temporel qui les tolèrent sur leurs domaines. Mesures d'ordre purement spirituel, qui ne furent d'aucun effet. L'« hérésie » s'est installée, et prolifère en toute liberté...

La mission que saint Bernard accomplit dans le pays en 1145 est particulièrement significative. Elle fut organisée à l'initiative du légat pontifical, scandalisé par l'inertie des autorités locales et l'impunité dont jouissait notamment Henri de Lausanne. Bernard annonça sa venue par une lettre adressée au comte Alphonse-Jourdain, dénonçant les ravages causés en toute tranquillité par ce « loup rapace », ce « monstre insolite » qu'était le moine Henri, et en faisant sans détour porter la responsabilité au comte lui-même. Arrivés à la mi-juin, Bernard et l'évêque de Chartres reçurent un accueil assez frais. Ils sommèrent néanmoins Henri et les principaux « ariens » de se présenter devant eux. Personne ne vint. Les missionnaires décidèrent alors d'aller prêcher dans des localités où l'on savait que l'hérétique avait sévi. C'est ainsi qu'ils arrivèrent à Verfeil. Comme Bernard s'en prit dans son sermon à la noblesse du lieu, dont la protection avait permis à Henri de répandre ses idées, les chevaliers quittèrent l'église. Bernard, sortant à son tour, continua à prêcher sur la place publique, mais les habitants firent un tel vacarme en frappant sur les portes des maisons qu'on ne put entendre un seul mot.

Après être passés à Saint-Paul-Cap-de-Joux, Bernard et son compagnon gagnèrent Albi, où le légat lui-même était arrivé le 26 juin. Des habitants l'y avaient accueilli montés sur des ânes et jouant du tambourin... A la messe qu'il avait célébrée, il n'y avait pas trente fidèles. Dès le 29, le talent de Bernard renversa la situation. Une foule immense se pressa à son sermon, à l'issue duquel il fit condamner l'hérésie à main levée. Après quoi, l'ordre de Cîteaux le rappela dans le Nord.

Au total, le succès de la mission avait été très mitigé. Si le moine Henri fut arrêté et emprisonné, ce fut par l'évêque de Toulouse, non par le comte ou par un de ses vassaux... Au demeurant, les sources ne nous renseignent pas de façon claire sur ce que croyait et prêchait cet hérétique. Il haïssait la croix, instrument d'un odieux supplice. « Si on pend ton père, adoreras-tu la corde qui l'a pendu ? » diront plus tard les cathares. Pour le reste, tout est trop vague pour qu'on puisse vraiment définir l'hérésie de ces « ariens » auxquels il semble avoir appartenu et voir en elle, déjà, du catharisme. Une chose est certaine en revanche : alors que dans le Nord la répression est brutale et que la foule elle-même outrepasse parfois les décisions du haut clergé en brûlant de son propre chef les hérétiques, c'est un climat généralisé de tolérance qui règne en pays d'oc. Les habitants de Verfeil qui firent à saint Bernard le charivari que l'on sait n'étaient sans doute pas tous des adeptes du moine Henri ; mais ils n'ont pas supporté qu'on intervînt dans la foi personnelle des gens. C'est cette tolérance qui, plus d'un demi-siècle durant, va faire obstacle à toutes les mesures édictées par le Saint-Siège pour sauver l'unité de la foi, et qui le contraindra à mettre sur pied cette démonstration de force que sera la croisade albigeoise.

Il est difficile d'expliquer cette permissivité des pouvoirs comme des populations occitanes à l'égard des croyances religieuses. Elle cadre mal avec ce que l'on sait ou croit savoir des mentalités médiévales. Elle n'a pas sa source dans la volonté des

Occitans de sauvegarder la liberté de conscience – une notion qui, à l'époque, n'était certainement pas théorisée. C'était peut-être, tout au plus, une valeur diffuse, une sorte de « bien commun » né d'une longue habitude de voir cohabiter des religions différentes – en tout cas une tolérance de fait. Au Vᵉ siècle, l'arianisme des conquérants wisigoths s'était juxtaposé au catholicisme romain du clergé et des peuples autochtones. Les juifs, particulièrement nombreux dans les États des comtes de Toulouse, vivaient depuis longtemps en bonne intelligence avec les chrétiens. L'Église romaine reprochera assez aux pouvoirs occitans de leur confier des charges publiques ! La *Reconquista* d'Espagne, de son côté, avait entraîné maints contacts économiques et culturels avec l'Islam. Bref, on devait savoir, en Languedoc, que tout le monde ne professait pas forcément la même religion, et la diversité des croyances y était peut-être perçue comme une chose si naturelle qu'on ne voyait pas au nom de quoi on viendrait la combattre. Quoi qu'il en soit, il reste cet extraordinaire témoignage qui paraîtrait totalement anachronique s'il n'était rapporté par un clerc catholique, Guillaume de Puylaurens. Un débat public ayant eu lieu à Pamiers, dans le comté de Foix, en septembre 1207, entre vaudois, cathares et catholiques, un chevalier, Pons Adhémar de Roudeille, dit à l'évêque de Toulouse Foulque qu'il n'aurait jamais cru que Rome eût contre les hérétiques « des arguments aussi nombreux et aussi efficaces ». « Alors, répondit le prélat, pourquoi ne les chassez-vous pas du pays ? – Nous ne le pouvons pas, dit Pons Adhémar, nous avons été élevés avec eux, nous avons des cousins parmi eux, et nous les voyons vivre honorablement... »

C'était donc en 1207. Mais il y avait beau temps qu'en Languedoc on avait l'habitude des conférences contradictoires – chose absolument inimaginable dans le Nord ! Criante est l'impuissance de l'Église à mettre dans son jeu les pouvoirs occitans, et les conciles ont beau condamner ceux qui protègent l'hérésie « en Gascogne et en Provence » et jeter l'interdit sur leur terre – comme à Reims en 1148 –, vitupérer « la très impure secte des manichéens » et « les très abjects tisserands » – Reims encore, en 1157 – ou « la damnable hérésie qui sévit depuis longtemps dans le pays toulousain » – Tours, 1163 ; ils ont beau lancer des sanctions spirituelles contre les seigneurs qui refusent de répondre aux appels des évêques – Montpellier, 1162 –, au lieu de sévir, on discute...

1165 : colloque à Lombers

C'est au printemps 1165 qu'eut lieu à Lombers, dans le Sud-Albigeois, un colloque qui opposa un hérésiarque nommé Olivier et plusieurs de ses compagnons, « qui se faisaient appeler Bons Hommes », à un grand rassemblement de prélats catholiques, l'archevêque de Narbonne, les évêques de Toulouse, Albi, Nîmes, Agde et Lodève, les abbés de Gaillac, Castres, Saint-Pons, Fontfroide, maints prévôts, archidiacres et clercs, en présence du vicomte d'Albi et de Carcassonne Raymond Trencavel, de la comtesse de Toulouse Constance et du vicomte Sicard de Lautrec.

Tels qu'ils nous sont parvenus, les actes de cette rencontre donnent l'impression qu'il s'est agi d'un concile devant lequel auraient comparu des hérétiques de l'Albigeois. De fait, ils s'achèvent par une sentence condamnant ces derniers et enjoignant aux chevaliers de Lombers de cesser de leur accorder leur protection. Mais les mêmes actes disent que des arbitres furent nommés par chacun de deux partis ; il est bien évident par ailleurs que l'hérésiarque et ses compagnons se sont librement présentés à cette rencontre. Autrement dit, même si les catholiques ont profité de celle-ci pour lancer contre leurs adversaires et leurs protecteurs une solennelle condamnation, ce ne fut qu'une condamnation de principe, qu'aucune sanction ne suivit. Rien de comparable, par conséquent, aux conciles qui, dans le Nord, acculaient les hérétiques à abjurer ou à être brûlés. Ni même à la situation de 1145, quand l'évêque de Toulouse avait réussi à faire arrêter Henri de Lausanne. A Lombers, les hérétiques restèrent sur leurs positions, et repartirent libres.

Il est néanmoins malaisé de savoir qui ils étaient exactement. Les actes nous disent que l'évêque de Lodève, qui mena la discussion, avait regroupé en six articles les questions qu'il avait à poser. Elles concernaient les Écritures que les hérétiques recevaient, l'exposé général de leur foi, le baptême des enfants, l'eucharistie, le mariage, la pénitence. Les hérétiques commencèrent par refuser de répondre point par point, mais ce fut pour se lancer à leur tour dans un discours dénonçant violemment l'hypocrisie du clergé catholique, avide d'honneurs et de richesses. Suivit alors une longue joute au cours de laquelle les deux partis firent assaut de citations bibliques. Les catholiques conclurent par la sentence dont on a parlé plus haut, et que lut l'évêque de Lodève.

Les autres répondirent que c'était l'évêque qui était hérétique et, se tournant vers le public, consentirent enfin à confesser leurs croyances : la Trinité, l'Incarnation, la Passion rédemptrice, le baptême des enfants, la pénitence, c'était une profession de foi on ne peut plus orthodoxe... L'évêque leur demanda alors de jurer que c'étaient bien là leurs vraies croyances. Ils refusèrent de prêter serment. L'aveu d'hérésie était patent...

S'agissait-il de cathares, ou d'un mouvement différent qui n'est pas autrement connu – pas plus que cet Olivier dont parlent les actes ? Il est curieux que Guillaume de Puylaurens relate, mais en le situant quelque vingt ans plus tard, un événement tout à fait similaire : c'est une discussion – toujours à Lombers – entre l'évêque d'Albi et « le grand hérésiarque » Sicard Cellerier, « qui résidait ouvertement à Lombers », discussion suscitée par les nobles et les bourgeois du lieu qui espéraient bien, dit le chroniqueur, que ce serait l'évêque qui aurait le dessous. On peut d'autant plus se demander s'il n'y a pas eu quelque part erreur sur la date, et par conséquent s'il ne s'agit pas du même événement, que Sicard Cellerier est connu comme ayant été l'évêque cathare de l'Albigeois, et qu'il n'est pas impossible qu'une tardive et mauvaise transcription des actes du colloque ait corrompu le nom de *Cellerier* en *Olivier*. C'est l'hypothèse généralement reçue. Quoi qu'il en fût, que les hérétiques de Lombers aient été ou non des cathares avérés – avec qui ils ont au moins en commun, de façon indiscutable, le refus de prêter serment – et même si la relation qui nous parvenue est une version déformée, amplifiée et enjolivée d'un document plus ancien, le seul fait qu'ait pu être tenu un tel débat est hautement révélateur. Selon Guillaume de Puylaurens, l'évêque eut beau dire à Sicard Cellerier qu'il devrait retourner à l'école pour apprendre à relire à l'endroit ce qu'il lisait à l'envers, « l'autorité du prélat ne put faire que le même hérésiarque ne restât comme auparavant dans le pays... ».

1167 : un concile cathare ?

Avec le colloque de Lombers, l'historien rencontre deux niveaux de difficultés : il faut d'abord soupeser la valeur des sources, puis interpréter l'événement qu'elles relatent de façon plus ou moins fidèle. Avec le concile qui se tint – peut-être ! – à Saint-Félix-Lauragais en 1167, on plonge de surcroît dans un débat d'école qui, plus de huit siècles après, est toujours très vivace, puisqu'un séminaire lui a été consacré à la fin de janvier 1999 à l'université Sophia-Antipolis de Nice...

Donc, en mai 1167, l'Église cathare de Toulouse organisa à Saint-Félix une réunion dont le seul énoncé des participants dit l'importance : le pope Niquinta ou Nicétas, venu tout exprès de Constantinople ; les évêques des Églises cathares de France et d'Albi, à savoir Robert d'Épernon et Sicard Cellerier, chacun accompagné de son conseil ; puis les conseils des Églises de Lombardie, de Carcassonne, de Toulouse et d'Agen, les deux premiers présidés respectivement par Marc et par Bernard Cathala, qui, remarquons-le, n'ont pas rang d'évêques. Or il se trouve, justement, que les Églises qui n'ont pas d'évêque désirent en avoir un. Elles seront dès lors sur un pied d'égalité avec celles de France et d'Albi. L'évêque de cette dernière, Sicard Cellerier, le plus haut dignitaire cathare à ce jour en Languedoc, donne son accord, et les conseils des Églises de Lombardie, Carcassonne, Toulouse et Agen élisent respectivement Marc, Bernard Raymond, Guiraud Mercier et Raymond de Casalis. Après quoi Nicétas confère le *consolament* d'ordination à tout le monde, non seulement aux évêques nouvellement élus, mais à ceux qui l'étaient déjà, Robert d'Épernon et Sicard Cellerier. Cela fait, il adresse à l'assemblée une brève homélie dans laquelle il indique qu'à l'image des sept Églises d'Asie dont parle l'Apocalypse, les cinq Églises des Balkans – Romanie, Dragovitie, Mélinguie, Bulgarie et Dalmatie – sont indépendantes les unes des autres, bien délimitées, et vivent parfaitement en paix. « Faites de même ! » conclut-il, ce qui peut laisser supposer l'apparition de quelque friction en Languedoc, peut-être entre les Églises de Toulouse et de Carcassonne.

En effet, l'homélie achevée, chacune de ces dernières désigna huit commissaires pour établir la délimitation des deux nouveaux évêchés. Ils décidèrent notamment que la limite passerait entre Cabaret et Hautpoul, entre Saissac et Verdun-en-Lauragais, entre Montréal et Fanjeaux. Un acte fut ensuite rédigé, à la fois procès-verbal des ordinations et charte de bornage. Un évêque cathare de Carcassonne, Pierre Isarn, en fit faire en 1223 une copie que Guillaume Besse publiera en 1660 dans son *Histoire des ducs, marquis et comtes de Narbonne*.

Mais voilà ! Cette copie, que Guillaume Besse assure lui avoir été communiquée en 1652 « par feu M. Caseneuve, prébendier au chapitre de l'église Saint-Étienne de Toulouse », n'a jamais été retrouvée, non plus que son original de 1167. D'où la polémique qui, lancée voilà un demi-siècle, divise toujours les historiens modernes : il y a ceux qui croient à la bonne foi de Guillaume Besse, donc à l'authenticité de sa publication, donc à la réalité du concile ; et il y a ceux qui pensent que Besse n'a jamais vu la prétendue copie de 1223, qu'il s'est livré à une érudite supercherie, et qu'il n'y a jamais eu de concile cathare à Saint-Félix... Querelle aux étranges rebondissements : le séminaire de Nice dont j'ai parlé plus haut se demande si la charte publiée par Besse ne serait pas un faux... de 1223 !

Ce n'est pas tout. Une tradition qui paraît avoir été inaugurée par Ignaz von Döllinger en 1890 interprète le concile de Saint-Félix comme le passage des cathares occitans du dualisme mitigé au dualisme absolu. La chose, à coup sûr très importante pour l'histoire de l'hérésie en Occident si elle était avérée, semblait découler du fait que Nicétas avait donné le *consolament* d'ordination à des gens qui l'avaient déjà reçu ; ce qu'on pensait ne pouvoir expliquer que par l'annulation des précédents *consolaments* et la conversion à une nouvelle obédience – justement celle de Nicétas, dont on sait qu'il était dualiste absolu. Or il est bien établi aujourd'hui que la confirmation du *consolament* d'ordination n'était pas chose rare dans l'Église cathare[1]. L'évêque Guilhabert de Castres « reconsola » plusieurs dignitaires à Montségur en 1232, sans qu'il puisse être question, à cette époque, d'une conversion doctrinale.

En ce qui concerne l'authenticité des actes de Saint-Félix, donc la réalité du concile de 1167, il serait trop long d'exposer ici les arguments de ses partisans et de ses adversaires. De toute façon, ce serait un débat quelque peu vain : la plupart des personnages cités dans le document, y compris certains commissaires du bornage, sont connus par d'autres sources. D'autre part, l'existence des Églises cathares d'Albi, Carcassonne, Toulouse et Agen, et de leurs évêques successifs, nommément connus, est suffisamment attestée, même si ce n'est pas partout de façon égale et constante, pour qu'il importe assez peu, au fond, de savoir quand elles furent fondées exactement, quand de simples « conseils »

---

1. Sur tout cela, cf. J. DUVERNOY, *L'histoire des cathares*, Toulouse, Privat, 1979, p. 215-219 ; A. BRENON, « Le faux problème du dualisme absolu », dans *Heresis* n° 21 (décembre 1993), p. 61-74, et le travail fondamental de Pilar JIMENEZ, « Relire la charte de Niquinta », dans *Heresis* n° 22 (juin 1994), p. 1-26, et n° 23 (décembre 1994), p. 1-28.

devinrent des évêchés. Il est possible qu'il n'y ait jamais eu de concile cathare à Saint-Félix. Mais rien n'interdit de penser qu'il y en eut un, car ce qui survint peu après n'a de sens que si le catharisme occitan était, dès cette époque, largement implanté. Il est normal qu'à un moment donné il se soit organisé. Il faut bien qu'un jour ou l'autre se soit structurée la véritable Contre-Église qu'on le verra opposer à l'Eglise romaine, à qui il emprunta d'ailleurs, outre son découpage en évêchés, son appareil hiérarchique d'évêques et de diacres.

Si Guillaume Besse a triché, à supposer qu'il l'ait fait, c'est qu'il avait bien compris cela, et le faux qu'il fabriqua – si faux il y a – correspond si parfaitement à la situation qu'on doit lui concéder un génie peu commun, tout en se demandant pourquoi, si habile à la mystification, il n'en a pas commis d'autres.

A moins, bien entendu, d'admettre tout simplement qu'il a honnêtement recopié le document. On peut même assurer – et cela plaide très fortement en faveur de l'authenticité – qu'il y a au moins un mot qu'il a mal lu : l'édition qu'il donne porte *ecclesia aranensis* ; or il n'y a jamais eu d'Église cathare du Val d'Aran. Le document devait nécessairement porter *agenensis* ; un évêque cathare d'Agenais est encore attesté en 1232, et un grand bûcher sera dressé près d'Agen en 1249...

Deux remarques enfin. L'Église de France dont il est question dans les actes de Saint-Félix n'est pas autrement connue comme telle, et son évêque Robert d'Épernon n'apparaît dans aucune autre source. Il s'agit vraisemblablement du foyer hérétique champenois dénoncé par les chanoines de Liège en 1145, centré à Mont-Aimé, et dont on a vu qu'il avait une véritable structure ecclésiale. A l'inverse de Robert d'Épernon, Marc, le chef de l'Église lombarde, est attesté par d'autres sources. Ancien fossoyeur, il aurait été converti au catharisme par un notaire venu de France, et aurait répandu l'hérésie sur la Lombardie, la Toscane et la Marche de Trévise. Après sa mort, trois Églises se détachèrent de celle qu'il avait fondée et dont le siège était Concorezzo : l'Église de Desenzano sur le lac de Garde, celle de Mantoue et celle de Vicence et Trévise, dont les chefs respectifs allèrent se faire ordonner dans les Balkans. D'autres Églises apparaîtront par la suite, à Florence et dans le Val de Spolète. Largement tributaire, jusqu'à la fin du XIIIe siècle, et surtout en Lombardie, du conflit qui opposait l'Empire et le Saint-Siège, le catharisme italien connaîtra un développement d'autant plus spectaculaire – surtout dans les villes « gibelines » favorables à Frédéric II – qu'aucune croisade ne fut lancée contre lui : le pape n'aurait pu en susciter une qu'en faisant appel à l'empereur, ce dont il ne pouvait être question. Dès que l'Inquisition commencera à sévir en Occident, à partir des années 1230, l'Italie sera par excellence la terre de l'exil pour les croyants et les parfaits fuyant la France et le Languedoc. Ils y créeront leurs propres Églises, avec leurs propres évêques.

1177-1181 : une pré-croisade...

La croisade lancée en 1209 contre les cathares occitans sera, on le verra plus loin, extrêmement bénéfique à la couronne de France, bien que celle-ci, au départ, ne l'ait pas voulue et ait même réussi à la retarder de dix ans. Or il est intéressant de voir que dès 1172 l'archevêque de Narbonne Pons d'Arsac lança un cri d'alarme et en appela contre l'hérésie au roi Louis VII : « La foi catholique est gravement menacée dans notre diocèse, la barque de saint Pierre est tellement battue par les outrages des hérétiques qu'elle est près de sombrer. Que le bras de votre zèle brandisse le bouclier de la foi et les armes de la justice, qu'il vienne au secours du Seigneur... » C'est assez dire son impuissance à mobiliser les pouvoirs locaux. Il est un prince, cependant, qui partageait les inquiétudes de Pons d'Arsac : Raymond V, comte de Toulouse depuis 1148. Le cri d'alarme qu'il lance en septembre 1177 dans une lettre au chapitre général de l'ordre de Cîteaux brosse un bien noir tableau de la situation. La « pestilentielle contagion de l'hérésie » a atteint, dit-il, jusqu'aux prêtres. Les églises, abandonnées, tombent en ruine. « On refuse le baptême, l'eucharistie est en exécration et la pénitence est méprisée [...] Et même, ô sacrilège ! on prétend qu'il y a deux principes... ». En s'adressant en ces termes à l'ordre dont était issu saint Bernard, Raymond pense certainement piquer au vif l'Église tout entière, et susciter une réaction salutaire ; il demande d'ailleurs à Cîteaux, à mots couverts, de faire pression sur le roi de France pour qu'il use de la rigueur du glaive matériel : « Je lui ouvrirai les villes, je livrerai villages et châteaux à sa discrétion... »

Faut-il s'étonner qu'une telle idée, véritable appel à une intervention armée de la Couronne, ait germé dans l'esprit d'un comte occitan vingt ans avant l'avènement du pape qui déclenchera la croisade albigeoise, Innocent III ? En fait, ce qui alarme Raymond V, tout autant que l'hérésie en tant que telle, qui bafoue assurément sa foi catholique, c'est le fait qu'elle est un agent de division et de discorde jusque dans les familles, il le dit très clairement dans sa lettre. Et il ajoute qu'elle a largement gagné ses propres vassaux et la plus haute noblesse de ses États. C'est bien laisser entendre qu'il ne peut compter sur personne pour conduire sur place la répression, et peut-être aussi qu'il se trouve devant un facteur d'instabilité socio-politique, dans la mesure où, nous le saurons par des témoignages postérieurs, le catharisme rejette la justice pénale et civile, conteste le bien-fondé de la hiérarchie féodale, et plus généralement de tout pouvoir temporel – c'est le diable qui a donné à des hommes pouvoir sur d'autres hommes. La répression de l'hérésie signifiera donc peu ou prou le rétablissement de l'ordre social, surtout si elle est conduite par le souverain du royaume.

L'appel du comte fut entendu, et par Cîteaux, et par Louis VII – et même par Henri II d'Angleterre, avec qui la paix venait d'être conclue. Les deux rois décident ensemble d'envoyer en mission le légat pontifical Pierre de Pavie. Sollicité, le pape Alexandre III approuve le projet, et en mai 1178 adjoint au légat l'abbé de Clairvaux Henri de Marsiac, les archevêques de Bourges et de Narbonne, les évêques de Poitiers et de Bath, en Angleterre. On demande à Raymond V, au vicomte Raymond de Turenne et à divers grands barons occitans de faciliter la tâche des missionnaires et, au besoin, de leur prêter main-forte.

A peine arrivés à Toulouse, ces derniers sont accueillis par des manifestations de rue et se font traiter d'apostats, d'hypocrites, et même d'hérétiques. Pierre de Pavie tient bon, organise des prêches publics et fait jurer à l'évêque de Toulouse, au clergé et aux consuls de dénoncer les hérétiques et leurs protecteurs.

C'est ainsi que Raymond V fit citer un riche bourgeois, le vieux Pierre Maurand, qui passait pour le chef des hérétiques toulousains. Il nia être hérétique. On lui demanda de jurer qu'il ne l'était pas. Il refusa de prêter serment, et avoua tout. Le légat le remit aux mains de Raymond, qui n'eut pas le cœur de brûler un citoyen si estimé, issu d'une famille qui avait compté tant de notables, de consuls et de conseillers de la cour comtale. Maurand fut emprisonné, ses biens furent confisqués, et sa maison forte de la rue du Taur fut abattue. On ne garda que le rez-de-chaussée de la tour, qui est toujours visible. A quelque temps de là, Maurand demanda à abjurer. La cérémonie, assortie de l'humiliation publique, eut lieu en la basilique Saint-Sernin devant un grand concours de peuple. Le légat lui donna le pardon de l'Église, mais le frappa quand même d'une lourde amende et l'envoya pour trois ans en pèlerinage en Terre sainte, moyennant quoi ses biens lui seraient restitués, sauf ses châteaux. La délation aidant, un certain nombre de cathares toulousains furent arrêtés et suivirent son exemple.

La mission se porta ensuite sur les terres de Roger II Trencavel, le vicomte de Carcassonne et d'Albi, qui retenait prisonnier dans un château inaccessible l'évêque de cette dernière ville... Henri de Marsiac et l'évêque de Bath, ayant excommunié Trencavel, se trouvaient à Castres avec Raymond de Turenne, quand deux hérétiques notoires vinrent leur demander un sauf-conduit pour aller voir le légat : l'évêque même de l'Église cathare de Toulouse, Bernard Raymond, et son coadjuteur Raymond de Baimiac. Tous deux se présentèrent donc devant Pierre de Pavie en la cathédrale Saint-Étienne, pour faire devant lui profession de foi orthodoxe. Le légat leur fit répéter publiquement leurs propos en l'église Saint-Jacques, devant le comte, mais Raymond V et toute l'assistance se récrièrent qu'ils avaient bel et bien entendu les deux hommes prêcher l'hérésie. Ayant alors refusé de confirmer par serment leurs déclarations, tous deux furent condamnés comme hérétiques et anathématisés, mais, curieusement – sans doute grâce à leur sauf-conduit – purent quitter Toulouse et gagner Lavaur. Il est vraisemblable que tout n'avait été de leur part qu'une ruse pour obtenir le permis de circuler librement sans être inquiétés par personne...

Au début de 1179, alors que les missionnaires avaient quitté le Languedoc, Alexandre III ouvrit le troisième concile œcuménique du Latran, dans le but évident, entre autres décisions, d'entériner la méthode mise en œuvre par Pierre de Pavie et de répondre au vœu de Raymond V quand il avait demandé de l'aide contre l'hérésie. Conscient cependant que celle-ci se nourrissait largement de l'anticléricalisme suscité par le comportement des clercs, parfois fort éloigné de l'idéal évangélique, le concile commença par s'attacher à redonner sa dignité à l'état religieux. Il ordonna de réduire le train de vie et de réformer les mœurs, il interdit le trafic des fonctions sacerdotales et le cumul des charges.

Quand on en vint à l'hérésie elle-même, ce furent, comme lors du concile tenu à Tours en 1163, la Gascogne, l'Albigeois et le pays toulousain qui furent nommément sur la sellette, avec les cathares, patarins, publicains et autres qui y exerçaient leurs ravages. On renouvela évidemment l'anathème contre les hérétiques eux-mêmes, et contre leurs protecteurs, défenseurs et complices. On s'en prit aussi aux routiers, qu'on engloba dans la même condamnation, parce que ces mercenaires, venus surtout du Brabant ou d'outre-Pyrénées, créaient dans les campagnes une insécurité endémique, pillant impunément les abbayes et les monastères sans défense. Le concile excommunia les seigneurs qui les engageaient au même titre que les fauteurs d'hérésie. Cet amalgame entre la « paix des âmes » et la paix civique, entre la nécessité de combattre les hérétiques et celle de mettre un frein aux exactions des routiers, jouera bientôt un grand rôle dans l'élaboration du droit de la croisade, dans la mesure où l'Église accusera les féodaux occitans d'être à la fois les protecteurs des uns et les employeurs des autres. Appel est alors lancé, contre « les ennemis de la foi et de la paix », aux pouvoirs temporels, seigneurs ou consulats urbains, à qui le concile fait obligation de répondre, sous peine d'excommunication, aux réquisitions des évêques. Tout fidèle qui prendra ainsi les armes pour la cause de la foi et de la paix bénéficiera d'une remise de deux années de pénitence. Quiconque se lèvera spontanément sans attendre les injonctions du haut clergé y gagnera un surcroît d'avantages : sa personne et ses biens seront *ipso facto* placés sous la protection de l'Église ; qui lui ferait tort serait tout aussi automatiquement frappé d'excommunication. Incontestablement, avec l'appel à la mobilisation de la chevalerie chrétienne, c'est l'idée de croisade qui prend corps. L'archevêque de Narbonne répercuta immédiatement à tout le clergé de sa province les décisions du Latran.

Deux ans après le concile, Henri de Marsiac, qui avait été fait cardinal et évêque d'Albano, fut chargé par Alexandre III d'une nouvelle mission en Languedoc. Il s'agissait essentiellement d'aller régler le cas de Trencavel, le vicomte excommunié, qui tolérait que l'évêque cathare de Toulouse et son adjoint se fussent réfugiés à Lavaur. La prédication aidant, Henri réussit à lever une petite armée de chevaliers fidèles à la foi catholique et marcha avec elle, en juin 1181, sur la « synagogue de Satan », comme Guillaume de Puylaurens appelle la jolie cité de brique des bords de l'Agout. On y mit le siège. Ce fut l'épouse de Trencavel, la vicomtesse Adélaïde, qui, se trouvant alors à Lavaur, rendit elle-même la place. Au terme des pourparlers engagés avec le vicomte, ce dernier livra au cardinal Bernard Raymond et Raymond de Baimiac. Ils comparurent à la mi-août devant un concile réuni au Puy. Ils y firent tous deux une autocritique assez extravagante, avouant certes leur croyance à deux principes créateurs et leur négation de l'incarnation réelle du Christ, mais aussi une somme invraisemblable de turpitudes allant de la débauche à l'incitation à l'avortement. Il est visible qu'au lieu de se défendre point par point des abominations qu'on leur imputait, ils ont préféré reconnaître en bloc tous les chefs d'accusation, et s'en repentir globalement afin d'obtenir au plus tôt leur réconciliation à l'Église romaine. Ce qui fut fait. Alors ladite Église, plus soucieuse de sauver deux âmes que d'exercer sa vindicte, leur ouvrit ses bras. Ils se retrouvèrent tous deux chanoines à Toulouse, Bernard Raymond à la cathédrale Saint-Étienne, Raymond de Baimiac à l'abbaye de Saint-Sernin.

On pourrait croire que l'incontestable succès de cette pré-croisade porta un coup sévère, à la fois à l'appareil de l'Église cathare de Toulouse et à ses fidèles. Certes, on ne sait pas si Bernard Raymond eut dans l'immédiat un successeur : l'évêque Gaucelin n'apparaît dans nos sources que vers 1204. Mais l'opération avait sans doute été trop limitée. Au dire du chroniqueur Robert d'Auxerre, « elle ne servit à rien, les hérétiques du pays retombèrent dans le bourbier de leurs anciennes erreurs ».

Le Graal contre les cathares

Peu après l'opération conduite en pays d'oc par l'évêque d'Albano, le concile du Latran eut en Flandre des répercussions tout aussi spectaculaires, mais beaucoup plus profondes et plus durables. Le comte de Flandre Philippe d'Alsace et l'archevêque de Reims, légat du Saint-Siège, lequel avait participé au concile, décidèrent au début de 1183 de lancer de concert une grande opération répressive. Elle fut, selon l'abbé cistercien Raoul de Coggeshall, d'une extrême violence, menée « sans miséricorde, avec une juste cruauté ». Des croyances que professaient ceux qu'elle visa, on sait qu'ils disaient que seules les réalités éternelles avaient été créées par Dieu, alors que les corps et toutes les réalités transitoires étaient l'œuvre de Lucibel ; à ce dualisme des principes s'ajoutaient le refus du baptême des petits enfants et le rejet de l'eucharistie. Qui étaient ces hérétiques ? On les appelait indifféremment *manichéens, cataphrygiens, ariens, patarins...* Mais il est clair qu'ils professaient le catharisme. On en trouva dans toutes les couches de la société, et de toute condition, nobles, roturiers, clercs, chevaliers, paysans, jeunes filles, veuves, dames mariées. De nombreux lieux furent concernés, mais surtout, semble-t-il, Arras et Ypres. La procédure était d'une saisissante brutalité – mais simplement à l'image des formes les plus dures de la procédure pénale des pays de droit coutumier. Les malheureux, interpellés et présentés à l'archevêque, étaient d'abord soumis à l'ordalie du feu et de l'eau. Comme ils n'y résistaient pas, qu'ils se brûlaient ou s'étouffaient, on concluait évidemment à leur culpabilité. Fort alors du « jugement de Dieu », le prélat les condamnait comme hérétiques et les remettait au bras séculier, le comte de Flandre, qui les envoyait incontinent au bûcher.

Tout cela est connu depuis longtemps. Ce qu'en revanche on n'a guère remarqué, c'est que ledit comte, au moment où il déploya ce grand zèle anticathare, venait tout juste de faire à la cour de Champagne un séjour au cours duquel il avait demandé au poète et romancier Chrétien de Troyes d'écrire pour lui une histoire de Perceval, dont il lui fournit lui-même le canevas. Or il se trouve que ce *Perceval le Gallois ou le conte du Graal*, bien que la mort du poète l'ait laissé inachevé, fut le texte fondateur d'un cycle romanesque prodigieusement fécond qui, en un demi-siècle et à travers plusieurs auteurs, donnera à la littérature de tous les temps quelques-uns de ses plus purs chefs-d'œuvre.

Du foisonnement de thèmes dont ces romans sont riches, il en est un, et le principal sans doute, qui s'insère très exactement dans les préoccupations dont le troisième concile œcuménique du Latran venait de témoigner, et que Philippe d'Alsace allait personnellement reprendre à son compte : la mobilisation de la chevalerie chrétienne au service de l'Église romaine et de l'unité de la foi, face à tous leurs ennemis réels, potentiels ou simplement imaginaires, les juifs, les infidèles, et toutes les créatures maléfiques susceptibles d'être des incarnations ou des allégories du mal – y compris les hérétiques. Va donc se développer pendant trois décennies, en pays de langue d'oïl mais aussi en Allemagne, à l'intention du public cultivé – au premier rang duquel, évidemment, la noblesse –, l'exposé d'une théologie sous-jacente à la progression romanesque, affirmant avec fermeté et expliquant avec un admirable alliage de merveilleux poétique, de suspense littéraire et d'efficacité pédagogique, les articles fondamentaux de la foi orthodoxe touchant la Trinité, le Dieu créateur unique, l'Incarnation du Christ et sa Passion rédemptrice, sa présence réelle dans l'hostie, ainsi que la valeur des sacrements du mariage et de la pénitence. Parallèlement à cet exposé se déploie une éthique du « chevalier du Christ » appelé à se mettre en quête du Graal, c'est-à-dire de la grâce, et à assumer, au prix des plus hautes vertus et à travers mille dangers, sortilèges, mystères et diableries, la défense de la foi. Est-ce un hasard si l'armée de Simon de Montfort et des barons venus des pays d'oïl et de Germanie s'appellera *Militia Christi*, chevalerie du Christ ? On ne peut douter que le cycle romanesque du Graal, commandité dans sa toute première expression par un notoire persécuteur des cathares flamands, ait servi à mobiliser les consciences chrétiennes au moment même où le concile œcuménique du Latran venait de dénoncer, à l'échelle de la chrétienté tout entière, le péril qui la menaçait[1].

Pendant ce temps, le Saint-Siège travaillait à affiner et durcir en même temps la législation antihérétique. En novembre 1184, le nouveau pape Lucius III promulgua à Vérone une décrétale qui lui fit faire un pas important. Le concile de Tours avait posé en 1163 le principe de la procédure d'enquête, alors que le dépistage des hérétiques ne se faisait jusque-là que sur accusation ou sur dénonciation. Mais il n'en avait pas précisé les modalités, ce que fait en revanche la décrétale de 1184 : les évêques doivent visiter ou faire visiter régulièrement les paroisses, et s'informer eux-mêmes, grâce à quelques habitants honnêtes à qui ils demanderont de témoigner sous serment, des agissements hérétiques qu'ils pourraient connaître. Les suspects ainsi repérés seront traduits devant le tribunal épiscopal et, s'ils ne font pas la preuve de leur innocence, seront remis au pouvoir séculier, qui aura à charge d'appliquer la peine requise. Pour chaque témoin cité, le refus de prêter serment équivaudrait évidemment à un aveu d'hérésie.

Pour que la décrétale de Vérone reçût en Languedoc son application, il aurait fallu à la fois que l'épiscopat fût assuré de sa propre autorité et que les pouvoirs temporels fussent sincèrement décidés à l'aider. Une assemblée réunie à Narbonne en 1191 par

---

1. Cf. mon essai *Les cathares et le Graal*, Toulouse, Privat, 1994.

le nouvel archevêque, Bernard Gaucelin, ne put que renouveler de façon toute théorique les condamnations de principe lancées contre les hérétiques et leurs fauteurs. Platoniques aussi, les décisions prises en 1195 au concile de Montpellier. Fulminer l'anathème à son de cloche chaque dimanche, excommunier les maréchaux qui ferraient les chevaux des hérétiques...

Le successeur de Lucius III, Célestin III, mourut le 8 janvier 1198. Le jour même fut élu au trône de saint Pierre un cardinal de trente-sept ans qui devait être le pape de la croisade albigeoise, Innocent III.

2

La société cathare et son Église

Fanjeaux, 1204. Le *castrum* du Lauragais oriental qu'avait chanté le troubadour Peire Vidal pour la douceur de ses paysages et la vie mondaine de sa petite cour seigneuriale, toute pénétrée de l'esprit « courtois », reçoit un hôte de marque : le comte de Foix Raymond-Roger. A dire vrai, il n'y vient pas en étranger, car son lignage y possède des droits féodaux. Mais ce qui l'y a attiré cette fois, c'est un événement très particulier qui n'a rien à voir avec la situation juridique du lieu. Sa sœur Esclarmonde, devenue veuve du seigneur Jourdain de l'Isle, et trois autres dames de la noblesse du pays, Aude de Fanjeaux, veuve d'un grand officier du vicomte de Carcassonne, Faye de Durfort et Raymonde de Saint-Germain, vont « prendre la vêture », c'est-à-dire recevoir le *consolament* qui va les ordonner parfaites cathares. Une fois entrées en religion, une fois revêtues de la robe noire des Bonnes Dames, elles s'agrégeront à l'une des nombreuses petites communautés de parfaites installées à Fanjeaux, ou ailleurs ; peut-être en créeront-elles elles-mêmes de nouvelles. Et celui qui va leur donner le sacrement, en plaçant sur leur tête l'Évangile de Jean, en imposant ses mains au-dessus, et en leur transmettant l'« oraison dominicale », c'est-à-dire le *Pater*, n'est autre que le *fils majeur*, le premier coadjuteur de Gaucelin, l'évêque cathare du Toulousain. Il se nomme Guilhabert de Castres, et sera la plus haute figure de toute l'histoire du catharisme occitan. Les documents lui donnent en effet beaucoup plus d'importance qu'à Gaucelin, peut-être déjà très vieux, à qui il ne succéda pas cependant avant les environs de 1220.

Il était d'origine noble, et certainement de formation cléricale, car il savait écrire[1]. On s'est même demandé s'il ne faisait pas qu'un avec le Guilhabert qui fut abbé de Castres et que le comte de Toulouse Raymond VI envoya en ambassade en Angleterre en 1196. En réalité, si la mémoire des témoins interrogés plus tard par l'Inquisition n'a pas failli, le dignitaire cathare était installé à Fanjeaux dès les environs de 1193. Il n'était pas, il s'en faut de beaucoup, le premier parfait du lieu : un certain Guillaume de Carlipa y tenait déjà « maison » hérétique aux alentours de 1175. Quant aux parfaites, la plus anciennement connue, Guillelme de Tonneins – la mère d'Aude de Fanjeaux – était déjà installée, comme Guilhabert, vers 1193.

Pour la première décennie du XIIIᵉ siècle, les informations se multiplient rapidement. Les interrogatoires de l'Inquisition les plus anciens qui aient été conservés sont en effet ceux de 1242 à 1246, et il sera fréquent que les témoins les plus âgés évoquent des souvenir qu'ils situent « avant la première arrivée des croisés », « il y a quarante ans et plus », « il y a cinquante ans environ », et même, une fois, « il y a soixante-dix ans ». Florence de Villesiscle, par exemple, se souviendra très bien de Guillelme de Tonneins, à qui ses parents la confièrent quand elle avait cinq ans pour toute la durée d'un carême, autrement dit pour commencer son éducation religieuse. Il y a alors à Fanjeaux des parfaits qui pratiquent le tissage. Guillelme Lombard se rappellera que dans son enfance elle leur portait souvent des pelotes de fil, et qu'ils lui donnaient des noix. De même, Pierre de Gramazie travaillait dans son enfance à coudre chez d'autres parfaits – tailleurs ou cordonniers, on ne sait. Tiennent aussi « publiquement maison d'hérétiques », comme dira l'Inquisition, un Arnaud Clavel, un Pierre Belhoume, qui, évidemment, prêchent à leur clients. Sans compter les parfaits et les parfaites de passage, hébergés chez des parents ou des amis croyants, dont les sources nous livrent à profusion les noms, et dont ils partagent la vie quotidienne. Bref, c'est dans un village très largement touché par l'hérésie que se déroule la cérémonie de 1204. On sait d'ailleurs par l'un des assistants que s'y pressèrent cinquante-sept dames nobles et chevaliers – dont le tout jeune Raymond de Péreille, qui n'a pas encore reconstruit Montségur –, sans compter les bourgeois... Des familles entières ont tenu à être présentes à la

---

1. Cf. Suzanne NELLI, « L'évêque cathare Guilhabert de Castres », dans *Heresis* n° 4 (juin 1985), p. 11-24.

« vêture » de leur parente. Raymonde de Saint-Germain est entourée de son fils et de son mari, lequel a dû, selon la coutume de la société cathare, délier son épouse du lien conjugal pour qu'elle se fasse ordonner. Chez les Durfort, ils sont sept, plus les Festes, c'est-à-dire un gendre et sa propre famille.

Guillelme de Tonneins mériterait à elle seule une biographie, tant ce qu'on sait d'elle est exemplaire pour témoigner de la société cathare. Elle appartient à la génération qui naquit entre 1160 et 1180, celle, entre autres, de Blanche de Laurac, de Fournière de Péreille, de Marquésia Hunaud de Lanta, de Garsende du Mas-Saintes-Puelles, de la Dame de Roquefort, d'Ermengarde Isarn – dont un fils deviendra évêque cathare du Carcassès –, d'Ermengarde de Baraigne, aïeule des Montesquieu-Villèle, d'Alazaïs de Cucuroux, installée à Laurac puis à Villeneuve-la-Comptal dont son fils est seigneur ; toutes châtelaines qui se firent parfaites une fois veuves ou lorsque fut achevée l'éducation de leurs enfants – ou même sans attendre, comme la Montalba-naise Austorgue de Lamothe, qui entraîna en religion ses deux fillettes. Ces dames exercèrent une très grande influence sur leur propre famille, et parfois au-delà, sur tout le clan représenté par les lignages alliés, les amis, et la clientèle, au sens social du terme, du groupe seigneurial auquel chacune appartenait. Leur autorité spirituelle fut telle, leur rôle de directrices de conscience de toute leur descendance si patent, que criante est leur responsabilité dans la diffusion du catharisme et sa solide implantation dans la société nobiliaire, c'est-à-dire au sein même des dominants.

C'est à elles que la génération suivante dut de ne pas avoir besoin, au fond, de se convertir au catharisme : elle le trouva dans ses berceaux[1]. Les plus farouches des *faidits*, c'est-à-dire des résistants à la fois à la conquête royale et à l'ordre catholique, seront des fils ou des petits-fils de parfaites, comme Aimery de Montréal, Jourdain du Mas, Raymond de Péreille et son frère Arnaud-Roger, leur cousin Pierre-Roger de Mirepoix, qui défendra Montségur assiégé, ou Bernard-Othon, Géraud et Guillaume de Niort, petits-fils de Blanche de Laurac, redoutables maqui-sards qui donneront beaucoup de fil à retordre aux sénéchaux du roi comme à l'Inquisition ; tant d'autres encore. Tous auront quelque sœur qui se fera ordonner à son tour, et dont plus d'une

1. Cf. ma communication « Le catharisme comme tradition dans la *familia* languedo-cienne », dans *Cahiers de Fanjeaux* nº 20 (Toulouse, Privat, 1985), p. 221-242.

finira sur le bûcher, comme parfois leur propre mère ou grand-mère ; ce sera le sort de Garsende du Mas et de sa fille Gaillarde, de Braida de Montserver, de Marquésia Hunaud – la belle-mère de Raymond de Péreille – d'Alazaïs de Roqueville, mère des seigneurs des Cassès...

Bien d'autres dames se feront ordonner parfaites à Fanjeaux avant l'arrivée des croisés, c'est-à-dire jusqu'en 1209 : Raymonde de Durfort, sa fille Esclarmonde de Festes, Braida et Lombarde, respectivement fille et nièce d'Aude de Fanjeaux, Comtor de Villeneuve et sa fille Agnès. On en connaît dix-huit au total, la plupart issues de la noblesse de Fanjeaux ou du pays environnant. Sans oublier les deux sœurs de Guilhabert de Castres, dont un autre frère, Isarn, était alors diacre de Laurac. Peut-être Philippa, l'épouse de Raymond-Roger de Foix lui-même, se fit-elle ordonner elle aussi à Fanjeaux par Guilhabert de Castres. En tout cas elle tenait vers 1206, à Dun, non loin de Mirepoix, une maison hérétique, et le comte son mari venait l'y visiter et partager son repas...

Beaucoup des dames de Fanjeaux avaient été vouées à la profession de parfaites par leurs mères qui dès leur prime enfance les avaient elles-mêmes emmenées aux sermons de Guilhabert de Castres et de ses collègues, ou les avaient placées dans une maison de parfaites, comme on met une fillette en pension religieuse.

L'implantation géographique

Fanjeaux n'est qu'un exemple, cent autres seraient possibles. Car c'est bien une centaine de localités que les sources nous montrent touchées par le catharisme dans la première décennie du siècle – et l'on est certainement loin de la réalité, car ces mêmes sources ne sont que les épaves d'un très vaste corpus documentaire en majeure partie englouti et perdu. Mais force reste bien de faire avec les informations conservées. Les enquêtes inquisitoriales de 1242-1246, ainsi qu'un mémorandum citant les villes les plus atteintes par l'hérésie lors de l'arrivée des croisés, montrent que ce qu'on a pu appeler l'épicentre du catharisme occitan était un quadrilatère dont les sommets sont Toulouse, Albi, Carcassonne et Foix, autrement dit le Lauragais et les terroirs qui le bordent. Là, village par village, ou presque, on peut pénétrer dans la société hérétique. On peut savoir par exemple qu'à Auriac, près de Caraman, le chevalier Pierre-Raymond de Cuq se fit ordonner parfait vers 1203, que vers 1204 un certain Bernard Fresel prêcha dans un champ « devant tous les hommes et les chevaliers d'Auriac », que de 1205 à 1210 il y avait au moins cinq « maisons », et l'on connaît les noms des parfaits ou des parfaites qui les dirigeaient. A Caraman, on connaît au moins quatre maisons de parfaits, et deux de parfaites. L'un d'elles est tenue par le chevalier Guiraud de Gourdon, coseigneur de Caraman et de Saint-Germier, devenu diacre cathare. Un parfait de Caraman, Arnaud Garrigue sera brûlé à Toulouse en 1242, et la châtelaine Guiraude périra sur le bûcher de Montségur en 1244.

A Labécède, non loin de Castelnaudary, le parfait Arnaud Jougla, installé vers 1205, élève dans l'hérésie ses deux fils. L'un d'eux, Pierre, sera à son tour parfait durant six ans, et sa femme Ava parfaite. Sont attestés avant la croisade les parfaits Raymond de Recaut, qui abjurera vers 1215, et Pierre Guilhem, lui-même fils d'une parfaite, ainsi qu'une communauté d'au moins neuf Bonnes Dames. A Lasbordes, le chevalier Raymond de Villeneuve tient publiquement une maison hérétique au tout début du siècle. Les époux Brézet, Étienne et Bernarde, tous deux ordonnés, élèvent dans l'hérésie leur fille Guillelme, et la font ordonner dès qu'elle atteint sa majorité, c'est-à-dire douze ans. Mais au bout de trois ans elle se maria. Arnaud Baudry fut parfait sept ans durant, mais le futur saint Dominique le réconcilia à l'Église catholique.

Vers 1195 à Lavaur, le parfait Bernard de Lagrasse éleva durant deux ans et demi son fils Guillaume, qui, ordonné, resta parfait cinq ans, puis quitta et son père et l'Église cathare. C'est à Lavaur qu'en 1209 se replieront les parfaits et les parfaites de Villemur-sur-Tarn, menacés par l'armée des croisés qui arrivait de l'Agenais par la vallée de Garonne. A Montesquieu-Lauragais, il y a quelque dix maisons d'hérétiques, dont des ateliers de tisserands et de savetiers qui commercent avec les gens du village, vendant pièces de tissus et chaussures, achetant blé et vendange. Le curé interdisant qu'on enterre en terre bénie les croyants cathares, Montesquieu possède un « cimetière des hérétiques », où dix nobles du lieu au moins furent inhumés. Un cimetière cathare est également signalé à Puylaurens : avant l'arrivée des croisés, « presque tous les chevaliers et les dames » – dont le seigneur Sicard – y accompagnèrent la dépouille de Peytavi de

Puylaurens. Dès avant 1200, un certain Raymond de Val reçut le *consolament* des mourants, en présence d'une impressionnante assemblée de croyants où s'était retrouvée toute la noblesse locale – dont Sicard de Puylaurens, sa mère et ses deux sœurs. Un cimetière cathare encore à Saint-Paul-Cap-de-Joux, où le chevalier Raymond de Saint-Paul est inhumé vers 1203, accompagné par « toute la population du village, les chevaliers et les autres ». L'enterrement eut lieu de nuit : Guillaume de Corneille, chevalier de Montgey, tenait des chandelles...

A Montmaur, les ateliers cathares fournissent chemises, chaussures, sandales. A Rabastens, la mère du seigneur Pelfort est installée parfaite vers 1204 avec deux de ses filles.

Vers 1194, un certain Gaucelin de Miraval, sans doute parent du troubadour Raymond de Miraval, ayant commis un meurtre, se réfugia à Cabaret et s'y fit ordonner par Pons Bernardi. Vers 1200, le diacre cathare de Laurac, Arnaud Hot, vint prêcher devant la noblesse du Cabardès. Une communauté de parfaites se maintint à Cabaret jusqu'à l'arrivée des croisés, sous la direction d'une certaine Carcassonne Marty.

Il ressort bien, à travers ce sondage rapide et forcément très partiel, que le catharisme s'était solidement implanté dans les villages grâce à la protection et souvent à l'adhésion de la noblesse rurale qui, à cette époque du moins, fournissait à l'Église cathare une bonne part de ses parfaits et surtout de ses parfaites. Il est dommage que l'on ne possède pas de sources équivalentes pour une ville comme Toulouse, afin de savoir quel pouvait être le degré d'adhésion des diverses couches de la population. De la pauvreté des informations circonstanciées, on ne peut guère tirer de conclusions précises. La suite des événements nous fera certes connaître quelques grandes familles de l'oligarchie urbaine très fortement touchées par l'hérésie – les Rouaix, les Saquet, les Centoul, les Caraborde, les Embry, etc., sans oublier plusieurs Maurand ; on saura aussi, à la faveur des événements de la croisade, que le bourg Saint-Sernin, où habitaient d'ailleurs les Maurand, était plus atteint par l'hérésie que la cité, où se trouvait la cathédrale et où, par conséquent, résidait l'évêque. Mais un état de la situation en 1200 n'est pas possible. Sauf à remarquer que parfaits et croyants qui, en 1209, fuiront devant les croisés quand ceux-ci menaceront le Lauragais, se replieront souvent à Toulouse dans les hôtels particuliers qu'y possèdent les hobereaux campagnards.

Cela dit, il est bien certain qu'il y eut aussi du catharisme hors du quadrilatère qu'on a défini plus haut. En 1209, les citoyens de Béziers refuseront de livrer aux croisés les hérétiques de la ville, dont l'évêque catholique avait dressé la liste. La même année, le bûcher allumé à Casseneuil, sur le Lot, par l'armée qui arrivait de l'ouest indique qu'il y en avait aussi en Agenais – mais on le sait, au fond, depuis le concile de Saint-Félix. Un autre bûcher dressé en 1210 par Simon de Montfort à Minerve, et sur lequel périrent cent quarante parfaits et parfaites, dont certainement beaucoup de réfugiés des localités d'alentour, dit assez que tout le Minervois avait dû être atteint. Quant au haut comté de Foix, où la majeure partie de la noblesse vassale des comtes se révélera si longtemps fidèle à la religion cathare, il est bien évident que celui-ci n'y est pas apparu par enchantement à l'époque du siège de Montségur, mais plongeait ses racines dans la génération contemporaine de la comtesse Philippa et de sa belle-sœur Esclarmonde. A Lordat, en tout cas, bien au sud de la capitale du comté, il y avait un cimetière pour les hérétiques : le chevalier Raymond Cat, originaire du Carcassès, y fut inhumé vers 1209 après avoir reçu le *consolament* des mourants, ainsi qu'un habitant de Garanou, Bernard Delpech. Vers 1204, les frères Agulher dont un deviendra évêque cathare du Razès et périra sur le bûcher de Montségur – tenaient publiquement maison à Tarascon-sur-Ariège, et ils n'y étaient pas les seuls. Informations très rares, en revanche, pour le Quercy, où l'on ne peut guère relever que l'ordination d'Austorgue de Lamothe et de ses deux fillettes Arnaud et Péronne, que le diacre Raymond Aymeric vint chercher à Montauban pour les emmener faire leur noviciat à Villemur, où elles restèrent jusqu'à ce que ce village fût menacé par la croisade. Mais les quelque sept cents pénitences que l'Inquisition délivrera en 1241 à des habitants du Quercy, sur la foi des enquêtes menées à partir de 1234, et qui toucheront d'ailleurs non seulement des cathares, mais beaucoup de vaudois, permettent de supposer, là aussi, une implantation ancienne.

S'il est difficile, faute de documents, de suivre de près le développement du catharisme occitan au long de la deuxième moitié du XIIᵉ siècle – les informations circonstanciées sur la société cathare n'apparaissent qu'à l'approche de 1200 –, il l'est tout autant de se faire une idée de son implantation au plan quantitatif. Tout ce qu'on peut assurer, c'est que l'hérésie connut une période d'expansion jusqu'aux années 1230, y compris, donc, pendant la croisade. La création, en 1226, d'un cinquième évêché, celui du Razès, témoigne certainement de cette croissance des effectifs de parfaits, malgré les bûchers collectifs allumés de 1209 à 1211. On n'a cependant que très peu d'estimations qui puissent avoir valeur indicative : 600 parfaits réunis en concile à Mirepoix en 1205 ou 1206 ; 140 victimes, y compris cette fois des parfaites, sur le bûcher de Minerve en juillet 1210 ; de 300 à 400, selon les sources, à Lavaur en mai 1211 ; de 60 à une centaine aux Cassès, quelques jours après. Avec la mise en place de l'Inquisition en 1234, les effectifs de l'Église cathare amorcent un bien compréhensible et inexorable déclin. Près d'une centaine de parfaits et de parfaites ont déjà été brûlés quand s'ouvre en 1245 la grande enquête des inquisiteurs Bernard de Caux et Jean de Saint-Pierre – sans compter les 224 Bons Hommes et Bonnes Dames qui périrent à Montségur le 16 mars 1244. Entre 1300 et 1310, la dernière Église cathare occitane organisée ne comprendra plus que douze parfaits groupés autour de Pierre Authié.

Ce qu'on aimerait connaître, surtout, c'est la proportion de cathares, parfaits et croyants confondus, par rapport à la population demeurée catholique. Là encore, les lacunes de notre information et l'inévitable évolution de la situation au cours du XIIIe siècle incitent à beaucoup de prudence. Si l'on veut à tout prix tenter une approche quantitative, on peut prendre en compte, par exemple, les 450 interrogatoires menés en 1245 et 1246 auprès de la population du Mas-Saintes-Puelles. Ils nous font connaître un nombre supérieur de personnages, défunts et fuyards compris. Si l'on considère donc le total de la population connue pour les quarante-cinq premières années du siècle, on constate que la moitié était composée de croyants cathares, tandis qu'on voit passer ou résider au Mas une vingtaine de Bons Hommes et de Bonnes Dames. Mais nous sommes dans un cas extrême : un *castrum* du Lauragais situé dans la zone de plus forte implantation de l'hérésie et où, de surcroît, le pouvoir est entre les mains d'un unique clan seigneurial tout entier acquis au catharisme et dont l'aïeule et une de ses filles furent même brûlées. On peut donc considérer que cette proportion de cinquante pour cent est le maximum que l'hérésie ait jamais pu atteindre dans le milieu qui lui était le plus favorable ; elle était infiniment plus faible dans des villes comme Carcassonne, Albi, Toulouse ou Foix.

Un appareil ecclésial

Du tableau qu'on vient de dresser à petites touches, il ressort, sur la société cathare, un certain nombre d'indications qu'il faut maintenant regarder de plus près. Il faut voir d'abord en quoi consiste exactement le niveau occupé par les parfaits et les parfaites, quelle est sa fonction, comment il se structure, comment il vit au quotidien ; voir aussi ce qu'est sa hiérarchie, c'est-à-dire comment fonctionne son appareil ecclésial.

Tout découle en fait, très directement, du système doctrinal lui-même, de l'ensemble des croyances dualistes d'ordre cosmologique et théologique qui sont constitutives de la foi cathare – compte tenu que la fin dernière, le but de la démarche religieuse elle-même, c'est la salut de l'âme.

L'âme, parcelle de substance divine captive, sur la « terre d'oubli », d'un corps qui appartient à la mauvaise création, ne pourra se libérer de sa prison de chair que par l'intercession du Saint-Esprit, celui-là même que reçurent les Apôtres et qu'ils transmirent à leurs disciples, à charge pour eux de le transmettre à leur tour. On sait que c'est le baptême par imposition des mains – les Actes des Apôtres le montrent amplement – qui infuse le Saint-Esprit, lequel, pour les cathares, a seul pouvoir, à l'heure de la mort, de ramener dans sa patrie céleste l'âme qui en était tombée et qu'il est venu chercher. L'imposition des mains scelle pour les cathares le « mariage mystique » de l'âme et de l'Esprit, celui dont parlent, à leur sens, les Évangiles quand il y est dit de « ne pas séparer ce que Dieu a uni ». Sans ce mariage, pas de salut possible. L'imposition des mains est donc, sinon la condition suffisante, du moins le passage obligé du salut, comme l'est pour les catholiques le baptême d'eau. C'est d'ailleurs bien comme baptême – « baptême d'Esprit et de feu », disent-ils, par référence à la Pentecôte – que les cathares conçoivent expressément l'imposition des mains, qu'ils appellent en occitan *consolament*. Mais celui-ci n'est pas automatiquement conféré. Les cathares récusent en effet le baptême des petits enfants, ils entendent que celui qui le reçoit sache exactement de quoi il s'agit et que son baptême soit le fruit d'une démarche volontaire – une règle que bien des dames tourneront cependant en faisant consoler des fillettes de huit ou dix ans...

Le *consolament* faisant le chrétien, sa réception induit un certain nombre d'obligations, du fait qu'un chrétien baptisé est un

individu autre, nouveau – c'est vrai aussi dans le catholicisme –,
et se doit, pour les cathares, de prendre ses distances à l'égard
du monde. Non point en se faisant ermite, en rompant avec le
monde, mais en rompant avec ce qui, dans le monde, témoigne
au plus haut degré, au plan éthique, de l'emprise du mauvais
principe, et tout particulièrement la luxure, la violence, le mensonge, la méchanceté, le vice sous toutes ses formes. Autrement
dit, le *consolament* engage dans une vie chaste, non violente,
transparente et charitable, imitée de la vie apostolique. Il est une
entrée en chrétienté, et du même coup une entrée en religion. Le
salut passe nécessairement par l'état religieux. Les cathares se
séparent ici des catholiques, mais pas tellement des premiers
chrétiens. A ce niveau, l'Église cathare équivaut très exactement
à un ordre, auquel il faut s'agréger pour faire son salut. Tout
homme ou toute femme désireux de s'engager dans cette voie
peut donc se faire ordonner, le *consolament* faisant fonction à la
fois de baptême et de sacrement d'ordination, moyennant quoi il
ou elle prononce des vœux et se dispose, comme tout moine ou
moniale de l'Église catholique, à suivre une règle, en l'occurrence
la règle de bonté, de justice et de vérité dont parle saint Paul
dans son Épître aux Éphésiens.

Parmi les observances qu'impose cette règle, il en est une qui
va jouer un rôle extrêmement important au plan sociologique :
c'est l'obligation, pour les ordonnés – ou les baptisés, ce qui
revient au même –, bref pour ceux que nous appelons parfaits et
parfaites, de vivre du travail de leurs mains. Elle a sa source dans
un précepte apostolique : « Ayez à cœur de travailler de vos
mains, comme nous vous l'avons ordonné », écrit saint Paul aux
Thessaloniciens ; et encore : « Si quelqu'un ne veut pas travailler,
qu'il ne mange pas non plus ! » C'est parce que l'apôtre était
lui-même fabricant de tentes, que les cathares se sont volontiers
adonnés au tissage – d'où le sobriquet de « tisserands » dont on
les a souvent affublés. Autrement dit, il n'y a pas de place, dans
le catharisme, pour les contemplatifs, ni d'ailleurs pour les soli-
taires : il faut, toujours à l'image des Apôtres, être au mois deux,
en toute circonstance. Chaque parfait a un *sòci*, un compagnon ;
chaque parfaite une *sòcia*. Même dans la plus périlleuse clandestinité, cette règle sera toujours rigoureusement respectée.

Avant la croisade, parfaits et parfaites vivent en petits
groupes. Si bien que la cellule de base de l'Église, c'est l'atelier

communautaire[1]. De fait, parfaits et parfaites pratiquent tous les artisanats possibles ; on trouve chez eux, outre des tisserands, des fileuses de lin ou de laine, des couturières, des boulangères, des tailleurs, des cordonniers, des chapeliers, des gantiers, des selliers, des corroyeurs, des meuniers, etc. Quand les événements leur imposeront la clandestinité, quand la croisade puis l'Inquisition auront fermé les ateliers, parfaits et parfaites s'efforceront de rester aussi fidèles que possible à la règle, en l'adaptant aux circonstances. On en verra travailler chez les gens qui les cachent, et gagner ainsi le gîte et le couvert. On trouvera des charpentiers itinérants, des parfaits louant leurs bras pour les vendanges ou la moisson, des médecins, dont l'un au moins, Arnaud Faure, qui était né à Cambiac, sera brûlé en 1245. En pleine croisade, les parfaits Pierre Gaubert et Pierre Rouzaud vivront dans une clairière du bois de Francarville, qu'ils cultiveront ; ils pourront ainsi, à la fois, survivre et payer leur loyer en nature. A la grande époque de l'émigration en Lombardie, des parfaits se feront colporteurs, ce qui leur permettra de voyager dans les deux sens pour apporter des nouvelles aux uns et aux autres.

L'avantage du travail, surtout quand il se pratique dans des ateliers sédentaires au su et vu de tout le monde, c'est qu'il permet de maintenir un contact permanent avec la population – donc de faire de façon constante du prosélytisme. La « maison des hérétiques », dira l'Inquisition, la maison des Bons Hommes ou celle des Bonnes Dames, diront les cathares, sont par excellence le lieu où les simples fidèles vont visiter les parfaits et les parfaites, soit pour leur vendre de la matière première, soit pour leur acheter des produits finis – soit tout simplement pour les saluer et les écouter. Donc, par excellence, le lieu où se fait la liaison entre l'Église proprement dite et la masse des simples fidèles ; le lieu, donc, par lequel passe la totale intégration de l'Église cathare à la vie sociale et économique – sans compter qu'elle n'a pas à l'égard de l'argent la même méfiance que l'Église catholique, et que le produit du travail, joint aux dons et aux legs des croyants, constitue une richesse monétaire certaine, et qui circule par le canal des changeurs et des prêteurs. D'où, d'ailleurs, les « trésors » des communautés cathares, dont celui de Montségur

1. Cf. A. Brenon, « La Maison cathare. Une pratique de vie religieuse communautaire entre la règle et le siècle », dans *Europe et Occitanie : les pays cathares*, Collection Heresis, n° 5 Carcassonne, Centre d'études cathares, 1995, p. 213-232.

n'est que le plus célèbre, mais qui n'ont rien de mystérieux et consistaient simplement en numéraire.

A côté du travail, il est une autre obligation faite aux ordonnés, et particulièrement aux hommes : c'est la prédication. Elle avait pour mission d'entretenir la foi, d'inciter les croyants à respecter la morale évangélique, et de leur indiquer les voies du salut, c'est-à-dire de les convaincre de recevoir le *consolament* comme sacrement d'ordination les engageant dans la vie religieuse ; sinon, au moins comme baptême des mourants lorsqu'ils sentiront que leur fin est proche. Les sermons consistaient en récits de mythes divers, notamment celui de la chute, et en lecture d'extraits, avec commentaire, des Évangiles et de l'Apocalypse. Ils avaient lieu, principalement, dans les maisons-ateliers, mais pouvaient aussi se faire sur la place publique, ou chez les particuliers, à leur invitation. Les maîtres de céans réunissaient alors, pour l'occasion, parents, alliés et amis. Quand la clandestinité incita à la prudence, on prêcha dans les caves et les greniers, mais surtout en pleine nature, dans les champs, à la pêche, ou dans les bois, sous couvert, parfois, de réunion de chasse.

On ne peut douter que les parfaits aient été rompus à l'art de la prédication. La contre-prédication que le pape Innocent III instaura à partir de 1198 fit apparemment piètre figure à côté de la leur : son échec fut complet. Il fallut le génie d'un chanoine castillan de trente ans, Dominique de Guzman, pour se mesurer aux Bons Hommes sur leur propre terrain, comprendre quelles étaient leurs armes et les retourner contre eux. C'était, outre l'humilité et la charité, le talent oratoire. Ce n'est pas un hasard s'il créa l'ordre des Prêcheurs.

Le devoir d'assistance, aux croyants comme aux autres parfaits, fait également partie des obligations du Bon Homme ou de la Bonne Dame. La maison-atelier sert à la fois d'hôtel pour les parfaits de passage, d'hôpital pour les malades et les mourants, et de maison d'éducation pour les jeunes gens que leurs parents veulent bien y placer. Ils y reçoivent une formation professionnelle et une éducation religieuse. Mais l'assistance majeure due au prochain, c'est évidemment le don du *consolament*, et ce dans les deux cas possibles : comme sacrement d'ordination, ou comme baptême des mourants.

Dans le premier cas, la réception du sacrement est précédée d'un noviciat plus ou moins long – parfois trois carêmes successifs – qui se fait dans la maison des parfaits ou des parfaites.

Quand les événements auront contraint de fermer les maisons-ateliers, nombreux seront les croyants qui partiront se faire ordonner au réduit fortifié de Montségur, où, jusqu'au siège de 1243-1244, plusieurs maisons de parfaits et de parfaites permettent de faire son noviciat.

Quand il s'agit du *consolament* des mourants, ou bien le malade est transporté dans la maison cathare, y reçoit le sacrement et y meurt, ou bien il le reçoit chez lui – on verra plus loin dans quelles conditions pendant la clandestinité ; mais il se trouve dès lors lié par le *consolament* : tout comme l'ordonné, il lui faut se soumettre aux règles d'abstinence, c'est-à-dire, essentiellement, ne plus prendre, jusqu'à son dernier souffle, de nourriture d'origine animale. Le plus souvent, deux parfaits restent à son chevet pour veiller à ce que lui-même ni personne de son entourage ne s'avise de transgresser la règle – par exemple en essayant de lui faire prendre un revigorant bouillon de poule... Mais il arrive aussi qu'on transporte le mourant *consolé* dans une maison de parfaits, où la surveillance est évidemment plus facile, et le risque de transgression à peu près nul. C'est de cette ascèse post-baptismale qu'est née la légende malveillante du suicide par inanition. L'*endura* était un jeûne rituel, non une fatale grève de la faim...

Un autre type d'assistance spirituelle est la bénédiction du pain, et sa distribution, au début du repas, aux croyants dont on partage la table – soit chez eux, soit dans une maison cathare. Ce rituel du « pain de l'Oraison », comme l'appelaient les cathares, n'a cependant, à l'inverse de l'eucharistie des catholiques, et même s'il en est matériellement très proche, aucune fonction sacramentelle. Il est un hommage à Jésus, mais le pain ne saurait en aucun cas devenir, par la bénédiction, son corps. Il n'en est même pas le symbole. Tout au plus l'allégorie de son message. Il se fonde sur la prière transmise par saint Matthieu, « Donnez-nous aujourd'hui notre pain supersubstantiel », c'est-à-dire une nourriture purement spirituelle, la grâce du Dieu bon. Parfaits et croyants étaient très attachés à ce rite. Si le pain n'était pas entièrement consommé, on en recueillait soigneusement ce qui en restait, voire les miettes, qu'on faisait passer à des croyants emprisonnés ou à de lointains exilés.

Autre rituel qui s'accomplissait parfaits et croyants confondus, surtout à l'issue des prêches, l'échange du baiser de paix, qu'ils appelaient entre eux « la paix » tout court. C'était un baiser en travers de la bouche, entre hommes ou entre femmes – mais d'homme à femme il se faisait simplement chacun inclinant son visage sur l'épaule de l'autre ; puis on baisait l'Évangile.

Enfin, parfaits et parfaites se doivent de répondre au salut rituel requis des croyants et des croyantes, qui se nomme en occitan *melhorament* ou *melhorer*, « amélioration ». Quiconque rencontre un Bon Homme ou une Bonne Dame doit faire trois génuflexions, et dire « Bénissez-moi, Seigneur (ou Bonne Dame), et priez Dieu qu'il fasse de moi un bon chrétien et me conduise à une bonne fin ». Et le parfait ou la parfaite répond : « Que Dieu soit prié, qu'il fasse de vous un bon chrétien et vous conduise à une bonne fin. » Dans les textes latins de l'Inquisition, ce salut rituel est appelé *adoratio*, au sens étymologique de « prière adressée à quelqu'un », et « adorer » un parfait veut dire simplement le saluer ainsi. C'était d'ailleurs, pour les inquisiteurs, le premier et le plus simple signe qui permettait de déceler un « croyant des hérétiques ».

Quand on aura ajouté que la vie nocturne aussi bien que diurne du Bon Homme et de la Bonne Dame est rythmée par de très nombreuses prières, et qu'un bénédicité accompagne chaque prise d'aliment ou de breuvage – notons au passage que le vin était autorisé –, on aura à peu près fait le tour de tout ce qu'implique, au quotidien, l'état de parfait.

Au total, on voit que chaque Bon Homme joint à sa qualité de religieux régulier voué à son propre salut le rôle d'un religieux séculier qui a charge d'âmes. C'est assurément l'originalité de l'Église cathare, et sans doute l'une des clefs de son succès, d'avoir fait en sorte que ses ministres fussent à la fois des moines et des curés de paroisse. Pas d'édifices consacrés pour recevoir le culte, donc pas de clergé attaché uniquement à les desservir, pas d'abbayes non plus ni de monastères clos, simplement des hommes et des femmes qui vivent au milieu des autres, travaillent et vivent de leur travail, et ne se distinguent des autres travailleurs que par les exigences particulières de la vie qu'ils ont choisie. Bref, une « Église de proximité », dirait-on aujourd'hui. Et qui peut d'autant plus facilement apparaître comme étant « la bonne Église », comme on le disait entre croyants, qu'il n'est pas rare de voir des hommes et des dames de haut rang, le vieux seigneur ou la châtelaine devenue veuve, installés eux-mêmes dans une « maison d'hérétiques »...

On a parlé des obligations qu'impliquait l'état de parfait. Mais cet état s'accompagne, aussi, d'un certain nombre de refus, tout aussi impératifs.

Pris dans son sens absolu, le « Tu ne tueras point » des Écritures interdit tout meurtre, même en cas de légitime défense, et s'étend aux animaux, susceptibles d'ailleurs, on va le voir plus loin, de receler une âme en cours de migration. Le bruit courut à Toulouse, dans les années 1270, qu'un homme avait été brûlé parce que, ayant refusé de tuer un coq devant les inquisiteurs, en donnant pour prétexte qu'il ne lui avait rien fait, ceux-ci furent persuadés que c'était un parfait. Deux dames du comté de Foix, Agnès de Durban, sœur de l'abbé de Saint-Volusien de Foix, et Séréna de Châteauverdun, sœur de Pierre-Roger de Mirepoix, connurent un sort semblable : comme, se rendant à Toulouse, elles avaient fait étape dans une auberge, l'hôtesse eut des soupçons et, prétextant une course urgente, leur demanda de préparer elles-mêmes pour le repas des poulets qu'elle leur donna vivants. Quand elle revînt, les poulets n'avaient pas été tués. Elle alerta les autorités et les deux parfaites furent livrées à l'Inquisition.

Il va sans dire que l'Église cathare récuse formellement la peine de mort, quel que soit le crime commis. Elle va d'ailleurs beaucoup plus loin. Là encore, le précepte évangélique est pris dans un sens absolu : « Ne juge pas, et tu ne seras pas jugé... » Elle récuse donc aussi bien la justice civile que la justice pénale. A la première, elle substitue un système de règlement amiable entre croyants, au sein duquel la hiérarchie de l'Église joue un rôle d'arbitre. En cas de crime, elle se garde bien de remettre à la juridiction adéquate le croyant coupable : elle l'oblige – pénitence suprême – à se faire ordonner. On en a eu un exemple avec Gaucelin de Miraval, à Cabaret, vers 1195. Peu après 1300, le dernier parfait cathare occitan connu, Guillaume Bélibaste, fut ordonné pour avoir tué au cours d'une rixe un berger des Corbières.

La prohibition du vol, celle du mensonge, explicitement mentionnées par le *Rituel* latin, sont des règles morales sans originalité. L'obligation de dire la vérité, cependant, mettait en grand péril un parfait arrêté à qui ses juges demandait de confesser sa foi. On tentait d'éviter à la fois le mensonge et l'aveu en faisant profession de foi catholique, mais en l'assortissant secrètement de restrictions mentales. Hypocrite palliatif, qui ne servait plus à rien quand on mettait le suspect au pied du mur en lui demandant de jurer que c'était là sa vraie foi. Car là, la prohibition du serment – fondée sur saint Matthieu (« Et mois je vous dis de ne pas jurer du tout ») et sur l'Épître de Jacques (« Mes frères, ne jurez pas, ni par le ciel, ni par la terre, ni d'aucune manière ») – ne permettait aucune échappatoire. Le refus de jurer était par excellence l'aveu d'hérésie ; ce fut lui, on l'a vu, qui entraîna la condamnation prononcée en 1165 au concile de Lombers.

Reste à examiner l'organisation de l'Église cathare. La cellule de base, la maison-atelier, siège de la vie communautaire, est dirigée par un *ancien* ou par une *prieure*, selon qu'il s'agit d'une maison de parfaits ou de parfaites. Plusieurs communautés disséminées dans plusieurs villages sont placées sous l'autorité d'un diacre. Un diaconé cathare correspond à peu près, en Lauragais, à un de nos actuels cantons, preuve que l'implantation y est particulièrement dense. En revanche, on ne connaît qu'un seul diacre pour toute la Catalogne. La fonction du diacre, outre sa naturelle mission de liaison et de contrôle, est de pratiquer, en principe une fois par mois, la confession collective au sein de chaque communauté de parfaits et de parfaites. Les Occitans la nomment *apparelhament*, qui veut dire arrangement, ajustement ; ou encore *servici*, qui veut dire remise, rémission, don – sous-entendu : remise des péchés, don de la pénitence. La clandestinité rendra extrêmement difficile d'observer la régularité de ces cérémonies. Les diacres feront tout leur possible pour aller de cachette en cachette confesser les groupes de parfaits et de parfaites qui se terrent dans tel ou tel bois, dans une grotte ou dans un souterrain. Deux parfaits, Aymeric et Raymond Arquier, se trouvant en Catalogne en 1242, seront obligés, faute de trouver un diacre, de monter à Montségur pour faire leur *apparelhament*.

Au sommet de la hiérarchie se trouve l'évêque. À l'époque du concile de Saint-Félix, il est élu par la communauté. Par la suite, le système ne rend pas nécessaire son élection. Comme il est assisté de deux coadjuteurs, le *fils majeur* et le *fils mineur*, c'est le *fils majeur* qui, à la mort de l'évêque, lui succède, le *fils mineur* devenant *fils majeur* ; et l'on choisit parmi les diacres un nouveau *fils mineur*. Alors que tout simple parfait peut donner le *consolament* des mourants, seul l'évêque a pouvoir de donner le *consolament* d'ordination qui fait d'un simple parfait un diacre, ou d'un diacre, un fils. Quant à l'ordination qui fait d'un croyant un parfait, d'une croyante une parfaite, elle doit en principe être accomplie par un membre de la hiérarchie. À l'exception des prieures qui dirigent les communautés de la base, les femmes sont exclues de celle-ci. La présence d'Esclarmonde de Foix comme

« diaconesse » à Montségur est une pure légende romantique. Les parfaites ont le droit de consoler, mais dans la pratique elles ne semblent le faire qu'en l'absence d'un membre masculin de l'Église : en 1234, après la mort de Péronne de Lamothe dans un bois des environs de Lanta, les croyants du pays trouvèrent à sa sœur Arnaude une nouvelle *sòcia* en la personne de Jordane Noguier, et la lui amenèrent. Arnaude l'ordonna parfaite elle-même.

Les croyants

Autour de l'Église proprement dite, gravite la masse mouvante des simples fidèles, les « croyants des hérétiques », comme les nomme l'Inquisition. Mouvante, sans frontières précises avec la masse des fidèles catholiques, car on trouve chez elle, comme chez l'autre, toutes les nuances possibles dans l'adhésion aux articles de la foi prêchée par les parfaits, dans la fidélité aux pratiques religieuses qu'on exige d'elle, dans l'aide qu'elle doit apporter à l'Église. C'est bien ce qui distingue la société cathare d'une banale secte : outre une communication permanente entre ceux et celles qui sont « d'Église », et ceux et celles qui n'en sont pas, ces derniers présentent une infinie variété d'attitudes individuelles. Si le catharisme est déjà, vers 1200, un fait de tradition, et le sera toujours, pendant plus d'un siècle, pour les générations qui suivront, la tradition ne constitue pas une causalité mécanique, il y a mille façons de la recevoir. C'est vrai aussi au niveau des parfaits et des parfaites. Certains assument en connaissance de cause, avec rigueur, et avec courage sous la persécution, l'héritage idéologique familial. Gaillarde du Mas fit aux côtés de sa mère Garsende une longue carrière de parfaite, et finit avec elle sur le bûcher avant 1245. Pour les sœurs Lamothe, que j'ai brièvement évoquées, il est difficile de ne pas parler de vocation. D'autres, en revanche, manifestent de la résistance, avec des façons différentes de subir le choix collectif, de se laisser imprégner par la tradition familiale. Ordonnée par la volonté de sa mère alors qu'elle n'avait que huit ou neuf ans, Alazaïs de Mirepoix quitte la vêture au bout de trois ans, à sa majorité, sans doute, « mange de la viande » – c'est elle-même qui le dit – et épouse le chevalier Alzieu de Massabrac, à qui elle donne quatre enfants – ce qui ne l'empêche pas de demeurer toute sa vie bonne croyante. Flor de Belpech, elle, refusa carrément de se faire ordonner, alors que c'était la volonté de sa mère, et elle épousa Gaillard du Mas.

Mais c'est sans doute chez les croyants que l'arc-en-ciel des nuances est le plus large. La majorité d'entre eux paraissent certes animés d'une foi solide, mais certains ont des doutes[1]. La même Flor de Belpech ne croyait pas « fermement », c'est elle qui l'affirme, que les parfaits fussent de bons hommes : « Tantôt oui, tantôt non... » Quant à son mari Gaillard, s'il reconnut en 1245 devant l'inquisiteur Bernard de Caux avoir été croyant depuis une vingtaine d'années, il faut penser que sa foi cathare n'était pas inébranlablement enracinée en lui : il finit par se donner, en 1250, à l'abbaye bénédictine de Boulbonne. Si l'on regarde maintenant les cinq frères du même Gaillard, on a une surprise de taille : l'un d'eux, Guillaume-Palaysi, est jusqu'en 1236 à la tête du prieuré bénédictin du Mas-Saintes-Puelles. Les quatre autres sont, comme Gaillard, chevaliers et coseigneurs du Mas, et croyants cathares, mais il y a apparemment un tiède parmi eux, Guillaume. Quand il engage des parfaits pour moissonner son blé, il ne prend même pas la peine de faire devant eux la salutation rituelle, et ce n'est d'ailleurs que très rarement qu'il assiste aux réunions, aux prêches, au partage du pain bénit, ou qu'il échange le baiser de paix, alors que ses frères, ses belles-sœurs et même sa femme sont au contraire très assidus. On est loin du militantisme de Bernard qui, un jour, vers 1229, rencontrant Pons Fabre et Martel de Cucuroux qui se rendaient à la messe, les accosta pour leur dire que s'ils voulaient ils pourraient aller à une meilleure église. Il les amena chez lui, où le diacre cathare Raymond Mercier était en train de prêcher devant toute la famille. Bref, la tradition peut être assumée, acceptée, subie, ou refusée. Elle reste la tradition...

Il est par ailleurs symptomatique que dans la majorité des cas, les personnages qui disent ne pas avoir cru les « erreurs » que professaient les hérétiques touchant la Création, l'Incarnation, l'eucharistie, le mariage, etc., n'en avouent pas moins avoir accompli maintes fois le rite de l'*adoratio*, le salut rituel, tout comme avoir assisté à des prêches de parfaits et à des *consolaments* de mourants. On peut très bien, en effet, ne pas penser

---

1. Je résume ici quelques exemples et quelques analyses du travail cité *supra*, page 72, note 1.

comme le groupe familial ou social auquel on appartient, il est beaucoup plus difficile de ne pas agir comme le groupe, c'est-à-dire de ne pas se plier aux conduites collectives, lorsqu'elles sont devenues si traditionnelles qu'on pourrait presque oublier leur signification religieuse pour ne plus voir en elles que des rites de sociabilité. Tout cela pour dire que tout croyant cathare n'était pas forcément un militant du catharisme, il s'en faut de beaucoup. On en connaît même qui, tout en ayant la conduite du bon croyant, gardaient un pied dans la religion catholique. Il y eut des *consolés* de la dernière heure qui avaient pris soin, aussi, de recevoir des mains du curé la communion. Deux assurances sur l'éternité valaient mieux qu'une...

Qu'exigeait l'Église cathare, en fin de compte, de ses simples fidèles ? On a souvent avancé, pour la condamner, le laxisme dont elle témoignait à leur égard. Il n'en est rien. Laisser aux simples fidèles la faculté de se marier, de faire des enfants, de manger de la viande, de se battre et de tuer les ennemis, alors que parfaits et parfaites sont soumis à une rude ascèse, n'est pas plus un immoral paradoxe que la différence de vie qu'on trouve, dans la société catholique, entre le clerc et le laïc. De la condamnation du mariage, par exemple, évidemment fondée sur la condamnation de l'acte sexuel, les polémistes ont souvent tiré des conclusions spécieuses. Quand les cathares disent que l'acte est mauvais en lui-même, et que ce n'est pas le sacrement conféré par le prêtre qui le rendra bon, ils entendent qu'il est aussi mauvais dans le mariage que dans l'adultère et l'inceste ; ils n'engagent évidemment pas à pratiquer l'adultère et l'inceste. Bien au contraire, loin de mépriser l'union contractée par un homme et une femme, qu'elle ait été ou non bénie par un prêtre, ils témoignent envers elle d'un infini respect : il arrive souvent qu'une personne mariée ne se fasse ordonner parfait ou parfaite qu'après que son conjoint l'a solennellement, devant témoin, déliée du lien conjugal.

Mais est-ce que l'Église demande réellement quoi que ce soit aux croyants ? Aucun rite, aucun sacrement, aucun engagement ne fait le croyant. Il n'est tel que par un libre choix sans cesse renouvelé, qu'il peut abandonner à tout moment. Son lien avec l'Église est tacite, purement virtuel, purement moral. Tout ce que nous pouvons dire, c'est que nous savons ce qu'est ou ce que doit être un bon croyant – et il y en eut beaucoup.

Nous savons d'abord ce qu'il croit et ne croit pas. Il croit avant tout que ceux que les catholiques appellent hérétiques « sont de bons hommes et de bonnes dames, d'authentiques amis de Dieu ; qu'ils ont une bonne foi, et qu'on ne peut être sauvé que par eux ». Bref, il fait le départ, très clairement, entre la « bonne Église » et ses ministres, et l'autre. Ensuite, il croit – sous réserve de toutes les nuances qu'on a dites plus haut – ce que lesdits hérétiques prêchent : que ce n'est pas le bon Dieu qui a fait le monde visible, mais un mauvais créateur, que par commodité il appellera aisément le diable ; que le baptême d'eau est inopérant ; qu'il n'y a pas de salut possible dans le mariage, c'est-à-dire si à un moment ou à un autre on ne sort pas de l'état de mariage par la réception du baptême « de feu et d'Esprit », ne fût-ce qu'à l'article de la mort ; que l'hostie consacrée n'est pas le corps du Christ ; qu'il n'y aura pas de résurrection des morts, en ce sens que le salut concerne l'âme seule, et que le corps retourne en poussière. J'ai gardé dans cette énumération des articles de la foi l'ordre dans lequel les inquisiteurs posaient quasi systématiquement leurs questions, car il fait bien ressortir, à la fois, que l'adhésion à l'hérésie passait prioritairement par la confiance accordée aux hommes et aux femmes qu'on disait hérétiques, avant l'adhésion aux croyances ; ensuite que, en ce qui concerne ces croyances, le dualisme cosmologique est premier, qu'il est comme le fondement des autres articles de foi. On ajoutera quand même, mais c'est une croyance infiniment plus diffuse que les précédentes, et sur laquelle les inquisiteurs interrogent beaucoup plus rarement, que le bon croyant pense que si le salut n'est pas obtenu, faute d'avoir reçu le *consolament*, l'âme passera de corps en corps – y compris, éventuellement, dans un corps animal, pour y faire pénitence, si on a eu une mauvaise vie – jusqu'à ce que la grâce divine intervienne et permette une ultime réincarnation ouvrant sur le salut.

Nous savons en outre comment se comporte le bon croyant. Il pratique la salutation rituelle chaque fois qu'il rencontre un parfait ou une parfaite. Il assiste aux prêches, il participe au baiser de paix et au partage du pain bénit ; il demande à recevoir le *consolament* si, malade, il pense être près de mourir ; il ne manque pas, en cette circonstance, de faire un legs à l'Église cathare. Quand celle-ci sera contrainte à la clandestinité, ces dons se feront systématiquement en espèces, non plus en biens immeubles ou fonciers – ce qui était déjà très rare auparavant. En outre, le bon croyant se devra d'aider par tous les moyens l'Église persécutée. Ainsi se constitueront de village en village, sous l'Inquisition, de très efficaces réseaux de complicités sans lesquels le catharisme n'aurait eu aucune chance de survie.

Avec la persécution, il arrive que des croyants, surtout les *faidits* qui ont pris les armes, par exemple ceux qui défendent Montségur assiégé, craignent de mourir de mort violente, et par conséquent de ne pouvoir recevoir à temps le *consolament*, car il est exigé que le consolé ait l'usage de la parole afin de répondre aux questions de l'officiant et de dire le *Pater*. On imagina alors de s'engager à l'avance, auprès des parfaits, à le recevoir, « même si j'ai perdu l'usage de la parole, pourvu que j'aie encore un souffle de vie ». C'était la *convenenza*, ce qui signifie le « pacte ».

Qu'advient-il si un malade *consolé* guérit ?... Théoriquement, puisque le sacrement est le même que celui qui sert à l'ordination, qu'il a le même sens, qu'il est le même baptême « de feu et d'Esprit », le malade qui l'a reçu doit se soumettre jusqu'à sa mort aux exigences qu'il implique. Il est devenu parfait – ou parfaite. Théoriquement. En fait, l'Église le laisse libre, une fois guéri, de revenir, s'il le veut, au siècle, quitte à le *consoler* de nouveau, plus tard, le moment venu. Les exemples abondent. Pierre-Roger de Mirepoix le Vieux – le père du défenseur de Montségur –, blessé dans quelque agression vers 1204, se fit porter à Fanjeaux et y reçut le *consolament* des mains de Guilhabert de Castres. Il guérit. Isarn, le frère de Guilhabert, essaya, par son enseignement, de le convaincre de demeurer dans l'Église. Ce fut en vain, Pierre-Roger se fit porter chez lui, fêta sa guérison en offrant un banquet à tous les parfaits de Mirepoix... et reçut un nouveau *consolament* cinq ans plus tard, au cours d'une maladie. Ce fut le bon, si l'on ose dire : il mourut. En revanche, la belle-mère de son cousin germain Arnaud-Roger de Mirepoix, Braida de Montserver, consolée à Limoux en 1229 au cours d'une maladie, préféra demeurer parfaite après sa guérison. Elle s'installa même à Montségur, auprès de sa fille et de son gendre. Ce qui lui valut d'être brûlée le 16 mars 1244...

Lignes de fracture

Ce n'est pas par son prétendu caractère asocial que le catharisme constituait un danger pour la société chrétienne. La distinction nettement établie entre le clergé des parfaits et des parfaites, seuls soumis à la règle de la continence, et la masse des fidèles, – simple décalque, au demeurant, de la société catholique, avec ses clercs et ses laïcs – exclut formellement, dans les faits, que l'espèce humaine ait couru le risque de disparaître – sauf à imaginer l'Église cathare suffisamment utopique, ou suffisamment naïve, pour espérer que tous les hommes et toutes les femmes viendraient à recevoir le *consolament* d'ordination, et tous, de surcroît, avant d'avoir fait des enfants. Par ailleurs, ce n'est certes pas l'oisiveté, ni la solitude, ni l'isolement qui menaçaient de couper parfaits et parfaites des conditions normales de la vie sociale. Au contraire, un clergé composé de gens qui vivent de leur travail, en communauté, et au cœur même des villages, était le meilleur garant d'une totale intégration. Le catharisme, finalement, en proposant une nouvelle structure ecclésiale – ce qui n'était dans son esprit que revenir à la primitive et authentique Église – tendait à modifier profondément le rapport de l'homme avec cette dernière. Celle-ci ne faisait plus figure d'encombrante institution dépositaire d'un pesant magistère, mais se présentait au fond comme un service d'assistance spirituelle, partout présent et facilement accessible. L'Église catholique n'a certes jamais nié que là était aussi son rôle. Mais peut-être la misère matérielle et morale du bas clergé des campagnes ne lui permettait-elle pas de l'assurer pleinement. Alors le catharisme occupa le vide.

Ce n'est pas non plus son supposé laxisme à l'égard des simples croyants qui pouvait menacer d'anarchie la société du temps. La dévalorisation du mariage est un lieu commun dans le Languedoc médiéval : la poésie lyrique des troubadours y avait contribué largement, en assurant qu'il ne peut y avoir d'amour véritable que dans l'adultère, le mariage en tant qu'institution ne reposant que sur des arrangements d'intérêts. Mais c'est là de la littérature, non de la sociologie appliquée. Que le catharisme, qui, sur les domaines des comtes de Toulouse ou sur ceux des Trencavel, s'adressait à la même clientèle nobiliaire que les poètes de cour, ait quelque peu bénéficié, pour réussir sa percée, de cet état d'esprit, n'est pas totalement à exclure. Mais même si les mœurs étaient plus libres en pays d'oc que dans le Nord, même si la conduite privée de Simon de Montfort et son éthique conjugale paraissent plus exemplaires que celles de Raymond VI, on ne peut sérieusement accuser la religion cathare – qui n'était pas, il s'en faut de beaucoup, la seule religion du pays – d'avoir été un ferment de désordre moral. Tant de gens n'auraient pas été convaincus que l'Église cathare était la « bonne Église », et n'auraient pas fait une « bonne fin » entre les mains des parfaits et des parfaites, si ces derniers n'avaient pas eu pour vocation première d'inciter tout un chacun à faire comme eux : mettre sa vie en accord avec les principes apostoliques. Même leurs adversaires d'alors ont été, en un sens, obligés de le reconnaître : toutes les turpitudes qu'ils leur prêtent, ils sont en effet contraints de dire qu'ils s'y livrent en cachette, parce que tout ce qu'on voit d'eux a toutes les apparences de la vie la plus chrétienne.

Cela n'empêche cependant pas le catharisme de rompre avec l'idéologie dominante, et de le faire catégoriquement. La négation des dogmes fondateurs du catholicisme romain – l'unicité du Dieu créateur, l'Incarnation, la Passion rédemptrice, la présence réelle, etc. – entraîne immanquablement la remise en question de l'autorité de l'Église qui en est le dépositaire. Dire qu'en adorant le Dieu de la Genèse, elle adore en fait le mauvais principe créateur du monde visible et des corps, c'est en faire l'Église du diable... Son pouvoir est donc usurpé, son clergé est dans l'erreur, ses sacrements sont nuls et non avenus – et de quel droit réclame-t-elle la dîme ?... Il n'en fallait certainement pas plus pour que ladite Église, ne supportant pas d'être ainsi, dans certains milieux, contestée, abaissée, méprisée, et même économiquement affaiblie si le refus de l'impôt devenait un jour la règle, mît tout en œuvre pour neutraliser, voire éliminer, ceux qui disaient cela.

Pourtant, il y eut plus. Le catharisme ne fut pas seulement une puissante vague d'anticléricalisme, que celui-ci se fondât sur le système doctrinal qu'on a décrit, ou que le système soit venu après coup pour le justifier. Il importe assez peu. En fait, l'hérésie dualiste trace au sein de la chrétienté médiévale un certain nombre de lignes de fracture, mais qui ne sont pas forcément à chercher là où ses contempteurs les ont souvent placées. Bien sûr, les cathares condamnaient le pouvoir politique et disaient que la hiérarchie féodale était invention diabolique, que c'était le diable qui avait donné pouvoir à des hommes sur d'autres hommes, ce qu'ils tiraient directement de saint Matthieu : « Les chefs des nations tiennent celles-ci sous leur pouvoir, et les grands les tiennent sous leur domination. Il ne doit pas en être ainsi pour vous. » Dans une autre vie, d'ailleurs, la hiérarchie pourrait s'inverser, ce qui fait encore écho à saint Matthieu : « Si quelqu'un veut être le premier parmi vous, qu'il soit votre esclave ! »

Le refus du serment, dont on a parlé plus haut, s'inscrit à pre-

mière vue dans cette contestation de l'autorité, dans la mesure
où le système féodal repose sur l'engagement juré. Sans serment,
pas de seigneur ni de vassal – du moins en principe, en droit
strict. De là à présenter le catharisme comme subversif ou révolu-
tionnaire, comme instaurant ou tendant à instaurer une société
sans ordres doublée d'une société sans violence, il y a loin. L'idyl-
lique « patrie romane » de Napoléon Peyrat est certainement une
rêverie romantique, mais lui opposer un monde déstabilisé et
courant à sa perte par la seule faute d'une religion séditieuse est
une vue de l'esprit. La société cathare occitane du XIIIᵉ siècle est
une société de son temps, elle en épouse les contours et les articu-
lations internes, elle joue bel et bien, concrètement, le jeu de la
féodalité. Les deux cousins qui règnent sur Montségur sont des
seigneurs ordinaires – ils se disputent même les droits féodaux sur
le *castrum* –, ils vivent au sein d'un groupe humain soigneusement
hiérarchisé où il est aisé de percevoir des liens de dépendance,
ils ont chacun leur bayle et leur domesticité, ils commandent à
des chevaliers, à des sergents.

Ce qui ne veut pas dire que le catharisme s'insère parfaitement
dans le modèle féodal. Je veux dire ceci : alors que l'Église
romaine est le garant de ce modèle, parce qu'il trouve sa justification dans le dogme catholique, qu'en est-il du principe même de
la féodalité si on le rapporte à l'idéologie cathare ?

Il serait très insuffisant de dire que l'Église romaine est le
garant de l'ordre établi parce qu'elle est une institution puissante
aux structures éprouvées ; que grâce aux diverses suzerainetés
qu'exerce le Saint-Siège et aux nombreuses seigneuries ecclésiastiques, elle est elle-même partie prenante du système féodal ; que
son pouvoir passe par-dessus les frontières ; qu'elle a ses propres
mécanismes judiciaires, qu'elle gère de considérables réseaux
économiques de production, de distribution et de consommation ;
enfin, qu'elle a le monopole de l'enseignement et presque entièrement celui de la culture et des arts. Énorme et solide édifice
assurément difficile à ébranler, et pour cela garant de fait de
l'ordre établi.

Elle en est aussi et surtout le garant de droit, en ce sens que
son dogme sert à cet ordre de référence absolue. On avait bien
vu, dès le début du IXᵉ siècle, grâce à Haymon, moine de Saint-
Germain d'Auxerre, et à son *Commentaire sur l'Apocalypse*, qu'il
y avait dans la société trois modes de vie, trois façons d'être :
les prêtres, les guerriers, les agriculteurs. Nombre d'auteurs

reprendront après Haymon ce schéma triparti, quitte à modifier d'ailleurs le contenu des trois catégories : Abbon de Fleury distingue les laïcs, les clercs et les moines, Aelfric les prêtres, les guerriers et les laboureurs, figure que reprirent après l'an mille Gérard de Cambrai et Adalbéron de Laon. Mais voici qu'un contemporain d'Adalbéron, Dudon de Saint-Quentin, abbé de Jumièges – tout en reprenant le schéma primitif d'Abbon de Fleury – s'avise que si la société est une, mais en trois ordonnances, c'est à l'image de Dieu lui-même, qui est un en trois personnes. Il ne peut donc pas en être autrement.

Quand, vers 1180, Benoît de Sainte-Maure et Étienne de Fougères théorisèrent le schéma triparti sous sa forme définitive – ceux qui prient, ceux qui combattent, ceux qui travaillent –, il était bien admis que la ternarité des fonctions constituait l'ordre naturel de la société humaine, et que cet ordre n'était tel que parce qu'il était l'ordre divin[1].

Or l'idée que les cathares ont du Christ rend inopérantes toute explication et toute justification de l'ordre trifonctionnel par la Trinité. Leur christologie est d'ailleurs leur point le plus faible. Elle témoigne d'une grande indécision à l'égard de la nature même de Jésus, oscillant entre le docétisme du IIe siècle, pour qui Dieu est si transcendant, si haut et si incorruptible qu'il ne peut être venu dans la chair, misérable matière appartenant à la mauvaise création et vouée à n'être que poussière – il ne peut avoir pris que l'apparence de la chair – et l'adoptianisme apparu au VIIIe siècle, pour qui le Christ n'est pas Dieu, mais une créature élue, adoptée par lui – de ce fait inférieure à lui. Avec cette assez étrange conception attestée en comté de Foix au tout début du XIVe siècle, selon laquelle Dieu se divisa en trois personnes pour envoyer sur terre le Fils et le Saint-Esprit, tandis que le Père restait au ciel ; à la fin du monde, ils rejoindront le Père, qui ne sera à nouveau qu'une personne... C'est peut-être ici, d'ailleurs, que s'articule la conception du Christ comme simple messager venu, non point pour racheter l'humanité par sa Passion et sa mort, mais pour révéler les voies du salut et apporter l'Esprit saint qui ramènera auprès de Dieu l'âme de chaque créature. Quoi qu'il en soit de leur conception exacte de la nature du Christ et des modalités par lesquelles il prit chair ou apparence de chair,

---

1. Sur le schéma trifonctionnel, cf. essentiellement G. DUBY, *Les trois ordres, ou l'imaginaire du féodalisme*, Paris, Gallimard, 1978.

il est certain que lorsque les cathares disent qu'ils croient au Père, au Fils et au Saint-Esprit, ils croient assurément en Dieu, en son message et en sa puissance salvatrice, ils ne croient pas en la Trinité telle que les catholiques la conçoivent. Pour eux, si Trinité il y a, elle est très nettement déséquilibrée au profit du Saint-Esprit, vecteur essentiel du salut, dans le même temps que la nature du Christ est indécise et que son rôle, en tout état de cause, est minoré : il est le messager, il n'est pas le message. La négation de la présence réelle du Christ dans l'hostie, le refus de l'eucharistie, se placent inévitablement dans l'axe de cette même trajectoire.

Or les cathares n'étaient pas les seuls, ni à remettre en question la présence réelle, ni à minorer le rôle du Christ au profit du Saint-Esprit. Dès 1050, Bérenger de Tours avait avancé des idées fort peu orthodoxes, affirmant que le Christ ne pouvait être réellement dans l'hostie, mais n'y avait qu'une présence « figurée »... Un concile le contraignit en 1079 à abjurer. Cent ans plus tard, un moine cistercien calabrais, Joachim de Flore, élabore une conception historiciste de la Trinité : les temps de l'Ancien Testament furent l'Age du Père, les temps du Nouveau Testament l'Age du Fils ; on allait entrer – en 1260, précisait-il ! – dans l'Age du Saint-Esprit et de l'Évangile éternel... Incontestablement, le tournant du XIIIᵉ siècle est le théâtre d'une sérieuse remise en question de la deuxième personne et, joachimisme et catharisme confondus, d'une vigoureuse promotion de la troisième.

Nous verrons le concile œcuménique du Latran – celui-là même qui dépossédera Raymond VI de Toulouse au profit de Simon de Montfort – couper court, en 1215, à cet impérialisme du Saint-Esprit en formulant solennellement le dogme de la transsubstantiation du pain et du vin en corps et en sang réels de Jésus-Christ, en condamnant les idées de Joachim de Flore et, cela va de soi, les cathares [1].

Sauver la Trinité, c'était peu ou prou sauver le modèle féodal, ou du moins sauver sa caution transcendante [2]. Il n'y avait pas de place, dans le catharisme, pour celle-ci. Ce qui constituait moins, peut-être, une menace pour l'ordre alors établi, que des ferments de mutations dans les mentalités – ce qui n'a rien que de naturel et n'a en soi rien de subversif. Si l'une des lignes de fracture

---

1. Cf. ci-dessous, chap. 8.
2. J'ai développé cette idée dans *Les cathares et le Graal,* Toulouse, Privat, 1994.

auxquelles j'ai déjà fait allusion passait par le nouveau rapport, au sein de la société cathare, de l'homme à l'Église, une autre par le nouveau rapport de l'homme à l'argent, une autre par le nouveau rapport de l'homme à la justice, etc., la faille la plus profonde se dessinait peut-être au niveau du rapport au travail. En fondant sur les Écritures la nécessité, pour l'ordonné, de travailler, le catharisme ôtait au travail sa connotation infamante et humiliante et, partant, son usage à titre uniquement disciplinaire et pénitentiel par ceux à qui, en vertu de leur condition sociale, il n'était pas naturel : les clercs. En l'imposant aux parfaits et aux parfaites, il en faisait au contraire l'activité la plus normale de ceux-là même qui correspondaient à leurs clercs. En en faisant un devoir indistinctement pour les hommes et les femmes qui étaient d'origine noble et pour ceux qui ne l'étaient pas, ils abattaient certes un privilège de caste, mais ils créaient dans le même temps une valeur universelle de sociabilité. Car enfin, rien ne forçait châtelaines ni hobereaux à se mettre au métier à tisser, à la table du tailleur, au four de la boulangère, à la petite enclume du savetier. Révolution pour révolution, on en imaginerait difficilement de plus pacifique !

Il reste que celle-là passait par le reniement de l'eucharistie et l'ignorance de la vraie nature de la Trinité. Tout le drame est venu de là.

3

Innocent III : la croisade introuvable

Lotario Conti, fils du comte di Segni, était né en 1160. Études de théologie à Paris, puis de droit canonique à Bologne. A vingt et un ans il est chanoine de Saint-Pierre de Rome, à trente il est fait cardinal. La part qu'il prend dès lors à l'administration de l'Église révèle en lui, outre un admirable érudit, un grand juriste doublé d'un théoricien politique aux vues larges et puissantes : la théocratie pontificale lui doit d'avoir été théorisée et argumentée. Non qu'il nie que les deux domaines, le temporel et le spirituel, soient bien distincts, et que les pouvoirs qui ont à charge de les administrer doivent être autonomes : il y a certaines choses dont l'Église, en tant que telle, n'a pas à s'occuper. Mais il est bien évident à ses yeux que le pouvoir spirituel est supérieur au pouvoir temporel. A ce titre, le Saint-Siège doit s'ériger lui-même en suprême puissance séculière, et le pape prétendre au gouvernement du monde en devenant le suzerain des rois et des empereurs – seul moyen d'imposer et de garantir la paix universelle entre les peuples et entre leurs princes. Jusqu'à ses derniers jours, en effet, Lotario Conti, devenu le 8 janvier 1198 le pape Innocent III, a rêvé d'une grande République chrétienne. On peut même dire qu'il a usé ses forces à tenter de la réaliser. Les obstacles qu'il rencontra, les résistances intéressées, les hypocrisies, les ambitions inavouées, la vanité sordide des princes, le confortèrent, hélas ! dans le jugement désabusé qu'il portait sur les choses d'ici-bas dès la composition de son *De contemptu mundi*, « Du mépris du monde, ou de la misère de la condition humaine » ; une œuvre de jeunesse pourtant, que ce traité d'ascétisme tout imprégné de la leçon désenchantée de l'Ecclésiaste [1].

---

1. Le *De contemptu mundi*, publié une première fois dans la *Patrologie latine* de Migne (t. 217, col. 701-746) en 1889, a fait l'objet d'une édition avec traduction italienne par Renato D'Antiga, Turin, Nuova Pratiche Editrice, 1994.

Il est certain que la lutte contre l'hérésie, dont il ne se détournera pas un seul instant durant les dix-huit années de son pontificat, s'inscrivait dans son projet de pacification du monde chrétien. Il est non moins certain que l'analyse qu'il put faire alors de la situation ne put que le décider à employer les grands moyens, non seulement contre les hérétiques et leurs complices, mais aussi contre le haut clergé occitan, tout aussi apathique que les barons locaux quand il s'agissait d'agir ; voire contre le droit canonique lui-même dès lors qu'il révélera les insuffisances qui le rendaient inopérant.

C'est une erreur souvent répétée, de croire qu'Innocent III commença par lutter contre le catharisme occitan au moyen d'une sorte de débonnaire et généreuse politique de persuasion ; c'est une méprise de dire que ce fut seulement devant l'échec de cette « croisade spirituelle », devant l'insuccès de ses prédicateurs, donc à cause de la mauvaise volonté des Occitans eux-mêmes, et surtout à la suite de l'assassinat de son légat, au début de 1208, qu'il prôna la solution de force, c'est-à-dire l'intervention armée – celle qu'on connaîtra sous le nom de croisade contre les albigeois. C'est même faire injure à ses capacités de jugement et de décision. Contre les hérétiques et leurs protecteurs, il en a tout de suite appelé à des moyens radicaux.

Il est tout à fait normal qu'il ait commencé par tenter de rameuter les forces qui, dans le pays d'oc lui-même, pouvaient être susceptibles de fournir contre l'hérésie l'aide nécessaire. Il n'y a pas trois mois qu'il a été élu pape que, le 1er avril, il écrit à l'archevêque d'Auch pour qu'il prenne contre « ce forfait diabolique » les mesures indispensables. Elles se résument à deux, qui sont parfaitement complémentaires : chasser les hérétiques, et sévir contre ceux qui les protègent ou entretiennent des relations avec eux, autrement dit leurs complices. « Au besoin, ajoute-t-il, faites-les contraindre par la force du glaive matériel, au moyen des princes et des peuples. » Certes, il n'y a là rien de nouveau par rapport aux décisions qu'avait prises en 1179 le troisième concile œcuménique du Latran : archevêques et évêques pouvaient et devaient demander aux pouvoirs temporels d'exercer une répression efficace. Les notions d'hérétiques et de complices d'hérésie étaient par ailleurs définies. C'est ce qui avait permis la brève pré-croisade de 1181, lorsqu'une armée catholique levée sur place s'en était allée assiéger Lavaur où, avec la complicité du vicomte de Carcassonne, résidaient l'évêque cathare du Toulousain et son adjoint. On ne sache pas, cependant, qu'aucun prélat local ait été à l'origine de l'opération : c'était le pape Alexandre III qui en avait chargé le cardinal d'Albano.

Au lendemain du concile, l'archevêque de Narbonne avait bien répercuté à tout le haut clergé de sa province les directives du Latran, mais ni un seul évêque, ni un seul abbé, ni lui n'avaient rien entrepris. On est loin de la façon dont l'archevêque de Reims, main dans la main avec le comte de Flandre Philippe d'Alsace, déclenchait à la même époque, avec la brutalité que l'on sait, une série d'arrestations, d'ordalies et de bûchers qui eurent assurément pour effet de bloquer le développement du catharisme, voire de mettre à mal son organisation ecclésiale. On comprend donc qu'Innocent III ait pris l'initiative de rappeler le haut clergé occitan à ses devoirs. Logiquement, il eût dû s'adresser en premier au métropolitain dont dépendaient les évêchés les plus atteints, à savoir Bérenger, l'archevêque de Narbonne, dans la juridiction duquel étaient les évêchés de Toulouse et de Carcassonne. Le prélat était en fait, on va bientôt le voir, un assez sinistre personnage dont le Saint-Père n'avait rien à attendre. Quant à l'évêché d'Albi, il faisait partie de la province de Bourges, dont le siège était fort éloigné du pays cathare. Innocent III s'adressa donc en priorité à l'archevêque le plus proche de Toulouse.

C'était, en un sens, assez paradoxal. L'archevêché d'Auch, comme ses évêchés suffragants, était situé en Gascogne ; aucun d'eux n'avait jamais vu un cathare, pas même ceux qui étaient limitrophes des comtés de Toulouse et de Foix, comme les évêchés de Lectoure, du Comminges et du Couserans. Mais comme l'influence toulousaine était très forte en Gascogne, Innocent III dut penser que Bernard de Montaut était suffisamment proche du comte Raymond VI et de maints de ses vassaux et alliés pour faire pression sur eux et les dresser contre l'hérésie.

Géopolitique occitane

C'est le moment de faire rapidement connaissance avec les princes qui régnaient alors sur cette partie de l'Europe qu'on appellera plus tard Languedoc, mais dont on se demande comment on peut légitimement la nommer en 1198, quand on la voit partagée entre plusieurs mouvances, avec des superpositions et des enchevêtrements de droits de seigneurie supérieure qui rendent toute carte impossible à dresser, si ce n'est à titre purement indicatif.

A tout seigneur tout honneur. Le comté de Toulouse est la plus puissante des principautés qui seront touchées par la croisade albigeoise. Mais les États de Raymond VI débordent largement le comté proprement dit, qui n'est que le pays toulousain, une partie de notre haut Languedoc, pour lequel Raymond est, en théorie du moins, vassal de la couronne de France. Domaine propre de Raymond, aussi, Beaucaire et la Terre d'Argence, ce petit pays qui jouxte le delta du Rhône – Saint-Gilles est d'ailleurs le berceau de sa dynastie. Raymond est aussi duc de Narbonne ; à ce titre, il a seigneurie supérieure sur la vicomté du même nom. Sa première femme Ermessinde Pelet lui a apporté en dot le comté de Melgueil. Il est, au-delà du Rhône, marquis de Provence, c'est-à-dire maître de la rive gauche du fleuve, de la Drôme à la Durance, fief pour lequel il est vassal de l'empereur germanique.

Passons aux domaines indirects. La suzeraineté de Raymond VI s'étend sur les comtés ou vicomtés de Rouergue, d'Agde, de Nîmes, de Vivarais, de Valentinois et de Diois, sur les seigneuries d'Anduze, de Sauve et d'Alès ; à l'ouest, sur la vicomté de Lomagne. Aux abords immédiats de Toulouse, le comte de Comminges lui fait hommage pour la seigneurie de Muret et Samatan, et le comte de Foix pour son bas comté et la ville de Saverdun. A l'ouest, l'influence toulousaine pénètre sur des terres qui meuvent de la couronne d'Angleterre, les comtés d'Astarac, d'Armagnac et de Fézensac. Au nord de la Garonne et du Tarn, enfin, son mariage avec Jeanne d'Angleterre – sa quatrième femme, fille d'Aliénor d'Aquitaine et de Henri II Plantagenêt, sœur de Jean sans Terre et de Richard Cœur de Lion – lui a apporté en dot l'Agenais et le Quercy, où la couronne anglaise conserve bien sûr ses droits supérieurs. Raymond VI est donc, en théorie, vassal de deux rois qui se font une guerre sans merci, le Français et l'Anglais, et du lointain empereur. Autant dire qu'en fait il n'est vassal de personne. Un roi sans couronne...

En 1198, il a quarante-deux ans, et règne depuis quatre ans. Alors que son père Raymond V avait passé le plus clair de son temps à batailler contre le roi d'Aragon Alphonse II, il va travailler à mettre fin à la « grande guerre » Toulouse-Barcelone, et pour qu'une paix solide s'établisse entre les deux maisons. Il sera largement aidé par son cousin germain le comte de Comminges Bernard IV, qui jouera habilement les négociateurs. En janvier 1204, cinq ans après la mort de la comtesse Jeanne, Raymond épousera à Perpignan Éléonore, la sœur du successeur d'Alphonse, Pierre II ; pour mieux sceller encore l'alliance, le fils de Raymond VI et de Jeanne, le futur Raymond VII, épousera bientôt une autre sœur du roi, Sancie, devenant ainsi le beau-frère de son propre père... Politiquement, donc, Raymond VI fait assurément figure de champion de la paix.

Il reste la question religieuse. Le chroniqueur de la croisade, Pierre des Vaux-de-Cernay, nous dépeint le comte comme un croyant cathare assidu aux prêches des parfaits, toujours accompagné de Bons Hommes pour recevoir le *consolament* en cas de besoin, faisant élever par eux son fils et poussant dans les bras de l'hérésie sa deuxième femme Béatrice de Béziers – pour se débarrasser d'elle, il est vrai. Personne ne doute aujourd'hui que le moine-chroniqueur n'ait été aveuglé par la haine, et que Raymond VI ne soit resté toute sa vie plus attaché à la foi catholique qu'à la foi cathare – ce qui ne l'empêcha pas de commettre exactions et usurpations au détriment de maints établissements religieux. Qu'il ait eu pour l'hérésie quelques complaisances, et surtout qu'il n'ait nulle part trouvé des raisons de la persécuter, c'est-à-dire de poursuivre et tourmenter ses propres sujets, notamment ses plus proches conseillers, c'est bien certain. Tout dénote en lui, d'ailleurs, un caractère éminemment tolérant et pacifique – en quoi ses détracteurs n'ont vu souvent que de l'indifférence et de la faiblesse, surtout quand il pliera devant la menace de croisade. On aura tout le loisir de voir qu'en fait son intelligence politique était certaine, faite d'un attentisme retors et rusé, et de l'audace qui consistait, pour éviter le pire, à risquer d'être mal jugé.

Raymond-Roger, comte de Foix depuis 1188 – et frère de la célèbre Esclarmonde si magnifiée par la littérature romantique[1] – régnait sur tout le bassin de l'Ariège, soumis à un protectorat de fait du roi d'Aragon. Seuls Saverdun et le bas comté, on l'a dit, relevaient du comte de Toulouse. Raymond-Roger possède par ailleurs divers droits, outre-Pyrénées, sur le Baridan et la Cerdagne. Son domaine s'agrandira lorsque, en 1209, Pierre II

---

1. Cf. Krystel MAURIN, *Les Esclarmonde : la femme et la féminité dans l'imaginaire du catharisme,* Toulouse, Privat, 1995.

lui donnera en fief le Donézan et le Capcir dans la haute vallée
de l'Aude, tandis que sa belle-fille Ermessinde de Castelbon
apportera en dot à la maison de Foix les vallées d'Andorre et,
plus au sud, celles de Caboët et de San Juan.

Contrairement à Raymond VI, Raymond-Roger de Foix a des
attaches directes et patentes avec le catharisme ; outre sa femme
Philippa et sa sœur Esclarmonde, qui se feront parfaites – avec
sa bénédiction, si l'on ose dire –, son autre sœur est vaudoise.
Quant à sa noblesse vassale, des Rabat aux Châteauverdun, des
Lordat aux Luzenac et aux Mirepoix, elle est dans sa quasi-
totalité gagnée à l'hérésie, et une bonne part le restera jusqu'au
début du xive siècle. Ajoutons un anticléricalisme farouche qui
fait de lui un persécuteur parfois féroce des établissements religieux – ce qui ne l'empêchera pas, vingt-cinq ans plus tard, d'élire
sépulture en l'abbaye de Boulbonne – et un caractère combatif
prompt aux décisions hardies : on comprendra que l'Église
n'avait rien à attendre de lui. Mieux : quand la croisade déferlera,
ce sera, sur le terrain militaire, l'un de ses plus redoutables
adversaires.

A l'est immédiat du pays toulousain et du comté de Foix, les
domaines de Raymond-Roger Trencavel constituent une vaste
enclave qui coupe en deux l'État raymondin, comme on appela
parfois le comté de Toulouse et ses vastes dépendances. Neveu
de Raymond VI – il est fils de sa sœur Adélaïde –, Trencavel
est depuis 1194 vicomte de Carcassonne, de Béziers et d'Albi, et
seigneur du Razès, le pays de Limoux. En 1067, son aïeule la
comtesse Rangarde s'était placée sous la suzeraineté des comtes
de Barcelone. Quand ceux-ci devinrent, en 1137, rois d'Aragon,
ils conservèrent évidemment dans leur mouvance la vaste
vicomté nord-pyrénéenne, mais, sorte d'État tampon, elle devint
l'enjeu de la rivalité de Barcelone et de Toulouse – tout comme,
d'ailleurs, la vicomté de Narbonne, sa voisine. A la fin du
xiie siècle, la politique apaisante de Raymond VI et de Pierre II
était parvenue à un équilibre : Trencavel restait vassal du roi
d'Aragon, et le vicomte Aimery de Narbonne réintégrera bientôt
la mouvance toulousaine à laquelle il s'était un temps soustrait.

Sur les sympathies cathares de Raymond-Roger Trencavel, on
ne sait rien de bien précis. On en sait moins, en tout cas, que sur
son père Roger II, excommunié en 1178 comme persécuteur de
l'évêque d'Albi, et combattu par la pré-croisade de 1181 comme
protecteur avéré d'hérétiques. Mais ses principaux vassaux, ses

conseillers les plus proches, ses grands officiers, un Bertrand de
Saissac – régent de la vicomté pendant sa minorité – un Guillaume de Minerve, un Raymond de Termes, un Guillaume de
Roquefort, les frères Pierre-Roger et Jourdain de Cabaret, Guillaume de Peyrepertuse, les viguiers Isarn-Bernard de Fanjeaux,
Guillaume Assalit, Hugues de Roumengoux, autant de croyants
cathares, parents de parfaits et de parfaites, qui se révéleront
aussi dévoués à l'Église des Bons Hommes que, le moment venu,
résistants à la conquête française. On ne voit pas pourquoi
Trencavel, leur commun seigneur, se serait singularisé en persécutant leur religion. Quant à Aimery de Narbonne, dont les
domaines ne semblent guère, à cette époque, avoir été atteints
par l'hérésie, il donne l'image d'un prince effacé et indécis, dont
la politique à l'égard de la croisade sera toute d'opportunité.

Revenons à l'ouest, sur ces terres gasconnes qui n'ont jamais
vu d'hérétiques mais que les événements vont bientôt concerner.
D'étroits liens de vassalité et de solidarité familiale, en effet, por-
teront spontanément leurs princes au secours de Toulouse et de
Foix menacés par la croisade – ce qui les exposera aux coups
de celle-ci, qui ne se privera pas de commettre des ravages en
Comminges, Couserans, Bigorre et même, paraît-il, jusqu'en
Béarn. Les évêques du Comminges et du Couserans, tout acquis
à la cause des conquérants, ne pourront rien empêcher, ni l'engag-
gement des barons locaux contre la croisade, ni les raids dévastateurs des croisés. Notons que le comte de Comminges
Bernard IV, vassal de Pierre II d'Aragon depuis 1201, est cousin
germain de Raymond VI ; qu'il a épousé Stéphanie de Bigorre ;
qu'il a un frère, Roger, qui est vicomte de Couserans et comte
de Pallars outre-Pyrénées ; que le vicomte de Béarn Gaston VI,
de souche catalane, est également vassal de Pierre II ; qu'il a
épousé Pétronille, la fille de Bernard IV et de Stéphanie, laquelle
lui a apporté en dot non seulement la Bigorre, qu'elle tient de sa
mère et qui est de mouvance aragonaise, mais les vicomtés de
Marsan, de Gabarret et de Brulhois, qui relèvent du duché de
Gascogne, donc de la couronne anglaise[1].

Ce très rapide tableau de la mosaïque féodale où se côtoient
et s'entremêlent des terres qui sont le midi du royaume de France
et le nord de celui d'Aragon – tout en relevant parfois de l'Angleterre ou de l'Empire – serait incomplet si l'on n'évoquait pas,

1. Cf. André DELPECH, *Pétronille de Bigorre*, Biarritz, Éditions J & D, 1996.

justement, cet État transpyrénéen appelé à jouer un rôle si important dans l'affaire albigeoise. C'est en 1137, on l'a dit, que
Raymond-Bérenger V, comte de Barcelone, devint par mariage
roi d'Aragon. Son petit-fils pierre II hérite en 1196, à vingt et un
ans, un très vaste État féodal qui, outre-Pyrénées, commence
à l'Èbre, et étend largement son autorité au nord de la chaîne.
Physiquement, Pierre II est un colosse. On le dit batailleur et
libertin, fort dépensier, fort instruit aussi et épris de poésie, surtout quand les troubadours chantent ses hauts mérites. Il est en
tout cas le plus puissant monarque régnant au sud du royaume
de France, car ses États sont bien plus vastes que ceux des rois
de Castille et de Navarre.

D'ouest en est, il est suzerain de la vicomté de Béarn – où
règne la maison catalane des Montcade – de la Bigorre, du Val
d'Aran, qu'il donnera en 1201 en fief au comte de Comminges
moyennant son hommage pour le reste du comté, sauf Muret et
Samatan ; d'une partie du haut comté de Foix – exerçant sur le
reste une sorte de protectorat ; dans sa mouvance encore les
domaines de Trencavel, du Tarn aux hautes Corbières ; puis, au
sud de celles-ci, les vicomtés de Fenouillèdes, de Conflent et de
Vallespir, le comté de Roussillon ; plus au nord, le Gévaudan et
la vicomté de Millau, tandis qu'au-delà du Rhône le comté de
Provence, entre la Durance et la mer, hérité en 1112 par Raymond-Bérenger III, est l'apanage du frère cadet de Pierre II,
Alphonse, à qui son mariage a fait en outre acquérir le comté de
Forcalquier. Enfin, sa propre union, en 1204, avec l'héritière de
Montpellier, apportera à Pierre II cette puissante et si convoitée
seigneurie du bas Languedoc.

Depuis 1068, le royaume d'Aragon était vassal du Saint-Siège.
C'était apparemment, pour ses souverains successifs, un brevet
de fidélité à l'Église et à la foi catholiques. De fait, six ans avant
d'aller à Rome recevoir sa couronne et son épée des mains de
son suzerain le pape Innocent III, Pierre II signa à Gérone, en
février 1198, des ordonnances enjoignant aux hérétiques de quitter avant Pâques, sous peine de mort et de confiscation des biens,
le royaume lui-même et toutes les terres vassales ; de sévères
mesures pénales étaient prévues à l'encontre des seigneurs et des
villes qui négligeraient de faire promulguer sous trois jours l'édit
d'expulsion. Celui-ci, d'ailleurs, ne faisait que reprendre à peu de
chose près les statuts que le roi Alphonse II avait fait entériner
en 1194 par le concile de Lérida. Preuve, peut-être, que ce der-

nier n'avait été suivi d'aucun effet... Et rien ne permet de dire que celui de 1198 eut plus de succès.

Certes, en juillet 1212, sa victoire de Las Navas de Tolosa sur les musulmans d'Espagne fera de Pierre II le Catholique un héros de la *Reconquista*, et lui vaudra d'ailleurs son surnom. De là à se servir de lui, dès 1198, contre l'hérésie qui s'était répandue sur les domaines de ses vassaux, de ses parents, de ses alliés, il y avait très loin. L'édit, tout formel, promulgué à Gérone, ne signifie pas du tout que le roi ait jamais pris à cœur la question de l'hérésie – même s'il put parfois, on va le voir, en donner l'apparence.

Non qu'il se désintéresse de l'espace occitan, loin de là ! Il mène au contraire à son égard une adroite politique qui consiste à la fois à renforcer son autorité en élargissant la zone qui reconnaît sa suzeraineté – comme il fait en 1201 avec le comte de Comminges – et à attirer pacifiquement dans son orbite le comté de Toulouse. Ce n'est certes que plus tard, et à la faveur de la croisade, que ce dernier rompra officiellement son lien de vassalité avec la couronne de France pour se donner à Pierre II. Mais dès 1204, l'alliance était scellée. Et pas seulement par le mariage, à Perpignan, de Raymond VI et d'Éléonore.

Quatre mois après, donc en avril, Raymond et Pierre se rencontrèrent à Millau. Le roi avait besoin d'argent pour aller se faire couronner à Rome. Son beau-frère lui prêta cent cinquante mille sous en monnaie de Melgueil, somme considérable, en échange de quoi Pierre lui engagea le comté de Millau et de Gévaudan. Mieux : tous deux, ainsi que le comte de Provence Alphonse, le frère de Pierre, signèrent, toujours à Millau, un pacte tripartite d'alliance défensive « contre tout homme au monde ». Curieusement ignoré des historiens français de la croisade, ce document, conservé aux Archives de la couronne d'Aragon à Barcelone, éclaire pourtant bien des choses, de la mauvaise volonté de Raymond VI face aux injonctions du Saint-Siège – il peut, en cas de conflit, compter sur l'aide du puissant souverain – à l'entrée en guerre de celui-ci aux côtés de Toulouse contre la croisade – il ne fera qu'être fidèle à ses engagements !

En juin, Pierre II épousa Marie de Montpellier. En octobre, il s'embarqua à Marseille pour l'Italie, avec toute sa suite : cinq galères, qui accostèrent à Ostie. Tout le monde fut accueilli en grande pompe par les cardinaux et les consuls de Rome et, le 11 novembre, Innocent III posa la couronne sur la tête du roi son vassal, lequel lui fit serment de fidélité, s'engagea à payer un cens annuel au Saint-Siège, et déclara offrir son royaume à saint Pierre.

L'épuration du haut clergé

Pendant ce temps, ni sur le comté de Toulouse ni sur les principautés voisines, rien n'avait changé depuis avril 1198. Autant qu'on le sache, la lettre d'Innocent III n'avait été d'aucun effet sur l'archevêque d'Auch... Il est probable que le Saint-Père ne s'était pas fait trop d'illusions. Trois semaines plus tard, donc sans attendre les résultats éventuels de la bulle du 1er avril, il avait écrit aux archevêques d'Aix, Embrun, Arles, Vienne, Lyon, Narbonne et Tarragone, à leurs suffragants, ainsi qu'à « tous les princes, comtes, barons, et à toutes les populations de leurs diocèses ». C'était une façon de sonner la mobilisation générale. Il annonça qu'il envoyait Frère Rainier, son conseiller et son confesseur, et un moine cistercien, Frère Guy, avec mission de veiller à ce que des mesures soient réellement prises contre les hérétiques et leurs fauteurs, et pouvoir d'excommunier les récalcitrants et de jeter l'interdit sur leurs terres. A tous, il ordonna de « s'armer contre les hérétiques », moyennant quoi le Saint-Siège leur accorderait « la même remise de leurs péchés qu'à ceux qui font le pèlerinage de Saint-Pierre ou de Saint-Jacques ». Les détenteurs du pouvoir temporel ont à charge, en outre, de confisquer les biens de ceux qui n'obtempéreraient pas, hérétiques refusant de quitter les lieux, complices qui s'obstineraient à les tolérer.

Dès lors, l'idée de la dépossession des fauteurs d'hérésie va faire son chemin dans l'esprit d'Innocent III. C'est elle, on va vite le comprendre, qui fondera en droit, qui légitimera la croisade, dès lors que le principe de cette dépossession, clairement formulé, aura force de loi. Le 25 mars 1199, Innocent III promulgue à Viterbe une décrétale qui donne à ce principe une existence juridique : l'Église se considère comme la magistrature suprême, en mesure de priver de ses biens tout coupable de crime contre la chose publique, étant entendu que le plus grave de ces crimes est l'hérésie. Obligation est faite aux princes et aux seigneurs de procéder à ces confiscations, sous peine des sanctions canoniques – excommunication et interdit. En empruntant au droit de la Rome impériale la notion de lèse-majesté, puis en l'appliquant aux hérétiques et à leurs fauteurs, Innocent III fit faire un pas décisif à la législation répressive. Il n'était cependant pas au bout de ses peines : encore fallait-il que « les princes et les peuples » du pays hérétique daignent répondre à ses injonctions...

Il ne fallut pas longtemps au Saint-Père pour se rendre à une double évidence : la mauvaise volonté des barons et des populations bloquait toute action efficace contre l'hérésie, et le haut clergé local, qui aurait dû être le relais entre le Saint-Siège et ces derniers, faisait preuve d'une indifférence et d'une inertie tout aussi coupables. Pour pallier cette double carence, Innocent III décida alors de lutter vigoureusement sur deux fronts. A ses mandataires, au début simples envoyés, puis bientôt légats en titre, il donna mission de prêcher, dans l'espoir qu'ils détourneraient les populations de l'hérésie et convaincraient les puissants de se dresser contre elle. Il entreprit, dans le même temps, de lever l'obstacle que constituait l'apathie du haut clergé local, en conduisant une rigoureuse politique d'épuration, qui mit d'ailleurs le doigt sur quelques retentissants scandales. Comment lutter sérieusement contre l'hérésie, pour la foi catholique, sans remettre de l'ordre dans l'Église ? Il est vraisemblable que si le haut clergé avait fait son travail, Arnaud Baro, le curé de Saint-Michel-de-Lanès, en Lauragais – pour ne prendre que cet exemple –, n'aurait pas été familier, comme il le fut, des parfaits et des croyants du pays qui l'invitaient à sa table, et que ses ouailles ne l'auraient pas accusé d'avoir été un si impénitent joueur de dés qu'il laissait les malades mourir sans onction ni pénitence...

Dès le 1er avril 1198, le Saint-Père avait adressé une deuxième bulle à l'archevêque d'Auch, lui demandant d'interdire le cumul des bénéfices ecclésiastiques, de prendre des sanctions contre les clercs prévaricateurs, et d'ordonner aux moines errants de réintégrer leurs couvents. Certains prélats comprirent-ils très vite qu'ils étaient menacés ? En tout cas, l'évêque de Carcassonne, Othon, prit les devants : prétextant son grand âge, et vingt-huit ans d'épiscopat, il offrit sa démission, dès 1198. Le 23 décembre, Innocent III écrivit à Frère Rainier et à l'archevêque de Narbonne de l'accepter. On le remplaça par son neveu Bérenger, archidiacre de la cathédrale, sans doute réputé pour son zèle anti-hérétique ; il en montra, c'est certain, et tellement que les Carcassonnais le chassèrent bientôt, interdisant à son de trompe d'avoir quelque commerce que ce fût avec lui... Lui succéda Bernard-Raymond de Roquefort, d'une grande famille nobiliaire de la

Montagne Noire et de son piémont occidental. Las ! Sa mère était parfaite et trois de ses frères parfaits... C'est d'ailleurs pour cela, vraisemblablement, que les Carcassonnais l'avaient choisi ! Il faudra attendre 1211 pour qu'à la faveur de la croisade il soit à son tour chassé, et remplacé par un cistercien pur et dur arrivé dans les fourgons de celle-ci, Guy, abbé des Vaux-de-Cernay – l'oncle de Pierre, le moine-chroniqueur.

L'évêque de Béziers, Guillaume de Roquessels, sans avoir d'attaches cathares, n'est guère plus sûr que celui de Carcassonne. Blessé dans son orgueil par les pouvoirs dont sont nantis les légats du pape, il leur interdit en 1203 de demander aux consuls hérétiques d'abjurer, refuse de le leur demander lui-même, comme d'accompagner lesdits légats jusqu'à Toulouse. Alors ils le suspendent, mesure qu'Innocent III confirme en février 1204. La même année, le Saint-Père demande une enquête sur l'évêque de Vence, accusé de concubinage et de mœurs dissolues, puis force à démissionner l'évêque de Viviers, qui a mis son évêché dans un état lamentable. En mai 1205, il s'inquiète de l'évêque d'Agde : les légats l'ont alerté que couraient sur lui des bruits infâmes. Là encore le Saint-Père fait enquêter ; il en ressort que l'évêque, au demeurant tuteur des enfants de son frère le seigneur Guillaume VIII de Montpellier, est sans reproche ; il a même fait emprisonner huit hérétiques en 1201...

En 1200 mourut l'évêque de Toulouse, Fulcrand, totalement déconsidéré par l'état de ruine et d'endettement dans lequel il laissait son évêché. Au moment de lui succéder, pourtant, les ambitions et les intrigues entre factions allèrent bon train. Raymond de Rabastens, archidiacre de l'église d'Agen, fut élu. Trois ans plus tard, il dilapide à ce point les fonds de l'évêché pour mener une guerre privée contre un de ses vassaux, que les légats s'en alarment et ouvrent une enquête. On découvre que le prélat avait acheté ses électeurs... Il est déposé pour simonie, ainsi que le prévôt de sa cathédrale. Le 5 février 1206, son successeur entra en fonction. C'était Foulque, l'abbé du Thoronet en Provence. Fils d'un riche marchand génois, il s'était fait jadis connaître comme troubadour, sous le nom de Folquet de Marseille. On dit que c'étaient une déception amoureuse, et la mort de ses plus généreux protecteurs, qui l'avaient poussé à entrer en religion. Sa carrière à Toulouse ne devait pas être une sinécure : fanatique partisan, le moment venu, de la croisade et de Simon de

Montfort, il aura à subir mille avanies de la part d'une population qui, malgré sa main de fer, se révélera souvent indomptable.

Mais la plus grave et la plus difficile affaire d'épuration fut à coup sûr celle qui prit pour cible l'archevêque Bérenger de Narbonne. La plus grave, parce que le métropolitain de Narbonnaise Première avait dans sa juridiction une très vaste province, dont plusieurs évêchés – ceux de Toulouse, Carcassonne, Béziers, Agde, Maguelonne – étaient directement touchés ou indirectement concernés par l'hérésie. Il aurait dû donner l'exemple, à la fois, d'un zèle antihérétique propre à pousser ses évêques suffragants à peser sur les pouvoirs laïcs, et d'une vie qui fût à inscrire au crédit de la foi catholique. Or il était pire que ses évêques, voire que le plus douteux des petits curés de campagne qui, comme Arnaud Baro, pouvaient avoir l'excuse de la pauvreté.

A la fin de 1200, Innocent III était déjà informé par ses légats sur Bérenger. En novembre, il leur demande d'enquêter. « Tel prêtre, tel peuple... » leur lance-t-il alors. On apprend que le prélat, non seulement cumule les bénéfices, mais mène une vie scandaleuse. Il n'a pas visité une seule fois son diocèse depuis treize ans, il entretient dans un de ses châteaux une bande de routiers aragonais, il demande de l'argent pour confirmer des élections abbatiales ou épiscopales, il passe son temps à la chasse avec ses maîtresses... Le 30 mai 1203, le Saint-Père lui enjoint de se démettre. Bérenger ne bouge pas. Le pape revient à la charge en janvier 1204. Toujours rien. En mai, il demande aux légats de le déposer et de lui nommer un successeur. Cette fois, Bérenger réagit... mais c'est pour faire appel devant le pape lui-même et, en novembre, porter plainte pour diffamation et persécution contre les légats. En juin 1205, Innocent III le convoque à Rome. Il ne s'y rend qu'en hiver, et plaide si bien sa cause que le Saint-Père lui accorde un délai de grâce pour faire ses preuves et demande quelques mois plus tard aux légats de le laisser en paix. Mais de nouvelles plaintes affluent au Saint-Siège. En mai 1207, le pape ordonne à nouveau sa déposition. En vain. Bérenger est toujours en place en 1209, quand arrivent les croisés. Il prête serment à leurs chefs, notamment à l'abbé de Cîteaux Arnaud Amaury, il promulgue des statuts contre les hérétiques – il était temps ! –, il participe à l'été 1210 au siège de Minerve. Il ne faudra rien de moins que l'ambition têtue d'Arnaud Amaury lui-même pour se débarrasser enfin de lui. L'abbé de Cîteaux prendra d'autorité sa place, en effet, le 12 mars 1212.

Les missions légatines

Si l'épuration du haut clergé ne se fit pas sans mal, les envoyés du pape rencontrèrent tout autant de difficultés à mobiliser les laïcs pour la défense de l'unité de la foi. Innocent III avait pourtant commencé par une mesure d'apaisement. En raison de ses méfaits à l'encontre des églises, Raymond VI avait été excommunié en 1196 par Célestin III. Dès le 22 avril 1198, son successeur avait chargé Frère Rainier de l'absoudre, et le 4 novembre il lui avait accordé officiellement son pardon. Mais les mois passent sans que rien ne se dessine du côté des détenteurs du pouvoir temporel. Seul le très catholique seigneur de Montpellier, Guillaume VIII, fait preuve d'une bonne volonté certaine, mais ses moyens sont limités, et il est contraint de demander au pape de lui envoyer du secours pour lutter contre l'hérésie. Innocent III lui répond en juillet 1199 qu'il accède à son vœu... en nommant Rainier légat en titre. Et il redéfinit la mission de ce dernier, en des termes qui laissent à penser qu'il préférait de beaucoup la vie contemplative à l'action. Cela ne servit pas à grand-chose : en juillet 1200, Rainier avait retrouvé la tranquillité de son cloître italien. Innocent III le remplaça par le bénédictin Jean de Sainte-Prisque, qui avait été pénitencier de Célestin III. Mais le nouveau légat, envoyé impromptu en ambassade à la cour de France, ne restera que peu de temps en Languedoc, et sera surtout occupé à remettre de l'ordre dans le haut clergé.

A la fin de 1201, en l'absence du légat, Innocent III se tourna directement vers Raymond VI, pour lui rappeler qu'il était de son devoir de chasser les hérétiques et de confisquer leurs biens. Ce fut peine perdue... Deux années passent encore, sans que les mandataires du Saint-Siège obtiennent le moindre résultat. Alors on change les hommes, et aussi les méthodes. A l'automne 1203 arrivent à Narbonne les deux nouveaux légats, Raoul de Fontfroide, arraché à la quiétude de la grande abbaye cistercienne des Corbières, et Pierre de Castelnau, ancien archidiacre de Maguelonne, qui avait d'ailleurs un temps secondé Frère Rainier. Ils demandent à l'archevêque Bérenger de les accompagner à Toulouse. Il refuse. Ils vont trouver l'évêque de Béziers, qui refuse aussi. Ils iront donc à Toulouse sans la délégation de prélats dont ils espéraient se faire accompagner pour impressionner la population. Ils réussirent quand même à obtenir, le 13 décembre, de la part des consuls et au nom de tous les habitants, un serment de fidélité à l'Église romaine et à la foi catholique. Mais ce ne fut qu'à condition que les deux légats s'engagent à ne jamais porter atteinte aux libertés et coutumes toulousaines, et qu'ils accordent une amnistie générale aux suspects d'hérésie qui accepteraient de prêter serment. Ne pourraient être inquiétés que les réfractaires. Les Toulousains jurèrent comme un seul homme de rester bons catholiques. C'était le meilleur moyen de s'assurer que les légats ne se mêleraient pas de leurs affaires...

Soucieux d'exploiter au plus vite ce que l'Église pouvait à bon droit prendre pour un succès, le Saint-Père écrit le 24 janvier 1204 à tous les prélats du Languedoc pour solliciter d'eux qu'ils donnent leur appui à la légation. Il nomme prédicateurs un chanoine de Narbonne et l'abbé de Valmagne. Et il écrit à l'abbé de Cîteaux, Arnaud Amaury, pour qu'il désigne ceux qui, parmi ses moines, lui paraîtront les plus aptes à venir seconder la prédication.

Il n'en perd pas pour autant de vue l'idée qu'il faudra bien intervenir par la force contre les hérétiques et leurs fauteurs. Mais il s'est certainement rendu, en cette année 1204, à cette évidence qu'il ne trouvera jamais sur place l'armée qui lui serait nécessaire. Un curieux événement, assez inattendu dans le contexte de ces années 1200, a dû le pousser vers cette amère constatation.

Entre le mariage de Perpignan, en janvier 1204, et la signature, en avril, du traité de Millau, Pierre II d'Aragon reste en Languedoc. Et il fait savoir qu'il veut « s'informer personnellement de l'hérésie »... Il décide donc d'ouvrir à Carcassonne un grand débat contradictoire entre vaudois et cathares d'un côté, catholiques de l'autre. Il convoque l'évêque cathare du Carcassès, Bernard de Simorre – qui viendra avec une douzaine de Bons Hommes – et demande aux deux légats de venir se joindre à Bérenger, l'évêque catholique. La controverse dura trois jours. Sur le fond, elle ne nous apprend rien que nous ne sachions déjà sur les croyances. Les catholiques proclamèrent que leurs interlocuteurs étaient hérétiques, condamnation à laquelle s'associa Pierre II, dans une circulaire adressée « à tous les fidèles du Christ ». Par là même il se réaffirme, dans le droit fil des ordonnances de Gérone, défenseur de la foi catholique et ennemi de l'hérésie. Mais ce que les ordonnances ne prévoyaient pas, c'était qu'on pût laisser les hérétiques s'exprimer en toute liberté sans faire intervenir la force publique pour les arrêter sur-le-champ – à plus forte raison que le roi lui-même pût les inviter à parler publiquement en toute impunité, et dans une de ses villes vassales...

L'appel au roi de France

Le pape dut quand même trouver quelque peu extravagant le comportement du plus puissant seigneur temporel de cette partie de l'Europe ! Sous les apparences d'une condamnation – au demeurant de pure forme –, le roi donnait l'exemple d'une bien coupable tolérance de fait, qui ne pouvait que conforter dans leur propre attitude ses vassaux et ses alliés.

Il n'est pas impossible qu'il y ait un lien entre la caution donnée par Pierre II à cette conférence et la lettre qu'Innocent III lui adressa en juin pour le rappeler à ses devoirs de roi catholique. Pour l'aiguillonner, le pape déclare même qu'il lui donnera en pleine propriété les biens dont il viendrait à dépouiller les hérétiques. Pierre mena alors une opération très astucieuse, et un rien perfide : il s'empara de Lescure, sur le Tarn, en amont d'Albi, qu'on disait un repaire d'hérétiques. Or c'était un fief du Saint-Siège, les habitants payant à ce titre un cens annuel à l'évêque d'Albi... Le pape ne put qu'ordonner à ses légats de donner Lescure en fief à Pierre II, moyennant quoi le cens serait désormais versé à ce dernier... Le roi gagnait sur tous les tableaux : il avait donné à Innocent III une preuve de sa bonne volonté et il avait acquis un petit fief censier, le tout sans porter le moindre préjudice à un quelconque de ses vassaux ou arrière-vassaux !

La principale leçon qu'Innocent III pouvait cependant tirer des événements, c'était le peu de confiance qu'il pouvait avoir dans les autorités locales, dès lors que le roi lui-même montrait tant de laxisme : ni les notables de Carcassonne, ni les officiers de Trencavel, ni les seigneurs de la vicomté, personne n'avait manifesté la moindre hostilité envers les hérétiques, tout le monde semblait avoir trouvé parfaitement normal qu'ils participent à un libre débat.

Aussi Innocent III écrit-il le 28 mai au roi de France, Philippe

Auguste. C'est à lui qu'il en appelle pour intervenir et mettre en œuvre les mesures répressives définies par le droit canonique : « Confisquez les biens des comtes, des barons et des citoyens qui ne voudraient pas éliminer l'hérésie de leurs terres ou qui oseraient l'entretenir. Ne tardez pas à rattacher leur pays tout entier au domaine royal... »

Et de préciser au souverain qu'outre la « gloire temporelle » qu'il retirera d'une si louable action, il y gagnera des indulgences, « comme ceux qui partent outre-mer au secours de la Terre sainte ». On ne pouvait être plus clair : ce fut bien le pape qui suggéra au roi de France la conquête du « pays albigeois », par le biais d'une opération de force inspirée des croisades d'Orient, seul moyen, à ses yeux, d'éradiquer l'hérésie. Ce qui confirme parfaitement le glissement qui s'est opéré dans l'esprit du Saint-Père depuis son élection jusqu'à la décrétale de Viterbe : ce ne sont pas seulement les hérétiques proprement dits qui tombent sous le coup de la confiscation des biens, mais aussi leurs complices. C'est essentiellement ce principe qui, maintes fois réitéré, rendra possible la croisade.

Le 31 mai, le Saint-Père « coiffa » ses deux légats, Raoul de Fontfroide et Pierre de Castelnau, par l'abbé de Cîteaux en personne, Arnaud Amaury – un personnage d'une envergure certaine appelé à jouer un rôle éminent dans toute l'affaire albigeoise. C'était un Catalan – encore qu'on l'ait dit parfois de la famille des ducs de Narbonne, mais sans pouvoir le prouver. C'est en tout cas comme abbé de Poblet, près de Tarragone, qu'il apparaît dans l'histoire, en 1196. En 1198, il s'en va diriger pour trois ans la grande abbaye cistercienne de Grandselve, à dix lieues au nord de Toulouse, après quoi il est appelé à gouverner l'ordre lui-même. Il ne fut pas le premier cistercien mobilisé par Innocent III contre l'hérésie ; il y avait eu en 1198 Frère Guy, puis Raoul de Fontfroide – toujours en fonction. Mais avec la nomination d'Arnaud Amaury, comme « superlégat » en quelque sorte, l'ordre de Cîteaux va prendre soudain une importance considérable dans la lutte contre le catharisme, il va en être le fer de lance. D'ores et déjà, Innocent III charge les trois religieux d'agir auprès de Philippe Auguste dans le sens défini par la lettre du 28 mai.

A cette lettre, le roi ne daigna même pas répondre.

Alors, deux années durant, Raoul, Pierre et Arnaud Amaury parcoururent le pays, prêchant aux populations, argumentant peut-être contre les cathares et leurs partisans, suppliant leurs protecteurs de sévir contre eux. Peut-être faut-il inscrire à leur crédit les coutumes promulguées à Montpellier en 1204 et déclarant les hérétiques interdits de séjour, ce que Carcassonne fit bientôt à son tour. Leur prédication, en tout cas, n'a aucune prise sur les milieux hérétiques eux-mêmes, surtout pas sur la noblesse rurale, vecteur sociologique essentiel du catharisme. Ils sont d'ailleurs bien conscients de leur impuissance. Et de l'impuissance au désespoir...

A la fin de cette année, ce fut Pierre de Castelnau qui, le premier, « craqua ». Il demanda à Innocent III de le relever de ses fonctions et de le laisser retrouver son monastère. Le Saint-Père refusa. Il avait cependant compris le message : tout est perdu si l'on ne trouve pas du nouveau pour débloquer la situation.

Le 16 janvier 1205, puis derechef le 7 février, Innocent III revient à la charge auprès de Philippe Auguste : « Contraignez les comtes et les barons à confisquer les biens des hérétiques ; agissez de même envers ceux des seigneurs qui refuseront de les chasser de leur terre... » Et il le supplie de venir rejoindre les trois légats, « afin que le glaive matériel se joigne en cette affaire au glaive spirituel ».

Indulgences de croisade, confiscation des terres des protecteurs de l'hérésie, direction bicéphale – militaire et religieuse – de l'entreprise : Innocent III définit déjà, avec une souveraine clarté, ce qu'on appellera la croisade albigeoise.

La réponse du roi ne vint jamais...

Et l'inutile prédication continua, des mois et des mois encore. L'année 1206 arriva. Un concile de six cents parfaits se tint à Mirepoix, sous l'œil bienveillant de ses trente-cinq coseigneurs, tous acquis au catharisme. C'est l'époque où le *castrum* des bords de l'Hers compte cinquante maisons hérétiques et où le diacre Raymond Mercier prêche ouvertement aux foules. On connaît nommément plus de cent croyants, dont, bien sûr, Raymond de Péreille. C'est à lui que Raymond Mercier et le parfait Raymond Blascou, vraisemblablement mandatés par le concile, demandèrent de reconstruire pour leur Église le village fortifié de Montségur, alors ruiné.

Ce n'est certainement pas un hasard si, en cet été 1206, les trois légats pontificaux se trouvaient à Montpellier : citadelle de l'orthodoxie, la seigneurie leur offrait un asile sûr, alors que, de Toulouse à Narbonne et Béziers, le pays se montrait de plus en plus hostile à leur égard. D'ailleurs, ils se mirent d'accord pour envoyer collectivement leur démission au Saint-Siège.

Ils allaient le faire, quand ils firent inopinément la connaissance de deux voyageurs castillans qui, justement, revenaient de Rome. C'étaient le vieil évêque d'Osma, Diègue d'Acebes, et l'un de ses chanoines, le sous-prieur Dominique de Guzman.

Saint Dominique

Né vers 1175 à Caleruega, dans la haute vallée du Douro, dans une famille de riches propriétaires terriens, Dominique avait étudié les arts libéraux aux écoles de Palencia, avant d'entrer, à moins de vingt-cinq ans, dans le chapitre de la cathédrale d'Osma. Ses premiers biographes le disent sérieux et assez replié sur lui-même, rompu aux exercices de l'ascèse, mais capable aussi de grands élans de spontanéité, et tout rayonnant de bonté sereine. Une personnalité assez contradictoire en fait, fascinée à la fois par la solitude mystique et par l'action, par la méditation et le prosélytisme, dualité qui détient certainement le secret de son génie. Disons-le tout net : il est le seul catholique de son temps à avoir compris les cathares, ce qui suppose une grande ouverture aux autres en même temps qu'une démarche intérieure profondément réfléchie. Aussi épris qu'eux de vie apostolique – mais aimant suffisamment l'Église qui était la sienne pour ne pas avoir songé à la trahir, seulement à la servir, elle et la foi dont elle était dépositaire.

C'est au retour d'une ambassade au Danemark pour le compte du roi de Castille que les deux hommes avaient fait un crochet par Rome : ils voulaient demander au pape de les envoyer évangéliser les païens des plaines slaves. Innocent III refusa : ils avaient mieux à faire, dans cette Espagne où la *Reconquista* mobilisait toutes les forces, spirituelles comme matérielles. Regagnant Osma, ils firent étape à Montpellier. Les légats trouvèrent en eux des auditeurs d'autant plus attentifs que, passant à Toulouse lors d'un premier voyage au Danemark, en 1203, ils étaient tombés sur un hôte partisan de l'hérésie, avec qui ils avaient discuté toute la nuit – et que Dominique, paraît-il, avait convaincu de revenir à la foi catholique. Ce n'est peut-être qu'une légende. Ce qui ne l'est pas, c'est que Diègue et Dominique, s'étant fait expliquer par les légats comment ils opéraient, leur dirent qu'avec de telles méthodes, c'est leur succès qui eût été surprenant... Un train considérable et coûteux, de riches équipages, de somptueux vêtements, et des discours menaçants qui ne cessent de brandir les foudres de l'autorité... En face d'eux, des gens qui accompagnent leur propre prédication par l'image d'une vie exemplaire, d'une simplicité et d'une bonté tout évangéliques. Certes, ils sont dans l'erreur. Mais leurs armes sont autrement efficaces que celles que les légats emploient pour défendre la cause de la vérité. C'est donc avec leurs armes qu'il faut les combattre : l'exemple, surtout l'exemple. La pauvreté, l'humilité, la charité. Bref, il faut les imiter. Paraître plus cathare que les cathares...

Les légats dirent qu'ils ne sauraient prendre sur eux d'innover de façon si radicale, mais que si quelqu'un montrait la voie, ils le suivraient volontiers. Diègue et Dominique les prirent au mot : envoyant à Osma leur propre suite et leurs bagages, ils décidèrent de se mettre à la tête de la prédication. Les légats acquiescèrent, ils iraient avec eux. Du moins Raoul de Fontfroide et Pierre de Castelnau, car Arnaud Amaury était attendu à Cîteaux pour le chapitre général qui allait se tenir en septembre.

La légation nouvelle formule se mit donc en route – sous la conduite de deux religieux qui n'étaient pas des légats. On mendiait son pain, on dormait à la belle étoile... Arrivés à Servian, près de Béziers, les prédicateurs entreprirent de discuter avec plusieurs hérétiques qu'hébergeait le seigneur des lieux, Étienne de Servian – lui-même gendre de la parfaite Blanche de Laurac. C'étaient Bernard de Simorre, l'évêque cathare du Carcassès, et un ancien doyen du chapitre de Nevers, qui avait été destitué en 1199 et s'était réfugié en Languedoc. Le débat, qui fut public, dura une semaine. Il tourna à l'avantage des catholiques, au point que la foule faillit faire un mauvais parti aux hérétiques. A Béziers, on prêcha et on discuta pendant quinze jours. Mais on s'aperçut rapidement que Pierre de Castelnau était haï. Craignant pour sa vie, ses compagnons lui conseillèrent de se mettre quelque temps à l'abri. Il resta sept mois caché à Villeneuve-lès-Maguelonne. Il ne restait plus que Raoul auprès des deux Castillans. Encore une semaine de prêches et de débats à Carcassonne, puis ce fut Verfeil, qui avait fait jadis un si vilain accueil à saint Bernard. Les trois religieux trouvèrent en face d'eux deux parfaits fort réputés, Arnaud Arrufat, de Castelnaudary, qui avait eu parmi ses auditeurs, à Castelsarrasin, le sénéchal de Raymond VI en Quercy, Pons Grimoard ; l'autre était Pons Jourda, de Verfeil. La controverse porta sur la nature humaine du Christ et sur l'interprétation d'un passage de l'Évangile de Jean.

Le 17 novembre, Innocent III, informé, écrivit à Raoul pour approuver la nouvelle méthode de prédication et ordonner sa généralisation. Nos trois prédicateurs, « simplement vêtus et ardents de cœur » – ce sont les mots du Saint-Père –, sillonnèrent alors le Lauragais. On ne les recevait pas toujours bien. On leur jetait parfois de la boue, on leur lançait des quolibets. Ils s'obstinèrent. La mauvaise saison les surprit à Fanjeaux – au cœur même de l'hérésie. Alors, au cours de l'hiver, Diègue et Dominique, récupérant une petite église à demi abandonnée située au pied de la colline, au lieu-dit « Prouille », et dédiée à Notre-Dame, fondèrent dans l'enclos qui la jouxtait un modeste couvent, comme pour faire pièce aux maisons hérétiques installées dans le *castrum*. L'évêque de Toulouse, Foulque, leur concéda l'église et le terrain. Quelques dons de catholiques du pays arrivèrent bientôt, et dès le début de 1207 un clerc de Pamiers, Guillaume Claret, et sa sœur, se donnèrent avec tous leurs biens à Sainte-Marie de Prouille, qui fut ainsi le premier couvent « dominicain » avant la lettre, puisque l'ordre ne fut fondé que près de dix ans plus tard. Car ce fut surtout l'ardent et certainement talentueux Dominique qui donna vie à la pieuse fondation. Il réussit même – fût-ce modestement – là où depuis des années les légats d'Innocent III avaient si piteusement échoué : il convertit, il ramena des cathares à la foi catholique. Alors que Guillaume Claret secondait Dominique dans l'administration, dix-neuf femmes, dont un certain nombre de parfaites, entrèrent bientôt comme moniales à Prouille.

Tandis que le couvent, peu à peu, se développera, Dominique continuera sa prédication itinérante ; il fera d'autres conversions à travers le pays, décernant aux repentis des lettres de pénitence attestant qu'ils avaient renoué avec la foi catholique. Les documents ont gardé la trace de cinq hommes et de huit femmes arrachés à des milieux cathares particulièrement fermes sur leurs croyances. Certes, il y eut dans le lot quelques fausses conversions, ou du moins des gens qui, repris par leur milieu familial, revinrent à l'hérésie. Il y eut aussi de durables repentirs, et même des abjurations collectives, comme à la faveur de la grande conférence contradictoire qui se tint quinze jours durant à Montréal, entre Carcassonne et Fanjeaux, au printemps 1207.

On ne sait qui provoqua la rencontre, mais ce furent vraisemblablement les cathares, afin de contrer l'action menée par Dominique. Ils y vinrent en force. Guilhabert de Castres avait à ses côtés Benoît de Termes, futur évêque cathare du Razès, le diacre Arnaud Hot, le parfait de Verfeil Pons Jourda, et bien d'autres. En face, Pierre de Castelnau, enfin de retour, vint se joindre à Diègue, Dominique et Raoul de Fontfroide. D'un commun accord, on choisit quatre arbitres : deux chevaliers et deux bourgeois. La controverse porta essentiellement sur l'Église catholique et sur la messe. Chaque partie fut conviée à mettre ses arguments par écrit. Ici se place dans le légendaire dominicain un épisode aussi miraculeux que célèbre : on décida de faire subir aux deux libelles l'ordalie du feu. On les jeta donc dans une cheminée. Celui des cathares brûla aussitôt. Celui qu'avait rédigé Dominique rejaillit par trois fois des flammes, si brûlant qu'il s'en alla marquer une poutre du plafond, qu'on montre encore, en partie calcinée, en l'église de Fanjeaux.

Les quatre arbitres refusèrent, paraît-il, de se prononcer. Mais une cinquantaine de partisans de l'hérésie se convertirent.

La conférence terminée, arriva Arnaud Amaury, avec douze abbés cisterciens, dont Guy des Vaux-de-Cernay, le futur évêque de Carcassonne, et autant de moines. Reprenant la tête de la légation, il divisa ses compagnons en petits groupes qu'il lança sur les routes. C'est ainsi que Pierre de Castelnau gagna Toulouse et, sans crier gare, à la fin du mois d'avril, prononça l'excommunication de Raymond VI et jeta l'interdit sur ses domaines. Innocent III confirma la sentence le 29 mai, écrivant au comte une lettre très violente étalant les méfaits qui avaient justifié de telles sanctions : ravage des vignes de l'abbaye de Candeil, expulsion de l'évêque de Carpentras, transformation de plusieurs églises en forteresses, entretien de routiers aragonais qui ont dévasté la province d'Arles, obstination à confier des charges publiques à des juifs, enfin protection de l'hérésie et refus de sévir contre elle. Le comte a en effet refusé de « jurer la paix » comme le légat le lui avait demandé, sans doute avant d'arriver à Montréal. Si Raymond ne s'amende pas immédiatement, le Saint-Siège lui confisque le comté de Melgueil et « expose en proie » ses autres domaines, c'est-à-dire les offre à qui veut s'en emparer par la force.

La sentence du légat comme la fureur du Saint-Père visaient à provoquer un choc psychologique. En dénonçant le comte de

Toulouse comme une sorte d'ennemi public numéro un, en le mettant au ban de la chrétienté, en offrant ses domaines à qui les veut, comment imaginer que les appels à la croisade resteront désormais sans écho ? Le 17 novembre, Innocent III écrit de nouveau à Philippe Auguste, mais aussi, cette fois, aux grands barons du royaume. Il les presse tous de partir au combat, il renouvelle en leur faveur les indulgences de croisade, il met leurs personnes et leurs biens sous la protection du Saint-Siège – s'ils prennent la croix, bien sûr, contre ce pays « infecté par l'hérésie ». « Puisque aucun remède n'a d'effet sur le mal, que celui-ci soit extirpé par le fer ! »

Cette fois, le roi répond. Du moins fait-il répondre par l'évêque de Paris. La guerre avec l'Angleterre ayant repris, il ne peut entretenir deux armées. Pour qu'il puisse intervenir en « pays albigeois », il convient que le pape contraigne le roi d'Angleterre à conclure une trêve de deux ans... Le chantage était patent. Le Saint-Père ne fut pas dupe, lui à qui Philippe Auguste, quelques années auparavant, au nom de la séparation du temporel et du spirituel, avait justement interdit de se mêler de la guerre franco-anglaise...

On peut quand même se demander si l'Église, en manifestant tant de vindicte à l'égard de Raymond VI et en faisant appel à des armes étrangères, ne défaisait pas d'un côté ce qu'elle faisait de l'autre en cautionnant l'action de Diègue et de Dominique. A moins que cette caution n'ait été que purement formelle. Les trois légats, en tout cas, malgé leurs promesses, n'aidèrent guère les deux Castillans. Parti pour Cîteaux à l'été 1206, revenu en avril 1207 seulement, Arnaud Amaury fut envoyé par le pape en Provence au mois d'août. Il ne retrouvera le Languedoc qu'à l'été 1209, à la tête des armées de la croisade... Absent par mesure de sécurité tout l'automne 1206 et tout l'hiver, Pierre de Castelnau rejoint Diègue et Dominique en avril 1207 pour la conférence de Montréal, puis il va aussitôt à Toulouse excommunier le comte, et se retrouve en août en Provence aux côtés d'Arnaud Amaury. Il ne reviendra jamais plus en « pays albigeois ». Seul Raoul de Fontfroide chemina avec les Castillans, de Montpellier à Fanjeaux. Mais il les quitta après la conférence de Montréal pour aller prêcher du côté de Saint-Gilles, tomba malade, et mourut au début de l'été. Quant aux moines et aux abbés cisterciens amenés par Arnaud Amaury en avril, ils s'y prirent si mal qu'ils furent vite découragés par leur insuccès et rentrèrent en France au bout de quelques semaines. Bref, Diègue et Dominique furent pratiquement livrés à leurs propres moyens, indice, peut-être, que leur entreprise, même si le Saint-Père l'avait encouragée – sur le papier du moins –, dans son principe, ne suscita pas l'enthousiasme d'une Église qui, au demeurant, ne leur accorda aucun subside : ayant dépensé tout ce qu'ils avaient, consacrant à Prouille le peu que leur procurait la charité publique, ils furent bientôt à bout de ressources. Diègue décida d'aller chercher de l'argent à Osma. Il ne devait pas en revenir : l'âge et l'épuisement eurent raison de lui le 30 décembre.

En chemin, cependant, il s'était arrêté à Pamiers, où allait s'ouvrir un grand débat contradictoire, peut-être à l'initiative du comte de Foix, prêt à imiter ce que Pierre II avait fait en 1204 à Carcassonne. Les évêques de Toulouse et de Couserans, Foulque et Navarre, étaient à la tête de la délégation catholique à laquelle se joignit Diègue d'Osma, et sans doute aussi Dominique lui-même, mais on n'en a pas la certitude. En face d'eux, des cathares – on ne sait pas qui – et surtout des vaudois, autour de Durand de Huesca. C'est là qu'une des sœurs du comte de Foix, la cathare ou la vaudoise, on ne sait, intervenant dans la discussion, se serait fait rabrouer vertement par un moine : « Madame, allez filer votre quenouille, il ne vous sied pas de parler en de telles réunions... » Il est plus important de savoir que le jeune clerc qui avait été choisi comme arbitre bien qu'il ait eu des sympathies pour les vaudois abandonna toute croyance hérétique et revint à la foi catholique. Mais la conversion la plus spectaculaire fut assurément celle de Durand de Huesca. A dire vrai, il était plus facile à un vaudois qu'à un cathare de rentrer dans le giron de l'Église romaine : les disciples de Valdès ne partageaient pas la cosmologie et la théologie dualistes des Bons Hommes, leur différend avec la Grande Église portait sur l'autorité des prêtres, sur la signification des sacrements, surtout sur la nécessité de la vie apostolique et la possibilité pour chaque fidèle de prêcher en dehors de tout contrôle de la hiérarchie. Un an après le débat de Pamiers, Innocent III donnera à la communauté que Durand avait fondée l'autorisation de prêcher, elle deviendra le tiers ordre des Pauvres catholiques, et lui-même, une quinzaine d'années plus tard, mettra sa plume au service de la lutte anticathare en rédigeant son *Contra Manicheos*.

L'absence totale de document narratif ou diplomatique permettant de savoir ce que fit Dominique en 1208, 1209 et 1210

– exception faite de la lettre de pénitence qu'il délivra, mais on ne sait quand exactement, à un certain Pons Rougier, qui était de Tréville en Lauragais – donne à penser qu'il se consacra à la prédication, mais que, malgré les succès ponctuels qu'on a signalés plus haut, il rencontra beaucoup de difficultés. C'est certainement à cette période, en effet, que se rappporte la phrase bien connue que lui prête Étienne de Salagnac, futur prieur des dominicains de Toulouse, et qu'il aurait un jour lancée à un auditoire récalcitrant : « Là où ne vaut la bénédiction vaudra le bâton. Nous exciterons contre vous les princes et les prélats, et ceux-ci, hélas ! convoqueront nations et peuples, et un grand nombre périra par le glaive... C'est ainsi que prévaudra la force, là où la douceur a échoué. » C'était moins une menace qu'une appréhension, voire une tragique prophétie.

L'assassinat de Pierre de Castelnau

Pour que ce « bâton » qu'Innocent III réclamait en vain depuis bientôt dix ans finît par s'abattre sur le pays cathare, il fallut un événement hors du commun. A l'aube du 14 janvier 1208, Pierre de Castelnau, qui venait de Saint-Gilles, s'apprêtait à franchir le Rhône, quand il fut assassiné d'un coup de lance dans le dos.

Arnaud Amaury dénonça immédiatement Raymond VI au Saint-Siège, comme étant l'instigateur du crime : le comte, en effet, aurait eu une entrevue houleuse, à Saint-Gilles même, avec Pierre. Ce dernier refusant de lever l'excommunication et l'interdit qu'il avait fulminés en avril précédent, Raymond aurait proféré en public, à son encontre, des menaces de mort. Il avait donc armé le bras de l'assassin... Or tout ce qu'on sait du tempérament du comte de Toulouse incite à penser qu'il n'était pas homme à se livrer à des provocations ni à jeter de l'huile sur le feu – on ne peut pas en dire autant d'Arnaud Amaury, l'avenir va vite le prouver. Les efforts que Raymond va déployer pour éviter la guerre contredisent par ailleurs qu'il ait commandité un acte qui ne pouvait que le déclencher. Au pire, on peut penser au geste quelque peu irresponsable d'un familier trop zélé, voire d'un de ces Occitans qui haïssaient tant le légat qu'il lui avait fallu, on le sait, se cacher plusieurs mois durant pour échapper à la vindicte des foules[1]. Il reste que l'assassinat de Pierre de Castelnau sera, avec la complicité d'hérésie, le grand chef d'accusation retenu contre le comte lors de ses procès successifs.

Sitôt arrivé à Rome pour confirmer verbalement ce qu'il avait écrit au pape, Arnaud Amaury incita ce dernier à lancer un solennel appel à la croisade, dont il s'engage d'ores et déjà à prendre lui-même la tête.... Ce fut alors la terrible bulle pontificale du 10 mars : « En avant ! chevaliers du Christ ! En avant ! courageuses recrues de l'armée chrétienne ! Que l'universel cri de douleur de la sainte Église vous entraîne ! Qu'un zèle pieux vous enflamme pour venger une si grande offense faite à votre Dieu !... » Aux archevêques du Languedoc et de Provence, Innocent III ordonne de déclarer excommuniés et anathèmes le meurtrier de Pierre de Castelnau et tous ses complices proches ou lointains, d'aller personnellement jeter l'interdit sur leurs terres et de renouveler la condamnation chaque dimanche au son des cloches jusqu'à ce qu'ils viennent se livrer. Puis c'est le rappel des indulgences de croisade pour tous ceux qui se lèveront contre « ces pestiférés, ennemis de la vraie foi et de la paix ». Quant à Raymond VI lui-même, déclaré anathème, le Saint-Père délie ses vassaux de leur serment de fidélité : ils ne lui doivent plus ni aide ni obéissance, et sa terre est une nouvelle fois « exposée en proie », c'est-à-dire offerte à qui la veut : « Qu'il soit permis à tout catholique, sous réserve des droits du seigneur supérieur, non seulement de combattre le comte en personne, mais encore d'occuper et de conserver ses biens... » La clause de réserve vise évidemment à ne pas donner au suzerain l'impression qu'il sera lésé : elle signifie qu'il conservera ses droits supérieurs sur la terre conquise, même après le changement de titulaire, autrement dit que le conquérant devra se faire agréer pour vassal et lui faire hommage de la terre conquise. Voilà qui aurait dû rassurer Philippe Auguste. On va voir qu'il n'en fut rien.

Innocent III tempéra cependant la condamnation de Raymond VI en assurant qu'il pourrait éviter la croisade s'il faisait immédiatement amende honorable et tournait ses forces contre les hérétiques.

---

1. Dans le tome I de *L'épopée cathare*, p. 216-218, je n'ai pas émis l'hypothèse que l'instigateur du crime était Arnaud Amaury. J'ai simplement tenté de montrer qu'il n'était pas plus absurde d'imputer le crime à ce dernier qu'à Raymond VI, et qu'en tout état de cause le crime a profité, non point au comte de Toulouse, mais à tous partisans de la solution de force – dont Arnaud Amaury.

La lettre fut adressée, avec quelques variantes selon les destinataires, aux prélats du Languedoc et de Provence, à tous ceux du royaume de France ainsi qu'à ses grands et petits féodaux, comtes, barons et chevaliers, enfin à Philippe Auguste lui-même : « Joignez votre glaive au nôtre. [...] Au nom de Moïse et de Pierre, scellez cette alliance de la royauté et du sacerdoce. [...] Quand vous aurez chassé les hérétiques, établissez-y des habitants catholiques qui, selon l'enseignement de votre foi orthodoxe et sous votre heureuse domination, puissent servir Dieu dans la justice et la sainteté... » Une nouvelle fois, Innocent III apportait sur un plateau au roi de France l'occasion de ramener sous son autorité suzeraine ce comté de Toulouse indépendant de fait depuis trop longtemps...

Le roi refusa. La réponse que cette fois il daigna faire est, sous la rudesse du ton, d'une très grande subtilité, qui préserve en même temps ses prérogatives royales et son image de souverain dévoué à la foi catholique. Intervenir contre l'hérésie, il le ferait volontiers – à deux conditions : si une trêve permet de suspendre la guerre franco-anglaise qui s'est rallumée, et si, ayant dès lors les mains libres pour envoyer des hommes contre les hérétiques, clercs et laïcs participent aux dépenses de l'expédition. En revanche, en ce qui concerne l'exposition en proie des domaines du comte de Toulouse, il ne peut en être question : « Nous avons appris d'hommes éminents et instruits que vous n'avez pas le droit d'agir ainsi, tant que vous ne l'aurez pas condamné comme hérétique. Quand bien même il serait condamné, vous devriez nous en avertir, et nous demander d'exposer sa terre, car il la tient de nous... »

Autrement dit le Saint-Siège n'est nullement fondé à destituer Raymond et à disposer de sa terre, car il n'a aucun droit ni sur l'un ni sur l'autre. Le droit de dépossession et d'investiture n'appartient qu'au suzerain. Au droit canonique qui, aux yeux de l'Église, légitime la croisade, Philippe Auguste oppose de façon incontournable le droit féodal, qui l'interdit...

L'Église n'avait qu'une issue : faire en sorte que la pression exercée sur le roi finisse par le faire céder. Arnaud Amaury s'en chargea. Dès avant la réponse de Philippe Auguste, d'ailleurs, il avait quitté Rome pour la France, porteur d'une bulle datée du 28 mars qui lui donnait pleins pouvoirs et lui adjoignait Navarre, évêque du Couserans, et Hugues, évêque de Riez : tous trois constitueraient l'état-major spirituel de l'expédition. Arnaud

Amaury se rendit d'abord à Cîteaux, d'où il organisa la prédication de croisade, tant auprès des grands et petits seigneurs que du clergé. C'est sans doute à lui qu'on doit de voir le duc de Bourgogne et le comte de Nevers décider de prendre la croix – tout en suspendant leur départ à l'autorisation du roi. Celle-ci ne venant pas, le pape revint à la charge les 8, 9 et 11 novembre. Il écrit de nouveau à Philippe Auguste et aux prélats du royaume, renouvelle les indulgences et la protection du Saint-Siège pour tous ceux qui prendraient la croix, et surtout détermine les modalités du financement, en engageant le roi et les prélats à proclamer le moratoire des dettes et à suivre l'exemple de l'archevêque de Sens, qui a demandé aux populations de son diocèse de verser une dîme exceptionnelle.

Tandis que le roi tergiversait, donnait des autorisations qu'il reprenait ensuite, Raymond VI se concerta avec son neveu Trencavel, le vicomte de Béziers, Carcassonne et Albi. Les sources sont, sur cette rencontre, si vagues et si contradictoires qu'on ne sait finalement lequel des deux a proposé d'opposer à la menace un front commun, et lequel a refusé. Ce qui est certain, en revanche, c'est que ce front commun ne se fit pas, qu'une rencontre de Raymond VI avec Arnaud Amaury, à Aubenas, n'eut elle non plus aucun résultat, et qu'à la fin de 1208 ou au début de 1209, le comte envoya une ambassade à Rome. Elle était composée de l'archevêque d'Auch, de l'ancien archevêque de Toulouse Raymond de Rabastens et de Pierre Barrau, le prieur des Hospitaliers de Saint-Jean. Ils assurèrent au pape que Raymond VI était disposé à faire amende honorable et à se soumettre en tout aux volontés de l'Église... Innocent III accepta, demanda que sept châteaux provençaux de Raymond fussent remis en gage à l'Église, et promit même que le comte aurait toute possibilité de plaider son innocence dans le meurtre de Pierre de Castelnau. Les ambassadeurs firent part en outre des plaintes de Raymond à l'encontre d'Arnaud Amaury, et de son souhait de voir le Saint-Père nommer un autre légat. Innocent III acquiesça à cette demande et désigna son secrétaire, Milon, à qui il adjoignit un chanoine de Gênes, maître Thédise. Mais ils ne remplaçaient nullement Arnaud Amaury : les directives que le Saint-Père adressa en mars à ses anciens comme à ses nouveaux mandataires précisent bien que Milon ne doit prendre aucune initiative, que sa nomination n'est qu'une ruse propre à endormir la méfiance de Raymond VI, ce qui permettra de diviser les ennemis de la foi et de les combattre l'un après l'autre.

Innocent III s'obstinait quand même à briser le silence du roi. Il lui avait écrit le 3 février que l'expédition avait besoin d'un chef, afin que soit assurée l'unité du commandement et que ne se renouvellent pas les déplorables dissensions qui avaient entaché les croisades de Terre sainte. Ce chef, ce ne peut être que le roi, ou à défaut son fils, ou, à défaut encore, « un homme actif, prudent et loyal » désigné par le roi lui-même. Philippe Auguste voit bien quelles sont les arrière-pensées du Saint-Père : placer à tout prix la croisade sous l'égide de la couronne de France, donc la faire cautionner par elle... Or le faire, directement ou indirectement, serait pour le roi accepter une ingérence du Saint-Siège dans les affaires du royaume.

A la fin du mois de mars, Milon et Thédise rejoignirent Arnaud Amaury à Auxerre. Les trois légats demandèrent audience à Philippe Auguste, qui tenait son parlement à Villeneuve-sur-Yonne. Ils lui remirent une nouvelle lettre d'Innocent III, le suppliant de prendre la tête de la croisade ou d'en confier le commandement à son fils le prince Louis. Ce fut sans résultat. Le roi estime suffisant, fit répondre Philippe Auguste, d'avoir à s'occuper des « deux grands lions postés sur ses flancs », l'empereur Othon de Brunswick et le roi d'Angleterre Jean sans Terre...

Mais le duc de Bourgogne, le comte de Nevers, bien d'autres grands vassaux de la Couronne, étaient au parlement de Villeneuve, et l'on ne peut douter que les plus impatients d'entre eux n'aient à leur tour supplié le roi de les laisser partir combattre l'hérésie.

De guerre lasse sans doute, Philippe Auguste finit par leur en donner l'autorisation. Mais sans engager en rien la Couronne. Ni les légats ni les barons ne purent obtenir de lui quoi ce fût de plus...

DEUXIÈME PARTIE

LA CROISADE

4

Simon de Montfort ou la guerre éclair

Pendant que les croisés se rassemblaient avant de s'engager le long de la vallée du Rhône, Milon et Thédise, prenant les devants, gagnèrent Montélimar pour débattre, avec divers prélats qu'ils y avaient assemblés, de la conduite à tenir à l'égard de Raymond VI. On décida de le convoquer à Valence afin de le mettre une dernière fois devant ses responsabilités. Le comte se présenta donc, aux alentours de la mi-juin, devant les mandataires du Saint-Siège. Ceux-ci avaient désormais un atout de poids dans leur jeu : la croisade était en route, Raymond n'éviterait la guerre qu'en se soumettant à leurs exigences. Il n'avait pas le choix. On lui promit la levée de son excommunication et des deux principaux chefs d'accusation qui pesaient sur lui – protection des hérétiques et meurtre de Pierre de Castelnau – moyennant son serment d'obéir en tout aux ordres de l'Église, de réparer les torts qu'il lui avait causés, et de se prêter à une solennelle cérémonie publique de pénitence et de réconciliation. On conclut un accord préliminaire, par lequel Raymond remit en gage sept de ses châteaux du pays rhodanien : Oppède, Mornas, Beaumes, Roquemaure, Fourques, Montferrand et Largentières. On fixa au 18 juin, à Saint-Gilles, la cérémonie de pénitence, mais Thédise alla immédiatement prendre possession des sept places fortes.

L'humiliation de Saint-Gilles

Le choix de Saint-Gilles n'était pas innocent : l'Église amènerait Raymond VI à résipiscence dans la ville même qui avait été

le berceau de sa dynastie. De surcroît, on venait à peine d'y achever la reconstruction de la basilique de la vieille abbaye, avec une
monumentale façade percée de trois portails dont la décoration
sculptée, particulièrement somptueuse, était encore en cours. Or
Pierre de Castelnau, assassiné à une demi-lieue de là, était
inhumé dans la nouvelle crypte. L'Église ne pouvait donner plus
d'éclat à son triomphe sur le comte rebelle.

Au jour dit, le légat Milon, entouré des archevêques d'Aix,
d'Arles et d'Auch, et de dix-neuf évêques provençaux et languedociens, tenant livres saints, ostensoirs et reliquaires, reçut au
pied du maître-autel le serment de Raymond, qui avait traversé
pieds nus et vêtu seulement de ses chausses un parvis et une nef
où se pressait la foule. Car elle était venue en masse assister,
avec un mélange de curiosité malsaine, de douleur et de pitié, à
l'humiliation publique de son prince.

On fit lecture du texte du serment. Il s'ouvrait par la liste des
quinze griefs qui avaient valu au comte son excommunication.
Les uns concernent des faits bien avérés : entretien des routiers,
charges publiques confiées à des juifs, transformation d'églises
en forteresses, levée de péages indus, expulsion de l'évêque de
Carpentras, emprisonnement de celui de Vaison. Les autres ne
sont que des suspicions : « on dit » qu'il a refusé de jurer la paix,
qu'il accorde des faveurs aux hérétiques, qu'il professe une foi
suspecte, qu'il a violé la trêve de Dieu, qu'il est impliqué dans le
meurtre de Pierre de Castelnau... Autant d'accusations suffisamment graves pour qu'il ait à cœur de les dissiper en jurant de
se conduire désormais en fils dévoué de l'Église catholique, non
seulement en réparant tous ses torts, mais en combattant l'hérésie ; tout manquement à ces engagements entraînerait derechef
son excommunication et ferait jeter l'interdit sur ses domaines ;
les châteaux laissés en gage seraient confisqués par le Saint-Siège,
ainsi que le comté de Melgueil ; enfin, les vassaux de Raymond
seraient *ipso facto* déliés de tout devoir de fidélité à son égard.
La prestation de serment du comte fut suivie de celle de seize de
ses vassaux du marquisat de Provence, tandis que les consuls de
Saint-Gilles s'engageaient à leur tour en se portant garants de ses
promesses.

Cela fait, le légat lui passa son étole au cou et, armé d'une
poignée de verges, lui infligea une flagellation qui, pour toute
symbolique qu'elle fût, avait valeur à la fois d'humiliante implo-
ration du pardon de l'Église et de pénitence librement consentie.

Une fois terminée la si mortifiante cérémonie de « réconciliation » – on disait aussi « purgation canonique » – il s'avéra que la foule était si dense, au-dedans comme au-dehors, que toutes les issues de l'édifice étaient impraticables. Raymond et sa suite durent sortir par la crypte, en passant devant le tombeau de Pierre de Castelnau...

Le comte n'en avait pas pour autant fini avec l'Église. Le lendemain, après que les consuls de Nîmes et ceux d'Avignon eurent à leur tour prêté serment, Milon lui notifia quinze nouveaux articles auxquels il lui fallait souscrire, dont l'obligation de prêter main-forte à l'épiscopat pour l'arrestation des hérétiques – étant entendu qu'il devrait tenir pour hérétique toute personne à lui désignée comme telle par l'évêque du lieu. Les consuls d'Avignon prêtèrent serment le 20 juin. Deux jours plus tard, Raymond jura sur les Évangiles de se mettre à la disposition des princes croisés sitôt qu'ils seraient arrivés dans ses États.

Cette « prise de croix » par celui-là même dont l'esprit de tolérance en matière de religion – ou le laxisme, comme on voudra – avait été grandement responsable du développement de l'hérésie, n'a pas manqué d'attirer sur lui, jusqu'à nos jours, les jugements les plus défavorables. Pierre Belperron voit dans ce geste un détestable mélange d'hypocrisie et de lâcheté, avec, en plus, l'espoir de tirer profit de la mise à mal de quelques-uns de ses voisins immédiats, tel son neveu Raymond-Roger Trencavel, le vicomte de Béziers, Carcassonne et Albi. Duplicité, certes ! L'avenir va très vite montrer que Raymond n'avait nullement l'intention d'être fidèle à ses serments. Mais peut-on voir de la faiblesse là où il lui fallut au contraire l'extraordinaire courage de prendre le risque d'être désavoué par tous les siens du fait même qu'il paraissait s'associer à une entreprise qui, sous prétexte de complicité d'hérésie, s'apprêtait à porter la guerre dans le pays et à y combattre une large part de la féodalité locale et des pouvoirs urbains ? Mais là encore, l'avenir immédiat va montrer que, s'il chevaucha de concert avec l'armée des croisés des portes de Valence jusqu'à Carcassonne, il ne lui prêta aide en rien ni à aucun moment. Il reste que, même purement formelle, sa prise de croix pouvait se lire comme la plus honteuse des capitulations, et ce d'autant qu'il n'est pas avéré que le légat l'ait exigée. Il se peut au contraire que ce soit Raymond qui l'ait spontanément offerte pour mettre un terme à tous les tracas nés d'une situation devenue de plus en plus pénible. Dans ce cas, elle cachait quand

même une manœuvre assez subtile : comme ceux de tous les
croisés, la personne et les domaines du comte se trouvaient désormais sous la protection du Saint-Siège ! Nul ne pourrait leur faire
tort sans s'attirer immédiatement les foudres de Rome, et la croisade serait sans objet, du moins à son égard. L'Église ne fut certainement pas dupe, mais même si Milon comprit que Raymond,
sur la mauvaise volonté duquel il n'avait aucune illusion, ne cher-
chait qu'à gagner du temps et à éviter dans l'immédiat la guerre,
il aurait eu mauvaise grâce à refuser d'aussi ostensibles marques
de contrition.

La croisade d'Agenais

Malheureusement pour lui, Raymond VI ignorait deux choses.
En premier lieu, le plan tout aussi subtil de l'Église, à qui il
importait assez peu, au fond, que les serments de Saint-Gilles
aient été sincères ou feints. On restait dans le droit fil des directives qu'en mars Innocent III avait données à ses légats : diviser
l'adversaire, éviter que les ennemis de l'Église ne fassent front
commun, commencer par combattre les plus faibles afin d'isoler
Raymond, qui, une fois seul, serait plus aisément abattu.

Il ignorait aussi, certainement, qu'une autre armée de croisade
s'était déjà mise en marche, à l'autre extrémité des ses États,
composée, elle, non de Francs ni d'Allemands, mais de nobles de
haut rang et de prélats tous issus des pays d'oc : des Auvergnats,
des Quercynois, des Gascons... On y trouvait l'archevêque de
Bordeaux et les évêques de Cahors, de Limoges, d'Agen, de
Bazas. Et le vicomte de Turenne, et le comte de Clermont, et les
seigneurs de Gourdon et de Castelnau. On ne sait où elle s'était
formée, mais grâce à la *Canso* l'on peut suivre avec assez de précision sa chevauchée : elle prit le *castrum* de Bigaroque sur la
Dordogne[1] et détruisit Gontaud. Tous deux avaient pour seigneur un Navarrais, Martin Algaï, un ancien chef de routiers
devenu sénéchal de Jean sans Terre en Gascogne et en Périgord,
qui avait acquis ces deux seigneuries, ainsi que celle de Biron,

---

1. La *Chanson* écrit *Peguarocha*, ce qu'on a toujours traduit par Puylaroque (Tarn-et-
Garonne, à 12 km au nord-est de Caussade) bien que cela cadre fort mal avec le reste de
l'itinéraire. M. Gilles SÉRAPHIN a judicieusement proposé de corriger en *Begaroca* ou *Bigaro-
cha*, formes attestées par des documents de 1195 et de 1207. Cf. *Mémoires de la Société
archéologique du midi de la France*, tome 57 (1997), p. 227-228.

par son mariage avec la fille de Henri de Gontaud. L'armée mit ensuite Tonneins à sac puis, remontant la vallée du Lot, assiégea Casseneuil, dont la résistance finit par être vaincue, puisqu'on y dressa le premier bûcher de la croisade pour les parfaits et les parfaites qui, capturés, avaient refusé d'abjurer leur foi.

A peu de temps de là, l'armée fut rejointe par un contingent conduit par l'évêque du Puy, qui avait au passage rançonné Saint-Antonin sur l'Aveyron et Caussade. On fit alors marche sur le Toulousain, avec un objectif apparemment bien précis : Villemur, dans la basse vallée du Tarn. Un messager prévint en tout cas les habitants que les croisés arrivaient. Alors on mit le feu aux maisons, et tout le monde prit la fuite, un soir de pleine lune, y compris et surtout la centaine de parfaits et de parfaites installés à Villemur autour du diacre des lieux, Raymond Aymeric.

Parmi les fuyardes figuraient deux parfaites de marque, deux jeunes filles de la noblesse montalbanaise, les sœurs Arnaude et Péronne de Lamothe, que leur mère, devenue elle-même parfaite, avait confiées deux ans plus tôt au diacre de Lanta, Bernard de Lamothe – certainement un de leurs parents –, et à celui de Villemur. Raymond Aymeric les avait fait instruire dans une maison de parfaites puis, vers l'été 1208, les avait lui-même ordonnées. Arnaude racontera plus tard à l'inquisiteur Bernard de Caux comment, fuyant Villemur, Raymond Aymeric et avec lui toute la communauté religieuse des hérétiques, dont elle faisait partie, furent d'abord hébergés une nuit par les parfaites de Roquemaure et le lendemain par celles de Giroussens, avant d'échouer chez celles de Lavaur, où Arnaude et sa sœur réussirent à demeurer un an.

On ne sait même pas si la croisade quercynoise arriva réellement jusqu'à Villemur : elle disparaît de nos sources aussi soudainement qu'elle y est entrée. Il se peut d'ailleurs que sous prétexte de croisade, la chevauchée n'ait été en fait qu'une succession de règlements de comptes locaux, voire familiaux[1]. De toute façon, l'annonce de la réconciliation de Raymond VI interdisait qu'on continuât la guerre sur ses États. Bref, chacun, une fois sa quarantaine achevée, et gagnées les indulgences qui y étaient atta-

---

1. G. SÉRAPHIN a relevé (*op. cit.*) que Bigaroque, qui appartenait à Henri seigneur de Gontaud, venait de passer au décès de celui-ci à son gendre Martin Algaï, ancien sénéchal de Jean sans Terre devenu un partisan zélé de Raymond VI, aux côtés de qui il combattra d'ailleurs farouchement Simon de Montfort. Par ailleurs, Tonneins avait pour seigneur Raymond-Bernard de Rovignan, et Casseneuil Hugues de Rovignan, frère de l'évêque d'Agen Arnaud de Rovignan qui était, lui, dans les rangs des croisés...

chées, rentra chez lui sans se soucier autrement de l'avenir de la
chrétienté. A l'est des États raymondins, c'était une tout autre
affaire.

Béziers : « Tuez-les tous ! »

Au lendemain des cérémonies de Saint-Gilles, Raymond VI,
Milon et maître Thédise étaient partis à la rencontre des croisés
qui, le légat Arnaud Amaury à leur tête, avaient pris la route de
la vallée du Rhône. Ils s'étaient joints à eux le 2 juillet, aux
abords de Valence. Milon avait profité du voyage pour faire prêter le serment de paix aux consuls d'Orange, puis au seigneur
Artaud de Roussillon et au clergé de Valence. Le 12, ce fut au
tour des coseigneurs et des consuls de Montélimar.

C'est alors que l'armée venue du nord descendait la vallée du
Rhône que Raymond-Roger Trencavel vint en personne offrir
sa soumission aux légats. Les raisons de ce geste sont aisées à
comprendre : se soumettre était l'unique moyen d'éviter une
guerre qui lui serait d'autant plus fatale qu'il n'avait plus à compter sur le secours de son oncle Raymond VI. Mais il était trop
tard : on refusa de l'entendre. Sans doute Arnaud Amaury
estima-t-il qu'une démonstration de force était nécessaire en
« pays albigeois » pour ramener définitivement à la raison les
complices d'hérésie ; les domaines de Raymond étant inviolables,
il fallait donc, pour légitimer l'opération, garder « exposée en
proie » la vicomté Trencavel. Peut-être se voyait-il aussi dans
l'impossibilité de licencier brusquement sans qu'elle ait eu sa part
de butin une armée qui se trouvait enfin à pied d'œuvre après
dix années d'efforts.

S'en revenant à Carcassonne pour rassembler ses vassaux et
préparer la résistance, Trencavel incita au passage la population
de Béziers à se mettre en état de défense et lui promit son rapide
retour. Pendant ce temps les croisés, franchissant le Rhône,
étaient arrivés à Montpellier.

Réputée fidèle à l'orthodoxie catholique, entrée par le mariage
de son héritière dans les domaines du roi Pierre d'Aragon, dont
on sait qu'il était vassal du Saint-Siège, la seigneurie de Montpellier avait été mise à l'abri de toute exaction par Innocent III lui-
même qui, dès le 1er mars, avait demandé à ses légats de veiller
à ce qu'aucun tort ne fût causé à sa population. Sans s'attarder à

Montpellier, qu'ils quittèrent le 20 juillet, les croisés occupèrent Servian, que ses habitants avaient abandonné, puis arrivèrent le lendemain sous les murs de Béziers. Édifiée au bord de l'Orb sur une acropole au pourtour assez escarpé, la ville avait renforcé ses défenses naturelles, du côté où c'était nécessaire, par un fossé et un rempart. Les croisés en trouvèrent évidemment les portes closes. Mais l'évêque Renaud de Montpeyroux sortit de la ville, apportant à Arnaud Amaury une liste, dressée par ses soins, de deux cent dix noms : c'étaient ceux de Biterrois hérétiques avérés ou réputés complices d'hérésie. D'interprétation néanmoins difficile, car il mêle sans doute à des noms de parfaits ceux de simples croyants, le document ne permet pas de se faire une claire idée de l'implantation de l'hérésie à Béziers. Toujours est-il qu'Arnaud Amaury, par l'intermédiaire de l'évêque, adressa un ultimatum aux consuls : qu'ils livrent les hérétiques, sinon ils périront avec eux. « Nous nous laisserons plutôt noyer dans la mer ! » leur fait répondre la *Canso*, qui donne les raisons de cet héroïque refus : « Ils n'accorderaient rien aux croisés, pas même la valeur d'un denier, qui pût entraîner un changement quelconque dans le gouvernement de leur ville. » Deux phrases qui, dans leur laconisme, nous apprennent bien des choses. D'abord, qu'ici il n'était pas du tout dans les mœurs de livrer des citoyens à cause de leurs opinions religieuses. Ensuite que les Biterrois n'étaient nullement disposés à faire, à l'égard de quelque puissance que ce fût, y compris le Saint-Siège en la personne de son légat Arnaud Amaury, une allégeance qui aurait pu mettre en péril à la fois des institutions politiques conquises jadis de haute lutte sur le pouvoir féodal, et le lien de fidélité qui les unissait à leur seigneur le vicomte régnant, Raymond-Roger Trencavel. Étonnante prescience ! La croisade n'avait pas encore à sa tête l'homme de fer qui allait bientôt imposer au pays le retour à un ordre féodal pur et dur. Même le poète de la *Canso* ne pouvait savoir, quand il écrivait ces lignes, que Simon de Montfort, devenu comte de Toulouse, supprimerait en 1216 le consulat de la ville...

La tragédie se déroula le lendemain 22 juillet, jour de la Sainte-Madeleine. Alors que les barons du Nord délibéraient avec Arnaud Amaury, sous une tente, de la conduite à tenir à l'égard de la population assiégée, une petite troupe de Biterrois serait allée narguer les croisés jusqu'aux abords de leur camp en agitant des bannières et en poussant des cris, suscitant contre elle la ruée désordonnée des routiers de l'armée. Refluant dans la cité, les

Biterrois, talonnés de près, ne purent refermer les portes derrière eux, les assaillants envahirent les rues, et ce fut le gigantesque massacre tant de fois raconté depuis lors. A cause de son ampleur, certes – les légats se vanteront à Innocent III de vingt mille morts[1], sans distinction d'âge, de rang ni de sexe –, à cause de l'horreur qu'il y eut à voir la cathédrale incendiée s'écrouler sur les malheureux qui y avaient trouvé refuge, à voir égorger jusque dans l'église de la Madeleine des femmes, des enfants, et même les prêtres... Mais à cause, surtout, du mot terrible que rapporta le moine cistercien allemand Césaire de Heisterbach, certainement renseigné par quelque compatriote rhénan revenu de la croisade albigeoise. Alors que la chevalerie croisée, alertée, se précipitait dans la ville pour avoir sa part de butin et ne pas tout laisser aux routiers, et qu'on demandait à Arnaud Amaury comment on pourrait distinguer les catholiques des hérétiques, l'abbé de Cîteaux répondit : « Massacrez-les, car le Seigneur connaît les siens ! » Le mot passa dans l'historiographie française sous une forme légèrement modifiée : « Tuez-les tous, Dieu reconnaîtra les siens[2] ! »

En parlant de vingt mille morts dans le rapport qu'ils adressèrent au Saint-Siège, les légats ont certainement un peu exagéré, pour la plus grande gloire de la *Militia Christi*, de la chevalerie du Christ qui avait inauguré la croisade par une aussi éclatante victoire. Éclatante, mais somme toute – il est cruel de l'écrire – banale : la mise à sac de la première ville qui résistait et le massacre général de sa population étaient de règle dans les guerres médiévales. Cette stratégie de la terreur fut immédiatement payante : quand l'armée, trois jours après, se remit en route, les Narbonnais envoyèrent à sa rencontre une délégation qui présenta non seulement la soumission de leur ville, mais son aide matérielle et financière... Le 1er août, les croisés étaient en vue des remparts de Carcassonne. En cours de route, une centaine de localités étaient tombées entre leurs mains – mais ils n'y avaient trouvé, en guise de vivres et de butin divers, que ce que les habi-

---

1. « Vingt mille » ne doit pas être compris comme un dénombrement : c'est une façon de dire qu'il y eut un nombre incalculable de morts. Cf. nos expressions « trente-six chandelles » ou « mille baisers ».

2. A la bibliographie que j'ai donnée en 1970 dans les notes du chap. 17 de mon *Épopée cathare*, tome I, p. 545, ajouter Monique BOURIN, « Le massacre de 1209 », chap. 5 de l'*Histoire de Béziers*, collectif, Toulouse, Privat, 1986, p. 95-113 ; Jacques BERLIOZ, « *Tuez-les tous, Dieu reconnaîtra les siens.* » *La croisade contre les Albigeois vue par Césaire de Heisterbach*, Toulouse, Loubatières, 1994.

tants qui les avaient désertées n'avaient pas pu emporter avec eux.

La prise de Carcassonne

Trencavel, pas du tout décidé à imiter les Narbonnais, avait activé les travaux de défense de sa capitale et mobilisé toute sa chevalerie vassale. La cité n'avait encore qu'une enceinte – ce sont les rois de France qui, plus tard, la doublèrent – mais celle-ci suffisait à constituer une redoutable carapace. Les croisés passèrent la journée du 2 août à observer les lieux. Trencavel, impatient d'en découdre, voulait les attaquer tout de suite, mais Pierre-Roger de Cabaret, prudemment, l'en dissuada. Le lendemain à l'aube, ce fut la piétaille française qui donna l'assaut – mais seulement contre le faubourg nord, mal défendu, dont elle se rendit maîtresse en deux heures, tandis que d'autres contingents occupaient à l'ouest la berge de l'Aude au pied de la cité, coupant les défenseurs de tout point d'eau.

On en était là quand, deux ou trois jours plus tard, Pierre d'Aragon en personne, accompagné d'une centaine de chevaliers, se présenta au camp des croisés. Il est aisé de comprendre qu'il avait été rapidement informé de ce qui se passait sur les domaines de Trencavel. Étant le suzerain de ce dernier, il avait toutes les raisons d'être inquiet. Chaque épisode de notre récit ne fera d'ailleurs que confirmer cette donnée fondamentale dans le déroulement de la croisade albigeoise : c'est parce qu'elle déstabilisait tout l'espace géopolitique nord-pyrénéen qu'elle entraîna d'infinies difficultés diplomatiques et que le conflit, très rapidement, s'internationalisa.

Après s'être entretenu avec son beau-frère Raymond VI, qui campait fort passivement avec l'armée des croisés, le roi se fit annoncer aux portes de la cité et conféra avec Trencavel. Il lui dit ne pas disposer de forces suffisantes pour le secourir par les armes. C'était certainement vrai, car le front musulman l'occupait en toute priorité. Mais il est tout aussi certain qu'à combattre ouvertement les croisés il se serait affiché en adversaire d'une armée qui était, par légat interposé, celle de son propre suzerain le pape, et que de ce fait il se serait lui-même désigné comme ennemi de l'Église et complice d'hérésie. Tout ce qu'il pouvait faire, c'était jouer les médiateurs. Trencavel accepta. Le roi revint auprès d'Arnaud Amaury et lui demanda ses conditions : que Trencavel quitte libre la cité avec onze chevaliers de son choix et livre aux croisés la ville et le reste de sa population. « J'aimerais mieux me faire écorcher vif », répondit au roi le jeune vicomte, décidé à défendre jusqu'au bout sa cité et ses sujets. Pierre II informa le légat du refus de Trencavel et reprit le chemin de la Catalogne.

Peu après son départ, les croisés s'emparèrent du faubourg méridional, mais après de si rudes combats qu'ils redoutèrent de s'épuiser en vain à attaquer la cité elle-même, infiniment mieux fortifiée. Ils dépêchèrent un parlementaire à Trencavel qui, muni d'un sauf-conduit, s'en vint discuter avec les chefs croisés sous la tente du comte de Nevers. Il faut dire qu'en peu de jours la violence d'un été particulièrement ardent – on approchait de la mi-août – avait asséché les puits, et que les croisés empêchaient qu'on allât puiser de l'eau au fleuve. La *Canso* brosse un si pathétique tableau des souffrances des assiégés, dans une ville surpeuplée envahie par les mouches et puant atrocement, qu'il est tout à fait plausible que Trencavel ait accepté, cette fois, de négocier. On notera au passage que contrairement à ce qui s'était passé à Béziers, on ne sache pas que les croisés aient exigé, par le canal de l'évêque, qu'on leur livrât les hérétiques de la ville ; Bernard-Raymond de Roquefort, évêque depuis six mois à peine, avait trop d'attaches personnelles avec les milieux hérétiques – sa mère et sa sœur étaient parfaites, et trois de ses frères parfaits ! – pour se faire le complice d'une telle opération.

Mais voici que les récits du temps divergent quelque peu : que Trencavel ait lui-même offert sa reddition et se soit remis en otage contre la promesse que la population de Carcassonne serait épargnée, ou qu'il ait été traîtreusement arrêté au cours d'un entretien qui n'avait été qu'un traquenard, toujours est-il qu'il se retrouva jeté dans une basse-fosse de la ville, que les croisés avaient occupée sans coup férir après en avoir chassé dans la campagne tous les habitants, sans un sou vaillant, les femmes en chemise et les hommes en braies...

La confiscation...

Hélas ! Les désastres coutumiers de la guerre ont moins d'importance en cette affaire que ce qui se passa au plan juridique en ce 15 août 1209 dans la cour d'honneur du château de Carcassonne. Trois semaines de guerre éclair venaient de se solder par un éclatant triomphe. La théorie de la croisade élaborée par Innocent III avait connu un début d'application quelque peu foudroyant : l'exposition en proie avait réussi de façon spectaculaire, un prince fauteur d'hérésie avait été abattu, ses deux plus puissantes villes conquises, le tout dans la plus parfaite légalité canonique. Il restait, certes, à achever de pacifier, c'est-à-dire de conquérir, toute la vicomté, qui était fort vaste. Mais on pouvait d'ores et déjà donner à cette première étape de la guerre sainte une sanction juridique en prononçant officiellement – toujours dans le droit fil de la théorie de la croisade – la déchéance du prince vaincu, la confiscation de ses domaines par l'Église, et la dévolution de ses titres et de ses biens, par cette même Église, au premier seigneur catholique qui voudrait bien les recevoir.

C'est ce qu'annonça Arnaud Amaury aux principaux barons de la croisade rassemblés autour de lui. La chose était moins formelle qu'il pourrait y paraître. Substituer au vicomte déchu un nouveau vicomte tout dévoué à la foi catholique, c'était agir par ricochet sur toute la pyramide féodale. C'est à lui que les anciens vassaux de Trencavel devraient désormais fidélité, et, comme il était de règle quand un nouveau seigneur succédait à un autre, c'est entre les mains du nouveau qu'ils allaient devoir prêter le serment féodal – lequel impliquerait, cela va de soi, l'engagement de servir la foi catholique et de combattre l'hérésie. Tout vassal qui refuserait de prêter un tel serment se désignerait donc d'abord comme fauteur d'hérésie – ce qu'il était déjà *a priori* – mais de surcroît comme rebelle à son seigneur supérieur. Or le seigneur supérieur a non seulement le droit mais le devoir d'obtenir obéissance sur tous les domaines – fût-ce par la force des armes. Autrement dit, l'achèvement de la conquête militaire, déjà légitimé sur le plan religieux par la nécessité de rétablir l'unité de la foi catholique, serait de surcroît légalisé du point de vue du droit féodal. En poursuivant la guerre contre les éventuels récalcitrants – seigneurs ou villes – le nouveau vicomte de Carcassonne et Béziers se battrait certes pour le Christ – mais aussi pour établir ses droits légitimes...

La croisade, dès lors, se prête à une double lecture. Elle garde son statut de guerre sainte génératrice d'indulgences pour ceux qui s'y engagent, tout en se souciant fort peu, le plus souvent, de son issue : il suffit à leur salut d'accomplir leur quarantaine. Sa vocation de guerre sainte dirigée contre les complices de l'hérésie va cependant permettre de l'étendre, en toute légalité canonique, à des terres sur lesquelles on n'avait jamais vu d'hérétiques, mais dont les princes, en se portant au secours de leurs voisins menacés, se désigneront à leur tour comme complices et s'offriront à ses coups.

Le changement de seigneur au sommet de la hiérarchie des pouvoirs va permettre aussi de ne voir dans la croisade qu'une vaste opération de police féodale. De ce point de vue, le nouveau vicomte de Béziers-Carcassonne ne fera la guerre que pour obtenir de ses vassaux légitimes le traditionnel serment d'allégeance. C'est en vertu de ses non moins légitimes droits supérieurs qu'il pourra considérer comme forfaiture tout refus de prêter serment, confisquer les biens des récalcitrants et les donner en fief à qui bon lui semble.

On a compris que c'est par ce biais – car il y aura beaucoup de récalcitrants – que la croisade va très vite signifier l'implantation par la force, en plein pays d'oc, d'une noblesse française. On comprend aussi, d'ores et déjà, que la croisade disposait au plan institutionnel d'une force considérable ; en se fondant à la fois sur le droit canonique et sur le droit féodal, elle se donnait une sorte de double légitimité, ce qui n'empêchera certes pas de voir se dresser contre elle maintes contestations qui en appelleront aussi au droit féodal ; mais elle pourra se retrancher, au gré des circonstances, derrière l'un ou l'autre système afin de légitimer son action. Au total, et vingt ans durant, c'est-à-dire jusqu'à sa victoire définitive, elle se présentera comme une sorte de rouleau compresseur juridique tout autant que militaire, à l'avance duquel ses adversaires ne pourront opposer que des protestations fragiles, ou du moins fragilisées par l'absence des moyens militaires qui eussent pu assurer leur triomphe.

Arnaud Amaury offrit la couronne vicomtale et les États de Trencavel au comte de Nevers qui refusa, déclarant qu'il n'avait jamais été dans ses intentions de s'installer dans ce pays. Le duc de Bourgogne refusa à son tour, et le comte de Saint-Pol fit de même : ils ne se souciaient pas des dépouilles d'autrui. Les deux premiers, d'ailleurs, rentreront bientôt chez eux, le troisième l'année suivante. Preuve, au passage, pour qui en douterait, que certaines prises de croix, et non des plus négligeables, avaient eu des motifs purement religieux. Mais sous le refus de ces trois hauts barons se lit aussi, certainement, le souci de ne pas contrarier leur souverain Philippe Auguste en acceptant du Saint-Siège l'investiture d'un fief aussi important, et de surcroît étranger, puisque la vicomté Trencavel était de mouvance catalane.

Moins exposé aux regards de la Couronne que les trois grands feudataires, un modeste seigneur de la vallée de Chevreuse, après un premier refus de pure courtoisie, accepta l'offre d'Arnaud Amaury : Simon de Montfort.

Quatrième du nom, il avait hérité de son père Simon III, en 1181, les seigneuries de Montfort-l'Amaury et d'Épernon, mais pas le comté d'Évreux, qui était allé à son frère aîné Amaury. Si l'on appelait cependant Simon IV « le comte Simon », et par extrapolation parfois « le comte de Montfort », c'est parce que lui venait d'un oncle maternel le comté de Leicester. Las ! Le roi d'Angleterre, en guerre avec la France, le lui avait confisqué. L'offre de la vicomté Trencavel venait à point nommé lui fournir une compensation plus qu'estimable.

Bien qu'il approchât de la cinquantaine, l'homme était encore dans la force de l'âge. Ceux qui l'ont connu, comme l'historiographe officiel de la croisade, Pierre des Vaux-de-Cernay, le disent de haute et puissante stature, de grande force, et d'une très remarquable endurance. De fait, à le suivre pas à pas de cet été 1209 à sa mort survenue neuf ans plus tard, on s'aperçoit qu'il a passé le plus clair de son temps à cheval[1]... Il s'était fait remarquer par sa vaillance, dit-on, lors des combats de Carcassonne. Mais dès sa prise de croix il avait eu réputation de chevalier valeureux, en qui la piété s'alliait à la droiture. Il s'était déjà engagé en 1202 dans la quatrième croisade de Terre sainte, et s'était alors trouvé confronté à la navrante histoire de son détournement contre un souverain catholique au profit des Vénitiens. En effet ceux-ci, auprès de qui les croisés s'étaient lourdement endettés, proposèrent d'effacer leurs dettes s'ils les aidaient à reconquérir la ville de Zara, sur l'Adriatique, occupée par le roi de Hongrie. Simon ne voulut pas être complice de cette iniquité : il quitta l'armée, entraînant à sa suite un certain nombre de compagnons qui lui demeureront fidèles et qu'on retrouvera à ses côtés en Languedoc, son frère Guy, Simon de Neauphle, Robert Mauvoisin, Enguerrand de Boves, le cistercien Guy, abbé des Vaux-de-Cernay. Ils s'embarquèrent tous directement pour la

---

1. Cf. l'*Itinéraire de Simon de Montfort (1209-1218)* que j'ai publié dans le tome III de *L'épopée cathare*, p. 439-441.

Syrie – ce qui leur évita d'assister en 1204 au siège, à la prise et au sac de Constantinople la chrétienne par les « Latins » – Francs et Vénitiens unis pour assouvir de déshonorante façon leur haine des Grecs.

Quant à l'engagement de Simon de Montfort dans la croisade albigeoise, peu d'années après son retour de Terre sainte, sans doute serait-il vain d'en chercher un mobile unique, celui qu'en tout cas l'on souhaiterait principal et qui fournirait la clef de tout son comportement. Sans piété militante, sans la conviction profonde que l'unité de la foi catholique doit être défendue par les armes parce que ceux qui la mettent en péril sont des créatures nuisibles inspirées par le démon, son ambition n'aurait pas suffi à le hausser au rang de chef charismatique d'une guerre sainte. Sans ambition, sans la volonté de se tailler un domaine aussi vaste que possible et d'y régner sans partage, sauf à distribuer à sa guise des fiefs pour récompenser ses fidèles et se les attacher, sa piété l'aurait au mieux poussé à accomplir une quarantaine – voire deux – contre les « albigeois » et leurs complices. Sans courage, physique certainement, mais aussi moral quand on verra dans quelles difficultés le laisseront parfois des croisés plus soucieux de gagner au moindre prix quelques indulgences que de sauver l'unité catholique, bref sans une résistance de tous les instants à la fois du corps et de l'âme, il n'aurait pas été le conquérant qu'il fut. Il ne l'aurait pas été non plus sans un évident génie militaire qui, même s'il fut largement aidé par l'incompétence de ses adversaires, fit assurément de lui l'un des plus savants et des plus audacieux capitaines de son temps.

Bien sûr, on pourra toujours dire que sa piété n'était que le masque de son ambition, son courage, à bien des égards, l'alibi de sa cruauté, sa droiture celui de son fanatisme. Cruel, il le sera certainement, ce qui veut dire peu scrupuleux sur les moyens eu égard au caractère sacré de l'enjeu ; conscient surtout qu'aux côtés de l'épée la terreur aussi était une arme. La dureté des hommes et de son temps ne saurait être une excuse. Certes, en matière d'atrocités, les Occitans ne feront pas de cadeaux aux croisés – pas à la même échelle sans doute, mais avec la même certitude que le bon droit était pour eux. Il reste que l'accumulation des malheurs dont il frappera le pays, si elle suscitera la joie de son thuriféraire Pierre des Vaux-de-Cernay, provoquera chez les poètes occitans des pleurs et des invectives vengeresses, et de pathétiques lamentations chez un chroniqueur catholique comme le clerc toulousain Guillaume de Puylaurens.

Au total, un homme apparemment tout d'une pièce, qui s'identifia totalement à sa mission, et qui éveilla l'admiration et l'attachement sans réserve des hommes qu'il avait à mener. Jouèrent aussi en sa faveur la simplicité de ses mœurs, la rigueur de sa piété quotidienne, la rectitude de sa vie personnelle et familiale. Bref, un modèle pour ceux qui le côtoyaient.

Tout aussi naturellement, un monstre pour ses adversaires, à qui importaient peu de si exemplaires vertus quand ils ne lui devaient que tueries, incendies, pillages et confiscation du bien d'autrui... Les croisés et les Occitans – et chez ceux-ci les bons catholiques comme les complices d'hérésie – n'auront pas de mots assez puissants, neuf ans plus tard, les uns pour déplorer dans les larmes la fin tragique du chef « saint et martyr », dont la couronne resplendira éternellement dans le Ciel, les autres pour s'en réjouir en chantant la victoire de *Paratge* et de Droiture sur Orgueil, Démesure et Fausseté. A chacun ses symboles et ses allégories...

La *Militia Christi*

Le premier geste de Simon fut de reconnaissance envers l'ordre de Cîteaux et son abbé Arnaud Amaury : il leur donna trois maisons qui avaient appartenu à des hérétiques, l'une à Béziers, une autre à Sallèles, une autre à Carcassonne même. C'est le premier document dans lequel il s'intitule « vicomte de Béziers et de Carcassonne », ce qui consacre en quelque sorte sa prise de pouvoir et vaut engagement solennel à poursuivre sa mission : « Dieu a livré entre mes mains les terres du peuple mécréant des hérétiques. C'est-à-dire que par le ministère des croisés ses serviteurs, il a jugé légitime de les déposséder de la terre elle-même. Et moi, sur l'insistance tant des barons de l'armée du Seigneur que des légats et des prélats qui étaient présents, j'ai accepté la charge et l'administration de cette terre, avec humilité et dévotion, comme un bienfait de Dieu. J'ai confiance en son aide... » Dans le même temps, il écrivit à Innocent III pour lui demander confirmation de son élection, pour lui et pour ses héritiers – puisque c'était au nom du Saint-Siège qu'Arnaud Amaury l'avait investi de la terre conquise.

A la fin du mois d'août ou dans les premiers jours de septembre, Milon, qui s'était séparé de l'armée quand elle avait
quitté Montpellier, fit au Saint-Père le récit de sa mission en
Provence – où il s'était de nouveau rendu et avait obtenu divers
serments de paix –, non sans lui exposer la grande défiance qu'il
nourrissait à l'égard de Raymond VI, même réconcilié, qu'il
continuait à tenir pour responsable de l'assassinat de Pierre de
Castelnau. Arnaud Amaury, pour sa part, adressa à Rome un
rapport général sur les opérations de la croisade – celui-là même
où il tire gloire des vingt mille morts de Béziers.

Il y a un singulier contraste entre le ton du courrier du légat
et celui de Simon. Le premier est un chant de triomphe. On le
comprend : c'est lui qui a conduit l'armée de Lyon jusqu'à
Carcassonne, et ses victoires sont un peu les siennes. C'est lui qui
vient de placer Simon de Montfort à la tête à la fois de la vicomté
conquise et de l'armée catholique, la *Militia Christi*. Certes, beaucoup de croisés dont la quarantaine est achevée viennent de quitter celle-ci, mais il en reste tant, et de si vaillants, que pour peu
que l'Église contribue aux dépenses de guerre, il sera aisé à
Simon d'achever rapidement la conquête de tout le pays.

Simon, lui, est plus honnête et plus réaliste : ce sont les plus
éminents des croisés qui l'ont quitté, et il se retrouve avec une
poignée de chevaliers et quelques soldats qu'il ne peut retenir
qu'en doublant leur solde ; le pays qu'il a soumis est dévasté,
villages et châteaux sont en partie détruits, la plupart des seigneurs se sont retranchés dans leurs forteresses de montagne et
entendent s'y défendre. « Sans votre aide et celle des fidèles je
ne pourrai gouverner plus longtemps cette terre... » L'Église doit
donc à la fois envoyer des subsides et relancer la prédication de
croisade propre à lui permettre de reconstituer ses effectifs. Cette
aide, elle la lui doit bien : il a ordonné que, dans le pays conquis,
les dîmes depuis longtemps impayées soient versées au clergé ; il
a décidé par ailleurs de lever un cens annuel de trois deniers
par feu au profit du Saint-Siège. Pour celui-ci, l'aubaine n'est pas
négligeable, ni au plan financier, ni au plan politique : la croisade,
en débouchant sur la création d'une principauté censière, s'est
faite l'instrument de l'impérialisme pontifical...

Sur le terrain, la situation, à coup sûr, est inquiétante. Pour
un Guiraud de Pépieux, qui s'est soumis lors même que l'armée
traversait le Minervois, pour un Étienne de Servian, qui abjurera
solennellement toute hérésie en février 1210 avec pour témoins

une dizaine de petits chevaliers du Biterrois, combien de Pierre-Roger et de Jourdain de Cabaret, de Guillaume de Minerve, de Pierre-Roger de Ventajou, de Raymond de Termes, combien d'Aimery de Montréal et de Guillaume de Roquefort, pour ne citer que quelques-uns des principaux vassaux de Trencavel qui prennent immédiatement le parti de résister à outrance !

Le comte de Nevers rentré chez lui, et tant d'autres, avec leurs propres contingents de cavaliers et de piétons, de qui se compose maintenant l'armée qui va avoir à tâche de réduire, précisément, ces résistances ? Le duc de Bourgogne, certes, a cédé aux supplications de Simon et accepté de prolonger un peu sa quarantaine : il partira à la mi-septembre... De ceux qui resteront avec Simon en cette fin d'été 1209 on peut aisément dresser la liste, car elle n'est pas longue : à peine deux douzaines de noms dûment attestés. A part Rouaut, vicomte de Donges en pays nantais, ce ne sont pas des barons de haut rang, leurs fiefs ne sont que des seigneuries. C'est peut-être pour cela qu'ils ne seront pas, eux, des croisés engagés pour une simple quarantaine, comme le furent tant de ducs et de comtes richement fieffés : la chevalerie qui serre les rangs autour de Simon de Montfort au lendemain de sa prise de pouvoir va immédiatement constituer le noyau de son armée permanente, auquel viendront de temps en temps s'agréger, au gré des saisons et de la conjoncture, d'utiles mais éphémères contingents de croisés de passage. Autant dire que ces vingt-cinq là seront, des années durant, de toutes les batailles, infatigables compagnons d'un chef dont l'autorité, le génie militaire, et certainement aussi le charisme, avaient su gagner leur fidélité, leur confiance et leur admiration.

Sept au moins sont de proches voisins de Simon de Montfort. Pierre de Richebourg est même un de ses vassaux. Bouchard de Marly est cousin de sa femme Alix de Montmorency. Les frères Amaury, Guillaume et Robert de Poissy sont là avec leur cousin Simon. Le plus illustre de ces Français au sens propre – les « Francigènes » de nos documents, qu'on appellerait aujourd'hui Franciliens – est assurément Guy de Lévis, de Lévy-Saint-Nom en vallée de Chevreuse, dont Simon fait aussitôt son maréchal, une fonction à vrai dire assez mal connue mais qui devait correspondre à gouverneur de la cavalerie. De l'Orléanais venait Guy de Lucy, qui était vassal du roi de France. Il y a au moins quatre Normands, Perrin de Cissey, Raoul d'Agis, Roger d'Andelys et Roger de l'Essart ; trois Picards, Gaubert d'Essigny, Robert de

Forceville et Robert de Picquigny ; deux Bourguignons, Lambert de Thury et Guillaume de Contres ; un Champenois, Robert Mauvoisin, dont Simon, son ancien compagnon de la croisade d'Orient, fera un ami privilégié ; un Anglais, Hugues de Lacy, fils du seigneur de Meath ; d'autres, que les sources ne mentionneront qu'un peu plus tard, étaient peut-être déjà de cette première équipe, comme le Breton Philippe Goloin, à qui Simon confiera la châtellenie de Carcassonne avant d'en faire son sénéchal. C'est dans cette phalange, et parmi ceux qui se joindront à elle dans les mois à venir – comme un Enguerrand de Boves, un Pierre de Voisins, ou son propre frère Guy de Montfort –, que Simon trouvera les hommes appelés à assumer à leur échelle le même rôle que lui quand il a ceint la couronne vicomtale : il les investira, au fur et à mesure qu'il pourra s'en emparer, des villes et des fiefs confisqués aux consulats insoumis ou aux seigneurs indigènes qui, refusant de lui faire allégeance, ont pris le maquis – les *faidits*. Cette noblesse de pays d'oïl fera d'ailleurs partiellement souche en Languedoc, s'y intégrant parfois rapidement par le jeu des mariages, tel Guy de Lévis, dont l'arrière-petit-fils épousa une princesse de Foix et dont le lignage a vécu jusqu'à nos jours, en ligne directe et sur vingt-six générations, son enracinement en terre ariégeoise.

Compte tenu de la petite troupe que chacun avait dû lever à ses frais lors de sa prise de croix – mais que Simon devait maintenant entretenir – on peut estimer l'effectif total de cette armée permanente autour de trois mille ou trois mille cinq cents hommes, soldats « réguliers » et routiers mêlés, et tous armements confondus, cavalerie lourde, sergents et arbalétriers à pied et à cheval, archers et simples fantassins armés de l'épieu ou du grand coutelas[1]. On n'oubliera pas, pour achever le tableau de la *Militia Christi*, de noter que Simon de Montfort, dont la piété ne saurait être mise en doute, s'est très vite attaché un chapelain en la personne d'un certain maître Clarin, dont on ne connaît pas l'origine mais qui finira sa vie comme évêque de Carcassonne. Sans compter que des liens personnels d'amitié vont bientôt s'instaurer entre lui et le futur saint Dominique, pour l'instant lointain spectateur, que ce fût dans le silence de son couvent de Prouille ou

---

1. J'avais retenu comme plausible (*Épopée cathare*, tome I, p. 289) le nombre de 4 500 avancé par la Chronique anonyme en prose. Je pense qu'il est prudent de le revoir à la baisse, en se basant sur une centaine d'hommes pour chaque contingent de seigneur croisé.

sur les sentiers hasardeux de la prédication, de ces quarante jours qui venaient d'ébranler tout un monde.

L'occupation du Lauragais

C'est d'ailleurs sur Fanjeaux que Montfort et ses compagnons foncèrent dès qu'ils se remirent en selle, trouvant sur leur passage Alzonne abandonné, puis Montréal. Tout le monde a fui le *castrum* dont on savait bien qu'il était un des hauts lieux de l'hérésie : le seigneur Aimery, avec les quelque cinquante croyants cathares, et le diacre Pierre Durand, et la dizaine de parfaits et de parfaites signalés à l'époque de la conférence de 1207, dont la noble Fabrissa de Mazerolles qui se replie à Gaja-la-Selve, où sa nouvelle maison de parfaites sera longtemps fréquentée par toute la chevalerie *faidite*. La seigneurie de Montréal sera donnée à Alain de Roucy. Mais le véritable objectif des croisés, c'est Fanjeaux. Et cela pour deux raisons qui se complètent admirablement. Montfort n'a pas encore oublié, à cette époque, le caractère religieux de sa mission. Or Fanjeaux, depuis vingt ans peut-être, est quasiment la capitale du catharisme occitan, ne fût-ce, on l'a vu, que par la présence de Guilhabert de Castres, *fils majeur* de l'évêque Gaucelin et véritable directeur de conscience de toute la noblesse hérétique du Lauragais et du Toulousain. La présence, à Prouille, de Dominique et de sa poignée de parfaites converties n'a en rien entamé la force de l'hérésie dans ce *castrum* situé stratégiquement – et c'est la seconde raison du raid des croisés – à une position clef, véritable plaque tournante des voies de pénétration, au nord-ouest vers Toulouse par le Lauragais, au sud-ouest, vers le pays de Mirepoix et le comté de Foix, au sud vers Lavelanet et le pays d'Olmes, au sud-est vers Limoux et le Razès, au nord vers le Castrais et l'Albigeois.

Un corps de routiers, dont le chef était un Aragonais, fut envoyé en avant-garde et occupa sans coup férir le bourg, en partie ravagé par les flammes, du moins si l'on en croit une certaine Guillelme Lombard qui affirmera plus tard avoir justement perdu dans cet incendie la lettre de réconciliation que lui avait délivrée saint Dominique... Sur l'exode de la population, on a quelques données bien précises : si des parfaits comme Pierre Belhoume, Arnaud Clavel ou Guillaume de Carlipa disparaissent de nos sources, il est assuré que Guilhabert de Castres, en revanche, se réfugia à Montségur, avec son évêque Gaucelin et quelques parfaites parmi les plus en vue, telle la noble Aude de Fanjeaux. Exode familial : Aude est accompagnée dans sa fuite par son fils Isarn-Bernard, ses filles Hélis, Braida et Gaia, ses petites-filles Fabrissa et Gauzion, toutes deux filles de Braida. Isarn-Bernard conduit à Montségur sa propre épouse Véziade, et il n'est pas le seul à prendre cette précaution. Aux côtés de Raymond de Péreille et de sa mère, la parfaite Fournière, tous attendront là des jours meilleurs. Montségur fut, par son premier peuplement, une véritable colonie de Fanjeaux.

Du comté de Foix à l'Albigeois

Montfort installe donc son quartier général dans ce haut lieu de l'hérésie, d'où il lance en quelques semaines une série de raids en étoile qui assurent en peu de temps son pouvoir sur un vaste territoire. Peut-être occupe-t-il dès cette époque le *castrum* tout proche de Laurac, qu'il donne à Hugues de Lacy, celui tout aussi voisin de Villesiscle, donné à Guillaume de l'Essart, et celui de Saissac, dont il investit Bouchard de Marly. Peut-être est-ce alors, aussi, que le *castrum* de Roquefort, dans la Montagne Noire, à moins de quatre lieues de Saissac, se mit en état de défense pour protéger les trois cents parfaits qui y avaient trouvé refuge[1]. Simon de Montfort gagne en tout cas Limoux, et y rejoint Lambert de Thury qu'il y a envoyé en éclaireur. Des villages ont tenté de lui résister en chemin, les chroniques mentionnent de nombreuses pendaisons. Limoux donné à Lambert de Thury, l'armée descend la vallée de l'Aude comme si elle voulait revenir à Carcassonne. Mais voici que Preixan refuse de lui ouvrir ses portes. Il importe peu à Simon que ce soit, en plein pays audois, une possession du comte de Foix, il décide de l'assiéger. Le comte Raymond-Roger accourt et, soucieux de tenir la croisade à distance du cœur de ses États le plus longtemps possible, conclut un accord aux termes duquel Preixan laisse entrer les croisés.

Revenant vers Fanjeaux après un crochet par Carcassonne, Montfort était à Alzonne quand il vit arriver une délégation de

---

1. Le chevalier Pierre de Corneille, qui participa à cette mise en état de défense, la situe environ trente-quatre ans avant son interrogatoire de 1243, sans autre précision que de dire que les hérétiques s'étaient réfugiés là « à cause de la guerre du comte de Montfort ». Bibliothèque nationale, Ms du fonds DOAT, t. XXIV, f° 20r°.

bourgeois de Castres qui lui offrirent de le reconnaître pour seigneur. Il se rendit aussitôt à Castres, où le rejoignirent des chevaliers de Lombers venus se soumettre à lui tout aussi spontanément. Par mesure de garantie, quelques otages furent envoyés à Carcassonne, tandis que l'arrestation de deux parfaits allait permettre à Montfort d'allumer son premier bûcher.

A son retour de Castres, le chef de la croisade décida, sur les conseils de duc de Bourgogne, d'aller attaquer les châteaux de Cabaret[1], dans la partie orientale de la Montagne Noire : non seulement ils commandaient la route de Carcassonne à l'Albigeois, mais Pierre-Roger de Cabaret, maître, avec son frère Jourdain, d'une très vaste et puissante seigneurie minière parsemée de forges, était en mesure de pourvoir en armes de toutes sortes une résistance dont il apparaissait déjà comme l'un des principaux meneurs. L'assaut lancé par les croisés se brisa sur les redoutables défenses naturelles du site. Le duc de Bourgogne quitta l'armée croisée le surlendemain.

Montfort revint à Fanjeaux. Il est à noter qu'il n'en donna pas la seigneurie en fief à l'un quelconque de ses compagnons. Il se borna à distribuer à ceux-ci divers biens saisis sur les habitants en fuite – des maisons, des moulins à vent, des vignes, des potagers, des terres cultivables – qu'au demeurant leurs nouveaux propriétaires, en signe de pieux attachement, donneront plus tard à Dominique et au couvent de Prouille.

Un jour arriva un messager de Vital, l'abbé de Saint-Antonin de Frédelas, l'abbaye qui avait donné naissance à la ville de Pamiers, dans le bas comté de Foix. L'abbé tenait cette dernière en paréage avec le comte Raymond-Roger de Foix, lequel venait de commettre, paraît-il, diverses exactions au détriment des religieux. Vital demandait tout simplement à Simon de Montfort de venir se substituer au comte dans la coseigneurie de Pamiers... Simon sauta évidemment sur cette occasion qui lui permettait de s'installer, sans coup férir semblait-il, sur la route reliant le Toulousain et le comté de Foix. En chemin, il arriva à Mirepoix. A son approche, les parfaits de la ville – il y avait alors quelque cinquante « maisons d'hérétiques » – et les trente-quatre

---

1. A la bibliographie que j'ai donnée naguère dans *Citadelles du vertige*, p. 182, ajouter l'étude exhaustive du site, des événements et des vestiges archéologiques que constitue l'ouvrage collectif réalisé sous la direction de Marie-Élise GARDEL par le Centre d'archéologie médiévale du Languedoc : *Cabaret, Histoire et archéologie d'un castrum*, Carcassonne, Centre de valorisation du patrimoine médiéval, 1999.

coseigneurs, dont plus de la moitié étaient de bons croyants cathares, les Roumengoux, les Ventenac, les Dalou, les Bousignac, etc., s'égaillèrent dans la nature. Beaucoup, devenus *faidits* à l'instar du plus éminent d'entre eux, Pierre-Roger de Mirepoix le Jeune, cousin germain de Raymond de Péreille, mèneront de longues années durant la guerre contre la croisade, et feront aussi des séjours plus ou moins longs à Montségur...

Mirepoix, confisqué, fut donné à Guy de Lévis. A Pamiers, Montfort et les siens furent reçus avec honneur par l'abbé Vital, heureux de ne plus avoir affaire, en guise de coseigneur, à un suppôt de l'hérésie. Le nouvel acte de paréage fut signé en présence de l'évêque de Toulouse Foulque et de divers chevaliers, clercs et notables de Pamiers. Avant de revenir à Fanjeaux, Simon se rendit à Saverdun, en aval de Pamiers. Les habitants lui livrèrent leur ville sans difficulté.

Ce fut ensuite au tour de l'Albigeois. Simon gagna Lombers, où l'accueillirent et le logèrent, avec les siens, les cinquante chevaliers qui lui avaient offert leur soumission à Castres. Il semble, en fait, qu'ils lui avaient tendu un guet-apens, mais Simon éventa le complot et reprit vite la situation en main. Les chevaliers lui jurèrent fidélité. De Lombers, les croisés gagnèrent Albi, où l'évêque était seigneur plus puissant que le vicomte. Il fit néanmoins, avec joie, hommage au capitaine conquérant, et l'assura de la fidélité de tout son diocèse. Béziers, Carcassonne, Limoux, et maintenant Albi : Simon tenait les quatre chefs-lieux de la quadruple vicomté de Trencavel. Cela avait pris moins de deux mois.

Le retour de flamme ne se fit pas attendre. L'occupation de Mirepoix, où il avait quelques droits de seigneurie supérieure, la prise de possession de Pamiers et de Saverdun, ville de ses domaines, alarmèrent le comte de Foix, qui n'avait nullement l'intention de se laisser léser. Alors que Simon, à son retour d'Albi, était à Carcassonne, Raymond-Roger, rompant l'accord conclu à Preixan, reprit cette localité et, profitant de l'absence de Simon, donna l'assaut à Fanjeaux. C'était le 29 septembre. L'attaque eut lieu de nuit, les assaillants escaladèrent les remparts et se répandirent dans les rues, mais la garnison française laissée dans le château réagit vigoureusement et gagna la partie. Le comte de Foix rentra chez lui.

Octobre se passa dans le calme. Simon avait envoyé Robert Mauvoisin à Rome, pour qu'il remît sa lettre du mois d'août au pape en mains propres et rapportât la réponse de celui-ci. Elle n'arrivera pas avant décembre.

Les premiers soulèvements

Auparavant survint un événement bien étrange : le 10 novembre, Raymond-Roger Trencavel mourut dans sa prison carcassonnaise. « Maladie subite », dit laconiquement Pierre des Vaux-de-Cernay. « Dysenterie », confirme Guillaume de Tudèle, en s'indignant qu'on ait pu immédiatement répandre le bruit que Simon de Montfort l'avait fait assassiner. C'est en tout cas la version de l'assassinat dont s'empara la littérature occitane, et jusqu'au XIVᵉ siècle les troubadours pleureront la fin tragique et déloyale du jeune et vaillant Trencavel. Il est certain que sa mort venait à point nommé pour anéantir tout espoir de revanche de la part de ses partisans retranchés dans leurs châteaux de montagne. Et, comme s'il tenait à ce qu'on sût bien qu'il n'était plus, Montfort, à grand renfort de publicité, fit exposer son corps et lui rendit les honneurs funèbres.

Il lui restait à s'assurer que nul ne revendiquerait l'héritage du défunt, qui laissait une jeune veuve, Agnès de Montpellier, et un tout petit enfant, Raymond Trencavel. Simon se rendit à Montpellier et, le 24 novembre, en présence du vicomte de Narbonne, du légat Milon et des évêques d'Agde et de Béziers, il obtint d'Agnès cession de tous ses droits et de ceux de son fils, moyennant une rente viagère de trois mille sous et le remboursement sur un an, en quatre versements, des vingt-cinq mille sous de sa dot. La tutelle du petit Raymond fut confiée au comte de Foix.

Une autre rencontre eut lieu à Montpellier : celle de Simon de Montfort et du roi Pierre II d'Aragon. Le pape avait recommandé au conquérant de ne léser en rien les droits du suzerain légitime de la terre conquise. Ce qui l'obligeait à prêter le serment féodal audit suzerain – à condition que celui-ci, bien sûr, voulût bien le reconnaître pour vassal. Mais Pierre II refusa catégoriquement... On comprend aisément pourquoi. A la faveur d'une croisade contre les hérétiques, un seigneur français s'était installé à Carcassonne. Ni pour la confiscation des biens et des titres de Trencavel, ni pour leur dévolution à Simon de Montfort, on ne lui avait demandé son avis, alors que le droit de dépossession et d'investiture – Philippe Auguste lui-même ne s'était pas fait faute de le rappeler au pape – n'appartenait qu'au seigneur supérieur. Gravement lésé, par conséquent, dans ses prérogatives de suzerain, Pierre II l'était bel et bien. Voilà pour les entorses faites au droit féodal. Le problème, de surcroît, était éminemment politique : il avait beau offrir sa vassalité au roi d'Aragon, Simon de Montfort n'en restait pas moins vassal du roi de France pour ses possessions françaises... Et il avait commencé à distribuer des seigneuries jadis vassales de Trencavel à des chevaliers étrangers au pays et dont beaucoup étaient déjà, eux aussi, vassaux du roi de France. Le danger était grand de voir la vaste principauté vassale en droit de Barcelone basculer en fait dans la mouvance capétienne. Commentant brièvement le refus du roi, Pierre des Vaux-de-Cernay assure que le bruit courut que ce dernier avait promis en secret son soutien aux seigneurs qui résistaient à la conquête.

Une chose est certaine : le voyage de Montfort à Montpellier semble avoir donné le signal d'un soulèvement quasi général. Alors qu'il était sur le chemin du retour, les mauvaises nouvelles tombèrent en cascade. Guiraud de Pépieux, ce seigneur du Minervois qui s'était spontanément soumis au mois d'août, avait fait volte-face et attaqué la garnison croisée du château de Puisserguier, l'enfermant dans le donjon et emmenant prisonniers deux chevaliers à qui il fit crever les yeux, couper le nez, les oreilles et la lèvre supérieure avant de les envoyer nus à Carcassonne. Montfort délivra les autres défenseurs de Puisserguier et en rasa le château. Ce fut pour apprendre qu'Amaury et Guillaume de Poissy étaient à leur tour assiégés dans Miramont, sur le flanc de la montagne d'Alaric. Quand Simon arriva, ils avaient été massacrés. Comble de malheur, Bouchard de Marly et Gaubert d'Essigny étaient tombés dans une embuscade tendue par les gens de Cabaret, Gaubert avait été tué, et Bouchard, capturé, était emprisonné à Cabaret même.

Et voici que Castres se soulève : des émeutiers prennent d'assaut le château et arrêtent le chevalier et les sergents qui en constituaient la garnison. Les chevaliers de Lombers font aussitôt de même et envoient leurs prisonniers rejoindre ceux de Castres. Non loin de Fanjeaux, ce fut Montréal qui passa dans le camp occitan, son seigneur Aimery ayant réussi à soudoyer le clerc à qui Montfort avait confié la garde de la place. On n'est pas encore en hiver que les croisés, si l'on en croit leur chroniqueur, ont déjà perdu quarante châteaux... Et, toujours selon le chroniqueur, leur moral était au plus bas quand arriva à Carcassonne son oncle Guy, abbé des Vaux-de-Cernay. Il sut leur redonner espoir et courage.

Robert Mauvoisin revint de Rome aux approches de la Noël, porteur de la réponse du pape à la lettre que Montfort lui avait adressée peu après le 15 août. Innocent III, bien sûr, entérinant la déchéance et l'expropriation de Trencavel, ratifiait l'investiture du chef de la croisade, tout en lui rappelant ses principaux devoirs : sauvegarder la paix et la foi, et ne pas léser les droits du seigneur supérieur. On a vu, avec le refus de Pierre II, combien cette clause de sauvegarde n'était qu'une garantie de paix illusoire.

La lettre d'Innocent III n'était qu'une des trente bulles pontificales rédigées les 11 et 12 novembre. Le pape a écrit aussi aux prélats du Languedoc et de Provence, aux archevêques de Lyon et de Besançon, à maints consulats de grandes villes, à une foule de barons, au vicomte Aimery de Narbonne, à l'empereur germanique Othon IV de Brunswick, à Pierre II d'Aragon, au roi de Castille Alphonse VIII... A tous, il brosse une nouvelle fois le tableau de la chrétienté en péril, à tous il recommande la croisade et demande une nouvelle fois pour elle des subsides et des renforts. Mais aucune armée ne se met en route à l'orée de la mauvaise saison. La croisade prend alors ses quartiers d'hiver.

5

La guerre des châteaux

Pendant qu'en cet automne 1209 la situation, sur le terrain, se dégradait à peu près aussi rapidement que la croisade avait accumulé victoire sur victoire au cours de l'été, une sorte de second front s'était ouvert, sur un plan à la fois religieux, juridique et diplomatique. A peine Raymond VI avait-il tiré sa révérence à l'armée croisée, devant Carcassonne, pour rentrer à Toulouse, que Simon de Montfort et Arnaud Amaury y avaient envoyé une délégation demander à la population et au comte de lui livrer les hérétiques de la ville. La procédure avait été la même qu'à Béziers : l'évêque Foulque avait dressé la liste des suspects et l'avait remise à l'abbé de Cîteaux – mais cette liste-là est perdue. Raymond répondit qu'il avait été absous par le légat Milon, qu'il n'avait pas d'ordre à recevoir de quiconque et qu'au besoin il irait lui-même se plaindre au pape. Les consuls affirmèrent de leur côté qu'on ne pouvait livrer les hérétiques, vu qu'on les avait tous brûlés... S'il restait des suspects, il fallait qu'ils soient jugés à Toulouse même, par le tribunal épiscopal, dans les formes et selon le droit canonique. Arnaud Amaury refusa : il exigeait qu'ils fussent purement et simplement livrés à la discrétion des croisés pour être jugés par eux. Les Toulousains s'y opposèrent. Alors Arnaud Amaury excommunia les consuls et jeta l'interdit sur Toulouse.

A peu de jours de là, les légats Hugues de Riez et Milon venaient d'ouvrir en Avignon un concile qui devait débattre de la réforme des mœurs ecclésiastiques, quand Arnaud Amaury les informa du refus des Toulousains, de l'attitude arrogante du comte, et de l'intention de celui-ci d'en appeler au Saint-Siège. Les légats réagirent immédiatement : contre cette manœuvre, il fallait mettre en garde Innocent III. Le 10 septembre, ils lui envoyèrent un sévère réquisitoire contre Raymond, expliquant qu'il n'avait satisfait à aucune des promesses qu'il avait souscrites lors de sa pénitence de Saint-Gilles, et qu'en conséquence l'Église était en droit de reprendre le pardon qu'elle lui avait alors accordé. Aussi l'avaient-ils de nouveau excommunié, ce qui le faisait retomber sous les deux principaux chefs d'accusation qui lui avaient valu tant d'ennuis : complicité d'hérésie et meurtre de Pierre de Castelnau... Ainsi s'était engagée l'extraordinaire affaire de l'impossible procès de Raymond VI, qui devait peser sur le destin de la croisade autant sinon plus que les opérations militaires : des années durant, Raymond va réclamer d'être jugé canoniquement afin de pouvoir présenter sa défense, le pape va ordonner à ses légats d'instruire dans les formes ce procès, mais les légats trouveront toujours, des années durant, un biais, une ruse, une raison pour l'ajourner...

Toujours est-il que le 20 septembre Raymond fit son testament, comme il était d'usage avant d'entreprendre un long voyage. Car il entendait passer d'abord par Paris voir Philippe Auguste, puis rencontrer l'empereur Othon, son suzerain pour le marquisat de Provence. S'il n'obtint pas des deux monarques, qui ne s'aimaient pas, tout l'appui qu'il escomptait – chacun vit d'un mauvais œil qu'il s'adressât aussi à l'autre –, il n'eut qu'à se féliciter de sa visite au souverain pontife – comme les Toulousains d'ailleurs, qui lui avaient envoyé leur propre ambassade. Le 25 janvier, Innocent III écrit aux archevêques de Narbonne et d'Arles, à l'évêque d'Agen et aux légats Thédise et Hugues de Riez. Il ordonne que soit suivie en cette affaire la procédure légale : qu'une plainte soit déposée en bonne et due forme contre Raymond, que le tribunal – en l'occurrence un concile – se réunisse sous trois mois et qu'il entende l'accusateur et l'accusé. Si ce dernier parvient à se justifier, le concile devra publiquement l'acquitter. S'il ne se justifie pas, les juges devront transmettre le dossier au Saint-Père, qui se réserve le droit, après examen soigneux des pièces et nouvelle audition du comte, de condamner éventuellement ce dernier. Une autre lettre, adressée à Arnaud Amaury lui-même, l'informe que non seulement le comte a fait preuve de bonnes dispositions à l'égard de l'Église, mais aussi l'ambassade toulousaine : il convient donc que soient levées toutes les sanctions ecclésiastiques qui ont frappé et le comte et la ville.

Tout cela n'est pas faiblesse de la part du pape, mais bienveillance habilement mesurée. En ce 25 janvier 1210, il écrit aussi à Raymond pour lui rappeler très fermement ses devoirs de chrétien dans la lutte contre l'hérésie. Par ailleurs, Milon étant mort en décembre, le pape le remplace par maître Thédise. Mais il écrit à celui-ci de ne rien faire de sa propre initiative, d'attendre en tout les ordres du chef de la légation, Arnaud Amaury, et de se contenter d'écouter Raymond, puisque, aussi bien, celui-ci ne veut pas avoir affaire à l'abbé de Cîteaux. Et il explique clairement sa tactique au même Arnaud Amaury : « Thédise sera l'instrument dont vous vous servirez, il sera comme l'hameçon que vous utiliserez pour prendre le poisson auquel il faut cacher le fer qu'il a en horreur... »

Une offensive de printemps

Dans les premiers jours de mars, accompagné de Guy de Lévis, Simon de Montfort alla jusqu'à Pézenas accueillir son épouse Alix qui arrivait avec des troupes fraîches, mais aussi avec ses deux enfants, Amaury et Amicie. Simon allait pouvoir reprendre au plus vite les opérations de reconquête que les récentes rébellions avaient rendues nécessaires. Sur le chemin du retour, il était à Capendu quand il apprit que Montlaur, dans les Corbières, s'était soulevé et que sa garnison s'y trouvait assiégée dans le donjon. Il réussit à la débloquer et, en représailles, fit pendre quelques insurgés. Dépassant Carcassonne, il réoccupa Alzonne sans difficulté, mais fut contraint, un peu plus loin, de donner l'assaut à Bram. Il y trouva le clerc qui à l'automne avait livré Montréal et le fit pendre. Parmi les habitants faits prisonniers, il prit une centaine d'hommes et, comme Guiraud de Pépieux l'avait fait à deux chevaliers croisés cinq mois plus tôt, leur fit crever les yeux et couper le nez, puis les envoya vers Cabaret sous la conduite de l'un d'eux, qu'on s'était contenté d'éborgner. Confiant Bram à une garnison, Montfort revint avec le gros de l'armée en Minervois et en Cabardès, sans doute pour tâter les défenses des principales places qui lui résistaient, et opéra maints ravages, notamment en arrachant les vignes, autour de Minerve, de Ventajou, de Cabaret. Vers Pâques, à la mi-avril, il entreprit d'assiéger le château d'Alaric, en bordure des Corbières, et n'en eut raison qu'au bout de deux semaines.

Revenu à Carcassonne, il y apprit que le roi d'Aragon le

convoquait à Pamiers pour une conférence au sommet qui réuni-
rait aussi le comte Raymond-Roger de Foix et Raymond VI. On
conçoit que le souverain, dont l'inquiétude devait grandir, avait
à cœur d'apaiser au mieux les choses, d'autant qu'il ne pourrait
éternellement refuser de reconnaître Montfort pour vassal, car,
en fait, il lui était imposé par son propre suzerain le pape. On ne
sait que peu de chose sur la réunion de Pamiers, si ce n'est que
tout le monde y fit assaut de courtoisie mais qu'il n'en sortit rien
et que, sitôt après, Montfort partit « faire le dégât », comme on
disait, aux alentours de Foix, allant même narguer le comte en
s'avançant en armes jusqu'au pied de son château. Raymond VI,
lui, rentra évidemment à Toulouse.

Arnaud Amaury s'y trouvait depuis presque deux mois déjà.
Au reçu des lettres pontificales de janvier, il s'y était fait annoncer comme venant solennellement absoudre les Toulousains et
lever l'excommunication des consuls et l'interdit jeté sur la ville.
On le reçut avec la plus grande déférence, l'évêque Foulque, surtout, lui fit honneur, avec d'autant plus d'orgueil qu'il avait réussi
à susciter dans la population demeurée fidèle catholique un mouvement d'opinion favorable aux croisés ; s'était même créée, sous
le nom de « Confrérie blanche », une sorte de milice activiste
commandée par quatre notables, dont deux anciens consuls,
prompte à s'attaquer aux gens qu'on soupçonnait de complicité
d'hérésie. On dit qu'elle mit le feu à plus d'une maison. En face,
ou plus exactement dans le bourg Saint-Sernin, moins soumis à
l'influence de l'évêque que la cité, où se trouvait la cathédrale,
et traditionnellement plus atteint par le catharisme, se créa une
« Confrérie noire »... A plusieurs reprises les deux partis en vinrent aux mains, et l'on vit même des cavaliers s'affronter dans les
rues.

C'est sur le fond de ce climat de guerre civile larvée qu'Arnaud
Amaury entama les discussions. Car il entendait bien monnayer
l'absolution des Toulousains. Les consuls, toujours très à cheval
sur les questions de droit, obtinrent du légat l'assurance que toute
affaire concernant l'hérésie serait conduite dans la plus stricte
légalité canonique. Pour gage de leur bonne foi, Arnaud Amaury
exigea qu'ils fissent don de mille livres à la croisade. A cause des
dissensions qui régnaient dans la ville, ils ne purent en réunir
que cinq cents. Alors le légat renouvela l'excommunication et
l'interdit... Ils en appelèrent à leur évêque Foulque, qui, sans
demander d'argent, mais un simple serment de fidélité à l'Église,

prit sur lui de lever les peines canoniques. Une grande cérémonie de réconciliation et d'absolution générale eut lieu vers la mi-carême, qui tombait le 25 mars, donc un mois environ avant la conférence de Pamiers. Après quoi, en attendant l'arrivée de Thédise, Arnaud Amaury fit un bref voyage en Agenais, puis, revenu à Toulouse, organisa avec Foulque des prêches contre l'hérésie.

La conférence de Pamiers terminée, Pierre II exprima le désir de voir personnellement le légat. La rencontre eut lieu à Portet, entre Toulouse et Muret, mais la *Canso* dit qu'il n'en sortit absolument rien. Sur ce, le roi reçut un message d'anciens vassaux de Trencavel, dont Pierre-Roger de Cabaret, Raymond de Termes et Aimery de Montréal. Depuis dix mois, ils avaient créé de véritables poches de résistance sur les arrières de Simon de Montfort, mais leur situation risquait de devenir bientôt critique. Ils avaient besoin du secours du roi. Ils lui donnaient rendez-vous aux portes de Montréal, que les croisés n'avaient pas encore récupéré. Le roi vint. Les seigneurs *faidits* lui offrirent de se reconnaître ses vassaux directs s'il leur venait en aide. C'était incontestablement lui forcer la main pour qu'il entre en guerre contre la croisade... Pierre II dut peser le pour et le contre. Accepter, c'était neutraliser le conquérant au plan du droit féodal, c'était remettre la main sur une partie au moins des anciens États de Trencavel. Mais au prix, certainement, d'un conflit armé avec la croisade. Est-ce pour se mettre en position de force, ou pour ne pas se contenter d'une simple promesse d'allégeance, toujours est-il que le roi exigea des *faidits* la remise immédiate entre ses mains de leurs châteaux. Ils discutèrent longuement entre eux, puis refusèrent, refus qui ne peut avoir d'autre explication que le souci de préserver les communautés de parfaits et de parfaites qui avaient trouvé refuge dans leurs forteresses, et que le roi catholique, s'il y mettait garnison, ne manquerait pas de chasser. Or beaucoup de *faidits*, à commencer par les trois qu'on a cités, avaient des parents dans ces communautés...

Simon de Montfort, pendant ce temps, s'était approché de Montréal, jusqu'aux portes de Bellegarde. Le roi lui fit porter un message lui demandant d'accorder une trêve au comte de Foix jusqu'aux pâques de l'année suivante. Il accepta. Peut-être la démonstration du roi – il était venu avec sa chevalerie catalane – intimida-t-elle quelque peu le chef de la croisade, peu enclin, du moins pour l'instant, à voir la couronne d'outre-Pyrénées entrer dans la guerre. Peut-être aussi le roi lui-même n'avait-il jamais eu l'intention de se mêler directement du conflit, et avait-il pour cette raison posé aux *faidits* des conditions inacceptables. Sa politique n'est pas, en cette fin de printemps 1210, de contrer ouvertement la croisade, mais de la contenir. Confiant dans la promesse de Montfort de laisser en paix le comte de Foix, il repassa les Pyrénées. Le 13 juin, il était à Teruel.

Le siège de Minerve

Montfort était en train d'assiéger Minerve. Si l'on en croit Pierre des Vaux-de-Cernay, ce sont les Narbonnais qui, aux premiers jours de juin, lui en avaient donné l'idée : ils avaient des comptes à régler avec les gens du Minervois – peut-être à propos des vignes du pays – et, de fait, le vicomte Aimery rejoignit les croisés devant Minerve, avec une troupe. Mais comme la *Canso* parle soudain, aux côtés des soldats français, de Bretons, Angevins, Manceaux, Lorrains, Frisons et Allemands, il est certain que la croisade venait de recevoir les importants renforts promis par Innocent III. On sait en tout cas qu'il y avait un corps de Gascons levé par l'archevêque d'Auch. Il fallait faire vite : Montfort n'avait devant lui que quarante jours de plein effectif. Le moment était venu de commencer à réduire les poches de résistance.

La place – un village fortifié construit au confluent de deux profonds ravins aux rives absolument verticales creusant le causse comme des cañons – était imprenable de vive force. Tout ce que les croisés pouvaient faire, c'était la bloquer complètement et la réduire à merci à coups de boulets de catapulte. On mit donc en batterie, sur le causse, les machines de siège. Un commando de défenseurs fit bien une sortie pour tenter d'incendier la plus puissante, rien ne put enrayer les ravages de l'artillerie, laquelle réussit à détruire le seul point d'eau dont Minerve, tout entière construite sur le roc, pouvait disposer : un puits couvert au fond de l'un des ravins, qui sont tous deux à sec chaque été. Et puis, comme à Carcassonne l'année précédente, la saison fut la grande alliée des assiégeants. Un soleil de plomb, des maisons écroulées, une chaleur torride, les morts qu'on ne pouvait enterrer, les blessés qui n'avaient rien à boire, les maladies, la puanteur, le désespoir... Au bout de sept semaines, Guillaume de Minerve se décida à traiter avec Simon de Montfort. Tous deux négociaient la reddition de la place, quand survint Arnaud Amaury, accompagné de maître Thédise, qui avait fini par le rejoindre à Toulouse à la mi-juin : ils se rendaient à Saint-Gilles, où un concile devait se réunir pour ouvrir le procès de Raymond VI. Montfort s'effaça devant l'abbé de Cîteaux pour que ce dernier réglât les modalités de la reddition. Minerve appartiendrait au chef de la croisade. Les habitants auraient la vie sauve, y compris les parfaits et les parfaites s'ils abjuraient leur foi. Robert Mauvoisin se serait indigné qu'on pût laisser ainsi une chance aux hérétiques. « Rassurez-vous, lui aurait répondu Arnaud Amaury, bien peu se convertiront... » Guy, l'abbé des Vaux-de-Cernay, se chargea d'essayer de convaincre parfaits et parfaites de renoncer à leur foi. Aux alentours du 22 juillet, après que les croisés furent entrés dans Minerve au chant du *Te Deum*, on dressa un bûcher, sans doute dans le lit de l'un des ravins, et l'on y précipita cent quarante hommes et femmes. Il n'y avait eu que trois conversions, trois femmes que non point l'abbé mais la mère de Bouchard de Marly, présente dans l'armée, avait convaincues de revenir à la foi catholique.

Dépossédé de son fief, Guillaume de Minerve fit néanmoins allégeance à Simon de Montfort et reçut en compensation des terres dans le Biterrois. Mais cinq ans plus tard il entrait à la commanderie de Campagnols, chez les Hospitaliers.

La chute de Minerve incita un autre seigneur du Minervois, Pierre-Roger de Ventajou, à se soumettre et à livrer son nid d'aigle. Ne voyant peut-être pas d'intérêt à y mettre garnison, Montfort le fit raser de fond en comble. Et puis ce fut Aimery de Montréal lui-même qui fit savoir au chef des croisés qu'il était prêt à lui remettre son *castrum* contre un domaine de la plaine, même non fortifié. Montréal changea donc à nouveau de mains. Laurac se soumit sans doute à la même époque.

Le siège de Termes

La croisade avait marqué des points, de façon très spectaculaire. La résistance des seigneurs occitans était sévèrement entamée. Il fallait profiter des renforts que la belle saison ne manquerait pas d'amener. Réunis en conseil à Pennautier, Simon et son état-major – Robert Mauvoisin, Lambert de Thury, Rainier de Chauderon, Guy de Lévis, Guillaume de Contres – décidèrent d'aller assiéger Termes. Audacieuse opération, car cette forteresse était pourvue tout autant que Minerve de redoutables défenses naturelles, et de surcroît située en plein cœur du labyrinthe montagneux des Corbières, un pays de bout du monde que les croisés ne connaissaient pas.

Il fallait y convoyer en pièces détachées les machines de siège, qu'on avait ramenées à Carcassonne. A cette fin, on les rassembla sur les berges de l'Aude, au pied de la cité. Informé par un espion, Pierre-Roger de Cabaret s'en vint attaquer de nuit ce parc d'artillerie, avec trois cents hommes, dont un chevalier *faidit* de Montréal, Guillaume Cat, qui l'avait rejoint dans son repaire du Cabardès. On commençait à détruire à coups de hache les machines et à les incendier, quand Guillaume de Contres, alerté, vint à leur secours avec quatre-vingts cavaliers réveillés et armés à la hâte. Les croisés restèrent maîtres du terrain, mais le combat avait été rude. Le lendemain, chariots et bêtes de somme emmenèrent vers Termes ce qui restait des catapultes. Montfort et le gros de l'armée étaient déjà à pied d'œuvre.

Le siège dura plus de trois mois[1]. Dans la place, une garnison de *faidits* commandée par le seigneur des lieux, Raymond de Termes, qui a à ses côtés son épouse Ermessinde de Corsavy, laquelle lui a donné deux filles et deux fils, dont Olivier, qui servira plus tard Saint Louis et sera l'un des plus illustres compagnons de Joinville. Quant aux chevaliers compagnons de résistance de Raymond, on peut estimer leur nombre à une cinquantaine si l'on prend pour base de calcul le nombre de châteaux et de villages qui constituaient la seigneurie du Termenès. Le seul que nomment les sources n'est cependant pas un vassal, mais un pair de Raymond de Termes : c'est Guillaume de Roquefort, d'une importante famille noble de la Montagne Noire, et redoutable adversaire de l'Église – il avait été impliqué, un an auparavant, dans le meurtre de quatre religieux, dont l'abbé d'Eaunes, qui regagnaient leur monastère en revenant de Saint-Gilles. Guillaume est donc parmi les défenseurs de Termes, et il est là avec sa mère Marquésia, parfaite cathare – elle n'est certainement pas la seule réfugiée –, tandis que le propre frère de Guillaume, Bernard-Raymond de Roquefort, évêque catholique de Carcassonne, se trouve dans le camp des croisés...

1. Cf. Gauthier LANGLOIS, « Le siège du château de Termes par Simon de Montfort en 1210 », dans *Heresis* n° 22 (juin 1994), p. 101-134. Du même : « La formation de la seigneurie de Termes », dans *Heresis* n° 17 (décembre 1991), p. 51-72.

Ceux-ci ont commencé le siège avec des effectifs peu nombreux. Mais voici qu'arrivent peu à peu des renforts considérables : la prédication de croisade a porté ses fruits. L'évêque de Chartres, celui de Beauvais, l'archidiacre de Paris, le comte de Dreux, celui de Ponthieu, sont arrivés chacun à la tête d'un corps de chevaliers et de sergents. On signale des Bretons, des Angevins, des Brabançons, des Frisons, des Saxons, des Bavarois – même des chevaliers Teutoniques. Les Gascons ne sont pas en reste : Amanieu d'Albret et l'archevêque de Bordeaux sont là. Bref, comme en juin 1209, une ruée internationale, moins d'ailleurs de farouches ennemis de l'hérésie que de pécheurs en quête d'indulgences.

Malgré leur grande supériorité numérique, les assiégeants durent livrer de durs combats. Par une brèche, on donna l'assaut à un premier faubourg, mais les défenseurs l'incendièrent, se replièrent, puis réoccupèrent le terrain au cours d'une sortie. Les croisés portèrent alors tous leurs efforts sur un ouvrage isolé, le Termenet, qui les gênait pour attaquer le château par son flanc nord. Ils s'en emparèrent, mais leur situation se dégrada rapidement. Non seulement, bien des quarantaines étant achevées, Montfort vit fondre ses effectifs, mais il fallait faire face à des difficultés croissantes de ravitaillement, Pierre-Roger de Cabaret et ses partisans – on pourrait même dire ses maquisards – qui avaient pour eux une bonne connaissance du terrain, ne cessant de tendre de meurtrières embuscades aux lents convois qui montaient de Carcassonne.

Bien entendu, les assiégés vinrent à manquer d'eau. Raymond de Termes finit par décider d'offrir sa reddition. Ce fut Guy de Lévis qui la négocia avec lui : Raymond livrerait le lendemain sa forteresse, à condition qu'on la lui restitue à Pâques 1211, et qu'on ne touche pas à ses autres domaines du Termenès. Dès qu'il fut question de cesser les combats, les plus éminents croisés, les évêques et les seigneurs venus du nord, firent leurs bagages le jour même. Pressentant qu'il allait se retrouver très affaibli, Montfort accepta les conditions de paix. Mais lorsque, le lendemain, Guy de Lévis se présenta à la porte du château, on lui en refusa l'entrée : il avait plu soudain au cours de la nuit, et si abondamment que les citernes s'étaient remplies... Raymond de Termes ne voulait plus se rendre.

La reprise des combats n'empêcha pas l'évêque de Beauvais ni les comtes de Dreux et de Ponthieu de partir : ils avaient honoré leurs contrats, que Termes tombe ou non n'était plus leur problème. Seul l'évêque de Chartres, cédant aux supplications de Simon, accepta de rester, mais pour suggérer qu'on négocie de nouveau avec l'adversaire, et qu'on accepte toutes ses conditions... Il conseilla aussi que Guy de Lévis se fasse accompagner cette fois par Bernard-Raymond de Roquefort. Raymond de Termes reçut les parlementaires, mais s'obstina dans son refus de se rendre, interdisant même à l'évêque de Carcassonne de voir son frère et sa mère. Alors l'évêque de Chartres à son tour quitta le camp des croisés.

Un providentiel renfort de Lorrains redonna un peu de courage à Montfort, alors que s'était installé, en ce deuxième mois de l'automne, un temps épouvantable. Et voici que, dans la nuit du 22 au 23 novembre, il se produit une chose inattendue : les sentinelles croisées voient que des gens s'enfuient en masse du château. On se lance à leur poursuite, on en capture plusieurs, et l'on a bientôt l'explication : l'eau de pluie s'était polluée dans les citernes asséchées depuis plusieurs mois, et avait frappé les habitants d'une épouvantable dysenterie. Brusquement incapables de se battre, les hommes avaient rassemblé les femmes dans le donjon et avaient pris la fuite. Guillaume de Roquefort fut de ceux qui s'échappèrent, mais Raymond de Termes fut pris et jeté dans une prison carcassonnaise, où il mourut trois ans plus tard.

Comme la prise de Minerve, celle de Termes démoralisa bien des *faidits*. Montfort en profita. Revenant à Fanjeaux, non par Carcassonne mais en faisant une grande boucle par le sud en traversant la haute vallée de l'Aude, il trouva sur son passage le château de Coustaussa abandonné, tandis que le seigneur du fantastique nid d'aigle d'Albedun, dans le haut Razès, Bernard Sermon, tout croyant cathare qu'il était, vint à sa rencontre pour lui présenter sa soumission. Ce n'est qu'arrivée en Quercorb que l'armée rencontra de la résistance : il lui fallut assiéger Puivert. Trois jours lui suffirent à emporter la place, mais le seigneur du Quercorb, Bernard de Congost, se réfugia à Montségur avec son fils Gaillard et son neveu Bertrand. Sa femme Arpaïx était une sœur de Raymond de Péreille ; tombée malade à Puivert, elle était morte l'année précédente, *consolée* par deux parfaits du pays. Et c'est à Montségur que Bernard mourra lui-même, également *consolé*, vers 1232, tandis que Gaillard et Bertrand seront parmi les défenseurs du *castrum* hérétique lors du grand siège de 1243-1244.

Déjà seigneur de Limoux, Lambert de Thury reçut de Simon de Montfort la seigneurie de Puivert, qui devait passer par la suite aux Voisins et aux Bruyères.

Remontant vers le nord, et dépassant Fanjeaux, l'armée alla récupérer Castres, qu'on lui livra sans combat, ainsi que Lombers, qu'elle trouva désert. Il ne restait pratiquement plus, sur les anciens domaines de Trencavel, qu'une importante poche de résistance : les châteaux de Cabaret. Mais pas plus que l'année précédente, il n'était question de faire la guerre durant la mauvaise saison. L'armée, pour la seconde fois, prit ses quartiers d'hiver.

La rupture

Pendant que Montfort était tout occupé à sa conquête, les affaires du comte de Toulouse ne s'étaient pas arrangées. Arnaud Amaury et son adjoint Thédise avaient d'ailleurs déployé des trésors d'imagination pour qu'elles ne s'arrangeassent pas. Nous avons laissé les deux légats à Minerve, le jour même de la reddition, alors qu'ils se rendaient ensemble à Saint-Gilles. On sait ce qu'ils avaient à y faire : régler le contentieux que l'Église avait avec Raymond VI. Cela, c'était ce qu'Innocent III avait exigé d'eux. Ce qu'ils voulaient en réalité, c'était tout autre chose. C'était même exactement le contraire : ne rien régler du tout. Pierre des Vaux-de-Cernay, qui l'a fort bien compris, expose très clairement, avec un mélange de cynisme et de naïveté, la façon dont ils s'y prirent : « Maître Thédise, écrit-il, scrupuleux et prévoyant, très préoccupé de l'affaire de la foi, souhaitait de tout cœur trouver un moyen juridique pour déclarer irrecevable la justification du comte. Il voyait bien en effet que si le comte était admis à se purifier et qu'il réussît à le faire, à force de mensonges et de fourberies, l'Église serait ruinée, la foi et la religion du Christ disparaîtraient de ce pays... »

Les légats sont convaincus que le pape se laisse abuser par Raymond VI, que celui-ci est bel et bien un suppôt de l'hérésie, mais doublé d'un négociateur rusé, que tous ses gestes de contrition, de soumission, d'humiliation, ne sont que de façade, que ses promesses sont dilatoires, qu'il ne cherche qu'à gagner du temps pour éviter la guerre – ce en quoi ils étaient loin d'avoir tort. Mais allez faire comprendre cela à un Saint-Père chez qui le principe de miséricorde vient toujours tempérer la vindicte, et qui s'obstine à toujours laisser leur chance aux coupables ! Plutôt que de s'épuiser en explications, ils décident de mettre en route la procédure de « purgation canonique » du comte, ce qui leur donnait l'air d'appliquer scrupuleusement les directives du pape. Ils convoquent donc à Saint-Gilles une grande assemblée de hauts prélats provençaux et languedociens. Mais ils connaissent les limites qui leur sont imposées par les bulles de janvier : ils ont toute latitude pour acquitter éventuellement Raymond, mais pas pour le condamner... Et c'est ce qu'ils craignent : qu'une procédure légale ne démontre la faiblesse de l'accusation, et qu'ils ne soient contraints de prononcer l'acquittement. Si, par chance, il apparaît au contraire que Raymond est bel et bien coupable, la sentence étant alors du seul ressort du souverain pontife, le comte aura tout le loisir de circonvenir une nouvelle fois celui-ci en jouant une nouvelle fois la comédie de la contrition. Il faut donc mettre en place la procédure canonique, mais la bloquer avant qu'elle ne se mette réellement en marche. Autrement dit, ouvrir le concile, ce qui satisfera le pape – mais l'ajourner aussitôt.

Encore fallait-il trouver à cet ajournement une raison juridiquement plausible ! Thédise la trouva. Avant même que Raymond n'ait pris la parole pour présenter sa défense, Thédise fit le point des serments que celui-ci avait souscrits quinze mois plus tôt à Saint-Gilles. Raymond n'en avait tenu aucun... Il n'avait pas licencié ses routiers, il n'avait pas réparé les torts qu'il avait causés à l'Église, il avait continué à percevoir des péages indus, il n'avait pas renvoyé ses fonctionnaires juifs, etc. Ce qui n'était pas faux ! Alors, vu qu'il n'avait satisfait en rien aux « points secondaires », on décréta qu'il était inutile de l'entendre sur les « points principaux » – la complicité d'hérésie et le meurtre de Pierre de Castelnau ; on ne lui fit pas prêter le serment d'usage, ce n'était pas la peine. « Tout le monde, écrira Thédise au pape, fut d'avis de ne pas le recevoir à se justifier, car il n'était nullement vraisemblable qu'on pût s'en rapporter à son serment sur les deux crimes capitaux dont il était accusé, alors qu'il avait transgressé si souvent ses serments sur des choses de moindre importance. » Et le concile d'annuler à l'unanimité l'absolution délivrée par Foulque à Toulouse, au printemps, et de reconduire purement et simplement l'excommunication de Raymond telle

que l'avait prononcée en septembre précédent le concile
d'Avignon.

On voit bien la raison ultime de cette étrange manœuvre : l'excommunication du comte – avec son corollaire, l'exposition en
proie de ses domaines – était la condition *sine qua non* qui pouvait permettre de lui faire la guerre et d'envahir son comté.

Certes, les légats ne pouvaient préjuger ce que serait la réaction d'Innocent III. Peut-être même encouraient-ils délibérément
un cinglant désaveu. Mais au moins c'étaient eux qui avaient
gagné du temps : écrire au pape, attendre sa réponse, cela prendrait au bas mot deux mois. Ça en prit beaucoup plus. Ce n'est
que le 17 décembre qu'Innocent III rappellera Raymond à ses
devoirs en le conjurant, sur un ton bienveillant mais ferme, de
chasser de ses États les hérétiques et leurs complices, « sinon,
en vertu des jugements divins, leurs terres seront livrées à leurs
exterminateurs ». La menace est claire : on n'hésitera pas à porter
la guerre sur le comté de Toulouse. Le même jour, une circulaire
adressée non seulement à Raymond, mais au comte de Foix, au
comte de Comminges et au vicomte de Béarn, recommandait à
tous quatre Simon de Montfort et leur enjoignait de ne gêner en
rien l'action de la croisade, sinon ils s'exposeraient à ses coups...

Aux yeux d'Arnaud Amaury, de Thédise et du nouveau légat
que le Saint-Siège venait de leur adjoindre, Raymond, évêque
d'Uzès, le pape, en parlant au conditionnel, retardait encore
l'échéance à laquelle ils travaillaient tous trois. Mais pourquoi,
chez eux, cette impatience à voir la croisade attaquer les États
de Raymond VI ? C'est qu'ils sont, eux, sur le terrain, ils viennent
de Toulouse, ils y ont vu le comte, les notables, une bonne part
de la population, plus enclins à protéger les hérétiques – à protéger tout au moins la liberté d'être hérétique – qu'à combattre
pour restaurer l'unité de la foi. Leur bellicisme sert, c'est certain,
les ambitions personnelles de Simon de Montfort, on dirait même
qu'ils le poussent peu ou prou à ne pas se contenter de l'ancienne
vicomté Trencavel et à étendre sa domination : c'est qu'il est le
bras armé de l'Église, qui, sans lui, ne peut espérer le triomphe
de la foi. On verra plus tard, au demeurant, que la conduite d'Arnaud Amaury lui-même n'était pas dépourvue d'arrière-pensées
temporelles.

C'est donc une course de vitesse qui s'est engagée en cette fin
de l'année 1210. Raymond VI sait qu'il a été victime d'un déni
de justice, mais s'il veut éviter le pire sa marge de manœuvre est

très étroite. Il n'est pas question qu'il se déclare ouvertement pour la croisade, ce serait combattre ses propres vassaux, les consulats de ses villes, une bonne part de ses sujets, et sans doute aussi, sinon un idéal de tolérance – la notion n'en était certainement pas théorisée –, du moins un état de fait qui, globalement, tolérait la diversité des croyances. Mais peut-il prendre le risque de se déclarer ouvertement contre la croisade ? C'est sans doute ce nécessaire louvoiement qui le conduisit à se rendre peu avant Noël à Ambialet, sur le Tarn, où se trouvait Simon de Montfort, moins, d'ailleurs pour trouver un terrain d'entente avec lui que pour sonder ses intentions. On dit que les entretiens se déroulèrent dans la gêne et la suspicion, et qu'il n'en sortit rien.

La véritable conférence au sommet, ce fut Arnaud Amaury qui la suscita : il convoqua pour la fin janvier à Narbonne les quatre chefs d'État qui étaient impliqués à divers titres dans les événements : Simon de Montfort, Pierre II, Raymond VI et Raymond-Roger de Foix. L'objectif du légat est simple, et dénote un certain génie stratégique : provoquer Raymond VI à la guerre, mais après s'être assuré de la neutralité du roi d'Aragon et de celle du comte de Foix...

La question de l'hommage de Simon de Montfort à Pierre II restait pendante depuis le refus du roi, en novembre 1209. Mais la situation avait évolué. Beaucoup plus qu'alors, Montfort est maintenant en position de force, maître de presque toutes les grandes seigneuries jadis vassales de Trencavel. Et puis, surtout, le roi veut avoir les mains libres pour l'offensive qu'il prépare au sud de l'Espagne, de concert avec les roi de Castille et de Navarre, contre les Almohades. Plutôt que d'envenimer les choses, il va donc chercher l'apaisement au nord des Pyrénées. Il accepte enfin l'hommage féodal de Simon – encore que, pour la forme, il se soit fait beaucoup prier. On va même plus loin : on conclut un pacte d'amitié, en signant le 27 janvier, à Montpellier où la conférence s'est transportée, une promesse de mariage entre l'infant d'Aragon – le futur Jacques le Conquérant – qui a deux ans et demi, et une fille de Simon de Montfort, Amicie, guère plus âgée[1]. Le mariage n'aura jamais lieu, mais en atten-

---

1. Au catalogue des sources diplomatiques (*Épopée cathare*, tome I, p. 555-565), ajouter cet acte du 27 janvier 1211, publié par J. MIRET y SANS, « Itinerario del Rey Pedro I de Cataluña, II en Aragón (1196-1213) » dans *Boletin de la Real Academia de las Buenas Letras de Barcelona*, t. IV (1907-1908), p. 16-17.

dant, selon la coutume chevaleresque, le roi confie à Montfort l'éducation du petit prince.

Pierre II avait cependant mis une condition formelle à sa reconnaissance de Montfort comme vassal : qu'il borne sa conquête aux anciens domaines de Trencavel, et qu'il laisse en paix, notamment, le comté de Foix, dont on sait qu'à défaut d'être une principauté vassale de la couronne d'Aragon il en est au moins une sorte de protectorat. Ce fut d'ailleurs par-dessus la tête de Raymond-Roger que le roi et Simon de Montfort conclurent un accord aux termes duquel le roi garantissait la neutralité du comte de Foix face à la croisade, et Simon promettait de restituer à ce dernier ce qu'il lui avait pris – sauf Pamiers. Simon se conduira d'ailleurs en fidèle vassal lorsque, en vertu du service d'ost qu'il devait à son seigneur supérieur, il enverra au roi une cinquantaine de chevaliers croisés se battre à ses côtés contre les Arabes.

En ce qui concerne Toulouse, le roi n'avait guère les moyens juridiques d'intervenir pour assurer la paix sur les États de son beau-frère. Son seul atout était justement ce lien de parenté qui l'unissait à Raymond VI, mais serait-il dissuasif ? Fut-ce alors un hasard si, deux mois après l'entrevue de Montpellier, des noces, bien réelles celles-là, renforcèrent encore ce lien en unissant une autre sœur de Pierre II, Sancie d'Aragon, à Raymond le Jeune, le fils de Raymond VI ? Mais l'effet fut inverse de celui qu'on attendait peut-être : que le roi soit devenu le beau-frère à la fois du père et du fils scandalisa grandement les croisés, pour des raisons morales bien sûr, mais aussi parce que cela montrait que le roi jouait sur les deux tableaux : la croisade et Toulouse.

La conférence était encore à Narbonne, quand Arnaud Amaury s'occupa justement de Toulouse. Sa tactique était simple : l'arrivée prévisible d'importants renforts avec le retour de la belle saison rendrait le printemps très favorable au déclenchement de la guerre contre Raymond VI. Pour ne pas manquer cette opportunité, il fallait faire vite. Mais pour ne pas s'attirer les foudres d'Innocent III, il fallait pousser Raymond à déclencher lui-même la guerre. Un seul moyen : le mettre d'abord au pied du mur, lui faire des propositions qu'il refuserait, ce qui le mettrait dans son tort ; puis se livrer à une provocation suffisamment grave pour qu'il soit obligé d'intervenir militairement, ce qui justifierait la riposte des croisés. La route de Toulouse leur serait alors ouverte en toute légalité.

Les conditions inacceptables, Arnaud Amaury les posa donc à Narbonne : il fit à Raymond « la grande et miséricordieuse faveur » – c'est Pierre des Vaux-de-Cernay qui parle – de lui garantir l'immunité de sa personne et de tous ses domaines, et de lui offrir en pleine propriété le tiers des terres qui, hors de ceux-ci, seraient saisies sur les hérétiques. Autrement dit, non seulement il ne serait pas dépossédé par un seigneur étranger, comme l'avait été Trencavel, mais il s'enrichirait des dépouilles des ennemis de la foi. A condition, bien sûr, qu'il s'engage aux côtés des croisés dans le combat contre ces derniers.

Raymond ne se vit pas pourchassant ses propres vassaux, assiégeant ses propres villes et ses propres châteaux, suppliant ses propres sujets dès lors qu'ils refuseraient d'abjurer leurs croyances. Le légat le savait bien, et la fin de non-recevoir que lui opposa Raymond ne le surprit évidemment pas.

Un ultime tour d'écrou fut donné quand la conférence se transporta à Montpellier. Arnaud Amaury revint à la charge, et par écrit, en faisant remettre à Raymond une charte qui contenait, non plus ses offres cette fois, mais ses exigences : observer la paix, licencier les routiers, restituer leurs biens et leurs droits aux églises de ses États, chasser les juifs des charges publiques, rembourser les péages indus ; bref toute la litanie des serments de Saint-Gilles. Jusque là, rien que de normal. S'il n'y avait eu que cela, Raymond aurait une nouvelle fois et sans hésitation solennellement juré, tout en étant secrètement décidé à ne rien faire... Voici la suite. Raymond et ses vassaux devront détruire leurs forteresses et livrer leurs domaines à la discrétion des croisés. Les chevaliers devront résider hors des villes, abandonner leurs vêtements de prix, se vêtir de grossières capes brunes comme des pénitents et ne manger de la viande que deux fois par semaine. Un cens annuel de quatre deniers par feu sera levé au profit de la croisade. Quant à Raymond, il devra partir outre-mer et demeurer en Terre sainte aussi longtemps que le Saint-Siège l'estimera nécessaire.

Voilà qui paraît si extravagant qu'on a pu se demander si Guillaume de Tudèle, qui énumère ces clauses dans sa *Canso*, n'a pas tout inventé. Mais pourquoi diable l'aurait-il fait, lui qui, tout en déplorant les malheurs de la guerre, est très nettement favorable aux catholiques ? Et puis, seules des exigences aussi inacceptables expliquent ce qui se passa immédiatement après. Raymond VI donna la charte à lire à Pierre II, qui en fut effaré ; puis il rentra au galop à Toulouse et la fit publiquement connaître à ses sujets, de Montauban à Moissac et à Agen, ce qui suscita un sentiment unanime de révolte contre la croisade, germe de ce qu'il faut bien appeler un patriotisme local – lequel ne fera que s'affirmer au fil des événements. Dans le même temps, Raymond battit le ban et l'arrière-ban de sa chevalerie et en appela à ses vassaux, parents, amis ou alliés des principautés voisines, comtés de Foix et de Comminges, vicomté de Béarn, et autres. Le seul Savary de Mauléon, sénéchal du roi d'Angleterre en Poitou, annonça qu'il arrivait avec cinq cents cavaliers et des routiers basques et brabançons – les plus redoutés de tous.

L'affrontement général souhaité par les légats paraissait imminent...

6

L'isolement de Toulouse

Arnaud Amaury avait envoyé Foulque prêcher la croisade en France au cours de l'hiver, ce qui avait mis Philippe Auguste de mauvaise humeur, et il l'avait écrit au pape. Il n'empêche, le talent de l'évêque de Toulouse avait porté ses fruits et Simon de Montfort vit arriver vers la mi-mars Robert de Courtenay – un cousin germain de Raymond VI, car ils étaient tous deux petits-fils de Louis VI le Gros ! –, Enguerrand de Coucy, Juhel de Mayenne, l'évêque de Paris Pierre de Nemours et son frère Guillaume, chantre de Notre-Dame, et bien d'autres. On avait décidé d'attaquer Cabaret quand Bouchard de Marly arriva à son tour à Carcassonne : Pierre-Roger de Cabaret – qui l'avait au demeurant fort bien traité au cours de ses dix-huit mois de capti-vité – venait de le libérer après l'avoir habillé de neuf et lui avoir donné un cheval. A charge pour lui de négocier avec Simon une soumission honorable pour Pierre-Roger et ses compagnons. Ce qui fut fait. Simon confisqua et fit occuper les trois forteresses de l'Orbiel et donna en fief à leur ci-devant seigneur des terres du côté de Béziers. Venait de sauter, et tout seul, le dernier verrou qui, en fixant les troupes de la croisade en plein cœur de l'ex-vicomté Trencavel, avait empêché Simon d'envisager jusque-là d'étendre sa conquête. La voie était d'autant plus libre qu'elle avait été soigneusement préparée, au plan purement politique, on l'a vu, par Arnaud Amaury.

Les suppliciés de Lavaur

Le 1er avril – qui était le vendredi saint – un neveu du comte de Foix, Roger de Comminges, vicomte de Couserans, vint faire hommage à Simon de Montfort, en s'engageant à lui remettre tous ses châteaux. L'acte fut souscrit le dimanche de Pâques « au siège de Lavaur ».

Pourquoi le choix de Lavaur par les croisés, à dix lieues à l'est de Toulouse ? Parce que c'est un important refuge de parfaits et de parfaites. Les quatre cents qu'on y brûlera comptent certainement parmi eux des fuyards de Cabaret, voire de Roquefort-des-Cammazes. Ils y ont trouvé d'autant plus aisément asile que la châtelaine, Guiraude, paraît bien avoir été parfaite elle-même. Et puis, c'est un repaire de *faidits*. Le frère de Guiraude, Aimery de Montréal, a rompu le pacte signé avec Montfort, et est venu commander la défense avec quatre-vingts chevaliers. Une autre raison, sans doute : en droit strict, Lavaur devait être jadis dans la mouvance des Trencavel. C'était devenu, au fil des ans, une sorte de seigneurie tampon entre la vicomté d'Albi-Carcassonne et le comté de Toulouse, mais de plus en plus directement influencée par ce dernier, comme tant d'autres terroirs qui, tels Puylaurens, Saint-Félix, et même Laurac et Fanjeaux, finiront par basculer dans l'orbite toulousaine. Comme eux, Lavaur sera, après la croisade, une baylie du comté de Toulouse. L'attaquer au printemps 1211, c'était faire irruption aux portes mêmes de celui-ci.

Aucun des Toulousains ne s'y est d'ailleurs trompé, ni la Confrérie blanche favorable aux croisés, ni Raymond VI. La première avait mobilisé à l'instigation de Foulque quelque cinq mille hommes, que les assiégés prirent d'ailleurs, quand ils aperçurent les bannières à la croix de Toulouse, pour des renforts envoyés par le comte. Mais les Confrères blancs, Foulque à leur tête, plantèrent leurs tentes à côté de celles des Français... Raymond avait bien essayé de les empêcher par la force de sortir de Toulouse, mais en vain.

Alors, une nouvelle fois, il essaya de gagner du temps. Passé maître dans l'art de tromper l'adversaire, il rassembla un corps de chevaliers prêts à s'en aller renforcer la garnison de Lavaur, et partit avec eux et son sénéchal Raymond de Ricaud. Il n'est pas sans intérêt de savoir que, passant au Faget près de Caraman et y mangeant, en vertu du droit d'albergue, chez un certain Pons

Carbonel, le comte et son grand officier eurent à leur table deux parfaits de haut rang, le diacre Guiraud de Gourdon, seigneur de Caraman, et son *sòci* Bouffil, qui était des Cassès mais était diacre de Saint-Félix. Après le repas, Raymond de Ricaud donna à chacun un cheval pour qu'ils pussent continuer plus confortablement leur route.

Une fois à Lavaur, les compagnons de Raymond VI entrèrent dans la place, dont le siège était encore discontinu. Raymond ne les suivit pas : il s'en alla discuter avec Simon de Montfort, moyen assurément efficace d'endormir un peu sa méfiance. Mais Simon venait soudain de recevoir de nouveaux renforts, conduits par les évêques de Bayeux et de Lisieux, par Jean, comte de Chalon, et par le comte d'Auxerre Pierre de Courtenay – le frère de Robert. Sa position était d'autant plus forte qu'il attendait d'un jour à l'autre cinq mille Allemands et Frisons – les sources exagèrent certainement, comme toujours – qui, arrivés à Carcassonne, étaient en route pour le rejoindre devant Lavaur.

Ce fut le moment que choisirent pour entrer en jeu ceux qu'on n'attendait pas. Raymond-Roger de Foix, son fils Roger-Bernard et le *faidit* Guiraud de Pépieux, à la tête de leurs troupes et d'un important corps de routiers, tombèrent par surprise sur les renforts croisés alors que, ayant quitté les sentiers de la Montagne Noire pour la plaine, ceux-ci passaient près d'Auvezines, au pied du château de Montgey, en armes certes, mais point sur leurs gardes comme ils avaient dû l'être en traversant la montagne, ses forêts et ses ravins. Les paysans d'alentour étant venus à la rescousse, ce fut un beau carnage dont pas un seul ne réchappa[1].

Le siège de Lavaur, pendant ce temps, continuait. Construite au confluent de l'Agout et d'un ravin aujourd'hui presque complètement comblé, la ville était fort bien défendue. Une brèche pratiquée dans la muraille par les sapeurs et un formidable assaut en eurent quand même raison. Dame Guiraude, livrée à la soldatesque, fut jetée vivante dans un puits que l'on remplit de pierres. Aimery de Montréal et ses compagnons *faidits* furent traités comme des vassaux traîtres à leur seigneur : Montfort ordonna leur pendaison, mais, la potence ayant cédé sous le poids d'Aimery, il fut plus rapide de les égorger tous. Deux victimes de ce carnage seulement sont connues, en dehors

---

1. Cf. Pierre et Sophie BOUYSSOU, « Le combat de Montgey », dans *Revue du Tarn* n° 86 (été 1977), p. 177-196.

d'Aimery : Bernard de Routier, chevalier d'un *castrum* du bas Razès proche de Montréal et beau-père de Bec de Fanjeaux, qui appartenait à l'un des lignages nobles les plus éminents du pays – et les plus pénétrés de catharisme ; et Pierre Rigaud – mais c'était un parfait qui s'était mêlé aux chevaliers, dans l'espoir, sans doute, d'avoir la vie sauve. Car tous les parfaites et les parfaites qu'on put rassembler furent incontinent jetés au feu. La *Canso* dit qu'ils étaient quatre cents, Guillaume de Puylaurens trois cents « environ ». Ce fut, de toute façon, le plus grand bûcher de toute la croisade. Quant à Raymond de Ricaud et aux autres Toulousains, sur qui Montfort n'avait d'autres droits que celui d'un vainqueur, ils furent considérés comme de simples prisonniers de guerre, et mis aux fers.

La prise de Lavaur avait eu lieu le 3 mai. Laissant à ses soldats le temps de refaire leurs forces et de se répartir le riche butin trouvé dans la ville, Montfort était encore sur place le 15, avec son fils Amaury et sa femme Alix, qui avait accouché en février d'une fille, Pétronille, laissée en nourrice à Montréal. Ce jour-là, en effet, le chef des croisés fit donation au couvent Sainte-Marie de Prouille des domaines agricoles qu'il s'était attribués à Sauzens, entre Bram et Villepinte, ainsi que d'une vigne qu'il avait confisquée à Bertrand de Saissac, située sur le terroir de Fanjeaux au croisement du ruisseau de la Font-Saint-Martin et de la route de Montréal.

Et la croisade se remit en marche. Ce fut d'abord pour effectuer un raid de représailles contre le pays dont les habitants avaient aidé au massacre des croisés allemands. Le château de Montgey, au pied duquel avait eu lieu l'embuscade, et qui appartenait à Jourdain de Roquefort[1], fut trouvé abandonné et fut rasé. Jourdain s'était hâtivement replié sur Toulouse, où il avait dû retrouver son parent Guillaume, le rescapé du siège de Termes. Aucune résistance non plus à Puylaurens, dont les cinq cents habitants étaient d'ailleurs venus se soumettre sitôt après la prise de Lavaur, tandis que le seigneur des lieux, Sicard, très impliqué dans l'hérésie, rejoignait lui aussi l'armée du comte de Toulouse. Montfort donna Puylaurens à Guy de Lucy. Le *castrum* des Cassès, en revanche, résista, mais, assiégé, capitula assez rapidement. Vassaux du comte de Toulouse et non de Simon de

1. Cf. Michel ROQUEBERT, « Les seigneurs de Montgey au XIIIe siècle. Jourdain de Roquefort et sa famille », dans *Revue du Tarn* n° 88 (hiver 1977), p. 509-529.

Montfort, les défenseurs eurent la vie sauve ; mais les parfaits et les parfaites que cachaient dans leur donjon les seigneurs des Cassès, les frères Roqueville – dont la mère était elle-même « hérétique revêtue » – furent, comme ceux de Lavaur, immédiatement brûlés, « avec une très grande joie ». Soixante selon Pierre des Vaux-de-Cernay, quatre-vingt-quatorze selon la *Canso*. Parmi les victimes, une seule est connue : la mère d'Arnaud de Rouville, un chevalier d'Auriac, alors que les parfaits les plus actifs des Cassès, Bernard Bouffil, son frère Pierre, et son fils le diacre de Saint-Félix, qu'on appelait Bouffil tout court – et que nous avons rencontré quelques semaines plus tôt au Faget – tous trois sans doute repliés ailleurs, sortirent indemnes des tragiques événements de ce printemps 1211.

Le compromis impossible

Le véritable vainqueur, en fait, plus encore que Simon de Montfort, c'était Arnaud Amaury : ses domaines envahis, Raymond VI était enfin acculé à la soumission ou à la guerre. Mais s'opposer aux croisés, même à titre purement défensif, le mettrait irrévocablement dans son tort aux yeux d'Innocent III, qui lui avait maintes fois enjoint de ne contrecarrer en rien l'action de la croisade.

Il prit immédiatement l'initiative. Elle consistait à priver les croisés de l'important relais que pouvait constituer pour eux Castelnaudary, si, comme c'était à craindre, ils faisaient venir des renforts de Carcassonne vers Toulouse. Comme la ville était trop sommairement fortifiée pour songer à la défendre, il décida de l'évacuer et de l'incendier. Mais il fallait, dans le même temps, s'assurer un solide point d'appui sur la même route, afin d'être en mesure de ne pas laisser aux croisés le champ libre. On choisit Montferrand, dont le *castrum* dominait le seuil de Naurouze. Raymond confia à son frère Baudouin le commandement de la garnison, composée de quatorze chevaliers, dont le vicomte de Monclar en Quercy, avec leurs gens d'armes et un corps de routiers. L'abandon de Castelnaudary par ses habitants, faisant suite au raid meurtrier opéré par Montfort après la chute de Lavaur, tout cela avait entraîné un grand exode de population vers Toulouse, d'autant que les événements frappaient le Lauragais et le Sud-Albigeois, c'est-à-dire une zone très profondément

imprégnée d'hérésie où il n'y avait guère une seule famille seigneuriale qui ne comptât des parfaits et des parfaites. Si bien que
Raymond VI, dont les troupes personnelles n'étaient pas considérables, vit soudain son armée grossir de tous les grands et petits
hobereaux de la campagne lauragaise venus chercher refuge derrière les murailles de la capitale.

Informé par ses éclaireurs, Montfort décida de faire sauter au
plus vite le verrou de Montferrand, et vint y mettre le siège. La
résistance opiniâtre de Baudouin et des siens l'incita bientôt à
proposer lui-même de discuter des conditions d'une éventuelle
reddition. Par ailleurs, il devait bien savoir que Baudouin, longtemps élevé en France et médiocrement apanagé à la mort de
son père, n'entretenait avec son frère le comte que des relations
distantes empreintes d'une certaine rancœur. Montfort n'eut pas
de peine à l'attirer dans son jeu : les deux hommes scellèrent
bientôt leur alliance, aux termes de laquelle Baudouin servirait
la croisade mais posséderait en pleine propriété tout ce qu'il
conquerrait. Il paiera plus tard, au bout d'une corde, cette
trahison.

De Montferrand, les croisés allèrent relever ce qu'ils purent
des ruines de Castelnaudary afin d'y mettre garnison, puis
Montfort, selon une tactique d'enveloppement qu'il utilisera fréquemment par la suite, se porta sur le Tarn, dont la rive droite,
jusqu'à l'Aveyron, relevait de Toulouse. Une foudroyante promenade militaire en vérité, qui lui permit de recevoir sans combat
l'hommage de villes et de châteaux terrorisés : Rabastens, Montégut, Gaillac, Lagrave, où il quitta la vallée du Tarn pour gagner
par Cahuzac et Saint-Marcel celle de l'Aveyron, qu'il descendit
par Laguépie et Saint-Antonin. Les croisés étaient arrivés sur les
confins du Rouergue et du Quercy ! Raymond VI l'attendait dans
la forteresse de Bruniquel. Si l'on en croit la lettre que les Toulousains devaient adresser le mois suivant au roi d'Aragon, il
aurait tenté une nouvelle fois de détourner l'orage. Il aurait offert
à Simon de se remettre, avec ses domaines, en son pouvoir et
sa miséricorde, à condition que ni lui ni ses héritiers ne fussent
dépossédés. Plusieurs barons de l'armée croisée jugèrent l'offre
acceptable, mais Simon la refusa, ce qui pourrait être un indice
que le chef de la croisade, loin de se satisfaire de la soumission
de Raymond VI, voulait tout simplement prendre sa place... En
tout cas, Raymond eut à Bruniquel un étrange comportement,
qui ne peut s'expliquer que par la hâte d'organiser la défense de

Toulouse dont il était évident que ce serait la prochaine proie de Simon. Il délia de leur serment de fidélité les chevaliers de Bruniquel et quitta la place avec sa suite en emportant tout ce qu'il put. Les chevaliers portèrent leur hommage à Baudouin qui, depuis Montferrand, chevauchait avec les croisés. Il fit de Bruniquel sa seigneurie principale, y accueillant bientôt et prenant sous sa protection le poète navarrais qui devait y écrire la première partie de la *Canso de la Crosada*, Guillaume de Tudèle.

Après Bruniquel, les croisés occupèrent Puycelci, puis foncèrent au sud en direction de Montgiscard, tout près de Toulouse, afin d'y faire leur jonction avec de nouveaux renforts qui arrivaient de Carcassonne, conduits par Thibaut, comte de Bar et de Luxembourg. Ce dernier fut d'avis d'attaquer immédiatement Toulouse. On était le 15 juin.

Les consuls envoyèrent alors plusieurs des leurs en parlementaires au camp des croisés. Foulque et Arnaud Amaury leur déclarèrent que la croisade n'avait rien à reprocher aux Toulousains, qu'elle en voulait seulement au comte Raymond : si les Toulousains cessaient de le reconnaître pour seigneur et l'expulsaient, pour porter leur hommage à celui que Simon de Montfort leur désignerait, on les laisserait en paix. Plutôt que de trahir le lien les unissant au prince qui garantissait les libertés municipales, les consuls refusèrent de se prêter à un transfert d'hommage et, sans doute confiants dans la force d'une ville où étaient arrivés avec leurs troupes le comte de Foix et celui de Comminges, ainsi que le sénéchal de Raymond VI en Agenais – et par ailleurs son gendre – Hugues d'Alfaro, ils s'apprêtèrent à la guerre. Alors Foulque jeta l'interdit sur la ville et envoya un messager ordonner de sa part au prévôt de la cathédrale et à tous les membres du clergé de quitter Toulouse nu-pieds, en emportant le Saint-Sacrement.

Le premier siège de Toulouse

Dès qu'ils surent, le 16 juin, que les croisés avaient levé leur camp pour se remettre en marche, Raymond VI et le comte de Foix se portèrent à leur rencontre avec cinq cents chevaliers et une forte infanterie pour tenter de les intercepter. Un combat eut lieu sur les berges de l'Hers pour leur interdire le passage du pont Montaudran, mais les Occitans furent bousculés. Le fils naturel de Raymond VI, Bertrand, fut même fait prisonnier, mais put se racheter plus tard contre une forte rançon. On dit que jusqu'à Toulouse les croisés dévastèrent les champs, arrachèrent les vignes, massacrèrent sans merci hommes, femmes et enfants occupés à la fenaison. Ils furent sous les remparts de la ville le lendemain à l'aube.

Le siège ne dura que quinze jours. Il leur fut un humiliant échec. Rien, ni les machines ni les soldats lancés à l'assaut, ne put entamer la longue muraille hérissée de cinquante tours où le moindre chemin de ronde était abondamment garni d'archers et d'arbalétriers. Au pied de la muraille courait un fossé alimenté par les eaux de la Garonne et précédé lui-même d'un large glacis, les lices, ceintes à leur tour d'une palissade. Les défenseurs pouvaient y faire manœuvrer la cavalerie, et les alliés de Raymond VI ne se privèrent pas de lancer contre les assiégeants des sorties meurtrières et d'attaquer leurs positions. Guillaume de Roquefort, l'ancien défenseur de Termes, trouva la mort au cours d'un de ces engagements, ainsi que, chez les croisés, Eustache de Cayeux.

Mais, tout autant que dans ses capacités militaires de défense, Toulouse puisa sa force de résistance dans l'unité qui se fit soudain au sein de sa population. Raymond VI, écrit Guillaume de Puylaurens, « réussit à rétablir la concorde entre les partis ». La Confrérie blanche était rentrée à Toulouse après la prise de Lavaur. Ses membres durent prendre rapidement conscience du malheur que représenterait la chute de leur ville aux mains des croisés. Foulque, resté auprès de ces derniers, n'était plus là pour exciter les passions. Alors il n'y eut plus ni Blancs ni Noirs, mais une ville tout entière solidaire de son consulat et de son seigneur.

Assiéger Toulouse était quand même un événement hors du commun. On ne s'étonne pas qu'il ait attiré auprès de Simon de Montfort, d'Arnaud Amaury, de Foulque, de maître Thédise, de l'évêque Raymond d'Uzès, un grand nombre de religieux soucieux de soutenir comme eux la croisade et d'être comme eux témoins de la chute de la ville qu'ils considéraient tous comme la capitale de l'hérésie. Dès le 20 juin, l'évêque de Cahors, se soustrayant à la suzeraineté de Raymond VI, vint porter son hommage à Simon. Arrivèrent aussi l'abbé de Saint-Antonin de Pamiers, Frère Aymeric, moine de Grandselve, Frère Nicolas d'Obazine, et même Frère Dominique qui, pour la première fois semble-t-il, avait quitté son couvent de Prouille pour se mêler un temps aux clercs de la croisade.

Le lundi 27 juin, une sortie conduite par Hugues d'Alfaro sema la dévastation dans le camp des croisés. Le mardi, de plus en plus inquiet de voir ses convois de ravitaillement systématiquement attaqués et des dissensions se faire jour – les comtes de Bar et de Chalon détestaient Arnaud Amaury et prônaient la paix avec Raymond VI ! – Simon de Montfort décida de battre en retraite. Le lendemain l'armée fit ses bagages.

C'est dans le courant de juillet que les consuls de Toulouse, sachant parfaitement que si la partie avait été gagnée, les forces vives de la croisade n'en avaient pas été pour autant entamées, adressèrent au roi d'Aragon la lettre à laquelle on a fait allusion plus haut. Réquisitoire en règle contre la croisade, et pathétique cri d'alarme en forme d'avertissement : « Quand le mur de ton voisin brûle, il y va de ton intérêt... »

Mais Pierre II était trop occupé par ses préparatifs de guerre contre les Almohades...

La contre-offensive

Le repli de Montfort était certes un aveu d'impuissance. Pour la première fois depuis deux ans – si l'on excepte l'assaut manqué contre Cabaret, mais l'enjeu n'était pas du tout le même – la croisade s'était brisée sur des adversaires plus forts qu'elle. Mais, de cette fuite, le chef des croisés eut le génie de faire une expédition d'une grande audace stratégique qui allait retourner un temps la situation en sa faveur. Profitant à la fois de ce que les derniers arrivés des barons croisés n'avaient pas encore fini leur quarantaine, et de ce que le comte de Foix s'était enfermé dans Toulouse avec le plus gros de ses troupe, il lança son armée droit vers le sud. On passa l'Ariège après avoir laissé une garnison à Auterive. On perdit du temps quand il fallut revenir en arrière dégager les sergents que les habitants de cette localité, soulevés, assiégeaient dans le donjon, mais une fois Auterive brûlé on put reprendre la route de Pamiers, qui, fidèle depuis le paréage de septembre 1209, offrit le meilleur accueil. Plus loin, on trouva Varilhes abandonné et incendié, et de là on se jeta sur Foix. Pas forcément dans l'intention de soumettre tout le comté : assiéger le château des comtes dressé à la lisière de la ville sur son

redoutable rocher aurait dangereusement immobilisé l'armée
alors que le comte de Foix, déjà sur ses talons, pouvait survenir
à tout moment. Montfort préféra se contenter de faire le dégât
aux alentours de la cité – dont il incendia quand même un faubourg. Cela laissait peut-être intactes les troupes de Foix, mais la
perte des moissons et des récoltes fruitières affaiblirait l'économie du pays et serait d'un effet très démoralisant sur les populations.

Et puis, brusquement, il fit faire demi-tour à l'armée et reprit
la route du nord – en contournant Toulouse assez largement par
l'est. A Castelnaudary, le comte de Bar ne voulut pas aller plus
loin et gagna Carcassonne, tandis que Simon, franchissant
l'Agout, puis le Tarn à Gaillac et l'Aveyron à Saint-Antonin,
incendiant au passage Caylus qui était à Raymond VI, arriva à
Cahors où l'évêque, qui s'était déclaré le mois précédent son
vassal, le reçut avec tous les honneurs. C'était, pour le chef de la
croisade, une véritable prise de possession du Quercy : il reçut
l'hommage des principaux barons du pays, Bertrand de
Cardaillac, un neveu de l'évêque, Bertrand de Gourdon, Ratier
de Castelnau – ces deux derniers ayant déjà participé, on le sait,
au siège de Cassenueil en juin 1209. Il apparaît cependant bien
que les seigneurs quercynois mirent à profit la croisade, moins
pour se faire les champions de l'Église romaine contre l'hérésie
que pour régler divers comptes avec Raymond VI et se soustraire
à sa suzeraineté.

De Cahors, Simon de Montfort gagna Rocamadour avec une
petite suite et les croisés allemands qui repartaient par là. Nul
doute que ce fut pour y faire ses dévotions au tombeau du saint
ermite. La légende – mais en est-ce une ? – veut qu'il en ait rapporté l'étendard à l'effigie de la Vierge qui, brandi l'année suivante lors de la bataille de Las Navas de Tolosa, mettra les
musulmans en fuite...

Sur le chemin du retour, et alors qu'il avait envoyé Robert
Mauvoisin recruter des soldats en France, Montfort était à
Gaillac avec les compagnons qu'il lui restait après la dislocation
de l'armée, quand il apprit que deux des siens qu'il avait laissés
dans le pays de Pamiers, Lambert de Thury et l'Anglais Gauthier
Langton, frère de l'archevêque de Canterbury, arrivé on ne sait
quand, étaient prisonniers du comte de Foix. Sur la route de
Pamiers, Montfort attaqua une forteresse dont on n'a pas le nom,

et en passa par les armes toute la garnison, sauf trois chevaliers qu'il garda vivants afin de les échanger contre Thury et Langton.

Mauvaises nouvelles, encore, quand on arriva à Pamiers. Elles venaient cette fois des confins du Lauragais et de l'Albigeois. Le croisé à qui Montfort avait donné Puylaurens, Guy de Lucy, était parti pour l'Espagne avec cinquante chevaliers – et peut-être l'étendard de Rocamadour – en raison du service d'ost que Montfort devait à son suzerain le roi d'Aragon. Les habitants de Puylaurens en avaient profité pour soudoyer le chef de la faible garnison laissée sur place et pour livrer la ville à leur ancien seigneur Sicard, qui n'avait eu qu'à venir de Toulouse pour récupérer son bien. L'affaire, malheureusement, n'était pas isolée. De tout côté arrivait le bruit que les soldats toulousains sillonnaient la campagne en incitant les populations à se soulever. Quand on lui apprit qu'une puissante armée allait même quitter Toulouse pour marcher sur Castelnaudary, Montfort piqua des deux sur Carcassonne afin d'y réunir tous ses chevaliers et de tenir conseil.

La fausse victoire de Castelnaudary

Effectivement, la coalition occitane qui s'était formée pour défendre Toulouse avait décidé de passer à la contre-offensive. Raymond VI, Raymond-Roger de Foix et Bernard IV de Comminges ont même reçu du renfort en la personne du vicomte Gaston VI de Béarn, accompagné de routiers navarrais et de montagnards de la vallée d'Aspe. Et puis il y a l'armée toulousaine proprement dite, la milice urbaine commandée par les consuls. D'autres villes consulaires, Montauban, Castelsarrasin, Moissac, ont envoyé leurs propres milices. C'est une grande armée assurément, qui, après avoir réquisitionné pour le train des équipages tous les bœufs de la campagne environnante, et les paysans pour les conduire, s'en va, fin septembre ou début octobre, « couvrant la terre comme des sauterelles », planter son camp sur le Pech, une colline jumelle de celle où était édifié Castelnaudary, où s'était repliée la garnison croisée de Montferrand. Les habitants, réinstallés tant bien que mal dans la cité après son incendie de fin mai, quittèrent leurs maisons et rejoignirent les alliés.

Pendant ce temps, à Carcassonne, Montfort, avec la rapidité de décision qui lui était habituelle, avait acquiescé au plan suggéré par Hugues de Lacy : ne pas s'enfermer, comme d'autres le proposaient, dans Carcassonne ou dans Fanjeaux, où l'ennemi viendrait l'assiéger, mais se porter au-devant de lui pour le combattre au plus vite. C'est ainsi que l'armée croisée fit marche à son tour sur Castelnaudary, tandis que Simon, à la grande colère du roi d'Aragon, rappelait d'urgence d'Espagne Guy de Lucy et ses cinquante chevaliers.

Était-ce pour l'y attirer que les Occitans, loin d'attaquer la place, s'étaient simplement retranchés dans leur camp, qu'ils avaient soigneusement fortifié ? Il semble plutôt que s'ils n'ont pas su bénéficier à temps de leur immense supériorité numérique, ce fut faute d'avoir élaboré un vrai plan de campagne – ce que l'absence d'un commandement unique, il est vrai, ne favorisait pas. Grande armée, certes, mais sans doute assez désordonnée, et où tout fut improvisé. Les vantards qui, en bons Toulousains, traitaient Montfort de *filh de putan*, assuraient qu'on ne ferait de lui qu'une bouchée et qu'on atteindrait la mer en un rien de temps...

Tout commença, bien au contraire, par une guerre de position. Les alliés tirèrent sur la ville à coups de catapulte. Mais le pays s'était échauffé à la nouvelle des événements. On apprit qu'après Puylaurens, c'était Avignonet et Montferrand qui s'étaient libérés. Les Cassès, Saint-Félix, Cuq, Saint-Michel-de-Lanès suivirent. Même Saverdun sur l'Ariège, qui chassa ou massacra la garnison française.

Simon battit alors le rappel de ceux de ses compagnons qui se trouvaient disséminés dans le pays conquis. Bouchard de Marly vint de Lavaur avec une centaine de chevaliers, Martin Algaï, le seigneur de Biron, passé au service de la croisade on ne sait quand, avec une vingtaine. Pour éviter de traverser le pays rebellé, ils durent faire un long crochet par Castres, la Montagne Noire et Saissac. Montfort, en outre, avait envoyé Guy de Lévis et Mathieu de Marly, le frère de Bouchard, essayer de trouver des renforts. Éconduits par les Narbonnais, ils levèrent quelques centaines d'hommes en Carcassès, mais ces recrues firent défection avant même d'arriver à Castelnaudary.

La colonne qui venait de Lavaur approchait de Saint-Martin-Lalande quand le comte de Foix voulut aller l'y intercepter, avec un corps de chevaliers aux destriers bardés de fer, flanqué sur une aile de la cavalerie légère, sur l'autre de l'infanterie, arbalétriers et routiers espagnols. Montfort, de son côté, avait envoyé une quarantaine des siens à la rencontre de Bouchard de Marly pour l'épauler.

Le choc eut lieu quelque part sur le coteau, à l'est de Castelnaudary. Les Occitans enfoncèrent la troupe des croisés. Ils commençaient à la disperser quand Simon, qui avait tout observé depuis une tour du château de Castelnaudary, craignant que les troupes alliées restées au Pech n'interviennent, décida de les prendre de vitesse et sortit avec les soixante chevaliers qu'il avait gardés avec lui. Attaqués à revers, tandis que leurs premiers adversaires se ressaisissaient, les chevaliers du comte de Foix se battirent vaillamment, mais leur infanterie se débanda. Pris en tenaille, ils auraient été massacrés s'ils n'avaient abandonné le terrain, y laissant cependant de nombreux morts. Les troupes de Toulouse, de Comminges et de Béarn n'avaient pas bougé...

Les princes occitans paieront très cher, avant longtemps, leur totale incompétence en matière militaire...

L'idée de Simon de Montfort, sitôt après sa victoire sur le comte de Foix, fut d'attaquer les alliés retranchés sur le Pech. Mais il estima ne pas avoir assez d'hommes, et partit lui-même essayer d'en recruter. Il était à Narbonne quand, chose bien inopinée à l'orée de l'automne, se joignit à lui un nouveau corps de croisés amené par un vassal lige du comte de Champagne, Alain de Roucy. Revenu pour déloger ses adversaires du Pech, il trouva celui-ci abandonné. Mais Raymond VI, plus habile aux manœuvres de propagande qu'à celles des combats, n'était pas rentré à Toulouse. Il était parti à travers le Lauragais et l'Albigeois annoncer partout que les croisés avaient été défaits et avaient fui jusqu'à Narbonne. Le comte de Foix en fit autant de son côté, proclamant même que Montfort avait été capturé, écorché vif et pendu... La ruse réussit : Rabastens ouvrit ses portes à un Raymond triomphant ; à Lagrave, le commandant de la garnison croisée, Pons de Beaumont, fut assassiné. Baudouin de Toulouse essaya bien, venant de Bruniquel, de mater ces rébellions ; il fut obligé de se replier. Raymond, remontant la vallée du Tarn, rallia à sa bannière Montégut, Salvagnac, Parisot, Lagrave, Gaillac, plus au nord Cahuzac, Saint-Marcel, Laguépie, Saint-Antonin et une cinquantaine d'autres localités. Il n'y eut guère que Bruniquel qui lui échappa : il n'osa pas aller y attaquer son frère.

La deuxième conquête

C'est au début de décembre que Robert Mauvoisin s'en revint, avec une centaine de chevaliers qui s'étaient certainement croisés sous l'effet de l'active prédication menée en France, depuis la fin de l'été, par Foulque et Guy des Vaux-de-Cernay. On l'a dit : l'arrivée de renforts à cette époque de l'année était chose fort inhabituelle ; il faut croire que les succès de la croisade étaient maintenant connus, et que bien des gens du Nord étaient impatients d'en avoir leur part. Cela allait permettre en tout cas à Simon de Montfort de récupérer au plus vite le pays récemment perdu.

Comme à l'automne 1209, ce fut à partir de Fanjeaux qu'il opéra plusieurs raids en étoile. D'abord pour dégager un château de son allié Roger de Comminges situé sans la haute vallée de l'Ariège, Quié, que le comte de Foix était en train d'assiéger. Ce dernier leva le siège à l'approche des croisés en abandonnant ses machines de guerre. Puis pour aller récupérer La Pomarède, à quelques kilomètres au nord de Castelnaudary, ce qui fut fait sans trop de difficultés. Puis pour s'en aller demander des comptes à Bernard Sermon, le seigneur d'Albedun dans le haut Razès, qui s'était soumis à l'automne 1210 mais dont il apparaissait qu'il venait de rejeter la suzeraineté de Simon. Toutefois, avant même l'arrivée de celui-ci, il s'était porté à sa rencontre pour lui renouveler son hommage. Après quoi Simon décida d'aller passer la Noël à Castres.

Pour son plus grand bonheur, c'est à Castres, et le jour même de Noël, que le rejoignit son frère Guy, de retour de Terre sainte, avec sa femme Héloïse d'Ibelin, fille de la reine de Jérusalem, et leur fils Philippe, âgé de six ans – le futur seigneur de Castres. Ce fut alors, dix mois durant, une extraordinaire chevauchée ininterrompue qui, par le Lauragais, l'Albigeois, le Quercy, l'Agenais, le Périgord et le Comminges, aboutit à l'isolement complet de Toulouse.

Ce fut d'abord Les Thouelles, aujourd'hui Briatexte, sur le Dadou, dont Frézoul de Lautrec commandait la défense ; elle s'effondra rapidement et la plupart des habitants furent exécutés, sauf Frézoul qu'on garda pour l'échanger contre un croisé prisonnier du comte de Foix. Passant le Tarn à Albi, Simon alla assiéger Cahuzac, sur la Vère. Le comte de Foix, alors à Gaillac avec Raymond VI et le comte de Comminges, lui adressa par courrier

des menaces mais, au lieu de se laisser impressionner, Simon
fonça sur Gaillac, qu'il trouva abandonné. Il tenta de rattraper
ses adversaires à Montégut : ils l'avaient quitté. Même jeu à
Rabastens : les trois comtes s'étaient repliés cette fois sur Toulouse. Simon revint alors pour en finir avec Cahuzac, qu'il prit
d'assaut, et partit tenter de récupérer Saint-Marcel, dont
Raymond VI avait confié la défense à Guiraud de Pépieux. Les
trois comtes choisirent le moment où les croisés en installaient le
siège pour faire un retour offensif et pénétrer dans la place avec
quelque cinq cents chevaliers. Les longs sièges sont parfois aussi
pénibles aux assiégeants qu'aux défenseurs. C'est ce qui se passa
devant Saint-Marcel. Les routes d'alentour étaient contrôlées par
de petits corps d'Occitans qui harcelaient sans cesse les convois
de vivres et de munitions. Au bout d'un mois, les difficultés de
ravitaillement étaient telles que Simon abandonna la partie. Le
23 mars il prenait ses quartiers à Albi où il retrouva Arnaud
Amaury, qui venait d'être élu archevêque de Narbonne à la place
de Bérenger, enfin déposé, tandis que Guy, l'abbé des Vaux-
de-Cernay, était placé sur le siège épiscopal de Carcassonne,
les légats en ayant destitué le trop complaisant fils de parfaite
qu'était Bernard-Raymond de Roquefort.

C'est à Albi en effet qu'était arrivé l'abbé cistercien, de retour
de France, en compagnie cette fois d'un jeune clerc, son neveu
Pierre, qui avait sans doute pour vocation d'être écrivain, car il
se fit aussitôt l'historiographe officiel et comme le reporter,
presque au jour le jour, de la croisade.

D'Albi, Montfort partit tenir conseil à Castres, où l'on décida
d'aller s'occuper d'Hautpoul, dans la Montagne Noire, repaire de
parfaits et de *faidits* s'il en fut. Ce sera même, plus tard, le siège
de l'évêché cathare d'Albigeois. Commandés par un fils de Sicard
de Puylaurens, Jourdain de Saissac, les défenseurs donnèrent
bien du mal aux croisés en lançant contre eux de vives contre-
attaques, mais un matin, au bout de quatre jours, ils préférèrent
profiter des brouillards d'avril pour abandonner la place. On rattrapa quelques fuyards, et l'on incendia le *castrum*.

Pendant ce temps, Arnaud Amaury et Guy des Vaux-de-
Cernay avaient gagné Narbonne, où le légat Raymond d'Uzès
devait présider le 2 mai la cérémonie de leurs consécrations respectives. L'évêque d'Uzès avait même suggéré à Arnaud Amaury
de ne pas se contenter de l'archevêché de Narbonne, mais de s'en
attribuer aussi le duché, ce qui le ferait suzerain temporel du

vicomte... Or le titre de duc de Narbonne appartenait à Raymond VI. Arnaud Amaury l'usurpa sans scrupule, sans se demander si Simon de Montfort n'était pas en position de le revendiquer, et il se fit même prêter hommage par le vicomte Aimery.

Tandis que, le 22 mai, Arnaud Amaury partait pour Tolède à la tête de cent chevaliers français qui venaient en renfort auprès du roi de Castille pour les batailles qui devaient bientôt se livrer contre les Almohades, Guy des Vaux-de-Cernay revint en Lauragais, quand il trouva Montfort en train d'assiéger Saint-Michel-de-Lanès, avec l'aide de renforts auvergnats qu'il venait de recevoir. Saint-Michel fut détruit de fond en comble. Les renforts ne cessèrent d'ailleurs d'affluer tout au long de ce printemps 1212, ce qui permit à la croisade de récupérer en quelques semaines Cuq, Montmaur, Saint-Félix, Les Cassès, Montferrand, Avignonet, bref tout le Lauragais rebellé six ou sept mois plus tôt. Puis on alla planter le camp devant Puylaurens, où Raymond VI s'était enfermé avec un corps de routiers. Montfort fut alors rejoint par une troupe de croisés germaniques qu'on dit considérable. A sa tête, Engelbert, le prévôt de la cathédrale de Cologne, son frère Adolphe III comte de Berg, et Léopold VI le duc d'Autriche... Il y avait de quoi impressionner Raymond VI qui, sans attendre la mise en place d'un siège en règle, ou un assaut, quitta Puylaurens, emmenant les habitants avec lui à Toulouse. Montfort donna de nouveau Puylaurens à Guy de Lucy. Après quoi il envoya son frère Guy et son maréchal Guy de Lévis à la rencontre des nouveaux croisés arrivés à Carcassonne, conduits par l'archidiacre de Paris, l'archevêque de Rouen, l'évêque de Laon et maints barons, dont le Picard Enguerrand de Boves, que Montfort avait connu à la quatrième croisade, Enguerrand de Picquigny, vidame d'Amiens, les frères Jean et Foucaud de Berzy, dont la cruauté deviendra bientôt légendaire. De quoi constituer en tout cas une deuxième armée qui s'en irait combattre le comté de Foix pendant que Simon reconquerrait le bas Quercy. Il commença par récupérer sans coup férir Rabastens, Montégut, puis Gaillac, que pillèrent les routiers, Lagarde, Puycelci, Saint-Marcel, que Guiraud de Pépieux avait fini par abandonner et qui fut incendié, tout comme, aussitôt après, Laguépie. Le 20 mai, les croisés étaient devant Saint-Antonin. Mais les coseigneurs du lieu, Adhémar et Pons Jourdain – des frères ou des cousins – que l'évêque d'Albi, venu en éclaireur, avait en vain exhortés à se soumettre, avaient organisé la défense.

Du bas Quercy à l'Agenais

Les croisés furent accueillis par des tirs nourris et durent même repousser quelques sorties. Mais la prise de trois barbacanes leur permit d'attaquer simultanément trois portes sur les quatre que comptait la ville. Les habitants, pris de panique, s'enfuirent par la quatrième. Beaucoup furent rattrapés, d'autres se noyèrent en essayant de traverser l'Aveyron. Adhémar et Pons se rendirent alors, sans conditions. La ville fut pillée. Des barons croisés suggérèrent d'exécuter tous les prisonniers, mais Simon de Montfort ne voulut pas anéantir une terre qu'il donna en fief à Baudouin de Toulouse. La plupart des captifs étaient des paysans, il les renvoya chez eux. Mais Adhémar et Pons furent transférés dans les prisons de Carcassonne.

Montfort était encore à Saint-Antonin quand il reçut un message de l'évêque d'Agen, Arnaud de Rovignan. Vieil adversaire de Raymond VI, avec qui depuis longtemps il ne s'entendait pas, il appelait la croisade à l'aide... Montfort aurait pu le rejoindre directement, en descendant les vallées de l'Aveyron et de la Garonne. Il préféra éviter la région de Montauban et de Moissac, tenue par Raymond VI, et imagina un détour par le nord qui lui permit de récupérer Caylus au passage. De là il gagna le 1er juin Montcuq, qu'il trouva abandonné par ses habitants et par le bayle des lieux, lequel s'était replié sur Penne-d'Agenais où le sénéchal et gendre de Raymond VI, Hugues d'Alfaro, s'était retranché avec quatre cents routiers et de grandes quantités de vivres et de munitions. Montfort fonça sur Penne mais, le 4 juin, laissant son armée installer le camp devant la place, il partit pour Agen afin d'y rencontrer l'évêque sans plus tarder. Fort bien accueilli, ce qui était prévisible, il signa avec lui un acte de coseigneurie sur la ville et reçut le serment des habitants, toutes choses qui, ajoutées aux diverses inféodations auxquelles il avait procédé, traduisaient sans ambages sa volonté de déposséder Raymond VI, progressivement mais sûrement, et de se substituer à lui dans ses droits de seigneur supérieur.

Le lendemain, il était de retour devant Penne et en entreprenait le siège. Plusieurs semaines avaient passé sans qu'il ait avancé, quand arriva l'autre armée, celle que commandait Guy de Montfort et que Simon avait appelée en renfort. Quand elle était partie de Carcassonne pour aller opérer en comté de Foix, elle avait pris Lavelanet, ce qui lui avait permis de capturer dans le bois où elle tentait de fuir la parfaite Alazaïs Olieu, mère du seigneur Bérenger, moins prudente que sa consœur Fournière de Péreille qui s'était réfugiée dans le tout proche château de son fils, Montségur. Au reçu du message de Simon, Guy abandonna ses projets pour gagner Penne-d'Agenais à marches forcées. Obligé, s'il ne voulait pas être retardé par d'éventuels accrochages avec les troupes de Raymond VI, d'éviter Toulouse et, comme Simon l'avait fait, la région de Montauban et Moissac, il fonça par le Lauragais, passa l'Aveyron à Bruniquel et fit sa jonction devant Penne avec son frère. Il était temps : l'archevêque de Rouen, l'évêque de Laon, le prévôt de Cologne, le duc d'Autriche, avaient fini leur quarantaine et voulaient rentrer chez eux avec leurs troupes. Simon les supplia de rester au moins jusqu'à ce qu'ils fussent relevés par les nouveaux renforts dont on avait signalé l'arrivée à Carcassonne. Seul l'archevêque de Rouen céda à ses prières et ne partit que quand parurent les contingents amenés par l'abbé de Saint-Remi de Reims, le doyen de la cathédrale d'Auxerre et l'archidiacre de Châlons.

Des semaines passèrent encore, le siège n'avançait pas. Le 17 juillet, Montfort envoya Robert Mauvoisin prendre possession de Marmande. Huit jours plus tard, Hugues d'Alfaro capitula enfin, mais à condition que lui et ses compagnons aient la vie sauve et puissent quitter la place avec leurs armes. Beaucoup de croisés s'apprêtant déjà à repartir, Simon accepta. Mais voici qu'arriva une nouvelle troupe, conduite par l'archevêque de Reims. Montfort avait assez d'hommes pour faire occuper Penne, tandis qu'il irait lui-même au cœur du Périgord : il avait appris que Martin Algaï, son allié lors de la bataille de Castelnaudary, avait fait défection et, s'étant déclaré pour Raymond VI, avait regagné son château de Biron. Après quelques jours de combats, Montfort réussit à prendre langue avec la garnison, lui promettant la vie sauve si elle lui livrait son chef... Ce qui fut fait. Martin Algaï fut remis pieds et poings liés, et connut le sort réservé aux traîtres : Simon le fit pendre après l'avoir fait traîner à travers le camp, attaché à la queue d'un cheval.

Revenu à Penne, Simon y vit arriver son épouse Alix avec un contingent de fantassins et Baudouin de Toulouse, qui s'était

joint à elle quand elle était passée à Bruniquel. Étaient aussi du
voyage l'évêque de Carcassonne Guy des Vaux-de-Cernay et son
neveu le moine-chroniqueur. L'armée était encore à Penne le
6 août. Sur le chemin du retour, elle campa à Montcuq, et c'est
sans doute là que Montfort et son état-major prirent l'audacieuse
décision de ne pas éviter, cette fois, la région tenue par Raymond VI, mais de l'attaquer. Le 14 août à l'aube l'armée de la
croisade atteignait Moissac – où les consuls de Toulouse, sans
doute informés par leurs espions, avaient envoyé la veille même
un renfort de trois cents hommes, essentiellement des routiers,
avec ordre aux Moissagais de résister.

Ils tinrent trois semaines, malgré tous les moyens déployés par
Montfort et les siens, et par les ingénieurs de l'armée qui avaient
construit maintes catapultes, chattes et tours roulantes. Début
septembre, Montfort vit arriver des bourgeois de Castelsarrasin :
ils venaient livrer leur ville, que Guiraud de Pépieux et ses soldats
avaient abandonnée... Montfort exploita rapidement ces prodromes de défaitisme. Il donna Castelsarrasin à Guillaume de
Contres, envoya son frère Guy et Baudouin s'assurer de Verdun-
sur-Garonne, puis de Montech, ce qu'ils firent sans combat.

Les Moissagais apprirent certainement ce qui était en train de
se passer. Ils durent savoir aussi qu'une troupe de Montalbanais
avait attaqué une colonne de renforts croisés qui arrivait de
Cahors, mais qu'elle avait été décimée par Baudouin accouru au
combat. Tout ce que les défenseurs de Moissac trouvèrent à faire,
ce fut de se livrer à quelques atrocités, comme dépecer le jeune
neveu de l'archevêque de Reims, tombé prisonnier entre leurs
mains, et en renvoyer les morceaux chez les croisés à l'aide des
catapultes. Ils finirent quand même par comprendre que leur
situation était sans issue, qu'ils n'avaient pas à compter, notamment, sur Raymond VI, qui se trouvait alors à Bordeaux.
Montfort accepta la reddition, à condition qu'on lui livrât les routiers toulousains. Quand ce fut fait, il les fit mettre à mort. Entré
dans Moissac le 8 septembre, il signa le 14 avec l'abbaye Saint-
Pierre un acte par lequel, une nouvelle fois, il se substituait à
Raymond VI, qui tenait sa part de Moissac en fief de l'abbé. On
fixa la répartition des droits de justice et le montant des impôts
et des redevances en nature désormais dus au chef des croisés, à
Moissac même et dans les localités de son terroir.

On ne sait pas si c'est avant ou après la signature de l'acte que
l'armée catholique pilla abominablement l'abbaye... L'abbé s'en

plaignit quelques mois plus tard à Philippe Auguste dans une lettre désespérée.

L'encerclement

Qui douterait encore du génie stratégique de Simon de Montfort n'a qu'à suivre sur une carte la marche de son armée après la prise de Moissac. Ce qu'on remarque d'abord, c'est que Montauban est cerné par des garnisons de croisés : Bruniquel à l'est, Montcuq au nord, Moissac et Castelsarrasin à l'ouest, enfin, au sud, Montech et Verdun, d'où l'on peut rapidement intervenir contre une troupe qui irait à Toulouse ou en viendrait. Il est donc inutile de perdre des forces et du temps à assiéger Montauban, la ville est entièrement bloquée. Va-t-on foncer alors sur Toulouse, maintenant qu'on est à peu près certain qu'elle ne peut recevoir aucun secours de l'Agenais, du Quercy, du Rouergue, de l'Albigeois ni du Lauragais ? Mais au sud de la capitale, il y a le bouillant comte de Foix, qui a dû refaire ses forces après son échec de Castelnaudary. A l'ouest immédiat du comté de Foix, il y a le Couserans, dont le vicomte Roger, après avoir fait soumission pendant le siège de Lavaur, est repassé dans le camp de son oncle le comte de Foix. Plus haut, il y a le comte de Comminges, dont les troupes sont intactes, et les principautés de Gascogne vassales de Raymond VI comme la seigneurie de l'Isle-Jourdain. Plus à l'ouest encore, le vicomte de Béarn, qui pourrait bien voler une nouvelle fois au secours de son allié. Il faut donc achever l'isolement de Toulouse. Non que les petites garnisons qu'on laisse ou qu'on va laisser dans les localités soumises ou à soumettre soient en mesure, à elles seules, d'intercepter une puissante armée en mouvement. Mais, outre qu'une démonstration de force de la croisade intimide toujours les populations et leur ôte dans une large mesure – sauf soulèvement généralisé et coordonné – toute velléité de nuire aux conquérants, les garnisons peuvent efficacement surveiller les routes et, au moindre danger, alerter par message Simon de Montfort et le gros de son armée, dont on sait l'étonnante souplesse et la capacité à se déplacer rapidement.

Bref, après y avoir un instant pensé, Montfort renonce à aller assiéger Montauban, et fonce droit au sud – en évitant Toulouse, bien sûr. L'abbé de Pamiers l'avait d'ailleurs informé que les gens de Saverdun, qui s'étaient libérés à l'époque de la bataille de

Castelnaudary, interceptaient régulièrement les convois de ravitaillement qui venaient de Carcassonne ou de Fanjeaux. De surcroît, Raymond VI, revenu de Bordeaux, et le comte Raymond-Roger de Foix, étaient en train de se concerter à Saverdun même...

Apprenant que des renforts allemands arrivaient à Carcassonne, Montfort leur dépêcha Enguerrand de Boves pour qu'il les conduisît directement à Pamiers, où lui-même les rejoindrait. Enguerrand arriva avant lui et se porta sur Saverdun, que les deux comtes avaient quitté. Montfort, une fois sur place, tenta le pourchas de Raymond-Roger en remontant la vallée de l'Ariège, mais il ne put le rattraper. Revenant alors vers le nord, il rejoignit le gros de l'armée à Auterive, qu'elle venait de réoccuper. Pamiers, Saverdun, Auterive : Pierre des Vaux-de-Cernay explique bien que les communications entre Toulouse et Foix étaient désormais considérablement gênées.

D'Auterive, Montfort gagna Muret, sur la rive gauche de la Garonne, à cinq lieues en amont de Toulouse, véritable porte du comté de Comminges, et dont les habitants avaient fui en incendiant l'unique pont qui permettait de passer le fleuve. Montfort et les siens passèrent quand même, après avoir réparé l'ouvrage, et se fortifièrent dans la place. Les évêques du Comminges et du Couserans vinrent les y rejoindre et firent valoir tout l'avantage qu'il y aurait pour l'Église à voir les terres gasconnes soumises aux croisés. C'est du moins ce qu'assure Pierre des Vaux-de-Cernay, comme si Montfort avait eu besoin d'une excuse pour conquérir des pays où l'on n'avait jamais vu de cathares. Il se rendit à Saint-Gaudens, où les barons du comté vinrent lui faire allégeance – sauf évidemment leur seigneur supérieur, le comte Bernard IV, retranché sans doute dans une de ses forteresses. Puis il revint à Muret en faisant un crochet par le Couserans où, en représailles contre la trahison du vicomte Roger, il fit toutes les dévastations qu'il put.

Le 9 octobre, Guillaume de Contres et Perrin de Cissey revinrent d'une mission en Gascogne toulousaine accompagnés de Bernard-Jourdain, seigneur de l'Isle-Jourdain. Abandonnant la cause de son beau-frère et suzerain Raymond VI, il venait lui aussi faire hommage au chef des croisés. Montfort chargea alors Guillaume de Contres et Perrin de Cissey de l'ultime opération qui allait mettre un point final à la grande chevauchée inaugurée à la Noël précédente au départ de Castres. Il les envoya avec une troupe occuper Samatan, raccompagner Bernard-Jourdain jusqu'à l'Isle-Jourdain, et de là continuer jusqu'à Verdun-sur-Garonne où ils rejoindraient la garnison qu'on y avait laissée en août.

Pour être enfin total, l'encerclement de Toulouse n'en condamnait pas pour autant les Toulousains à l'inaction. Le lendemain même de l'arrivée à Verdun des deux compagnons de Simon, un corps de routiers à cheval au service de Toulouse s'en alla opérer un raid jusqu'aux abords de Castelsarrasin. Mais la garnison sortit et les repoussa, avec l'aide de Guillaume et de Perrin accourus à la rescousse. Un autre raid fut opéré jusqu'en Agenais, cette fois encore sans aucun succès tangible.

Raymond VI n'était pas là. Après la conférence de Saverdun avec Raymond-Roger de Foix, laissant sa capitale surpeuplée de réfugiés – parfaits et parfaites cathares soucieux d'éviter le bûcher, chevaliers *faidits* décidés à la résistance à outrance, paysans fuyant les exactions des croisés et venus avec leurs troupeaux, au point qu'on avait transformé en étables et en bergeries les cloîtres désertés par le clergé –, il était parti outre-Pyrénées pour voir son beau-frère Pierre II.

Simon, que le comte de Toul Frédéric V avait rejoint à Muret, était allé prendre ses quartiers d'hiver à Pamiers.

Les Statuts de la terre conquise

Ce n'était pas, cette fois, pour attendre patiemment que la fête hautement symbolique de Pâques lui annonçât les traditionnels renforts de printemps. La politique du fait accompli que Simon avait menée avec une implacable obstination depuis un an et demi – depuis son échec devant Toulouse en juin 1211 – avait porté ses fruits. Il occupait les domaines du comte de Toulouse : le pays toulousain proprement dit, le Quercy et l'Agenais – sauf, on l'a vu, Toulouse et Montauban, à quoi il faut ajouter quelques villages qui entouraient ces deux villes. Il avait reçu les serments des seigneurs commingeois. Maître de fait du pays, que lui restait-il exactement à faire pour en être maître de droit, et reconnu comme tel ?

Si la destitution de Trencavel et la dévolution de ses titres et de ses biens à Simon s'étaient déroulées, en août 1209, avec une remarquable rapidité et sans que rien n'y vînt faire obstacle, ni militairement, ni politiquement, prendre la place du comte de Toulouse était une autre affaire ! Tout s'était passé tellement vite à Carcassonne, et de toute façon Trencavel n'avait aucun recours à portée de la main, ni pape ni roi. La position de Raymond VI est bien différente. Elle est même beaucoup plus forte, finalement, que pourrait le faire croire le simple bilan des opérations militaires conduites depuis la prise de Lavaur en mai 1211. D'abord, Raymond est en relations constantes avec le Saint-Siège, avec un pape qui veille à ce qu'il ne soit victime d'aucun déni de justice et qui, face à l'obstruction que lui opposent ses légats, s'obstine à vouloir que son procès se déroule dans les formes canoniques. Il y a donc gros à parier que si sa déchéance doit être un jour prononcée, ce ne sera pas de façon expéditive, mais au contraire au terme d'une procédure complexe à la régularité de laquelle le pape prendra garde. Par ailleurs, Raymond VI a des alliés. Le comte de Comminges ne représente sans doute pas une « force de frappe » considérable, d'autant que maints de ses vassaux ont été contraints de faire allégeance à Montfort, et que la troupe avec laquelle il s'est enfermé dans Toulouse est peut-être composée surtout de mercenaires. Mais il est clair qu'avec l'aide de son voisin le vicomte de Béarn, il a la ferme volonté de récupérer son domaine et ses droits supérieurs, et qu'il se battra aussi longtemps qu'il le faudra.

Allié du comte de Toulouse, aussi, le comte de Foix. Il constitue, lui, un appoint militaire certain. Il est d'un caractère naturellement combatif, il l'a prouvé à Montgey, à Castelnaudary, il le prouvera encore. Et surtout, sa chevalerie est quasiment intacte. Certes, Montfort s'est installé dans son château comtal de Pamiers, il s'est substitué à lui dans le paréage de la ville, il a mis des garnisons dans quelques places du bas comté, mais on ne sache pas que des vassaux de Foix lui aient fait serment d'hommage et de fidélité.

Enfin, il y a Pierre II d'Aragon, dont il est sans doute inutile de rappeler de quel poids il pèse sur toute l'affaire, en tant que beau-frère à la fois de Raymond VI et de son fils Raymond le Jeune, en tant qu'allié du premier par le biais de divers traités, en tant que suzerain du vicomte de Béarn, des comtes de Comminges et de Foix – et de Simon de Montfort lui-même. Bref, Simon a beau être maître du terrain, du moins très largement, les clefs sont assurément entre les mains du pape et du roi.

Mais voici que Simon, dans son palais de Pamiers, va encore

abattre la carte du fait accompli... Le 1er décembre, s'intitulant
« Simon comte de Leicester, seigneur de Montfort, par la grâce
de Dieu vicomte de Béziers et de Carcassonne, seigneur d'Albi
et de Razès », il appose son sceau à un document en quarante-
six articles qui donne des lois à la *terra albigensis*, à ce « pays
albigeois » contre lequel a été lancée la croisade, et qu'il appelle
aussi « sa terre »[1]. Mais il est bien évident qu'il n'entend pas seulement par là l'ancienne vicomté Trencavel – seul domaine qui
jusqu'ici lui a été officiellement attribué. Maître de fait de la plus
grande partie du « pays albigeois », bien au-delà des limites de la
vicomté Trencavel, le meilleur moyen de s'en proclamer maître
de droit est de le gouverner en lui donnant des lois. « Coutumes », « ordonnance », « statut », dit tour à tour le document : il
s'agit bien d'un texte législatif, qui n'est certes pas constamment
ordonné avec beaucoup de soin, mais qui est minutieux et prend
en compte tous les problèmes qui pouvaient alors se poser au
conquérant.

C'est à l'issue d'un parlement qui réunit autour de Simon ses
principaux compagnons d'armes et vassaux, ainsi que l'archevêque de Bordeaux et sept évêques, qu'il fut débattu de ces coutumes et qu'on chargea les évêques de Toulouse et du Couserans
de diriger la commission qui les rédigerait. On s'inspira sur bien
des points des Assises de Jérusalem qui, au XIIe siècle, avaient
établi les lois du royaume franc de Syrie. C'est pourquoi l'on a
affaire à des lois « coloniales », dans la mesure où est marquée
une nette discrimination entre « francigènes » et « indigènes ».
Les chevaliers natifs du pays sont exclus pour les vingt ans à venir
de la carrière militaire ; en effet, pendant ces vingt années, les
chevaliers français qui doivent le service à Simon de Montfort
sont tenus de le servir exclusivement avec des chevaliers français.
Quant aux dames de la noblesse indigène, veuves ou héritières,
elles ont toute latitude pour épouser à leur gré des Français, mais
elles ne pourront pendant dix ans épouser des seigneurs du pays
sans l'autorisation expresse de Simon. Ce contrôle de la transmission des patrimoines vise évidemment à favoriser l'implantation
de la noblesse française.

Cela dit, on n'est pas étonné que les Statuts de Pamiers s'ou-

---

1. Les Statuts de Pamiers ont été publiés au tome VIII de l'*Histoire générale de Languedoc*,
col. 625-635, et par Pierre TIMBAL, *Un conflit d'annexion au Moyen Âge : l'application de la
coutume de Paris au pays d'Albigeois*, Paris, Didier 1950, p. 177-184. Je les ai intégralement
traduits dans *L'épopée cathare*, t. I, p. 496-511.

vrent en fait sur dix articles qui prennent soin de restaurer l'autorité de l'Église catholique. C'est le tout premier objectif qu'expose le préambule : « Faire régner les bonnes mœurs, balayer l'ordure hérétique qui avait corrompu tout le pays, implanter des coutumes à l'égard du culte de la religion chrétienne... » Restitution de leurs biens et de leurs privilèges aux établissements religieux, démantèlement des églises fortifiées par les laïcs, versement des dîmes et des prémices, exemption de taille pour les clercs, obligation d'aller à l'église le dimanche « et d'y entendre en leur entier la messe et le sermon », interdiction, ce même jour, de tenir foire marchande, confiscation des maisons où auraient vécu des hérétiques pour en faire des églises et des presbytères là où il n'y en aurait point, etc. Le tout couronné par une mesure fiscale à laquelle Simon s'était engagé lors de son investiture de Carcassonne : la perception d'un cens annuel de trois deniers par feu au profit du Saint-Siège. Le cens étant, comme dit le droit féodal, récognitif de seigneurie, Simon faisait peu ou prou de la terre conquise une principauté vassale de l'Église romaine. C'était, dut-il penser, mettre dans son jeu un formidable atout.

Que des mesures très sévères soient prises contre les hérétiques, les suspects et les complices d'hérésie, qu'on exclue des charges publiques, outre les juifs, les croyants cathares même réconciliés, tout cela n'a rien pour surprendre, pas plus que le grand nombre d'articles qui montrent que le conquérant, s'il s'arrange pour bien asseoir son pouvoir, entend agir aussi en sage législateur, réglant les rapports entre les trois ordres de la société – les religieux, les nobles et les roturiers –, réglementant le service militaire, les corvées, l'usage des eaux, bois et pâtures, l'assistance judiciaire pour les pauvres, le poids du pain, et jusqu'à la prostitution.

Plus lourde de conséquences fut la convention annexée aux Statuts proprement dits, et qui décidait qu'à tous les niveaux de la société, chez les nobles et les bourgeois comme chez les paysans, chez les Français comme chez les indigènes, « les successions se feront selon la coutume et l'usage de France autour de Paris ». C'était substituer au droit occitan, fondé sur la liberté testamentaire et, en cas de décès *ab intestat*, sur le partage égal, un système qui reposait essentiellement sur le droit d'aînesse. Cela dans le but évident d'éviter la fragmentation des patrimoines et de ne pas affaiblir la noblesse de souche française implantée dans le pays conquis. Source immédiate de grandes difficultés, au plan juridique et notarial, cette mesure qui allait à l'encontre de toutes les habitudes locales finit par être abandonnée au bout de deux ou trois générations, à la demande des familles françaises elles-mêmes et avec l'accord du roi.

Dans les autres domaines, il ne restait plus à Simon, législateur de fait d'un pays conquis à la pointe de l'épée, qu'à trouver les moyens de lever les derniers obstacles qui permettraient de passer du fait au droit. Ils s'appelaient Raymond VI et Pierre II.

7

Pierre II d'Aragon : le défi

Raymond VI n'avait pas attendu que Simon de Montfort ait achevé sa vaste manœuvre d'isolement de Toulouse pour aller en personne demander de l'aide à son beau-frère le roi Pierre II. C'est au début de septembre qu'il se rendit auprès de lui, à Saragosse ou à Barcelone, on ne sait : aucun document connu ne sanctionna, du moins dans l'immédiat, cette rencontre seulement attestée, de façon très laconique, par Pierre des Vaux-de-Cernay, puis par des bulles pontificales de janvier 1213. « Le comte, écrit le chroniqueur, s'était enfui auprès du roi d'Aragon pour lui demander aide et conseil sur le moyen de recouvrer ses domaines. » On peut d'ailleurs s'interroger sur le caractère quelque peu tardif de ce recours, quand on sait que les consuls de Toulouse, eux, avaient écrit au roi un an plus tôt, juste après le siège de leur ville. Mais on sait aussi que leur cri d'alarme n'avait eu aucun écho : Pierre II était tout entier occupé à ses préparatifs d'offensive contre les Almohades. Or voici que le 16 juillet 1212, les rois coalisés d'Aragon, de Castille et de Navarre sont sortis vainqueurs, aux portes de l'Andalousie, de la bataille de Las Navas de Tolosa, qui vit la déroute du calife et entraîna l'effondrement du royaume almohade. Raymond VI comprit évidemment que son beau-frère avait désormais les mains libres pour s'occuper de l'affaire occitane. C'est tout juste s'il lui laissa le temps de regagner sa cour...

Recours au roi...

Ce qui sortit de la rencontre de septembre n'est pas connu
directement, mais par les bulles pontificales qui, le 17 et le 18 janvier 1213, en répercutèrent le résultat aux légats et à Simon de
Montfort. Raymond VI et Pierre II élaborèrent, ni plus ni moins,
un projet de règlement, à la fois de la situation créée par la croisade et de la question de l'hérésie, projet qu'on allait sans plus
tarder soumettre au souverain pontife pour qu'il le ratifie... Vaste
programme, et fort ambitieux, dont on ne sait pas, au demeurant,
qui, du comte ou du roi, en eut véritablement l'idée : il est si gros
de conséquences qu'on ne peut même pas estimer lequel des
deux en tirait le plus de profit ou de désavantage : Raymond VI
sauvait son patrimoine – mais en passant entièrement sous la
coupe du roi ; Pierre II étendait considérablement sa puissance
suzeraine – mais en allant droit, contrairement à ses imprudents
pronostics, à l'épreuve de force avec la croisade. Peut-on croire
sans hésitation que tout cela fut le fruit spontané du plus fraternel
des consensus ?

Avant d'en regarder plus en détail le contenu, un mot sur cet
appel au roi d'Aragon d'un prince qui était, en droit strict, l'un
des grands vassaux du roi de France. Force est de penser que
Raymond n'attendait plus rien de Philippe Auguste : la visite
qu'il lui avait faite en septembre 1209 ne lui avait rien rapporté,
que de bonnes paroles, et encore ! Pourtant, toujours en droit
strict, un souverain doit son aide – au moins diplomatique – à
un vassal en péril ou simplement en difficulté. Raymond, à cette
époque, pouvait d'autant plus espérer quelque assistance qu'il ne
pouvait ignorer que le roi s'était longtemps opposé à la croisade,
et que, lorsqu'il avait fini par l'autoriser, ce n'avait été que du
bout des lèvres. Or voici qu'après avoir été hostile à l'entreprise
du Saint-Siège, Philippe Auguste se montrait indifférent aux torts
dont pâtissait Raymond... Preuve, s'il en était encore besoin,
qu'en cette affaire il avait attaché plus de prix aux prérogatives
royales qu'au sort de son vassal.

En fait, faut-il le rappeler ? la vassalité du comte de Toulouse
à l'égard du roi capétien n'était plus, en ce début du XIIIe siècle,
qu'une fiction juridique. L'axe Toulouse-Barcelone qui s'est
constitué en une décennie, à travers traités et mariages, est d'un
autre poids politique que le lien féodal devenu purement formel
qui ne s'exprime plus guère que par la mention routinière, dans

les actes notariés du comté, du nom du souverain qui règne en
France – ou plus exactement, pour être tout à fait fidèle aux
documents, du nom du « roi des Francs ».

Il est en tout cas une société qui n'a que faire, elle, du forma-
lisme des notaires et qui, dès qu'on parle royauté, tourne son
regard, non point vers le pays des Francs, mais au-delà des Pyrénées : c'est celle des poètes de langue d'oc. Il y a beau temps que
les troubadours couvrent de louanges les rois de Léon, de
Navarre, de Castille et d'Aragon, qui en accueillent plus d'un à
leurs cours respectives et ont noué avec maints d'entre eux des
liens d'amitié personnels. Que de tels protecteurs et commandi-
taires incarnent aux yeux des poètes les plus hautes vertus, c'est
la moindre des reconnaissances ; qu'ils aiment qu'on l'écrive et
qu'on le chante, c'est la plus naturelle des fiertés. Et c'est auprès
de la noblesse d'oc, qui constitue son public habituel, que la poésie chantée véhicule, à travers les éloges décernés aux souverains
ibériques, l'image du monarque idéal en qui s'unissent toutes les
valeurs de morale et de sociabilité propres à la civilisation « cour-
toise ». Si le roi de Castille a plus particulièrement la faveur des
poètes gascons, celui d'Aragon est naturellement le plus proche
des Languedociens. Pour le Toulousain Aymeric de Pégulhan,
Pierre II « resplendit au-dessus de tous les autres rois ». Pour
Peire Vidal – Toulousain lui aussi –, il est « doué d'honneur et
vaillant, franc, libéral et instruit, affable, hardi et courtois... ».
Pour Guiraud de Calanson, qui est pourtant gascon, « mieux vaut
compter les étoiles de la nuit » que les vertus du même Pierre,
tant elles sont nombreuses. Pour Raymond de Miraval, natif du
Cabardès, au nord de Carcassonne, « notre roi d'Aragon vaut
plus que tous les preux ». Un « notre » lourd de sens : il est bien
certain qu'à la fin de 1212, outre les liens de parenté noués entre
Raymond VI et Pierre II, outre même leurs accords politiques,
les mentalités et l'opinion des dominants étaient préparées à
ce que le pays, au moment de s'assurer contre l'envahisseur
l'aide d'un puissant, en appelât au roi de Saragosse, comte de
Barcelone.

Que les deux beaux-frères aient eu un commun intérêt à donner un coup d'arrêt à la croisade, il n'est pas besoin de longues
explications pour le comprendre. Raymond VI veut évidemment
sauver sa couronne comtale et son patrimoine – l'héritage que
son fils sera appelé à recueillir. Il a bien vu, sans même attendre
que Simon de Montfort proclame à Pamiers les Statuts de la terre

conquise, que le conquérant veut ajouter à ses propres domaines l'ensemble de l'État toulousain : partout où il est passé, Simon a imposé aux villes et aux nobles du comté des serments qui faisaient d'eux ses vassaux, quand lui-même n'était nullement comte en titre ! Raymond doit alors, en cet été 1212, se rendre à cette évidence que, même avec l'aide de Foix, de Comminges et de Béarn, il ne peut espérer desserrer par la force des armes l'étau trop puissant de la croisade. Il pourrait bien, dès lors, n'avoir plus à choisir qu'entre la capitulation et l'exil. Mais dans un cas comme dans l'autre, la politique du fait accompli que Simon de Montfort conduit depuis la prise de Lavaur, autrement dit la déchéance de fait de Raymond, débouchera rapidement sur sa déchéance de droit si personne n'intervient pour y mettre le holà.

Or la dépossession de Raymond au profit de Simon de Montfort n'arrangeait pas du tout Pierre II ! Pas seulement parce que ses sœurs Éléonore et Sancie seraient du même coup privées, la première de son titre et de ses prérogatives de comtesse de Toulouse, la seconde de l'espoir d'être un jour comtesse à son tour. Mais aussi, et surtout, parce qu'en vertu des fondements juridiques de la croisade, tout l'échiquier politique de ce coin d'Europe se trouverait bouleversé, et dans un sens qui ruinerait la politique aragonaise des dix dernières années. L'incontournable clause de la sauvegarde des droits du seigneur supérieur qu'Innocent III lui-même avait inscrite dans le droit de la croisade impliquait en effet que Simon de Montfort fît tôt ou tard hommage de la terre conquise au suzerain légitime de celle-ci. Or ce suzerain était toujours, fût-ce façon purement formelle, Philippe Auguste. Simon serait donc contraint de prêter au roi de France le serment d'hommage et de fidélité, geste que les comtes occitans s'abstenaient depuis longtemps d'accomplir ! Autrement dit, la victoire du chef de la croisade réactiverait de façon très officielle et tout à fait intempestive le lien de dépendance du comté de Toulouse à l'égard de la couronne capétienne, alors que depuis dix ans Pierre II avait fort habilement profité du relâchement certain de ce lien pour attirer Toulouse et son prince dans l'orbite aragono-catalane. Il fallait donc à tout prix sauver Raymond VI.

Un plan de paix

Définir clairement un objectif est une chose. Mettre en œuvre les moyens de l'atteindre en est une autre, et fort difficile, si l'on songe que la croisade est plus que jamais en position de force, que son chef Simon de Montfort est le bras armé du Saint-Siège face à l'hérésie et à ses complices – ou supposés tels –, enfin que ledit Saint-Siège est le suzerain de celui-là même à qui l'on fait appel contre la croisade, Pierre II... Si l'on ajoute que ce dernier est à son tour le suzerain, pour la vicomté de Carcassonne, de ce Simon de Montfort contre qui on lui demande de se dresser, on a là, assurément, tous les ingrédients d'un imbroglio peu commun, dont on s'étonne même qu'il n'ait pas débouché plus tôt qu'il ne le fît sur une véritable catastrophe politique.

C'est sans doute dans le courant de novembre que les ambassadeurs aragonais – l'évêque de Ségorve et maître Colomb, qu'on appellerait aujourd'hui un ministre des Affaires étrangères – arrivèrent à Rome et soumirent au Saint-Père le plan que proposait Pierre II. Il était d'une extrême habileté. Il commençait par plaider, bien sûr, la cause de Raymond VI ; mais pas dans le sens qu'on aurait pu attendre. Raymond, disent les ambassadeurs, a certes subi de graves torts de la part des croisés ; il souffre de surcroît de n'avoir pas obtenu de l'Église son absolution définitive, sa réconciliation canonique. Mais tout cela, c'est de sa faute ! C'est à cause de ses péchés... Il l'a lui-même reconnu devant le roi, et s'est solennellement déclaré devant lui prêt à satisfaire en tout aux ordres de Rome, y compris accomplir toute pénitence qui lui sera imposée... Pour preuve de sa bonne foi et de sa contrition, il abdique immédiatement en faveur de son fils ; mais celui-ci n'a que quinze ans ; Raymond VI confie alors au roi le soin d'achever l'éducation du jeune homme en prenant bien soin de l'instruire dans la foi catholique et la haine de l'hérésie. Enfin, en attendant que le futur Raymond VII soit en âge de régner, et en garantie du repentir du père comme de l'orthodoxie du fils, le roi se proclame tuteur du comte jeune et met tout le comté sous séquestre : le moindre manquement de l'un ou l'autre des deux Raymond entraînerait la confiscation pure et simple, par le roi, de tout leur patrimoine...

Cela exposé, qu'est-ce que Pierre II attend exactement du Saint-Père ? Simplement qu'il daigne réserver le comté de Toulouse pour Raymond le Jeune, et accepte à cette fin les garanties offertes par le roi, autrement dit, dans l'immédiat, le séquestre qui place tout le comté sous l'autorité directe de Pierre II, puis son éventuelle confiscation par ce dernier si l'un ou l'autre Raymond vient à forfaire. Toutes choses qui, bien entendu, excluent implicitement, mais formellement, que le comté de Toulouse soit jamais dévolu par le pape à Simon de Montfort...

Après le plaidoyer pour le comte et son héritier, le réquisitoire contre ledit Simon. Pierre II ne dénie absolument pas à celui-ci le droit de combattre l'hérésie : c'est le devoir de tout bon catholique. Il ne revient pas sur la façon dont la vicomté de Trencavel a été confisquée et donnée au seigneur français : le roi a accepté Simon pour vassal en janvier 1211, la chose est entendue. Mais on se souvient des conditions qu'il avait mises à cette acceptation : que Simon borne là sa conquête et qu'il laisse en paix, notamment, le comte de Foix. Or qu'a-t-il fait depuis ? Les ambassadeurs ne nuancent guère les choses : il s'est emparé, assurent-ils, de terres appartenant à trois vassaux du roi, le comte de Foix, le comte de Comminges et le vicomte de Béarn. Ce en quoi il s'est mis doublement dans son tort : il a extorqué aux seigneurs locaux des serments d'hommage, au mépris des droits supérieurs de leur suzerain le roi, et il a porté les armes sur des terres où il n'y a jamais eu d'hérétiques... Il a de surcroît attaqué le comté de Toulouse, et y a agi de la même façon, répandant sans distinction le sang des catholiques avec celui des hérétiques, et exigeant partout des serments au mépris des droits du comte Raymond, y compris sur l'Agenais, que sa femme Jeanne d'Angleterre lui avait apporté en dot.

Les ambassadeurs de Pierre II, à coup sûr, mentent sur un certain nombre de points. Du moins exagèrent-ils. On n'a pas trace de conquête ni d'exactions commises par les croisés – du moins pas encore – sur les terres de Gaston de Béarn. Quant à dire qu'il n'y a jamais eu d'hérétiques en comté de Foix... Pierre II tente évidemment de faire croire au pape que, mise à part la vicomté de Béziers-Carcassonne, dont la croisade a réglé le sort, aucune de ses principautés vassales nord-pyrénéennes n'a jamais vu un seul cathare. C'est certainement vrai pour le Comminges et le Béarn, c'est manifestement faux pour le pays de Foix, où l'on sait bien qu'une sœur du comte a été ordonnée parfaite en sa présence, et où il doit être déjà de notoriété publique – ce le sera en tout cas deux ans plus tard – que ledit comte a laissé rebâtir et fortifier Montségur pour en faire un repaire d'hérétiques. Pour le reste, il est bien certain que la croisade a fait maintes victimes dans les populations catholiques – elle a même pillé des biens d'Église – et que Simon a par ailleurs fait fi, partout, des droits supérieurs exercés sur les villes et les seigneuries dont il a exigé l'hommage, le cas de l'Agenais étant particulièrement éloquent : ce dernier, entré dans le patrimoine de Raymond par son mariage, relevait de la couronne anglaise par duché d'Aquitaine interposé ; la menace d'une intervention de Jean sans Terre contre la croisade n'était donc nullement à exclure !

Le sombre tableau brossé par les ambassadeurs conduit tout naturellement à la conclusion que Simon doit restituer tous les droits qu'il a usurpés et toutes les terres qu'il a injustement conquises – autrement dit tout ce qui se trouve en dehors de la vicomté à lui attribuée en août 1209 après la déchéance de Trencavel. Qu'il rentre donc sagement sur ses propres domaines et laisse ses voisins tranquilles... Le roi est d'ailleurs parfaitement en droit d'exiger cela de lui : il est son suzerain, et le premier devoir du suzerain est de faire régner la paix entre ses vassaux.

Vers l'*Imperi pirinenc*

Voici donc que Pierre II apporte sur un plateau au souverain pontife un programme soigneusement élaboré, qui ne laisse dans l'ombre aucun des multiples aspects – juridiques, militaires, religieux – du *Negotium Pacis et Fidei*, de cette « Affaire de la Paix et de la Foi » dont le moins qu'on puisse dire est qu'à peine mise en œuvre elle avait dangereusement dérapé en suscitant sur tous les plans des difficultés imprévues.

En fait, ce superbe plan de paix pour l'espace languedocien recouvrait une opération politique de grande envergure dont l'enjeu dépassait de beaucoup le simple « pays albigeois ». Il suffit, pour en être convaincu, de rappeler que la maison de Barcelone possède directement ou domine par vassaux interposés, de l'Èbre et du Béarn aux Alpes, un immense territoire dont le seul maillon manquant pour qu'il soit continu, c'est précisément le comté de Toulouse...

Je sais bien que la géopolitique médiévale n'a pas les mêmes repères que celle d'aujourd'hui, qu'elle ignore pratiquement la notion de frontière naturelle, que le pouvoir s'exerce souvent loin de son centre par le jeu de droits féodaux parfois entremêlés de façon très complexe et qui ne recouvrent pas forcément la possession directe d'un territoire. Il n'en est pas moins certain que s'assurer sans solution de continuité toute la façade occidentale de la Méditerranée des abords de Valence jusqu'aux portes de l'Italie aurait donné à la maison de Barcelone une puissance nouvelle[1] : plus tard, la France de Saint Louis cherchera bien à se doter d'une ouverture sur la mer. Il est certain en tout cas que la réunion, sous l'autorité suzeraine de la couronne d'Aragon-Catalogne, du comté de Toulouse à tout ce que ladite Couronne possédait déjà directement ou indirectement, aurait signifié la constitution d'un très vaste État féodal, occitano-catalan ou aragono-provençal, comme on voudra, les historiens catalans l'appelant l'*Imperi pirinenc*, l'Empire pyrénéen, parce qu'il aurait en quelque sorte les Pyrénées pour épine dorsale[2].

Il était bel et bien virtuellement inscrit dans le plan de paix de Pierre II. Celui-ci prévoyait en effet deux éventualités : soit tout se passe sans difficulté, et, après la régence et la tutelle exercées par Pierre II, le jeune Raymond VII prendra possession du comté de Toulouse – mais il va de soi que ce sera comme vassal du roi. Soit, si Raymond le Jeune ne se montre pas digne de son héritage, le roi confisquera le comté. Dans tous les cas de figure, c'est le roi d'Aragon qui sort gagnant de l'opération...

Innocent III, trop heureux qu'on lui indique l'issue du labyrinthe politico-juridique dans lequel il s'était lui-même plus ou moins perdu, accepta sans réserve le royal projet. Si celui-ci débouchait sur l'arrêt immédiat de la croisade, il sanctionnait quand même de grandes victoires sur les hérétiques – quelque six cents parfaits et parfaites brûlés en quelques mois – et, dans le même temps que les propositions du roi rétablissaient la paix civile, ses propres engagements à l'encontre de l'hérésie garantissaient pour l'avenir la « paix des âmes ». La nécessaire restitution de l'Agenais par Simon de Montfort écartait la menace d'une intervention anglaise. Enfin, même si la question n'est pas explici-

---

1. Débattre sur le fond de toute la politique nord-pyrénéenne de la maison de Barcelone, notamment de ses visées sur le commerce maritime comme sur les réserves salines de la côte méditerranéenne, outrepasserait notre propos, et je ne peux que renvoyer aux historiens catalans ou castillans, Jòrdi VENTURA, Joan REGLA, Antonio UBEDO, tout en notant que la vocation hégémonique de Barcelone au nord des Pyrénées, mise en lumière par Charles HIGOUNET (*Mélanges Louis Halphen*, Paris, P. U. F., 1951, p. 313-322) a été contestée par Ramon d'ABADAL (*Annales du Midi*, nº 68-69, juillet-octobre 1964, p. 315-345).

2. Cf. la note précédente et, pour une vue synthétique de la question, mon article « Le problème du Moyen Age et la Croisade albigeoise : les bases juridiques de l'État occitano-catalan de 1213 », dans *Annals de l'Institut d'estudis occitans*, nº 4, 1978, p. 15-31.

tement soulevée par nos sources, le pape ne pouvait que secrètement se satisfaire de voir Pierre II couvrir de son autorité
suzeraine le vaste ensemble territorial dont on vient de parler :
héros récent de la *Reconquista* chrétienne, le roi d'Aragon, ne
l'oublions pas, est vassal du Saint-Siège. Ayant en face de lui,
en Philippe Auguste, un roi de France retors, et en Frédéric de
Hohenstaufen un tout jeune « roi des Romains » candidat à l'Empire mais à la fidélité encore mal assurée, Innocent III ne peut
que trouver avantage à ce que son vassal catalan soit le puissant
souverain d'un royaume transpyrénéen.

L'arrêt de la croisade...

C'est en janvier 1213 que le pape ordonna l'arrêt immédiat de
la croisade.

Il expédia d'abord, le 15, deux lettres destinées à préparer le
terrain. A Simon de Montfort, il rappelait qu'il était vassal de
Pierre II pour la vicomté de Béziers-Carcassonne et qu'à ce titre
il devait au roi les égards, les services et l'obéissance dus à tout
seigneur supérieur. Au légat Arnaud Amaury, il disait que la
croisade avait remporté « un succès suffisant », et qu'un nouveau
danger venant de se présenter à la chrétienté, à savoir la menace
sarrasine sur la Terre sainte, il fallait se mobiliser au plus vite
pour sauver celle-ci : « Cesse donc de fatiguer le peuple chrétien
avec les indulgences accordées par le Saint-Siège pour la lutte
contre les hérétiques... » On ne pouvait demander en termes plus
comminatoires de mettre un terme à la prédication anticathare
et au recrutement des croisés pour le « pays albigeois »...

Le 17 janvier, nouvelle lettre à Simon de Montfort. C'est pour
lui enjoindre, cette fois, de restituer les terres qu'il a injustement
conquises, ce qui aura pour effet d'annuler les serments qu'il a
illégalement extorqués çà et là. Innocent III ne ménage pas le
capitaine de la croisade. En lui répercutant les plaintes formulées
par les ambassadeurs aragonais, il l'enferme même dans une
contradiction qui dit assez à quel point il a outrepassé les droits
que lui conférait son statut de croisé. Car de deux choses l'une.
Si les gens qu'il a trouvés sur son passage étaient hérétiques, il
fallait les chasser, et non point recevoir d'eux des serments de
fidélité. « En les maintenant sur leurs domaines, tu as implicitement reconnu qu'ils étaient catholiques, vu que tu n'entends pas

passer pour un fauteur d'hérétiques... » Mais alors, s'ils étaient catholiques, il fallait les laisser en paix, car rien ne justifiait qu'on leur arrachât des serments qui lésaient les droits de leurs suzerains légitimes... « Tu t'es servi de l'armée des croisés pour répandre le sang des justes, tu as lésé des innocents.... » Le pape sait bien que les serments exigés par Simon sont de purs actes de soumission à sa personne, et n'ont plus rien à voir avec les « serments de paix » que les légats faisaient souscrire au début de la croisade.

La lettre adressée le lendemain à Arnaud Amaury et à ses deux collègues de la légation, maître Thédise et Hugues de Riez, est tout aussi sévère : « Vous avez porté vos mains avides sur des terres qu'aucun soupçon d'hérésie n'avait jamais atteintes... » Aux plaintes formulées par les ambassadeurs d'Aragon succède alors l'exposé du règlement proposé par le roi. Mais Innocent III, soucieux que ses mandataires ne paraissent pas perdre la face, croit sans doute habile de les associer d'une certaine manière au règlement qu'en réalité il entend imposer : il leur demande de réunir un concile de hauts prélats et de barons à qui ils exposeront eux-mêmes le projet du roi, et de communiquer la teneur des délibérations au Saint-Siège afin que ce dernier, les ayant soigneusement étudiées, prenne une décision définitive... Sous couvert d'une consultation, voire d'un sondage d'opinion, Innocent III forçait bel et bien la main à ses légats.

Le plus grand des hasards voulut que le concile souhaité par le Saint-Père se trouvât déjà réuni, bien avant que les bulles de la mi-janvier ne parvinssent en Languedoc. Il n'avait certes pas pour objectif d'étudier l'éventualité d'arrêter la croisade, mais simplement de juger Raymond VI dans les formes canoniques, ainsi qu'Innocent III l'avait ordonné. On sait quelle mauvaise volonté les légats avaient mise à ouvrir ce procès où ils avaient toute latitude pour acquitter éventuellement le comte, mais pas pour le condamner, ce qui était du ressort exclusif du pape. Depuis l'ajournement prononcé à Saint-Gilles à l'été 1210, l'affaire n'avait en rien avancé. Excédé, le pape avait de nouveau écrit aux légats en mai 1212, leur reprochant vertement leur lenteur et renouvelant son ordre de faire comparaître le comte et d'entendre sa défense. On convoqua donc le concile à Avignon, pour la fin de l'année. Par une étrange malchance, maître Thédise, arrivé le premier pour tout organiser, tomba malade. Il fit savoir à ses collègues que l'air de la ville était très malsain, et chacun annula son voyage... On finit quand même par se réunir, au début de janvier 1213, et non loin de Toulouse cette fois, à Lavaur.

Pierre II d'Aragon à Toulouse

Or il se trouve que dans les tout premiers jours du même mois, Pierre II était arrivé à Toulouse, certainement en compagnie de Raymond VI afin que celui-ci pût traverser sans être inquiété les localités tenues par des garnisons de croisés. Pierre II était aussi accompagné de trois conseillers personnels, les évêques de Tarragone, Barcelone et Vich, de deux notaires royaux et de deux scribes de sa chancellerie, et de trente chevaliers de sa maison militaire, tous de haut rang. Ce voyage avait donc aussi des raisons politiques : c'était essentiellement une démonstration de force et d'autorité tout à fait dans le droit fil de ce que nous savons du projet de règlement transmis au Saint-Siège – à ceci près qu'il anticipait curieusement sur la réponse d'Innocent III...

Sitôt arrivé, et installé dans le palais du comte, le roi fit savoir qu'il désirait s'entretenir au plus tôt avec les deux chefs de la croisade, le capitaine et le légat, afin de négocier avec eux la paix. Rendez-vous fut pris pour le 14 janvier, entre Toulouse et Lavaur, dit Pierre des Vaux-de-Cernay, donc sans doute à Verfeil. Au jour dit, et pour assister Arnaud Amaury, arrivèrent de Lavaur, où ils se trouvaient pour le concile, une vingtaine d'archevêques et d'évêques, tandis que Simon de Montfort se fit accompagner de son frère Guy.

Le roi entra tout de suite dans le vif du sujet : il fallait que les croisés restituent entièrement tout ce qu'ils avaient pris aux comtes de Toulouse, de Comminges et de Foix, ainsi qu'au vicomte de Béarn. Arnaud Amaury lui répondit qu'il se méprenait, qu'on n'était pas là pour discuter sur le fond, mais simplement pour définir la procédure et les modalités de la discussion. A savoir que le roi devait rédiger un mémorandum et l'adresser au concile de Lavaur...

Ce qui fut fait. Mais quand ledit mémorandum parvint le 16 janvier aux prélats et aux barons croisés réunis à Lavaur, il fut accueilli par un tollé général. Une longue réponse écrite fut adressée au roi le 18. On refusait sur toute la ligne ses demandes – y compris la trêve militaire qu'il avait sollicitée au moins pour le temps de la négociation... Et l'argumentation avancée est simple : elle repose tout entière sur le droit de la croisade. Les comtés de Toulouse et de Foix sont terres hérétiques, il était donc légitime d'y porter la guerre. Le vicomte de Béarn et le comte de Comminges, en venant au secours de Toulouse et de Foix, se sont faits complices des ennemis de l'Église, la croisade avait donc le droit et le devoir de les attaquer. En ce qui concernait Raymond VI, dont le roi avait plaidé la cause et sollicité l'absolution, il fut répondu que, s'obstinant à ne pas tenir ses engagements, il était « indigne de toute grâce et de tout bienfait ». Enfin le roi lui-même, en prenant aujourd'hui la défense de ces suppôts et complices de l'hérésie, s'exposait aux sanctions canoniques et aux coups de la croisade. Bref, la fin de non-recevoir était totale et sans appel. Pire, le projet de Pierre II s'était retourné contre lui...

Il est certain que le roi avait péché par précipitation. Sachant qu'il avait envoyé une ambassade à Rome pour obtenir du pape la ratification de son plan, le concile de Lavaur mobilisa immédiatement tout le haut clergé occitan, de Bordeaux à la Provence, afin de dépêcher au Saint-Siège une contre-ambassade qui tâcherait de convaincre le Saint-Père que le projet du roi ruinait la croisade et que le salut de l'Église exigeait au contraire la poursuite de la guerre. Le 21 janvier, le concile rédigea à l'adresse d'Innocent III un rapport d'une extrême violence destiné à le mettre en garde contre la manœuvre du roi. Tout repose, en fait, sur l'affirmation que, malgré les succès acquis, la sainte mission qu'est la croisade est loin d'être achevée, car « des foyers de la peste hérétique subsistent », avec au premier rang Toulouse, « où, comme des ordures qu'on jette dans une sentine, se concentrent les séquelles de l'hérésie ». On supplie donc le pape de poursuivre la guerre jusqu'à l'anéantissement de Toulouse : « Il faut porter la cognée à la racine de l'arbre empoisonné, et l'abattre à jamais pour qu'il ne nuise pas davantage. » Quant à restituer les terres « enlevées si légitimement aux tyrans, et au prix d'une si grande effusion du sang chrétien », ce serait à la fois un scandale aux yeux des fidèles et une erreur stratégique : les ennemis de la foi y redresseraient la tête. Reste le cas personnel de Raymond VI. Un concile a bien été réuni, comme l'avait ordonné le pape. Mais le comte n'ayant pas plus satisfait à ses engagements maintenant qu'en 1210, le concile n'a pu que s'en tenir à la précédente décision, et le déclarer de nouveau indigne d'être « admis à purgation », ce qui revenait à refuser de nouveau d'entendre sa défense et à proroger *ipso facto* son excommunication.

Tandis que les évêques de Toulouse et de Carcassonne, accompagnés du neveu de ce dernier le moine-chroniqueur, partaient immédiatement pour la France afin d'y relancer la prédication de croisade, maître Thédise et quatre de ses collègues prenaient la route de Rome avec les lettres destinées au Saint-Père, les rapports du concile s'étant grossis d'un certain nombre de missives de prélats, comme celle de l'évêque de Béziers, qui demandait carrément que Toulouse fût rasée de fond en comble, afin que fussent anéanties « les générations de vipères, les ventrées de bâtards » qui, sinon, « allaient à nouveau y pulluler »... Thédise et ses compagnons croisèrent en chemin, sans le savoir, les courriers qui apportaient en Languedoc les bulles ordonnant l'arrêt de la croisade, la fin de la prédication et la restitution des terres conquises...

Les serments du 27 janvier

Le temps que les lettres pontificales parviennent à leurs destinataires, ce qui dut se faire à la mi-février, et que les prélats arrivent à Rome, courant mars, il se passa encore bien des choses étonnantes.

Le refus obstiné auquel s'était heurté Pierre II de la part du concile de Lavaur le décida à jouer d'audace et, toujours sans attendre la réponse du Saint-Père à son ambassade, à placer la croisade devant le fait accompli. Le dimanche 27 janvier 1213, à Toulouse, il se fit prêter serment de fidélité par ses trois vassaux nord-pyrénéens de Foix, Comminges et Béarn, mais aussi – et ce malgré l'interdiction écrite d'Arnaud Amaury, qui avait eu vent de ses intentions – par le comte de Toulouse et par son fils, ainsi que par les consuls de la ville. Raymond VI et Raymond le Jeune se remettaient, eux et leurs domaines, en la main et au pouvoir du roi. Le séquestre et la tutelle inscrits dans le projet de règlement entraient dans les faits. C'était là, en quelque sorte, l'acte de naissance de cet *Imperi pirinenc* donc on a parlé plus haut... Car l'exposé des motifs ne trompa personne. Officiellement, le comte, son fils, leurs domaines, et la ville consulaire elle-même, passent sous l'autorité de Pierre II afin que celui-ci dispose de tous les moyens de coercition propres à garantir la stricte observance des décrets de l'Église en matière de lutte contre l'hérésie. Mais il est bien évident que les comtes, le comté et la ville se placent du même coup sous la protection du roi : celui-ci est désormais le seul pouvoir suprême à qui la croisade doit avoir affaire. Quelles que fussent les précautions oratoires, le séquestre et la tutelle ne pouvaient qu'avoir le sens de ce que le droit féodal appelait un transfert d'hommage, et c'est bien ainsi que les croisés l'ont compris : « Même la ville de Toulouse, qui appartient en propre au roi de France, écrit indigné Pierre des Vaux-de-Cernay, le roi d'Aragon eut l'audace de la prendre sous sa protection... »

Et c'est bien, en effet, comme suzerain du comté que le roi agit désormais, et tout de suite. Il reçoit directement, le 5 février, l'hommage de divers vassaux de Raymond VI, dont les seigneurs de Penne d'Albigeois. Le 7, par-dessus l'autorité du comte, il octroie sa sauvegarde aux templiers de Toulouse. On le voit ensuite couvrir « de son conseil et son consentement » des donations que Raymond VI fait à des seigneurs du pays toulousain, ou aller arbitrer à Viviers, en lieu et place du comte, un différend que l'évêque avait avec des féodaux du pays.

Mais surtout, Pierre II dispose désormais d'un pouvoir de police absolu sur l'espace occitan. Ayant quitté Toulouse dans le courant de février en y laissant un viguier pour l'y représenter, ainsi que plusieurs chevaliers et un corps de routiers aragonais sous le commandement de son sénéchal de Catalogne, l'un de ses premiers soucis fut de mettre au pas une fois pour toutes Simon de Montfort. Il lui écrivit qu'il exigeait de lui la stricte discipline féodale et qu'il défendrait contre lui, si besoin était, ses autres vassaux et ses protégés, dès lors qu'ils seraient injustement lésés par l'ambitieux et turbulent vicomte de Béziers-Carcassonne. Ce dernier dépêcha alors Lambert de Thury auprès de Pierre II, pour lui faire savoir que s'il avait des griefs contre lui en ce qui concernait l'action de la croisade, il fallait porter le différend devant la Curie romaine. Pierre II, estimant qu'il n'y avait pas matière à saisir la Curie parce qu'il s'agissait d'une affaire purement féodale, maintint sa position et ses menaces. Lambert sortit alors une lettre que Simon avait préparée pour faire face à toute éventualité : il y déclarait qu'il rompait le lien vassalique qui l'unissait au roi, et adressait à celui-ci son défi en bonne et due forme. Une nouvelle fois, le conflit éclatait entre droit féodal et droit de la croisade. Pour le roi, le comportement de Simon n'était rien d'autre que la rébellion d'un vassal. Pour Simon, la sainte mission qui l'avait amené en « pays albigeois » légitimait son comportement. Le droit canonique de la croisade stipulait bien que tout seigneur catholique était automatiquement délié du lien vassalique dès lors que son seigneur supérieur était hérétique avéré ou complice d'hérésie... D'où il découlait qu'il était nécessaire et légitime que Simon combattît le roi, protecteur des complices d'hérésie, donc indirectement complice lui-même. La guerre était déclarée...

Sans doute Simon se mettait-il dans son tort en désobéissant effrontément aux ordres du souverain pontife. Mais ce n'est pas le moindre paradoxe de toute cette affaire que de voir le chef des croisés, finalement, opposer le droit de la croisade à celui-là même qui l'avait forgé pour les besoins de sa cause. On ne saurait douter pourtant qu'Innocent III ait été un homme de réflexion – du moins capable de réflexion approfondie : son discours du Latran, dont on reparlera, suffit à le prouver. Mais peut-être n'était-il pas un homme réfléchi, en ce sens que son impulsivité, qui donnait une fulgurance certaine à la façon dont il analysait les situations et y répondait, ne lui faisait pas suffisamment mesurer les conséquences possibles de ses décisions. D'où, parfois, cette impression qu'il joue sans le savoir les apprentis sorciers. Il le fit en tout cas, dans une assez large mesure, avec ce droit de la croisade qui lui créa mille difficultés insoupçonnées avec les souverains régnants, et qui, entre les mains pourtant de son plus dévoué mandataire, se retourna un temps contre lui...

Le défi réciproque que se lancèrent Pierre II et Simon de Montfort se place après la mi-février. L'ordre d'arrêter la croisade et de restituer les terres injustement conquises était donc arrivé de Rome. Mais Simon avait passé outre... Lui et le roi d'Aragon, à coup sûr, jouent serré. Le roi est certainement convaincu qu'il a dans son jeu un atout imparable : l'aval donné par Innocent III à son plan de règlement. Mais Simon sait bien de son côté qu'une rupture entre lui et le roi rendra impossible la mise en œuvre dudit règlement. Autrement dit, chacun cherche à prendre l'autre de vitesse en misant, une fois de plus, sur le fait accompli. D'autant qu'il reste quand même une inconnue : les résultats de l'ambassade dépêchée à Rome par le concile de Lavaur. Thédise est parti fin janvier ou début février. Le temps qu'il revienne, on ne saura rien, au mieux, avant avril ou mai...

Le grand imbroglio

Le chassé-croisé de janvier entre les courriers du pape et ceux des prélats de la croisade n'était que le début de l'extraordinaire confusion diplomatique qui allait marquer toute une partie de l'année 1213, et qui ne trouva son dénouement, on le sait, que dans la boucherie d'une gigantesque bataille rangée.

Le transfert d'hommage du 27 janvier avait mis Pierre II dans une situation délicate à l'égard de Philippe Auguste. On avait vu des guerres se déclencher pour moins que cela ! L'Aragonais tenta alors des manœuvres propres, pensait-il, à apaiser tout ressentiment chez le roi capétien. Il envoya à ce dernier des ambassadeurs porteurs des copies des bulles pontificales de janvier qui attestaient qu'il avait la caution du Saint-Siège, ce qui n'était pas à négliger. Ils avaient à charge également de demander pour leur souverain la main de la princesse Marie de France, fille de Philippe Auguste et veuve de Philippe de Namur. L'affaire n'eut aucune suite, car il eût fallu que Pierre II divorçât d'avec Marie de Montpellier, or le Saint-Siège, malencontreusement, venait tout juste de confirmer cette union-là. Au demeurant, tous les efforts de Pierre II pour se concilier Philippe Auguste malgré les serments de janvier ne servaient pas à grand-chose : le roi de France ne paraissait pas s'intéresser du tout au sort de Toulouse. Certes, les ambassadeurs catalans connurent une grave déconvenue. Ils avaient en effet pour mission, aussi, de contrecarrer la prédication de croisade afin que Simon de Montfort ne reçût pas cette année les traditionnels renforts qui arrivaient avec le printemps. Or ils apprirent que le fils de Philippe Auguste, le prince Louis – le futur Louis VIII –, avait décidé de prendre la croix, ce qui entraînerait évidemment dans son sillage un grand nombre de barons français. Les chroniques disent que Philippe Auguste en fut contrarié, et même peiné, mais qu'au moins dans un premier temps il laissa faire, tout en exigeant les noms de ceux qui partiraient. On fixa même le départ de Louis au 21 avril, soit le premier dimanche après Pâques. Les ambassadeurs de Pierre II s'en revinrent donc non seulement bredouilles, mais très inquiets. Inutilement inquiets : juste avant le départ du prince Louis et de ses compagnons pour le « pays albigeois », Philippe Auguste annonça qu'il se préparait à débarquer fin mai en Angleterre pour combattre Jean sans Terre, et qu'il avait besoin de son fils et de tous ses chevaliers... Pierre des Vaux-de-Cernay vit évidemment dans cette volte-face une de ces ruses dont le diable était familier pour nuire à l'« affaire de la Paix et de la Foi ».

La valse des ordres et des contrordres, bien d'autres y furent entraînés. Fin janvier, on l'a dit, le concile de Lavaur avait dépêché en France les évêques de Toulouse et de Carcassonne pour relancer la prédication de croisade. C'est sans doute d'ailleurs leur zèle qui convainquit le prince Louis. Mais voici qu'en avril ils sont rejoints par Robert de Courçon, un légat que le pape a spécialement envoyé pour prêcher la croisade de Terre sainte et interdire sous peine de destitution qu'on continuât à prêcher la croisade « albigeoise »... Ce qui, s'ajoutant à la décision du roi, entraîna l'ajournement de très nombreuses prises de croix. Courçon n'osa quand même pas destituer les évêques d'Orléans et d'Auxerre : décidés à passer outre, ils réunirent un certain nombre de chevaliers qui, apparemment, n'étaient pas concernés par la royale interdiction, et prirent avec eux le chemin du « pays albigeois ». C'était l'époque où, dans ce même pays, les chefs militaires et religieux de la croisade étaient encore sous le choc des bulles pontificales qui avaient ordonné l'arrêt de cette croisade...

C'est à Rome, cependant, que se joua l'acte le plus tragique du grand imbroglio de 1213.

Maître Thédise arriva à la cour pontificale peu avant la mi-mars, avec le rapport du concile de Lavaur et les lettres des prélats de la croisade, le tout destiné, on le sait, à couper l'herbe sous le pied de Pierre II en persuadant le pape de ne pas entériner le plan de paix élaboré par le roi. Autrement dit, Thédise arrive à Rome justement pour y apprendre que le pape a entériné le plan, et qu'à l'heure présente les bulles de la mi-janvier ordonnant l'arrêt de croisade ont dû parvenir à Toulouse...

Elles y sont parvenues, en effet. Pierre II en a même fait faire immédiatement des copies qu'il a adressées au roi de France, ainsi qu'on vient de le voir. Le même Pierre a fait faire par ailleurs des copies des serments toulousains du 27 janvier, et a renvoyé ses propres ambassadeurs les porter au pape, pour bien lui montrer que lui, le roi, tient maintenant sous sa coupe le comte de Toulouse et son fils, que ceux-ci ont pris des engagements solennels garantis par le roi et que l'Église, par conséquent, n'a plus rien à craindre d'eux : preuve que le plan de paix a porté ses fruits. Le pape en est si heureux que lorsque Thédise arrive du pays toulousain, alors que les ambassadeurs catalans sont encore à Rome, il lui fait un accueil assez froid.

La volte-face

Que se passa-t-il alors ?

Il ne dut pas être facile à Innocent III de décider d'annuler les bulles de janvier. Il lui fallut en tout cas du temps : ce n'est que le 21 mai qu'il scella les documents qui révoquaient l'aval qu'il avait donné au projet du roi, déclaraient nuls les serments faits à Pierre II, et écartaient désormais ce dernier, formellement, de tout règlement de l'affaire occitane...

On peut toujours parler, bien sûr, de faiblesse et de versatilité, chacune entraînant l'autre. Ce serait trop simple. Force est de constater que depuis que la croisade s'est mise en marche, du moins depuis sa victoire de l'été 1209 sur Trencavel, Innocent III n'a cessé de tenter d'en limiter les effets, de la maintenir en deçà du point où allaient naître les complications juridiques et politiques. Au lyrisme violent et quelque peu fanatique qui habitait ses appels aux armes de 1208, a succédé une politique continue de modération. Pourquoi ? Parce que s'il entend combattre l'hérésie avec une fermeté sans faille, il est inscrit au plus profond de son éthique personnelle que le principe de miséricorde doit tempérer, chaque fois qu'il le peut, la vindicte. C'est flagrant quand on voit son attitude à l'égard de Raymond VI : le pape laisse toujours une porte ouverte au pardon. Il le fait même en ce 21 mai 1213 qui renverse pourtant du tout au tout, et si brusquement, la situation née des bulles de janvier.

Certes, il ordonne d'abord à Pierre II d'abandonner toute protection à l'égard de Raymond VI, de son fils, de Toulouse et des Toulousains, de considérer donc comme nuls et non avenus les serments du 27 janvier. Il lui signifie par ailleurs qu'il révoque comme subreptice l'ordre qu'il avait donné de restituer les terres conquises sur Foix, Béarn et Comminges. Toute ingérence du roi, désormais, qui apparaîtrait comme aide ou conseil aux ennemis de l'Église – c'est-à-dire de la croisade – l'exposerait « à un sérieux et irréparable dommage ». La menace est claire. Le pape précise même qu'il lui sera impossible de l'épargner ou de le ménager si ce doit être « aux dépens de l'affaire de la Foi ». On en revient donc très exactement à la situation d'avant les serments.

C'est évidemment, dans une très large mesure, une relance subite de la guerre : Innocent III précise bien que s'il exige une trêve immédiate et solide entre le roi et Simon de Montfort, il n'est pas question d'arrêter le combat contre les hérétiques et leurs complices. Mais s'il jette aux orties le plan du roi, il n'entérine pas pour autant sur toute la ligne les demandes présentées par Thédise et tout le haut clergé occitan. Raser Toulouse, il n'en est évidemment pas question ! Bien au contraire – et là le Saint-Père prend habilement Pierre II au mot –, puisque le comte de Toulouse, son fils, et les Toulousains, ont fait devant le roi serment de combattre l'hérésie et de défendre la foi catholique, qu'ils viennent donc, s'ils sont vraiment sincères, renouveler leurs serments entre les mains de l'Église elle-même... Et Innocent III charge Foulque d'accueillir et de réconcilier tous ceux qui voudraient revenir à l'unité de l'Église, et de réconcilier et purifier la ville elle-même, qui, en recevant son pardon, se verra du même coup « placée sous la protection du Saint-Siège et soustraite aux attaques du comte de Montfort et des autres fidèles, qui devront bien plutôt la défendre et la protéger... ». Pour couronner le tout, le pape annonce qu'il envoie un légat *a latere*, le cardinal Pierre de Bénévent, qui aura pour tâche de veiller à ce que les choses se passent sans abus, erreurs ni injustices. Montfort, Arnaud Amaury et Foulque reçurent chacun, datée du même 21 mai, une bulle leur exposant personnellement les décisions pontificales.

Cette offre de pardon, qui en revient d'ailleurs, dans la forme et dans le fond, aux « serments de paix » de l'été 1209, si elle tempère la vindicte de règle dans le combat contre les complices d'hérésie ne s'en insère pas moins dans un spectaculaire renversement de l'opinion du pape à l'égard du roi d'Aragon. Prévoyant sans doute quelque étonnement de la part de ce dernier, Innocent III s'en explique clairement : « Tes messagers cachaient la vérité, ils m'ont menti... » Sur quoi donc ? Sur la situation exacte de l'hérésie, et sur la responsabilité des barons vassaux du roi – au moins sur celle, on l'a dit plus haut, du comte de Foix. Les prélats dépêchés à Rome, eux, inconditionnellement dévoués au chef de la croisade dont, consciemment ou non, ils servent les ambitions temporelles, vont évidemment exagérer dans le sens contraire, et voir des complices d'hérésie partout. Il reste qu'étant depuis plusieurs années sur le terrain, ils ont nécessairement une

plus juste perception de la situation que les ambassadeurs catalans qui ne faisaient que répercuter les directives de leur roi.
Qu'il y ait donc eu à prendre et à laisser dans le tableau brossé
par Thédise et les prélats, Innocent III l'a très bien compris, et
sa décision est finalement tout à fait adaptée à la mission qu'il a
fixée à la croisade : il n'y a pas que des hérétiques ou des
complices d'hérésie en Languedoc, comme le prétendent les prélats ; mais il y en a encore certainement beaucoup plus que ne
voulait le faire accroire Pierre II...

La prise du Pujol

Les bulles de janvier qui arrêtaient la croisade et mettaient
fin à sa prédication n'avaient produit aucun effet. Les évêques
d'Orléans et d'Auxerre, Manassès et Guillaume de Ségnelay, qui
étaient d'ailleurs cousins, arrivèrent dans le courant de mai avec
des troupes fraîches et, après être passés à Carcassonne, rejoignirent Simon de Montfort à Fanjeaux. Ce dernier, bien entendu,
n'avait à aucun moment envisagé de rappeler les quelques garnisons qu'il avait laissées sur les terres « injustement conquises ».

Les bulles du 21 mai qui révoquaient les directives pontificales
prises en janvier se révélèrent tout aussi inutiles. Il est clair que
la situation, désormais, échappait totalement au Saint-Père, que
ses ordres restaient lettre morte et que seuls ceux qui étaient sur
le terrain étaient maîtres du jeu.

Simon n'avait pas attendu ces lettres pour reprendre la guerre.
N'ayant cependant pas assez de troupes pour assiéger Toulouse,
il alla s'installer avec les nouveaux renforts à Muret, dans l'intention, à partir de là, de faire le dégât autour de la capitale, c'est-
à-dire de ravager les champs de blé, les vergers, les potagers, les
vignes, afin d'affamer la population. L'affamer, et lui faire peur :
les Toulousains disposaient autour de la ville d'un certain nombre
de villages qui étaient autant de points d'appui fortifiés assurant
la sécurité des paysans. Ils essayèrent bien de les défendre,
envoyèrent même plusieurs fois des routiers affronter les croisés
au cours de leurs razzias, mais perdirent néanmoins une vingtaine
de ces bourgades.

De retour à Carcassonne en juin, Simon décida de faire adou-
ber chevalier son fils aîné Amaury, qui avait treize ans. La cérémonie eut lieu à Castelnaudary le jour de la Saint-Jean-Baptiste,

après quoi Simon repartit pour Muret, dans l'intention de donner le Comminges en apanage à son fils. Pendant ce temps, son frère Guy, aidé de Baudouin de Toulouse, partit assiéger Puicelsi, entre le Tarn et l'Aveyron, une place qui, tombée aux mains des croisés un an auparavant, s'était libérée d'eux, dans des conditions qu'on ne connaît pas. Craignant qu'une telle rébellion, si on ne la matait pas, ne fît tache d'huile, les croisés s'acharnèrent, mais aussi s'épuisèrent en un siège long et difficile, au terme duquel, à défaut de prendre la ville, ils obtinrent par négociation sa neutralité.

A Toulouse même, les choses bougeaient beaucoup. L'offre de pardon d'Innocent III avait été évidemment reçue dans l'indifférence la plus totale. Ni Raymond VI, ni les consuls, ni un seul bourgeois n'allèrent trouver l'évêque Foulque pour entreprendre avec lui une procédure de réconciliation canonique. Bien au contraire, on s'arma jusqu'aux dents. Les comtes de Comminges et de Foix étaient là, aux côtés de Raymond VI et de son fils, ainsi que Guillaume-Raymond de Montcade, le sénéchal de Catalogne que le roi d'Aragon avait laissé à Toulouse en février. Jamais la ville n'avait vu autant de soldats ; les cloîtres désertés servaient d'écuries... Il ne manquait plus que le roi lui-même... La population s'exaltait à l'idée de son arrivée prochaine, et les poètes n'étaient pas en reste. Outre Raymond de Miraval et son célèbre « Chanson, va dire de ma part au roi.... », on a conservé d'un troubadour anonyme un *sirventès* particulièrement éloquent sur l'état d'esprit qui régnait dans la ville : « Va, Hugonet, auprès du franc roi d'Aragon [...] Dis-lui qu'il se fait trop attendre, au point qu'on croit qu'il a forfait. Dis-lui que sa valeur triplera si on le voit en Carcassès cueillir son dû, comme un bon roi [...] Comme le bon droit est pour nous, je crois que la défaite sera pour les Français... » Pour savoir quand même où en étaient les préparatifs du roi, le comte de Comminges Bernard IV partit outre-Pyrénées. Il rencontra le souverain le 4 juillet au monastère de Sigena.

Pas plus que les Toulousains, en effet, Pierre II n'avait tenu compte de la bulle du 21 mai lui ordonnant de se retirer de l'affaire occitane et d'observer une trêve à l'égard de la croisade. Il avait commencé à mobiliser ses armées dès le défi que lui avait lancé Simon, et il continua, dans l'intention, très hautement proclamée, d'en découdre au plus vite avec la croisade. Il fit même, pour armer et solder ses gens, des dettes si considérables que ses conseillers s'en alarmèrent.

En attendant son arrivée, les chefs militaires rassemblés à Toulouse prirent quelque initiatives propres à tenir à distance les croisés. Parmi les localités que ceux-ci avaient occupées en juin à la faveur de leurs razzias, il y en avait une au moins dont la perte fut estimée trop dangereuse, sans doute parce qu'elle était trop proche de la ville : c'était Le Pujol, à quatre lieues à l'est de Toulouse, tenu par trois croisés normands, Perrin de Cissey, Roger de l'Essart et Simon le Saxon, avec soixante cavaliers et un corps de piétons. Les consuls firent rassembler à son de trompe la milice communale, qui se joignit aux routiers catalans et aux cavaleries de Raymond VI, du comte de Comminges et du fils du comte de Foix. On emporta même sur des chariots, outre le ravitaillement, de quoi dresser des machines de siège. La nouvelle se répandit très vite. Des renforts croisés partirent de Carcassonne pour tenter de dégager la place, Simon de Montfort revint du Comminges, y laissant Amaury recevoir les hommages des seigneurs locaux – ce qui ne se fit pas toujours sans peine : le jeune chevalier dut assiéger le château de Roquefort-sur-Garonne...

Avant même que les secours croisés n'aient eu le temps d'arriver, les alliés donnèrent l'assaut, Roger de l'Essart fut tué, et la garnison capitula, moyennant la promesse de la vie sauve – mais les routiers, paraît-il, exécutèrent sur-le-champ Simon le Saxon. Perrin de Cissey et ses compagnons furent emmenés prisonniers à Toulouse. Une émeute populaire les arracha à leur cachot. On les attacha à la queue des chevaux et « ils furent traînés comme de la charogne à travers la ville », puis pendus. C'était le 20 juillet. Le comte de Comminges était certainement revenu de Sigena, et personne ne doutait plus, dans le camp des alliés, que la victoire du Pujol préludait au triomphe prochain de la grande coalition qui s'était enfin dressée contre la croisade.

Alors ce furent les chefs croisés qui, soudain, prirent peur.

L'annonce de la prise du Pujol et celle de l'arrivée imminente du roi redonnèrent du courage aux villes et bourgades soumises. Certaines se soulevèrent spontanément. « Nous perdîmes plusieurs places fortes importantes », dit amèrement, mais sans donner de détails, Pierre des Vaux-de-Cernay. Craignant même que si le roi passait en Comminges, Amaury ne fût fait prisonnier, Simon de Montfort demanda à son fils d'abandonner le siège de

Roquefort et de regagner au plus vite Fanjeaux. Il se trouvait par ailleurs que l'armée des croisés venait d'être brusquement affaiblie par le départ des évêques d'Orléans et d'Auxerre, qui avaient achevé leur quarantaine et rentraient chez eux avec leur troupes. Payen, le vicomte de Corbeil, arriva bien en juillet, mais il semble n'avoir constitué qu'un maigre appoint en regard de ce que la croisade allait trouver bientôt en face d'elle.

Simon et les chefs spirituels de celle-ci comprirent-ils alors qu'ils étaient allés trop loin, et qu'en défiant le roi d'Aragon ils s'étaient attaqués, si l'on ose dire, à un morceau trop gros pour eux ? Ils décidèrent de demander eux-mêmes la trêve, cette trêve qu'avait exigée le Saint-Père dans ses bulles du 21 mai, mais dont Simon, pas plus que Pierre II, à ce moment-là, ne voulait. Le 24 juillet, avec l'accord de Foulque et d'Arnaud Amaury, il envoya au roi les abbés de Caunes et de Lagrasse, porteurs, précisément, des bulles du 21 mai – comme si Pierre II ne les connaissait pas ! –, afin de tenter de le convaincre d'en observer la teneur : abandonner tout soutien à Toulouse et conclure une trêve... Le 16 août, ils rapportèrent la réponse écrite du roi. Elle était outrageusement dilatoire et mensongère : « J'obéirai toujours aux ordres du souverain pontife... » Le 22, il passait à Huesca, le 25 à Lescuarre, vers le 28 sans doute il franchissait les Pyrénées avec un bon millier de chevaliers, et le 8 septembre il installait son camp devant Muret, sur les bords de la Garonne, à cinq lieues de Toulouse.

8

La déchéance de Raymond VI

Ce fut assurément la fine fleur de la noblesse aragonaise et catalane qui constitua le noyau de l'armée du souverain. La *Canso* et les chroniques d'outre-Pyrénées livrent les noms des seigneurs et des chevaliers du plus haut rang qui faisaient partie de sa *mainade* – à la fois son état-major et sa garde rapprochée –, de Michel de Luesia à Gomez de Luna et Rodrigue Lizana, de Bérenger de Castelbisbal à Dalmau de Creixell et Blasco d'Alagon, de Guillaume de Montcade à Nuño Sanche, son propre cousin germain, fils du comte de Provence. De l'un d'eux, Hugues de Mataplana, troubadour à ses heures – c'était d'ailleurs un ami de Raymond de Miraval –, on a conservé la chanson qu'avant son départ il composa pour une dame de ses pensées : « Petite hirondelle, je ne puis quitter le roi, je dois le suivre à Toulouse, mais sachez bien qu'au milieu de la prairie, près de l'eau de la Garonne, j'en ferai tomber sur l'herbe.... » Indice très probant que le choix de la plaine de Muret, sur la rive gauche du fleuve, pour la bataille qu'on voulait décisive, ne fut pas dû au hasard.

Muret

Au confluent de la Louge et de la Garonne, au débouché d'un pont de bois qui franchissait cette dernière, Muret était une petite ville en forme de triangle, bien fortifiée et pourvue, juste à sa pointe, d'un solide château. La place, à vingt kilomètres en amont de Toulouse, commandait l'entrée du comté de Comminges. Montfort se l'était assurée un an auparavant et y avait installé une garnison d'une trentaine de cavaliers avec quelques piétons.

Camper devant les remparts de Muret dans la large plaine qui s'étendait entre le fleuve et son affluent, ou plutôt, pour être précis, sur le petit coteau qui bordait cette plaine du côté opposé à la ville, était d'une intelligence stratégique certaine. Il n'est pas impossible d'ailleurs que ce plan ait été décidé en juillet, quand le comte de Comminges était allé voir Pierre II. Il offrait en effet tant d'avantages combinés qu'il est difficile de croire à une improvisation de dernière minute. En menaçant Muret, on y attirerait Simon de Montfort et le gros de son armée : on savait bien – l'affaire du Pujol l'avait récemment confirmé – qu'il volait toujours au secours d'une garnison menacée. Et on l'attirerait à un endroit où toutes les troupes alliées déjà massées à Toulouse, y compris la milice urbaine, pourraient, en deux heures pour les cavaliers, en quatre pour les plus lents des fantassins, rejoindre l'armée du roi. Pour ce qui se passerait ensuite, siège en règle ou combat de plaine, les coalisés ne devaient pas douter un seul instant que leur écrasante supériorité numérique leur donnerait la victoire.

Montfort tomba dans le piège. Il fut informé avant le 1er septembre des mouvements de l'armée de Pierre II, car ce jour-là Foulque, qui se trouvait à ses côtés à Fanjeaux, et peut-être tardivement soucieux d'éviter le pire, écrivit aux Toulousains pour les adjurer de se soumettre aux ordres de l'Église – lettre à laquelle, d'ailleurs, ils ne répondirent pas. Mais Simon perdit un temps précieux. Ce n'est en effet que le 10 au matin qu'il quitta Fanjeaux. Nul doute qu'il lui ait fallu plusieurs jours pour concentrer en une seule troupe tous les croisés disponibles, à vrai dire pas tellement nombreux après le départ de divers renforts qui avaient achevé leur quarantaine, mais dispersés en plusieurs garnisons. Il réunit, semble-t-il, un millier de cavaliers à peine, chevaliers, écuyers et sergents confondus. Et il rassembla autour de lui tous les prélats qui constituaient l'état-major spirituel de la croisade : sept évêques et trois abbés, en plus du légat Arnaud Amaury, mais ce dernier tomba malade sitôt parti et passa ses pouvoirs à Foulque.

Or le 10 septembre, c'était le jour même où les comtes de Toulouse, de Comminges et de Foix avec leurs cavaleries, leurs archers, leurs arbalétriers, plus le sénéchal catalan Guillaume-Raymond de Montcade avec ses routiers, plus les fantassins de la milice urbaine, les consuls à leur tête, avec les chariots chargés de flèches, de vivres et de machines de siège en pièces détachées, quittèrent Toulouse pour rejoindre le camp du roi... Une partie des piétons arrivèrent même en barque, par la Garonne.

Pendant ce temps, les croisés faisaient route vers la vallée de l'Ariège, qu'il leur fallait traverser. Trouvant sur leur chemin l'abbaye de Boulbonne, ils s'y arrêtèrent un moment. Simon y fit ses dévotions et recommanda son épée à Dieu. Le soir venu, on fit étape à Saverdun, où l'on tint conseil. Foulque fit porter le soir même une nouvelle lettre aux Toulousains, mais aussi à Pierre II, à qui il demandait un sauf-conduit pour négocier avec lui la paix.

Le lendemain à l'aube, Simon se confessa à son chapelain et dicta son testament, qu'il fit porter à Boulbonne. Puis les évêques célébrèrent la messe en l'église de Saverdun, renouvelant solennellement l'excommunication des comtes de Toulouse, de Comminges et de Foix, et de tous ceux qui leur apportaient aide. A Auterive, on rencontra le messager parti la veille au soir et qui revenait du camp des alliés : Pierre II refusait tout sauf-conduit. Une autre tentative de l'évêque de Toulouse échoua. A la nuit tombante, l'armée croisée passa sans encombre la Garonne par le pont qui débouchait dans Muret même, sur la place du marché...

Peut-on croire que Simon de Montfort n'ait pas été le premier étonné de trouver intact ce pont de bois ? Car c'était bien là le piège tendu par Pierre II. Celui-ci l'avait clairement exposé, l'après-midi même, aux consuls de Toulouse, alors que leur milice s'était intempestivement lancée à l'assaut des remparts de la ville et qu'il lui avait fallu donner l'ordre de cesser l'attaque et de revenir au camp – preuve, au passage, d'un manque certain de coordination dans le commandement des confédérés.

Au matin du lendemain, jeudi 12 septembre, Simon de Montfort entendit la messe. Pierre II en fit autant de son côté, après quoi les chefs alliés se réunirent en conseil autour de lui. Raymond VI avait son plan : dresser des palissades pour fortifier le camp, attendre que la cavalerie des croisés attaque, bloquer sa charge par un tir serré des arbalétriers qui fera des tués et des blessés chez l'adversaire, affaiblissant et désorganisant ses rangs ; son élan brisé, à tout le moins freiné, lancer alors sur lui la cavalerie, qui le décimera. Michel de Luesia – un seigneur aragonais que le troubadour toulousain Peire Vidal avait célébré dans une de ses chansons – se récria qu'attendre une attaque en se cachant derrière des palissades était indigne de la chevalerie, que Raymond était un lâche, et qu'il n'était pas étonnant qu'il ait perdu ses terres... Certes, le comte de Toulouse n'est jamais passé pour un génie militaire mais, en la circonstance, les alliés auraient mieux fait de s'en tenir à sa prudente tactique, suggérée, c'est bien évident, par son expérience et non par la peur. Depuis la bataille de Castelnaudary, il savait ce qu'était la cavalerie lourde des Français : certainement de puissants percherons, auxquels on n'avait à opposer que de rapides mais légers chevaux arabes. Les chevaliers de Pierre II, en revanche, vaillants, avides de gloire, mais qui n'ont jamais eu affaire à la croisade, veulent un véritable affrontement, en rase campagne.

Chez les croisés, c'était l'expectative, pour ne pas dire l'indécision la plus totale. Montfort, lui aussi, réunit un conseil. Les prélats prenant conscience qu'à force d'intransigeance ils étaient allés trop loin et s'obstinant, mais trop tard, à tenter de négocier, le capitaine ne savait, finalement, quel parti prendre, quels ordres donner à ses troupes. A plusieurs reprises, des messagers firent encore la navette entre Foulque et Pierre II, entre Foulque et les consuls de Toulouse... Il n'en sortit rien.

Plusieurs évêques se proposaient, dans une ultime et humiliante tentative, de s'en aller eux-mêmes pieds nus trouver le roi pour le dissuader de combattre l'Église, quand les remparts et les portes de Muret furent brusquement et massivement attaqués. Des volées de boulets, des pluies de flèches, et les cris de guerre de ceux qui précipitaient les béliers contre les portes ou dressaient les échelles... C'était l'armée toulousaine qui s'était lancée à l'assaut – mais sur les ordres, cette fois, du roi.

Montfort, excédé, rabroua les prélats qui tergiversaient encore, leur dit vertement qu'ils ne servaient à rien, et lança l'appel aux armes, ordonnant qu'on sellât immédiatement les chevaux et que la cavalerie se rassemblât sur la place du marché. Le temps d'une ultime et rapide prière dans une chapelle où il avait aperçu qu'officiait l'évêque d'Uzès, et il alla au château pour s'armer. Revenu au milieu des siens, il les haranguait et leur donnait la marche à suivre quand Foulque survint en brandissant un morceau de la Vraie Croix, dans l'intention de confesser les soldats. Mais l'évêque du Comminges se saisit de la relique et, monté sur une borne, bénit les cavaliers en leur donnant, pour tous leurs péchés, une expéditive et collective absolution.

Curieusement, il semble que l'attaque de Muret ait alors cessé. En tout cas, autant que les sources permettent de le dire, la sortie des cavaliers croisés se fit dans le calme. Ils quittèrent la ville par une porte qui donnait sur la berge de la Garonne, longèrent celle-ci jusqu'à son confluent avec la Louge, qu'ils passèrent par un petit pont édifié là, et débouchèrent dans la plaine, mais du côté opposé au coteau où se trouvaient les alliés. Si bien que la plaine tout entière séparait maintenant les deux armées.

La bataille

Non moins curieusement, tout s'était déroulé jusque-là exactement comme chacun des adversaires l'avait souhaité. Pierre II, comme Simon de Montfort, voulait en effet le combat à découvert ; il fallait donc que chacun poussât l'autre à quitter ses positions. Pierre II envoya l'infanterie attaquer la ville, afin de provoquer une sortie de la cavalerie adverse. Montfort, en effet, sortit. Mais une fois dehors, il feignit de fuir afin d'attirer hors de ses positions la cavalerie du roi. Quand celui-ci comprit que la cavalerie française ne se disposait pas à attaquer le camp, mais lui tournait le dos, il fit placer les escadrons alliés en ordre de bataille, en avant des palissades, prêt à les lancer dans la plaine pour courir sus aux croisés. C'est alors que la cavalerie française fit brusquement volte-face ; celle des alliés s'en aperçut, et les deux armées foncèrent au galop, les lances baissées, l'une contre l'autre.

Chacune, comme il se doit, était divisée en trois corps. A la fois par prudence et pour rester en position de commander jusqu'au bout, il était de règle que le chef se plaçât dans le corps d'arrière-garde ou de réserve. C'est ce qu'avait fait Montfort. Pierre II, en revanche, au mépris de toute logique, s'était mis dans le deuxième de ses escadrons. Le premier corps de son armée, celui qui allait entrer en contact avec le premier escadron des croisés, était celui du comte de Foix ; il constituait, avec les Catalans qui s'étaient joints à lui, une masse considérable de cavaliers. Il eût été normal que les comtes de Toulouse et de Comminges se placent dans le deuxième corps, le roi restant dans l'escadron de réserve. Or il se mit en deuxième position, au milieu d'un escadron que les sources nous disent peu nombreux – peut-être s'agissait-il de sa seule *mainade*.

Les deux escadrons de tête se heurtèrent, avec la violence qu'on imagine. Les cavaliers croisés furent tout de suite submergés par le nombre de leurs adversaires. Montfort lança alors immédiatement son deuxième escadron au secours du premier.

Pierre II et sa *mainade* se jetèrent à leur tour dans la bataille, et la mêlée fut générale. Le roi – mesure élémentaire de prudence – avait quand même échangé ses armoiries avec celles d'un de ses chevaliers. Les croisés, apercevant sa bannière, se ruèrent sur celui qui la tenait. Pierre II se découvrit alors et cria que le roi, c'était lui. Au même instant, il fut frappé d'un coup de lance, et tomba mort. Tué sans doute par erreur, dans le désordre d'un combat confus : on capture les rois pour être en position de force lors des négociations, et les rendre contre rançon, on ne les tue pas...

Montfort ne sut pas tout de suite, évidemment, que le roi d'Aragon était mort. Ce qu'il voyait de loin, du haut de son destrier, ou ce que les messagers lui rapportaient, c'est que les adversaires étaient très supérieurs en nombre et que ses deux escadrons paraissaient en difficulté. Son génie tactique fit le reste – aidé, il est vrai, par une chance insolente. Au lieu de se lancer à la rescousse des siens, il fit opérer à son troisième corps un vaste mouvement tournant par la gauche de la plaine, et tomba sur la réserve des alliés qui, rangée en ordre de bataille derrière un fossé, fut surprise sur son flanc. Tout occupée à se défendre, ce qu'elle fit vaillamment, il n'était plus question qu'elle intervînt dans la mêlée.

C'est alors que la nouvelle se répandit dans les rangs alliés que le roi avait été tué. Les premiers qui s'en aperçurent, ceux qui se battaient à ses côtés, abandonnèrent le terrain et se dispersèrent en désordre. Le reste de l'armée ne chercha même plus à combattre et se débanda. Il est vraisemblable que les troupes de Raymond VI et du comte de Comminges, qu'elles aient constitué un troisième corps ou qu'elles soient restées encore plus en arrière, dans le camp, furent de cette déroute générale.

Les croisés maîtres de la plaine, la bataille de Muret n'en était pas pour autant terminée.

Dès que s'était engagé le combat de cavalerie, la milice toulousaine s'était lancée une deuxième fois à l'attaque de la ville, mais pas, comme le matin, pour un simulacre d'assaut : pour s'en emparer aux dépens de la poignée de piétons que Montfort y avait laissée. Elle n'en eut pas le temps. Rassemblant dans la plaine ses cavaliers dont certains se disposaient déjà à poursuivre les fuyards, Montfort tomba sur l'infanterie toulousaine qui, prise en tenaille entre la cavalerie française et les remparts de la ville, fut massacrée sur place – sauf les chanceux qui réussirent à se jeter dans la Garonne, et encore beaucoup, dans leur affolement, se noyèrent-ils. Une partie de la cavalerie, pendant ce temps, s'était ruée sur le camp des Toulousains, qu'elle dévasta et où elle fit un grand carnage des malheureux qui s'y trouvaient encore.

Le nombre des morts varie, selon les sources, de sept mille à dix-sept mille... On sait le peu de crédit qu'il faut accorder à ces estimations. Il y en eut suffisamment en tout cas pour qu'il fût nécessaire de créer à Toulouse une cour spéciale afin de régler les successions des défunts, les tribunaux n'y suffisant pas.

Outre tant de Toulousains, bien des nobles aragonais et catalans de haut rang – et parmi eux Michel de Luesia lui-même – tombèrent aux côtés de leur souverain, dont Simon de Montfort fit rechercher le corps à la tombée du jour. Il lui rendit les honneurs, et le remit aux hospitaliers de Toulouse. Il fut transféré quatre ans plus tard au monastère aragonais de Sigena, que sa mère avait fondé, et l'on peut toujours voir dans le bras nord du transept de l'église abbatiale son imposant sarcophage.

« Comme au tournoi... »

Si l'on met de côté les milices toulousaines, dont toute appréciation chiffrée serait bien hasardeuse, pour ne considérer que les cavaleries, entre lesquelles se livra la bataille proprement dite, il est vraisemblable que les croisés avaient affronté un adversaire de trois à quatre fois supérieur en nombre. La cause immédiate de leur surprenante victoire fut assurément la mort du roi d'Aragon, qui – conséquence tout à fait classique – entraîna la panique et l'effondrement de toute combativité dans les rangs alliés. Comme il serait vain de faire de l'histoire-fiction et de se demander ce qu'il serait advenu si Pierre II n'avait pas été tué – le génie tactique de Montfort et la puissance de la cavalerie croisée auraient-ils compensé l'infériorité numérique de cette dernière ? – la principale question qui reste pendante est bien de savoir pourquoi le roi s'est si imprudemment exposé. Par fol orgueil, dit Pierre des Vaux-de-Cernay. C'est un peu court, mais ce n'est peut-être pas tout à fait faux. On a vu la réaction de Michel de Luesia devant le plan suggéré par Raymond VI. Un passage de la chronique de Jacques le Conquérant confirme que la chevalerie de Pierre II fit, par pure gloriole, une grave erreur tactique : « Ceux du parti du roi ne surent pas disposer la bataille, ni faire bloc ; chaque chevalier combattait pour soi, il se battait comme au tournoi... » Mais ce qui avait réussi l'année précédente contre les bandes almohades se révéla parfaitement inefficace devant la cavalerie venue du nord, émanation de la plus puissante armée du temps, celle de Philippe Auguste. Face à elle, Aragonais et Catalans paraissent avoir eu une guerre de retard ! Que Pierre II se soit placé dans le deuxième corps, et non dans le troisième, peut s'expliquer par une erreur d'estimation sur la réelle puissance de frappe des croisés, dont tout donne à penser que leur cavalerie lourde manœuvrait par masses ordonnées et compactes.

On ne saurait oublier, enfin, que l'armée des confédérés a certainement été victime, aussi, de l'absence d'un commandement unique, à tout le moins de dissensions entre Raymond VI et la *mainade* de Pierre II. Car, en fait, le comte de Foix fut le seul des alliés occitans à se jeter dans la bataille aux côtés des Catalans. Des comtes de Toulouse et de Comminges, il n'est plus question après le conseil auquel ils avaient pris part le matin même...

Les soumissions

« Grands furent le désastre, et le deuil, et la perte... » pleure le poète de la *Canso*. Certes ! Le temps d'une seule bataille rangée, s'étaient écroulés tous les espoirs occitans d'endiguer la croisade. Avait volé en éclats, du même coup, l'*Imperi pirinenc* né des serments de janvier. Ce fut là, d'ailleurs, la conséquence la plus immédiate de la défaite des alliés et, plus directement, de la mort de Pierre II. Son héritier, Jacques Ier, dont Simon de Montfort avait la garde depuis janvier 1211, n'avait que cinq ans. La noblesse d'Aragon et de Catalogne obtiendra sa restitution – non sans difficulté – en avril de l'année suivante, mais la nécessité d'instaurer une régence suscita maints problèmes et rivalités, dont l'effet le plus apparent fut que la maison de Barcelone se détourna, quasi définitivement, de la question occitane.

Que sa victoire eût une telle répercussion au plan international, Montfort ne pouvait évidemment pas le prévoir. Tout se passa d'ailleurs, fort paradoxalement, comme s'il n'avait su que faire, sur le moment, de son triomphe. Peut-être parce que l'issue de la bataille le surprit tout autant qu'elle stupéfia ses adversaires...

A lire les chroniques, on ne peut s'empêcher de penser qu'il y
avait eu quelque chose de suicidaire dans sa volonté de livrer
bataille dans de telles conditions d'infériorité numérique, et seulement parce que la croisade avait atteint un point de non-retour
et que, étant tombé dans le piège posé par Pierre II, il n'avait
d'autre issue que de tenter le tout pour le tout.

Sorti vainqueur de l'affrontement, il avait apparemment le
champ libre. Pourquoi, alors, ne se rua-t-il pas sur Toulouse ?
Traumatisée comme elle l'était, sa population ne lui aurait certainement pas opposé de résistance. Par ailleurs, les comtes de
Comminges et de Foix étaient rentrés chez eux. Est-ce alors le
fait que Raymond VI avait immédiatement regagné sa capitale
qui incita Simon à temporiser ? En réalité, Raymond n'avait nullement l'intention de faire de la ville l'ultime réduit d'une résistance désespérée. Au contraire, il se plaça d'emblée sur le terrain
qui lui était bien plus familier que celui des armes : la diplomatie,
avec tout ce qu'elle impliquait d'attentisme, de ruses, de
manœuvres dilatoires et, surtout, d'attention constante à la
moindre faiblesse ou à la moindre erreur de Simon. Laissant aux
consuls de Toulouse le soin de négocier directement avec les
chefs de la croisade, il annonça son intention d'aller à Rome.
L'enjeu était clair : il lui fallait obtenir du pape que ne se renou-
velât pas ce qui s'était passé pour Trencavel à l'été 1209, à savoir
la destitution du vaincu et la confiscation de ses domaines au
profit du vainqueur.

Avant de gagner Rome – mais on ne sache pas qu'il y soit
réellement allé, du moins pas tout de suite –, il alla passer un
mois en Angleterre à la cour de son beau-frère Jean sans Terre.
Conçurent-ils un véritable plan d'action commune ? On n'en sait
rien. Pendant ce temps, les consuls de Toulouse négociaient avec
les prélats de la croisade – sans doute à Muret même – leur réconciliation canonique et celle de leur ville. On exigea d'eux, à titre
de garantie, la livraison de deux cents otages, nombre qui, à force
de discussions, fut abaissé à soixante. Mais quand les croisés vinrent les chercher, les consuls refusèrent de les remettre et déclarèrent qu'ils rompaient les négociations et qu'ils allaient envoyer
une ambassade au Saint-Siège...

Malgré cette remise en question, Montfort continua à s'abste-
nir de toute démonstration à l'égard de Toulouse. Il est vraisemblable que, plutôt que d'entrer en conquérant dans la ville et de
s'y approprier de vive force le pouvoir, il préférait attendre que

le Saint-Siège, tirant toutes les conséquences de la bataille de Muret, le proclamât comte de Toulouse, ce qui, en validant la conquête du comté, légitimerait du même coup la prise de possession de la capitale. Du moins était-ce là l'issue qu'il devait espérer.

Pour l'instant, dans le droit fil de la stratégie de l'isolement qu'il avait mise en œuvre tout au long de l'année 1212, il envoya son frère Guy reprendre Rabastens sur le Tarn, tandis que lui-même, après avoir reçu des renforts conduits par l'évêque d'Arras, occupait une partie du mois d'octobre à faire le dégât dans le comté de Foix. De fort mauvaises nouvelles reçues des pays rhodaniens l'obligèrent à interrompre ces opérations : divers seigneurs de haut rang vassaux de Raymond VI, dont Pons de Montlaur et le comte de Valentinois Adhémar de Poitiers – un allié de la croisade, pourtant, dès l'été 1209 –, faisaient ouvertement preuve d'hostilité et attaquaient les convois de renforts qui s'acheminaient vers le Languedoc. Montfort décida de les ramener au plus vite à la raison, mais rencontra quelques difficultés imprévues. On aurait dit que la bataille de Muret, loin d'entraîner le défaitisme des Occitans, avait au contraire fait naître un vent de rébellion. Narbonne ne voulut pas ouvrir ses portes. Les croisés firent étape deux jours à Béziers, mais le 31 octobre ce furent les consuls de Montpellier qui leur refusèrent le gîte. Ceux de Nîmes firent aussitôt de même, mais cédèrent finalement à la menace. Impressionné, Pons de Montlaur vint au devant de Montfort pour se soumettre. Adhémar de Poitiers se montra plus retors et fortifia quelques-uns de ses châteaux, mais l'arrivée d'importants renforts croisés conduits par les archevêques de Lyon et de Vienne et par le duc de Bourgogne le décida à discuter des clauses de sa soumission.

Tout cela avait pris du temps. Le 4 décembre Montfort était encore à Valence, négociant le mariage de son fils Amaury avec Béatrice, fille du comte de Viennois, et ce n'est qu'à la mi-février 1214 qu'il était de retour à Béziers – pour y trouver le pays en grande agitation : comme il avait refusé à la noblesse d'Aragon, qui lui avait envoyé des messagers fin septembre, de rendre Jacques, l'enfant-roi, les Aragonais avaient dépêché une ambassade pour se plaindre au Saint-Siège et, en attendant son résultat, avaient profité de l'éloignement de Simon pour effectuer quelques raids de représailles sur ses domaines du bas Languedoc.

L'apparition du chef de la croisade, accompagné de troupes fraîches, suffit à ramener la tranquillité.

C'était en Quercy que pendant ce temps les choses s'étaient vraiment gâtées. Après la bataille de Muret, à laquelle il avait participé, Baudouin de Toulouse était revenu dans le fief que Montfort lui avait concédé entre les vallées du Lot et de l'Aveyron. Or voici que le 17 février, alors qu'il s'était rendu à Lolmie, près de Montcuq, en compagnie du croisé français Guillaume de Contres et du châtelain, également français, de Moissac, il tomba dans un traquenard tendu par ses propres vassaux. Capturé pendant son sommeil par des routiers qu'avaient engagés les chevaliers de Lolmie, il fut conduit à Montcuq sous les huées de la population, puis de là à Montauban, où on le jeta dans la prison du château comtal. C'est alors qu'arriva Raymond VI... Lui aussi avait profité de l'éloignement de Simon et d'une partie de ses troupes pour revenir d'Angleterre en Languedoc et gagner la seule grande ville qui, avec Toulouse, n'avait jamais été occupée par les croisés. Rejoint par le comte de Foix, il avait rallié à sa cause un nombre non négligeable de seigneurs du bas Quercy qui avaient été contraints de se soumettre à Montfort. Il est vraisemblable qu'il avait lui-même machiné l'arrestation de son demi-frère, à qui il fit immédiatement payer sa trahison et les trois années qu'il avait passées à combattre ses compatriotes : Baudouin fut pendu sur les bords du Tarn.

Accouru en toute hâte du bas Languedoc, Montfort passa quinze jours à essayer de terroriser le pays rebellé en détruisant plusieurs châteaux. Mais une nouvelle alerte le rappela soudain du côté de Narbonne : sous le regard complaisant du vicomte Aimery, s'y était fait autour du régent Sanche, oncle de feu Pierre II, un grand rassemblement de Catalans et d'Aragonais, grands seigneurs et membres du haut clergé. Ce déploiement de forces avait évidemment pour but, cette fois, non point de combattre la croisade, mais d'amener Montfort à restituer l'enfant-roi. Malgré la défaite qu'il avait infligée six mois plus tôt aux armées d'outre-Pyrénées, Montfort jugea que la menace était suffisante pour qu'il intervînt – sans compter que le chef spirituel de la croisade, Arnaud Amaury, à la fois archevêque et duc de Narbonne, donc seigneur supérieur, à ce titre, du vicomte Aimery, ne pouvait que prendre pour un grave affront l'attitude de ce dernier.

Passant à Carcassonne dans les derniers jours de mars,

Montfort prit avec lui un contingent de renforts nouvellement arrivés et fonça sur le pays narbonnais. Après avoir dévasté çà et là et s'être emparé de quelques châteaux, il lança son armée à l'assaut de Narbonne elle-même, mais elle fut repoussée. Il s'apprêtait à assiéger la ville quand on annonça l'arrivée du légat *a latere* envoyé par Innocent III, son ancien chapelain le cardinal Pierre de Bénévent. Sa mission était double. D'une part, obtenir immédiatement de Montfort qu'il lui remît le petit Jacques d'Aragon pour qu'il le rendît lui-même aux nobles de son pays – ce qui fut fait le mois suivant. D'autre part, réconcilier officiellement les comtes de Comminges et de Foix ainsi que les Toulousains, dont les ambassadeurs envoyés après la bataille de Muret avaient demandé au Saint-Siège leur pardon. Ce qui se fit en deux temps. Après avoir reçu le serment de paix des Narbonnais eux-mêmes, Pierre de Bénévent reçut à Narbonne, à la mi-avril, la soumission des deux comtes. Puis il gagna Toulouse où, le 25 du même mois, les consuls prêtèrent à leur tour serment de fidélité à l'Église romaine au nom de toute la population. Quelques jours plus tard, ce fut Raymond VI lui-même qui vint à Toulouse faire amende honorable entre les mains du légat.

Cette soumission était tout, cependant, sauf un geste spontané de bonne volonté. Au lendemain de l'exécution de Baudouin, le comte était allé assiéger le château de Moissac, où s'était retranchée la garnison croisée après que la ville se fut soulevée contre elle. Mais Simon, alors en Narbonnais, étant accouru, comme à l'accoutumée, pour secourir les siens, Raymond craignit d'être pris à revers et décampa. Pour comble de malchance, une opération montée par Jean sans Terre n'avait pas eu les suites que Raymond avait sans doute espérées. Le roi d'Angleterre avait bien débarqué à La Rochelle à la mi-février, il avait foncé sur l'Agenais, dont il était, on le sait, le suzerain, et avait partout reçu l'hommage des seigneurs que Simon de Montfort avait jadis contraints à se soumettre à lui. Mais il est vraisemblable que l'Anglais visait seulement à rétablir sur le pays ses droits supérieurs, non à entreprendre une guerre générale contre la croisade. De toute façon, Simon ne lui laissa pas la maîtrise de la situation. Il se porta à son tour sur l'Agenais, récupéra Penne sur le Lot, assiégea Le Mas. Rappelé subitement à Narbonne par le légat Pierre de Bénévent, qui lui réclamait la restitution immédiate de Jacques d'Aragon, il ne poursuivit pas ses opérations – du moins pour l'instant – contre les bourgs et les châteaux qui s'étaient ralliés à Jean sans Terre, mais la rapidité de sa réaction avait sans nul doute coupé court à toute éventuelle intervention de la couronne anglaise dans l'affaire albigeoise.

Voici donc Raymond VI privé de toute possibilité de recours. S'il avait jamais espéré que Jean sans Terre allait jouer le même rôle qu'un an plus tôt Pierre II, il lui fallut en rabattre. Et son échec de Moissac dut lui faire prendre l'exacte mesure de sa faiblesse militaire. Alors il sortit la carte de la soumission à l'Église.

Ce n'était pas la première fois : il y avait eu la pénitence de Saint-Gilles en 1209, et le plan de paix élaboré avec Pierre II à la fin de 1212. C'est ce plan, d'ailleurs, qu'en partie Raymond reprend à Toulouse, devant le légat : il abandonne ses domaines à son fils. Mais en ce qui concerne leur sort ultérieur, comme le sien propre, il s'en remet entièrement cette fois aux ordres du Saint-Siège – même si quelque exil lui était imposé jusqu'à ce qu'il pût se rendre en personne auprès du Saint-Père pour solliciter grâce et miséricorde.

La croisade avait-elle donc enfin triomphé ? Celle de l'Église, peut-être, mais point celle de Simon de Montfort... Contre ce dernier, la diplomatie des vaincus venait au contraire de gagner de la façon la plus inattendue une manche particulièrement importante : un mandement adressé par Innocent III, dès le 25 janvier, à Pierre de Bénévent, précisait que lorsque Toulouse serait réconciliée, elle serait placée *ipso facto* sous la protection du Saint-Siège, « sans pouvoir être inquiétée à l'avenir par le comte de Montfort ou les autres catholiques »... Le pape avait volé sa victoire au capitaine de la croisade.

La grande chevauchée

Les dix-huit mois qui suivirent les serments faits à l'Église correspondent à une fort étrange situation, à une sorte de curieuse disjonction entre ce qu'il faut bien appeler maintenant la croisade religieuse et la croisade militaire. Dans la mesure où Innocent III avait recherché, plutôt que de proclamer la déchéance de Raymond VI et des princes alliés, à les neutraliser simplement en obtenant leur serment de rester fidèles à la foi catholique, il avait atteint son but. Mais il ne l'avait fait qu'en se mettant en travers des ambitions temporelles de Simon. Voici Toulouse, en effet, déclarée intouchable ! De fait, Raymond VI s'y réinstalle après ses quelques mois d'absence, comme si la défaite de Muret n'avait été ni la sienne ni celle de la ville consulaire – seulement celle de la couronne d'Aragon. Alors le chef de la croisade n'a que deux attitudes possibles. Ou bien il abandonne la partie. Mais il sait – et c'est bien vrai ! – que s'il laisse échapper la couronne comtale et se replie sur sa vicomté de Béziers, Carcassonne, Albi et Razès, l'hérésie relèvera vite la tête d'un bout à l'autre du comté de Toulouse.

Ou bien il poursuit sa stratégie de 1212, c'est-à-dire qu'il continue la guerre afin, à la fois, de prévenir autant que possible les mouvements de rébellion, de mater ceux qu'il n'aurait pu enrayer, et d'élargir territorialement sa conquête afin que l'isolement de Toulouse n'en soit que plus sûr. C'est ce qu'il va faire, prenant en quelque sorte sur lui de sauver une croisade qu'il estime largement compromise par la politique même du Saint-Père... L'avenir lui donnera largement raison, surtout à titre posthume, en démontrant d'abondance que le sort de l'hérésie était intimement lié à celui des armes, la conquête militaire seule pouvant en effet juguler le catharisme. Innocent III lui avait volé sa victoire de Muret. Alors il allait mener sa propre croisade...

A Capestang, près de Narbonne, où il venait de remettre Jacques d'Aragon au cardinal Pierre de Bénévent, Simon apprit qu'étaient arrivés à Montpellier de très importants contingents de croisés levés grâce à la prédication de l'évêque de Carcassonne Guy des Vaux-de-Cernay, activement secondé par l'archidiacre de Paris Guillaume de Nemours et même – ce qui ne manque pas d'être assez paradoxal au moment où les princes complices d'hérésie se soumettaient à l'Église – par le légat d'Innocent III en France, Robert de Courçon. Simon alla au-devant d'eux et, vers le 5 mai, fit sa jonction, près de Pézenas, avec la plus formidable armée, paraît-il, qu'il ait jamais eue à commander. Certain d'être en position de force, il n'avait pas perdu de temps : dès le 3 mai, il avait obtenu du vicomte d'Agde et de Nîmes, Bernard Aton – chanoine, donc sans héritier, et par ailleurs criblé de dettes –, la cession de tous ses domaines, bien qu'ils relevassent, féodalement, du comté de Toulouse. Voilà qui agrandissait substantiellement le fief de Simon ! Ce dernier accompagna jusqu'à Carcassonne les nouveaux croisés. Il se rendit ensuite à Valence pour y prendre Béatrice de Viennois qu'il ramena à Carcassonne, où ses noces avec Amaury furent célébrées début juin par Frère

Dominique, venu tout exprès de Fanjeaux, dont Foulque l'avait depuis peu nommé curé.

Sans s'attarder, Simon se remit en selle. Ce fut alors, six mois durant, et sans un jour de répit, la plus fantastique chevauchée guerrière de toute la croisade.

Dès le mois de mai, alors qu'il se rendait à Valence, Simon avait chargé son frère Guy de prendre la tête des renforts et de s'en aller faire le dégât dans ce Quercy dont la défection avait permis l'arrestation et l'exécution de Baudouin de Toulouse. Le raid, en fait, déborda largement le Quercy, et commença même par le Rouergue. Passant sans doute par Castres et Albi, l'armée occupa Najac et bien d'autres bourgs et châteaux qu'à son approche les habitants avaient abandonnés. Seul Morlhon, près de Villefranche-de-Rouergue, fit mine de résister, mais ses défenseurs, finalement, se rendirent à Robert de Courçon lui-même. On trouva dans la place sept vaudois, qui furent incontinent jetés sur un bûcher, tandis qu'on rasait Morlhon.

Fonçant de là sur le bas Quercy, Guy de Montfort ruina Castelnau-Monratier, puis Mondenard, où, vers le 10 juin, Simon le rejoignit. Une nouvelle fois, de mauvaises nouvelles arrivèrent de l'Agenais : les seigneurs du pays étaient en train de fortifier Montpezat pour en faire un bastion de la guerre contre la croisade... Bien que les renforts reçus début mai aient achevé leur quarantaine, Simon se porta sur Montpezat. Passant en chemin à Montcuq, il y reçut le 12 juin la soumission – tout à fait provisoire ! – d'un grand seigneur quercynois, Déodat de Barasc. Arrivé à Mondenard, il trouva la place abandonnée, en détruisit le château, et se lança au pourchas des ennemis, ce qui le conduisit jusqu'à Marmande. Soumise par Robert Mauvoisin au cours de l'été 1212, la ville avait été réoccupée par les Anglais, lesquels refusèrent d'ouvrir les portes. Alors Simon l'assiégea, la prit et la pilla, sauf le donjon où s'était retranchée la garnison. Celle-ci eut la vie sauve, moyennant son départ et son remplacement par des soldats français.

En fait, c'était à Casseneuil, sur le Lot, que s'étaient rassemblés les féodaux du pays désireux de secouer le joug de la croisade. Simon arriva devant la ville le 28 juin, bientôt rejoint par le vicomte Raymond de Turenne, fils de celui qui avait participé aux précédentes opérations contre Casseneuil, à l'été 1209. Sept semaines plus tard, le siège n'avait pas avancé, mais Robert de Courçon, qui préparait son prochain départ – exigé par les devoirs de sa légation – confirma Simon dans la possession de tous les domaines qu'il avait conquis ou qu'il allait conquérir dans les diocèses de Cahors, Agen, Rodez et Albi...

Le 17 août, l'assaut fut finalement donné contre Casseneuil. Il échoua. On recommença le 18, et cette fois Casseneuil tomba. On y renouvela, toutes proportions gardées, le massacre, le sac et l'incendie que Béziers avait connus cinq ans plus tôt.

Ayant fait raser jusqu'au sol les remparts de Casseneuil, puis ayant appris que des routiers et des hérétiques s'étaient réfugiés dans divers châteaux du Périgord, Simon lança un raid éclair jusqu'à la Dordogne. Il prit d'abord Domme, sur la rive gauche, puis Montfort sur la rive droite, et détruisit les deux places. Elles appartenaient à Bernard de Cazenac, un beau-frère de Raymond de Turenne. Simon déposséda sur-le-champ Cazenac au profit de son allié Turenne, et l'on ne s'étonnera pas de voir quatre ans plus tard ledit Cazenac voler à la défense de Toulouse assiégée... Castelnaud, en revanche, fut épargné, afin d'y laisser une garnison.

Revenu en Agenais, Simon y reprit ses expéditions punitives, passa à Penne sur le Lot, où il reçut en septembre la soumission de Raymond de Montaut. Nommant un de ses compagnons – sans doute, déjà, Philippe de Landreville – sénéchal d'Agenais pour y gouverner en son nom, il gagna Cahors et de là Figeac où, si l'on en croit Pierre des Vaux-de-Cernay, il avait été chargé par Philippe Auguste, qui y possédait des droits, de rendre la justice en son nom. Il y régla, en effet, plusieurs procès, puis y reçut la soumission des seigneurs de Capdenac.

Après l'Agenais et le Quercy, à nouveau le Rouergue. L'évêque de Rodez, qui avait accompagné les croisés jusqu'à Casseneuil, avait pressé Simon de venir prendre possession de ce Rouergue dont le comte était vassal de Raymond VI. Intimidé par la croisade, harcelé par les nombreux prélats qui accompagnaient l'armée, le comte Henri finit le 7 novembre par transférer son hommage à Simon.

Nommant sénéchal de Rouergue son compagnon Guillaume de Beynes, qui venait comme lui de l'Ile-de-France, Simon se dirigea sur Séverac-le-Château, dans la haute vallée de l'Aveyron, aux confins du Gévaudan. On lui avait dit que le seigneur des lieux, Déodat III – un autre beau-frère de Raymond de Turenne – était un redoutable « ennemi de la Paix et de la Foi », selon la formule consacrée pour désigner, on le sait, ceux qui passaient – à tort ou à raison – pour avoir des routiers à leur service et pour protéger les hérétiques. Refusant de répondre aux sommations de Simon, et bien que les croisés eussent occupé dès leur arrivée le faubourg, Déodat de Séverac préféra faire face à un siège en règle. Le froid, la famine et le manque de munitions eurent raison de lui et des siens. Les négociations commencèrent le 30 novembre. Soucieux de ne pas livrer son château aux soldats français, Déodat obtint qu'il fût remis par Simon lui-même à l'évêque de Rodez, qui en confierait la garde à un baron du bas Languedoc.

Le 6 décembre, la grande chevauchée était achevée. Ce jour-là fut réglé à Moissac le contentieux qui avait opposé l'abbé et le chef de la croisade à la suite du sac de l'abbaye à la fin de 1212.

Le bilan de ces six mois d'opérations est clair. Simon a totalement restauré et considérablement élargi et renforcé son emprise sur les domaines directs ou vassaux de Raymond VI. Pour ce faire, il a bénéficié de l'appui inconditionnel du haut clergé occitan, de tous ces évêques – ceux de Rodez, Mende, Cahors, Carcassonne, Albi, Uzès –, sans compter les abbés, qui l'ont accompagné pas à pas dans sa campagne, qui ont fait pression sur les féodaux locaux pour qu'ils se soumettent, qui ont été les témoins assidus des actes souscrits en cours de route. De l'appui, aussi, du représentant du pape en France, Robert de Courçon, donc l'action ne laisse pas d'être paradoxale : chargé par Innocent III, un an plus tôt, de cesser la prédication de la croisade albigeoise au profit de celle de Terre sainte, il était arrivé en Languedoc à la tête de croisés qu'il avait lui-même levés... Peut-être était-ce le zèle de l'évêque de Carcassonne qui l'avait rallié à la cause de Simon de Montfort. Ce dernier, enfin, avait très habilement joué des rivalités féodales. Car ce n'est quand même pas un hasard si les deux principaux adversaires qu'il avait dû affronter au cours de sa campagne étaient les deux beaux-frères de son allié le vicomte Raymond de Turenne... En servant les intérêts de celui-ci, il s'assurait l'aide et la fidélité d'un seigneur occitan de haut rang.

« Princeps et monarcha... »

Il est néanmoins bien étrange que tout cela se soit passé comme à l'insu du Saint-Siège, en tout cas sans que celui-ci intervînt, à aucun moment ni à aucun niveau.. Sans qu'intervînt non plus son légat *a latere*, Pierre de Bénévent – au demeurant parti outre-Pyrénées pour remettre l'enfant-roi à la noblesse d'Aragon. Le seul dont l'autorité dépassait, en principe, celle des chefs de la croisade, Simon de Montfort et Arnaud Amaury, c'était le légat d'Innocent III en France, Robert de Courçon – encore qu'il paraisse bien avoir agi en Languedoc plus à titre personnel que comme mandataire du pape. En confirmant Simon dans la possession des terres conquises et à conquérir, il avait légalisé son action, ce qui outrepassait de beaucoup la volonté du Saint-Père : celui-ci, même quand il avait révoqué l'accord qu'il avait précédemment donné au plan de paix de Pierre II d'Aragon, n'était jamais revenu sur la notion de « terres injustement conquises » formulée dans ses bulles de janvier 1213.

Il y eut certainement, entre Robert de Courçon d'une part, de l'autre Simon de Montfort et le haut clergé occitan, et par-dessus la volonté d'Innocent III, une connivence dont on ne connaît pas les mobiles exacts, mais qui se traduisit très vite dans les faits. Le 7 décembre, de Reims où l'avaient amené les charges de sa légation en France, Courçon écrivit à Arnaud Amaury pour qu'il convoquât à Montpellier un concile propre à régler définitivement l'« affaire de la Paix et de la Foi », autrement dit le sort du « pays albigeois ».

Les archevêques de Narbonne, Aix, Arles, Embrun et Auch, vingt-huit évêques, plusieurs abbés, et divers seigneurs, occitans soumis et français, se réunirent donc dans une église de Montpellier, à partir du 8 janvier 1215, sous la présidence, non point de Robert de Courçon, empêché au dernier moment, mais du cardinal-légat Pierre de Bénévent, revenu d'Aragon. Ce qui ne fit pas du tout, on va le voir, l'affaire de Simon de Montfort – auquel les Montpelliérains avaient d'ailleurs refusé l'entrée dans leur ville et qui, s'installant dans un château des environs, ne put même pas assister aux débats... Les prélats locaux, qui lui étaient tout dévoués, furent d'accord à l'unanimité pour que toutes les terres conquises, plus la ville et le comté de Toulouse, lui soient d'ores et déjà officiellement dévolus à titre de *princeps et monarcha*, de « chef et maître unique » de tout le pays. Mais Pierre de Bénévent mit immédiatement le holà à une telle demande, qui revenait ni plus ni moins à proclamer dès maintenant la déchéance de Raymond VI et à investir Simon de ses titres et de ses domaines. Le cardinal, brandissant les bulles pontificales qui avaient défini sa mission, fit valoir qu'il n'avait nullement pouvoir d'entériner un tel règlement, que son rôle était de faire appliquer les serments souscrits entre ses mains au mois d'avril précédent, et qu'avant toute décision relative au statut de la terre, il fallait en référer au souverain pontife. On se mit alors d'accord pour envoyer à Rome l'archevêque d'Embrun.

Même si le concile de Montpellier ne s'était pas conclu sur l'investiture que Simon de Montfort attendait, une page était tournée. L'archevêque d'Embrun plaiderait auprès du pape le vœu du concile. Certes, Raymond VI aussi était parti pour Rome, comme il l'avait annoncé dès les lendemains de la bataille de Muret. Le Saint-Père allait donc être soumis à des pressions contraires. Mais Simon comptait certainement sur les effets de sa politique du fait accompli : dès lors qu'il était maître, sur le terrain, de tous les domaines de Raymond, que maints actes et serments avaient assis sa domination sur la féodalité du pays – à l'exception, toujours, de Toulouse elle-même – la dévolution de la couronne comtale, rendue nécessaire par l'évidente impossibilité de revenir en arrière en annulant tout, ne devrait être à ses yeux qu'une formalité. Comment continuer à tenir pour comte de Toulouse, en Raymond VI, un prince qui n'avait plus ni terre ni pouvoir ?

Dans cette stratégie d'usurpation systématique des droits de Raymond, il subsistait cependant encore quelques lacunes. Simon les combla au plus vite. Raymond VI tenait Beaucaire et la Terre d'Argence en fief de l'archevêque d'Arles. Simon acheta littéralement à ce dernier, en lui versant de substantiels droits de succession, la seigneurie directe de la ville et de la terre en lieu et place de Raymond. Le 6 mars, il fit une opération en quelque sorte symétrique : il donna de son propre chef à l'évêque d'Uzès tous les biens et les droits que Raymond VI possédait dans son diocèse – une vingtaine de châteaux et de bourgades – tout en se réservant la justice criminelle[1].

Bref, en cette fin d'hiver 1214-1215, le petit seigneur venu d'Ile-de-France se posait, de la Dordogne au Rhône, en *princeps et monarcha*, de fait sinon de droit, d'un territoire plus vaste que le domaine propre de son roi Philippe Auguste...

---

1. Cet acte de donation a parfois été considéré comme un faux postérieur à 1215. J'ai débattu de la question dans *Muret ou la dépossession*, p. 308-312.

Naissance des Frères prêcheurs

Restait la question de Toulouse. Le pape avait interdit que la croisade s'y montrât. Mais du moins pouvait-on normaliser sa situation au point de vue religieux, puisque ses consuls avaient été absous et l'interdit levé. Pierre de Bénévent envoya Foulque reprendre possession de son évêché, qu'il avait quitté avec fracas trois ans et demi plus tôt. Du même coup, tout le clergé régulier et séculier rentra dans la ville d'où l'avait chassé l'interdit jeté par Foulque lui-même en mai 1211. L'évêque eut aussi à charge d'occuper au nom de l'Église le palais comtal, le Château Narbonnais, comme il avait été prévu par les clauses des serments.

Frère Dominique aussi arriva à Toulouse, peut-être mandaté par le concile de Montpellier pour y prêcher. Le couvent de Prouille, après des débuts difficiles, s'était substantiellement enrichi des libéralités des croisés. Dès le printemps 1212, Dominique avait commencé à faire édifier le cloître et les bâtiments d'une véritable abbaye. Il pouvait maintenant concevoir un élargissement de sa mission ; où serait-il plus utile que dans la ville privée depuis trois ans de ses pasteurs ?

Quand y arriva-t-il exactement ? Il y était en tout cas le 25 avril – un jour qui fut capital, non seulement pour son histoire personnelle, mais pour celle de l'Église romaine. Ce jour-là en effet, un bourgeois toulousain, Pierre Seilan, qui venait d'hériter de son père, lui donna sa part d'héritage : trois maisons proches du Château Narbonnais, appuyées au vieux rempart romain. Dominique s'y installa immédiatement, avec la petite équipe de cinq ou six personnes qu'il avait déjà réunie à Toulouse autour de lui – et à laquelle s'agrégea Pierre Seilan lui-même. Au début de l'été, Foulque approuva l'initiative de Dominique : il l'institua officiellement prédicateur, ainsi que ses compagnons, et alloua à leur communauté une part des dîmes de son diocèse. Il ne restait plus qu'à obtenir la confirmation du Saint-Siège. Elle arriva après la mort d'Innocent III, par une bulle délivrée le 22 décembre 1216 par son successeur Honorius III ; sur une autre bulle, datée du 21 janvier 1217, on voit que, dans l'adresse, le mot *predicantibus* a été gratté et remplacé par *predicatoribus* : il s'agissait en effet désormais, non plus de « Frères prêchant », mais des « Frères prêcheurs ». Car ce qui était né à Toulouse en avril 1215, c'était un ordre religieux nouveau – appelé au prestigieux destin que l'on sait, et qu'on nomma bientôt familièrement du nom de son fondateur : les *dominicains*.

Quand Raymond VI revint de Rome, il trouva donc une ville que l'Église catholique s'activait à ressaisir. Foulque marchait la main dans la main avec Dominique et ses compagnons. Il leur donna même un hospice, à la porte Arnaud-Bernard, pour y accueillir des prostituées repenties, preuve que l'action pastorale des Frères ne se limitait pas à la conversion des hérétiques. Mais l'autorité de Foulque débordait ses fonctions épiscopales : en occupant le Château Narbonnais, palais du comte, le prélat entérinait symboliquement la victoire de la croisade. Raymond VI n'eut alors d'autre ressource que de s'installer avec les siens chez un vieux et riche bourgeois de la ville, l'ancien consul David de Rouaix.

Son voyage à Rome, cependant, avait porté ses fruits, et sa position n'était pas aussi faible – pour l'instant ! – que Simon de Montfort devait le penser. Le Saint-Père écrivit en effet le 4 février à Pierre de Bénévent pour lui dire que Raymond s'était conduit devant lui en pénitent sincère et en fils dévoué de l'Église, qu'il lui avait remis en garantie, par acte notarié, sa terre et ses droits, en foi de quoi il avait reçu son absolution. Comme par ailleurs la guerre qu'il avait eu à soutenir contre la croisade l'avait ruiné et qu'il se voyait menacé d'être réduit à la mendicité, ce qui serait aussi dégradant pour l'Église que pour lui, Innocent III demandait à son légat de pourvoir à ses dépenses sur le budget même de la légation...

Quant au règlement définitif de « l'affaire de la Paix et de la Foi », il serait confié au concile œcuménique que le pape avait convoqué au Latran pour novembre prochain. Innocent III n'avait pas encore reçu l'ambassade du concile de Montpellier, mais il est clair que d'ores et déjà il n'entendait pas laisser les prélats occitans si unanimement et si ostensiblement acquis à la cause personnelle de Simon de Montfort, décider à eux seuls du statut du « pays albigeois ». Mais cela n'allait pas être si simple.

Comme lorsque, au début de 1213, les envoyés du concile de Lavaur avaient succédé aux ambassadeurs de Pierre II, l'archevêque d'Embrun arriva donc à Rome, de la part du concile de Montpellier, pour faire pièce aux effets éventuels de la visite de Raymond VI. Dire que, comme en 1213, Innocent III céda alors au dernier qui avait parlé serait un peu hâtif. Il est certain que cette fois encore le clergé occitan n'avait aucune peine à démontrer qu'il était parfaitement au fait de la situation, et qu'il ne fallait pas se laisser endormir par les promesses de Raymond. On ne peut douter que l'archevêque ait brandi le spectre toujours menaçant de l'hérésie, là où Raymond voulait certainement faire accroire que tout danger était écarté. On ne prendra qu'un exemple : Foulque, qui avait vécu à Toulouse de 1206 à 1211, n'ignorait évidemment pas que David de Rouaix, chez qui le comte avait choisi de s'installer, appartenait à un lignage plus que suspect. Une vingtaine de Rouaix, de sa descendance immédiate comme de celle de ses frères, seront plus tard suffisamment inquiétés par l'Inquisition – qui en condamnera dix à la prison perpétuelle – pour qu'il soit légitime de penser que la génération de David, contemporaine des grandes parfaites directrices de conscience des familles hérétiques, n'était pas restée insensible à la religion cathare, pas plus que le lignage de sa belle-sœur, une Caraborde, qui eut pour sa part six condamnés. Toujours est-il qu'Innocent III comprit bel et bien que, contre un possible retour en force de l'hérésie si l'on relâchait la pression de la croisade, Simon de Montfort, bras armé de l'Église, était un rempart autrement efficace que les serments de Raymond VI. Et puis, sur le terrain lui-même, la situation avait beaucoup évolué depuis 1213. La conquête militaire était apparemment achevée, le pays avait retrouvé un semblant de paix – c'est même ce qui avait incité le concile de Montpellier à vouloir lui donner un *princeps et monarcha* en la personne de Simon. Mais sur ce point Innocent III resta ferme : il avait décidé de confier le règlement définitif au prochain concile œcuménique, il ne reviendrait pas là-dessus.

S'il n'était donc pas question de prononcer maintenant la déchéance de Raymond VI, il ne fallait cependant pas que ce refus apparût comme un désaveu de Simon et du haut clergé occitan ; autrement dit de la croisade elle-même.

Le Saint-Père trouva alors une sorte de solution médiane : il écrivit le 2 avril à Pierre de Bénévent, à Simon, aux prélats, aux barons et aux consuls des domaines de Raymond, pour les informer qu'en attendant le concile du Latran il donnait en commende à Simon lesdits domaines, c'est-à-dire que le chef de la croisade en serait le maître et en percevrait les revenus – mais à titre, seulement, d'administrateur provisoire, et ce jusqu'au concile de novembre. On était loin de la dévolution à perpétuité réclamée par le concile de Montpellier, pour Simon et pour ses héritiers.

Mais ce que le pape n'avait certainement pas prévu, c'était l'usage que Simon allait immédiatement faire de la commende...

Un « pèlerin » nommé Louis

Il était à Saint-Gilles quand l'archevêque d'Embrun revint de Rome au début de mai, porteur des bulles du 2 avril. Et il n'était pas seul : il avait à ses côtés le prince Louis de France, qui avait enfin accompli le vœu de croisade prononcé en 1213. Cette fois, la bataille de Bouvines ayant, en juillet 1214, défait la coalition anglo-germano-flamande, Philippe Auguste n'aurait pu prétexter la guerre pour empêcher son fils de partir. Il y a tout lieu de penser au contraire que sous couvert de croisade il l'envoya lui-même en observateur : les jeux étaient faits en Languedoc, et il était de l'intérêt de la Couronne d'avoir une vue exacte de la situation.

Le 20 avril, l'armée levée par le prince avait quitté Lyon. Parmi les barons et prélats qui la composaient, figuraient justement cinq héros de Bouvines, le comte de Saint-Pol Gaucher de Châtillon, Adam vicomte de Melun, Mathieu de Montmorency, beau-frère de Simon de Montfort, Guillaume comte de Ponthieu, et l'évêque de Beauvais Philippe de Dreux. Simon de Montfort, venu à leur rencontre, les accueillit le soir même à Vienne. Puis on prit le chemin du Languedoc.

Louis, c'est le cas de le dire, arrivait après la bataille... Et c'est ce qui inquiéta l'état-major religieux de la croisade – y compris le cardinal-légat Pierre de Bénévent : que venait faire le prince, alors qu'on n'avait pas besoin de lui ? Quelle idée son père le roi avait-il derrière la tête, lui qui n'avait jamais aidé en rien la croisade ? Bref, que cachait ce « pèlerinage », pieux euphémisme dont avait été officiellement baptisé le voyage de Louis et de ses compagnons ? Philippe Auguste aurait-il l'intention de récupérer au profit de la Couronne cette croisade qui était, en fait, l'œuvre de l'Église ? Il lui suffisait de faire occuper en son nom villes et forteresses du pays pour ôter à l'avance au concile du Latran toute compétence pour décider du statut de celui-ci.

En fait, toutes ces craintes, formulées avec précision par Pierre des Vaux-de-Cernay, étaient excessives. Certes, la présence de Louis rappelait à quiconque l'aurait oublié que le pays relevait de la couronne de France. Mais son voyage ne paraît pas avoir eu d'autre sens que celui d'une mission exploratoire propre à informer le roi.

Simon sut habilement l'utiliser. Il était alors entré en conflit ouvert avec Arnaud Amaury. Il avait décidé, on ne sait quand, de faire abattre les remparts de Narbonne, en représailles des événements du printemps précédent. Mais l'archevêque, qui s'était aussi proclamé, on le sait, duc de Narbonne, avait voulu empêcher une mesure qui portait atteinte à son autorité supérieure. Il s'en était même plaint par courrier au pape, puis de vive voix au prince Louis, qu'il avait rencontré à Vienne. A l'étape de Béziers, ce furent les Narbonnais eux-mêmes qui vinrent s'en remettre à l'arbitrage de Louis. Simon de Montfort fit preuve alors d'un certain machiavélisme. On ne connaît pas le détail de ses démarches auprès des uns et des autres, mais on sait à quoi elles aboutirent : Pierre de Bénévent, à qui Louis en avait référé, décida qu'en vertu de l'ordre qu'il lui en donnait personnellement en tant que mandataire de l'Église, ce serait le prince lui-même qui ferait détruire les fortifications de Narbonne – ainsi, d'ailleurs, que celles de Toulouse et de quelques autres villes, « du fait qu'à cause d'elles la chrétienté avait souffert beaucoup de maux »... Arnaud Amaury eut beau crier à la machination, les remparts de Narbonne furent bel et bien abattus dans les trois semaines qui suivirent. Poussant son avantage, Simon n'eut qu'une idée en tête : évincer Arnaud Amaury de ce titre de duc de Narbonne qui faisait de lui le seigneur supérieur du vicomte Aimery. Il fit de nouveau appel à la stratégie du fait accompli : il convoqua Aimery et lui extorqua son serment d'hommage, moyennant quoi il accorda son pardon aux Narbonnais. Dix-huit mois plus tard, l'archevêque n'avait pas encore décoléré et demandait justice au successeur d'Innocent III...

Arrivé sur ces entrefaites à Carcassonne, Simon envoya son frère Guy prendre possession en son nom de Toulouse, et en faire abattre les remparts, combler les fossés et raser les maisons fortes par les Toulousains eux-mêmes... La mauvaise volonté des habitants fut telle que les travaux de démantèlement durèrent un an. Dans les premiers jours de juin, Simon lui-même, accompagné du prince Louis et du cardinal-légat, fit enfin son entrée dans la ville depuis si longtemps convoitée, et que Raymond VI et les siens avaient abandonnée. Raymond le Jeune était parti pour l'Angleterre ; son père, pour on ne sait où ; l'Angleterre également, ou l'Aragon, ou plus vraisemblablement le comté de Foix ?

Il leur était d'autant plus impossible de s'opposer à la situation née de la commende octroyée par le pape que Simon avait dans son jeu, à la fois, le cardinal-légat et le fils du roi de France. En revanche, ils avaient tous deux de quoi s'affairer sur un autre terrain : préparer avec leurs conseillers la défense qu'ils entendaient bien faire entendre en novembre devant le concile du Latran.

Pendant qu'ils s'y employaient, Simon continua à user des pouvoirs liés à la fameuse commende – quitte à outrepasser largement, d'ailleurs, les droits que lui donnait l'autorité tout à fait temporaire que lui avait concédée le pape. Le 8 juin, il prit possession de Montauban, où vint lui faire hommage Géraud, comte d'Armagnac et de Fézensac. Revenu à Carcassonne, et tandis que le prince Louis, sa quarantaine achevée, avait repris le chemin de la France, il accompagna jusqu'en Viennois Pierre de Bénévent, rappelé à Rome en prévision du concile. Juillet et août furent occupés à recevoir divers hommages, à régler des partages et des donations avec tel ou tel prélat, et surtout à conclure le procès qu'il l'opposait à la puissante abbaye de Lagrasse, dans les Corbières, à qui il disputait la possession d'une dizaine de châteaux et de bourgs. Un accord fut signé le 24 août, comme furent résolus, à la même époque, les procès qui opposaient la même abbaye au seigneur français Alain de Roucy, et l'abbaye de Boulbonne au maréchal Guy de Lévis. Une rapide incursion en Périgord pour assiéger le château de Castelnaud, que Bernard de Cazenac avait récupéré, puis s'en emparer et en faire pendre les défenseurs – sauf Bernard, qui s'était échappé –, et Simon prit ses quartiers d'hiver à Carcassonne, alors que s'était déjà ouvert le quatrième concile œcuménique du Latran.

Latran IV

Ce furent certainement les plus grandes assises tenues jusqu'alors par la chrétienté qui s'ouvrirent le 11 novembre en la basilique du Saint-Sauveur. Quatre-vingts provinces ecclésiastiques représentées – toute l'Europe catholique romaine –, dix-neuf cardinaux, quatre cent douze archevêques et évêques, plus les cinq patriarches de l'Église grecque, huit cents abbés et prieurs, quelque mille clercs et laïcs, et parmi tout ce monde, bien sûr, les prélats concernés de près ou de loin par la croisade

« albigeoise » : les légats Robert de Courçon et Pierre de Bénévent, Arnaud Amaury, ses collègues les archevêques de Bourges et de Bordeaux, et tous les évêques du Languedoc, rejoints par ceux de Cahors, Rodez, Mende, Couserans, Agen, Périgueux.

Certes, le concile n'avait pas à s'occuper que de l'« affaire de la Paix et de la Foi ». Étaient aussi à l'ordre du jour la question de Terre sainte, ainsi qu'un certain nombre de réformes à apporter et d'abus à corriger en matière ecclésiastique. Par ailleurs, dans le poignant discours qu'il prononça lors de la solennelle séance d'ouverture, Innocent III exposa avec une grande hauteur de vues l'ambitieux et superbe projet de paix universelle à l'élaboration duquel, finalement, il avait consacré une grande part de son énergie et de sa vie. Mais unifier la chrétienté pour la pacifier, c'était d'abord unifier la foi chrétienne, et dénoncer par conséquent hérésies et déviances qui la menaçaient, au premier chef celles qui portaient atteinte à son dogme fondateur, la Trinité. Ce n'est donc pas un hasard si le premier des soixante-dix décrets de Latran IV réaffirme avec force celui-ci et n'en autorise qu'une seule conception, celle selon laquelle les trois Personnes sont consubstantielles, c'est-à-dire distinctes seulement dans leurs propriétés, non dans leur commune essence. Preuve, enfin, que le Christ était alors au cœur du débat théologique, le même canon affirme que son incarnation fut réelle comme est réelle la présence de son corps et de son sang dans le pain et le vin de l'eucharistie, grâce à cette opération de la puissance divine que le concile conceptualise pour la première fois et nomme la transsubstantiation.

Le canon 2 s'en prend à la doctrine de Joachim de Flore, qui avait une étrange conception historiciste de la Trinité[1]. Quant aux hérétiques vilipendés par le canon 3, il n'était même pas besoin de les nommer pour que tout le monde y reconnût les cathares, adversaires à la fois de l'incarnation réelle du Christ et de l'eucharistie, et qui faisaient reposer sur le seul Saint-Esprit toute leur économie du salut[2]. A quoi bon, même, s'attarder à décrire leurs « erreurs » : le concile jugea sans doute qu'elles étaient parfaitement connues, et qu'il était préférable de rappeler les moyens par lesquels on pouvait et devait lutter contre eux ;

---

1. Cf. ci-dessus, chap. 2.
2. Sur ce conflit théologique et sotériologique entre le Fils et le Saint-Esprit dès la fin du XIIe siècle, et sur le rôle que joua sur ce point le concile du Latran de 1215, cf. *Les cathares et le Graal, op. cit.*, p. 173-188.

ce n'était rien de plus que le droit de la croisade tel qu'Innocent III lui-même l'avait élaboré dès avant 1209.

Les débats sur l'affaire « albigeoise » s'ouvrirent le 14 novembre. Le poète inconnu qui prit la suite de Guillaume de Tudèle pour écrire la *Canso* les rapporte si longuement – plus de cinq cents vers –, avec tant de détails et une telle finesse d'observation, qu'il y a tout lieu de penser qu'il faisait partie de l'entourage de Raymond VI et de Raymond le Jeune. Le choix des principaux conseillers du comte, en cette circonstance, ne laisse cependant pas d'être curieux. Il y a Guillaume Porcelet, seigneur du bourg d'Arles. Or c'est le fils d'un Guillaume Porcelet qui avait été impliqué en 1208 dans l'assassinat du légat Pierre de Castelnau. Il y a Arnaud de Villemur, seigneur de Saverdun sur l'Ariège, futur sénéchal de Raymond VI ; or il est habitué à recevoir chez lui des parfaits cathares ; en 1231, après sa mort, sa veuve dame Comtor se fera elle-même ordonner parfaite. Enfin Pierre-Raymond, coseigneur de Rabastens : fils d'une dame devenue parfaite elle aussi, mari d'Ermengarde et beau-frère d'Orbrie, deux croyantes assidues, il est de surcroît de la parentèle de l'évêque Raymond de Rabastens qu'Innocent III avait déposé en 1205... Le choix d'un tel entourage au moment d'aller présenter sa défense devant un concile paraît assez maladroit. A moins qu'il ne soit tout simplement l'indice qu'il n'était pas un baron, pas un notable, parmi les familiers de la cour comtale, qui n'ait été compromis de près ou de loin dans l'hérésie...

D'entrée de jeu, Innocent III fit en personne le point de la situation. Il expliqua que Raymond VI, ayant été absous et ayant remis en gage ses domaines au Saint-Siège par acte notarié, n'était nullement en position d'être déchu et de voir ses biens confisqués ; et que lesdits domaines ayant été assignés en commende à Simon de Montfort, ce dernier n'en avait le gouvernement que de façon tout à fait provisoire.

La parole fut donnée au comte de Foix. Il dit qu'en gage de sa sincérité à l'égard de l'Église, il avait remis son principal château au cardinal-légat Pierre de Bénévent. Ce que celui-ci confirma volontiers.

Foulque alors se leva. Ce fut un réquisitoire en règle contre Raymond-Roger de Foix : son comté infesté d'hérétiques, la montagne de Montségur fortifiée pour leur servir de refuge, sa sœur Esclarmonde ordonnée parfaite, et le massacre des pèlerins allemands à Montgey en mai 1211... Raymond-Roger répondit point par point : il n'était pas responsable des fautes de sa sœur, il n'avait aucun droit de seigneurie sur Montségur, et quant aux pèlerins allemands, c'étaient des criminels venus mettre le pays à feu et à sang, il regrettait de n'en avoir pas tué plus... Suivit une violente attaque contre Foulque, troubadour douteux, dit-il, avant de devenir moine, abbé, puis évêque de Toulouse et fanatique partisan de toutes les violences.

Innocent III conclut qu'en ce qui concernait les griefs faits au comte de Foix, il y aurait un supplément d'enquête, puis donna la parole à Raymond de Roquefeuil, venu représenter le jeune Trencavel, le fils du vaincu de 1209, et réclamer que lui fût rendue sa terre...

C'est au cours de la séance suivante, qui eut lieu à huis clos – mais dont le poète-chroniqueur fut assurément très bien informé –, qu'un âpre débat s'instaura entre Innocent III et les prélats de la croisade. Ordonner à Simon de Montfort de restituer les terres conquises, dirent ceux-ci, ce serait non seulement les désavouer, mais les mettre eux-mêmes en grand péril : qui les protégerait des représailles ? Innocent III rétorqua que confisquer le comté de Toulouse serait, en l'état, un déni de justice. Pressé par les autres, il finit par accepter que soient concédées à Simon les terres des hérétiques avérés, mais pas celles des catholiques, ni des complices d'hérésie repentis et absous... ni celles des veuves et des orphelins ; ce qui excluait finalement, outre les domaines de Raymond VI, toute l'ancienne vicomté Trencavel. Foulque vit bien la manœuvre et s'insurgea, approuvé par l'archevêque d'Auch, par Thédise, l'ancien légat devenu évêque d'Agde, et, apparemment, par la plupart des prélats réunis ce jour-là – à l'exception de l'archidiacre de Lyon, qui s'était rangé du côté du Saint-Père. A l'exception, aussi – fort inattendue ! – d'Arnaud Amaury lui-même ; grand artisan de la croisade s'il en fut, il était conscient que si Simon de Montfort était investi des titres et des domaines de Raymond VI, il lui disputerait le duché de Narbonne. Et il approuva la très prudente et très miséricordieuse position d'Innocent III... Défendant pied à pied sa politique, le pape fit valoir ensuite que Simon avait d'autant moins droit à se voir attribuer les terres conquises qu'il les avait distribuées à ses compagnons, lesquels y avaient commis de graves exactions et les gouvernaient à leur seul profit – sans compter que la croisade avait causé maints torts aux catholiques. Ultime argument : à supposer que Raymond VI ait mérité, par ses péchés, qu'on confisque sa terre, de quel droit priverait-on son fils de son héritage ?

L'archevêque d'York intervint alors au nom de Jean sans Terre. Il montra, en un exposé juridique solidement étayé, que si l'on concédait à Simon les terres de Raymond VI, Raymond le Jeune serait quand même parfaitement en droit de revendiquer pour lui-même tout ce qui avait constitué la dot de sa mère Jeanne, sœur du roi d'Angleterre – notamment l'Agenais et le Quercy.

Rien n'y fit : les faucons partisans d'une solution radicale à l'égard de l'hérésie et de ses complices l'emportèrent lors du vote final, face à Innocent III et aux rares colombes qui s'étaient alignées sur ses positions. La sentence fut lue le 30 novembre au cours de la séance de clôture, et expédiée deux semaines plus tard à travers toute l'Europe. Reconnu coupable d'entretien de routiers et de complicité d'hérésie, autrement dit de violation de la paix civique et de la paix des âmes, Raymond VI était déchu de sa couronne comtale, privé de ses domaines et contraint de s'en aller faire pénitence en exil, moyennant une rente de quatre cents marcs par an, assignée sur les revenus de ses anciennes terres. Le tout était dévolu à Simon de Montfort, à qui l'on rappelait néanmoins la clause juridique de la réserve des droits du seigneur supérieur : il devrait recevoir ses domaines en fief de leur suzerain légitime. En ce qui concernait le comté de Foix, le château du comte Raymond-Roger demeurerait sous mandat de l'Église jusqu'à la conclusion du supplément d'enquête.

Innocent III, cependant, n'avait pas été battu sur toute la ligne. Car c'est à lui, assurément, qu'on doit la seule clause restrictive de la sentence du Latran, celle qui exclut des possessions de Simon de Montfort les domaines de Raymond VI qui n'ont pas encore été conquis. L'Église les mettra sous séquestre afin de pouvoir les restituer plus tard à Raymond le Jeune s'il s'en montre digne. Ces domaines ne sont pas nommés, mais il s'agit évidemment du marquisat de Provence.

A quelques semaines de là, Raymond le Jeune fut reçu en audience privée par Innocent III afin de prendre congé de lui. Il lui aurait déclaré avec flamme et véhémence qu'il n'accepterait jamais la sentence. Le pape lui aurait dit en retour, à mots couverts, qu'il lui fallait garder l'espoir de recouvrer un jour, avec l'appui de l'Église, la totalité de son héritage... Quoi qu'il en fût, il est certain qu'au terme de cinq ans et demi d'une guerre qu'il avait appelée de ses vœux dix ans durant, Innocent III jetait désormais un étrange regard sur cette entreprise qui, finalement, avait tout entière coïncidé avec son pontificat. L'immense homme d'Église et homme d'État qu'il avait été prit-il alors conscience d'avoir joué peu ou prou les apprentis sorciers ?

Que l'œuvre à laquelle il avait consacré de si grands efforts, tant pour la susciter que pour la cadrer et en limiter – mais trop tard sans doute – les effets pervers, se soit soldée, globalement, par son échec personnel face à une meute déchaînée de va-t-en-guerre, voilà qui s'accordait certainement, à ses yeux, au jugement désabusé qu'il avait toujours porté sur les choses du siècle. Nul doute que ce pathétique désenchantement ne l'ait accompagné jusqu'à la mort, qui le frappa sept mois plus tard. Il avait cinquante-six ans.

9

La reconquête occitane

Raymond VI avait quitté Rome avant son fils. Il passa la Noël à Viterbe en compagnie du comte de Foix, puis alla à Venise pour y visiter les reliques de saint Marc. Arrivé à Gênes vers la mi-janvier, il y attendit Raymond le Jeune, qui le rejoignit à la fin du mois. De Gênes, tous deux gagnèrent par la mer Marseille, où ils retrouvèrent au château du Thoronée leurs épouses, Éléonore et Sancie.

Simon de Montfort était alors à Lézignan, non loin de Narbonne. Le conflit qui l'opposait à Arnaud Amaury s'était brusquement envenimé. La sentence du Latran, en l'investissant des biens et des droits de Raymond VI, lui avait attribué implicitement le titre de duc de Narbonne. Or dès son retour du concile, l'archevêque, qui n'avait nullement l'intention de se dessaisir du duché, avait exigé du vicomte de Narbonne qu'il révoquât le serment de fidélité fait à Simon. Celui-ci signifia à Arnaud Amaury qu'il l'assignait devant la Curie à la prochaine Pentecôte. Un concile réuni à la hâte par les prélats locaux échoua à mettre d'accord les deux prétendants au duché. Simon marcha sur Narbonne. Il trouva Arnaud Amaury posté devant la porte du bourg, qu'il avait ordonné de fermer. Les soldats de Simon le bousculèrent sans ménagement, firent ouvrir la porte, et le chef de la croisade se rendit au château vicomtal. Alors Arnaud Amaury prononça l'excommunication de Simon et jeta l'interdit sur la ville tant que son adversaire y demeurerait...

De guerre lasse, et poussé à la conciliation par son entourage, Simon déclara le 5 mars qu'il s'en remettait, en cette ridicule affaire, à l'arbitrage de l'évêque de Nîmes. Ce qui ne l'empêcha pas, le surlendemain, quand il reçut au Château Narbonnais de

Toulouse le serment de fidélité des consuls de la ville, de s'intituler officiellement comte de Toulouse et de Leicester, vicomte de Béziers et de Carcassonne, et duc de Narbonne...

Le 8 mars, ce fut lui qui jura aux Toulousains de leur être bon et loyal seigneur et de les protéger dans leurs personnes et leurs biens. Il n'en continua pas moins à faire démanteler les fortifications, à l'exception bien sûr du Château Narbonnais, qui serait désormais sa résidence ; au contraire, il le fit renforcer, et même aménager de façon à ce qu'on pût y entrer et en sortir directement, sans passer par la ville. Clairvoyance ? Pressentiment ? Ces dispositions se révéleront bientôt d'un grand secours.

Il ne restait plus au conquérant, pour que tout soit en ordre, qu'à faire hommage de sa conquête au roi de France et à la recevoir de lui en fief. C'est à Pont-de-l'Arche, en haute Normandie, qu'à la mi-avril il rencontra Philippe Auguste. Ce dernier, qui par le passé avait tant contesté l'ingérence du Saint-Siège dans l'affaire albigeoise, entérina cette fois le fait accompli. Imprévus au départ, les avantages qu'en retirait la Couronne étaient maintenant manifestes : on offrait au roi l'occasion de rétablir officiellement sur le comté ses droits suzerains, sans qu'il ait eu lui-même à intervenir. Mieux : la maison de Barcelone ayant été battue à Muret et évincée du règlement, le roi était en position de recevoir Simon comme homme lige, non seulement pour le comté de Toulouse et le duché de Narbonne, mais pour la vicomté de Carcassonne et Béziers, qui n'était pourtant pas, depuis longtemps, dans la mouvance capétienne... L'hommage de Simon sanctionnait donc une véritable conquête française accomplie par croisade interposée.

Le nouveau comte de Toulouse regagnait ses États par la vallée du Rhône, quand des messagers lui apprirent que son frère Guy avait quitté précipitamment le pays toulousain et s'était porté avec l'armée sur Nîmes : la Provence venait de se soulever...

Simon arriva à Nîmes le 5 juin. Guy en était parti la veille même : Raymond le Jeune avait pris Beaucaire et, fortement installé dans la ville avec les troupes qu'il avait levées outre-Rhône, et avec l'aide de la population, assiégeait Lambert de Thury, le sénéchal de la croisade, réfugié dans le château avec la garnison française. Le 6 au matin, Simon quitta Nîmes pour rejoindre Guy devant Beaucaire.

Beaucaire

Alors qu'ils se trouvaient à Marseille, en février, Raymond VI et son fils avaient reçu un message des consuls d'Avignon : ceux-ci les attendaient au plus tôt, afin de se mettre à leur service, eux et toute la ville. De fait, on leur fit un magnifique accueil. Maints chevaliers du marquisat se joignirent aux réjouissances. Quelques jours plus tard, Raymond VI se rendit à Salon, où son vassal Guy de Cavaillon l'attendait avec une armée déjà levée par ses soins, et tout le monde regagna Avignon. Le ci-devant comte occupa alors plusieurs semaines à recevoir ralliements et serments des villes et des seigneurs du pays. De son vieil adversaire Guillaume des Baux, prince d'Orange, il ne put obtenir rien de plus que la neutralité. Mais Adhémar de Poitiers le comte de Valentinois et de Diois, et Dragonet de Mondragon, et Guiraud-Adhémar de Montélimar, et Pons de Saint-Just seigneur de Pierrelatte, et tant et tant d'autres – dont beaucoup avaient prêté le serment de Paix en 1209 ! – se rallièrent à sa bannière. Ils furent vite rejoints par des *faidits* languedociens, par ces seigneurs insoumis qui n'avaient attendu que l'occasion de se lever contre Simon de Montfort. Même un illustre vaincu de 1210, Guillaume de Minerve, quitta la commanderie hospitalière où il s'était retiré pour reprendre les armes contre la croisade...

Nommant Guy de Cavaillon sénéchal pour le Venaissin, Raymond VI partit alors pour la Catalogne afin d'y trouver des appuis, tandis que ses partisans provençaux, sous le commandement de Raymond le Jeune, s'en allaient reprendre Beaucaire aux croisés. Occuper la ville elle-même fut un jeu d'enfant : les notables ouvrirent les portes, et remirent les clefs au comte jeune, devant une population en liesse. C'est ainsi que le sénéchal de Simon de Montfort, Lambert de Thury, et ses chevaliers français se retrouvèrent bloqués dans le château de Beaucaire, et assiégés. Simon et son frère Guy n'eurent alors d'autre ressource, s'ils voulaient sauver leurs compagnons, que d'attaquer à leur tour Beaucaire.

Les Français avaient à peine installé leur camp, à quelque distance de la ville, que la cavalerie provençale sortit et se rangea en ordre de bataille en avant des murailles. Simon lança aussitôt ses propres escadrons. Au terme d'un âpre combat qui fit des morts, des blessés et des prisonniers dans les deux camps, chacun revint sur ses positions. Simon ne vit d'autre issue que de se préparer à un siège en règle, mais il prit vite conscience de sa faiblesse : le ravitaillement de son armée, au sein d'un pays devenu subitement fort hostile, était chaque jour plus difficile, alors que Beaucaire recevait sans discontinuer, par le Rhône, des vivres, des armes et des hommes envoyés par les cités riveraines, Avignon, Tarascon, Arles. Même Marseille, un peu plus tard, envoya sa troupe... Simon fit construire, outre une catapulte, une chatte et une tour roulante. Toutes ses attaques échouèrent. Pendant ce temps, les Provençaux serraient de plus en plus près le château, et commençaient même à le miner. La poignée de croisés qui s'y était enfermée, privée de nourriture et d'eau, fut bientôt réduite à toute extrémité.

Plus de deux mois avaient passé. Le 15 août, Simon tenta pour la troisième fois un assaut généralisé. Ce fut en vain. Il adressa alors un message à Dragonet de Mondragon lui demandant de servir de médiateur entre lui et Raymond le Jeune. Il était disposé à lever le siège, à condition qu'on lui remît sains et saufs ses compagnons bloqués dans le château. Raymond le Jeune accepta, au grand soulagement de Simon, d'autant plus impatient de quitter les lieux qu'il venait de recevoir de fort mauvaises nouvelles du pays toulousain. Le bruit courait, notamment, que Raymond VI, de retour de Catalogne, faisait route vers Toulouse avec une armée...

Le sac de Toulouse

Simon revint à bride abattue, après avoir donné rendez-vous à toutes les garnisons françaises du Carcassès et du Razès à Montgiscard, aux portes de la ville. Des notables toulousains vinrent l'y trouver, afin de sonder ses intentions : on devait déjà savoir qu'il voulait se payer sur la population des lourdes dépenses occasionnées par le siège de Beaucaire. Quand les Toulousains apprirent que leurs parlementaires avaient été arrêtés et pris en otages, ils s'affolèrent et se barricadèrent chez eux. Mais dès que les soldats de Simon eurent fait irruption dans les rues et, brisant les portes des maisons, eurent commencé le pillage, la colère fut plus forte que la peur, et la ville entière se souleva. Armés de haches, de faux, de bâtons, de couteaux de cuisine, les Toulousains firent front. Guy de Montfort chargea à la tête d'un corps de cavalerie, bientôt suivi par Simon. Leur élan se brisa sur les barricades dressées à la hâte, tandis que des fenêtres et des toits pleuvaient tous les projectiles possibles... Les

Français se replièrent dans le Château Narbonnais, non sans avoir mis le feu çà et là, notamment au quartier juif. Foulque, réfugié lui aussi au palais comtal, prit alors sur lui de faire négocier la paix entre la ville et Simon. Il convoqua les notables en assemblée.

Méchante ruse de sa part, ou bien fut-il lui-même dépassé par les militaires ? Simon fit arrêter les Toulousains venus négocier, et ordonna une rafle générale. Plusieurs centaines de bourgeois, si possible de haut rang, des chevaliers, des dames, furent ainsi appréhendés chez eux sans ménagements, enchaînés, et parqués dans une métairie que Raymond VI possédait jadis hors de la ville, pendant qu'on perquisitionnait dans les logis et saisissait toutes les armes et tout ce qui pouvait servir d'armes. Ce qui donna le signal d'un pillage en règle : vivres, vêtements, tout y passa. Après quoi Simon ordonna de détruire ce qu'il restait des fortifications de la ville, ainsi que quelques maisons fortes appartenant à des nobles ou à de grands bourgeois. La population fut par ailleurs frappée d'une amende de trente mille marcs.

Il se peut qu'en racontant le sac de Toulouse, le poète de la *Canso* ait quelque peu exagéré les déportations et les exactions qui y furent commises en ces jours de septembre 1216. Ce n'est pas une ville exsangue qui se révoltera – et pour de bon ! – un an plus tard exactement. Ce qui est certain, en revanche, c'est que le sage administrateur que laissaient prévoir les Statuts de Pamiers, le bon et loyal seigneur qui avait signé le serment du 8 mars, supprima purement et simplement le consulat. Sans doute l'avait-il fait, d'ailleurs, dès le printemps. Une enquête sur le mode d'élection des consuls de Toulouse qui sera demandée par Philippe le Hardi en 1274 révélera rétrospectivement, au travers de maints témoignages, comment Simon avait imposé sans partage son pouvoir, en nommant lui-même une cour de justice toute à sa dévotion, présidée par son sénéchal Gervais de Chamigny et dont il avait choisi les seize membres parmi d'anciens consuls ou membres de vieilles familles consulaires. Mais, incompétence ou mauvaise volonté, cette cour chargée de juger au nom de Simon, et non plus au nom de la Commune comme le faisaient jadis les vingt-quatre consuls, fut d'une remarquable inefficacité : de vieux Toulousains se souviendront avec amertume, près de soixante ans plus tard que « la justice n'était pas alors rendue dans le pays »[1].

---

1. La question de l'abolition du consulat de Toulouse et l'interprétation de l'enquête de 1274 ont fait l'objet, depuis plus d'un siècle, d'un débat contradictoire. J'en ai présenté le dossier et l'ai discuté dans *Le Lys et la Croix*, p. 59-69.

En fait, Simon avait peut-être des tâches plus urgentes que de veiller à la bonne administration judiciaire de Toulouse. Il lui fallait, pour éviter tout retour de flamme, assurer son autorité sur ceux qui avaient aidé Raymond VI tout au long de la guerre. S'il renonça au Béarn, tenu par une maison catalane sous la suzeraineté du roi d'Aragon, il eut sur la Bigorre des vues très précises. Il fit casser par les prélats gascons, pour des raisons de parenté, le mariage de la comtesse Pétronille avec Nuño Sanche, le neveu de feu Pierre II, et, le 6 novembre, à Tarbes, lui fit épouser son propre fils cadet, Guy, qui avait quinze ans de moins qu'elle. Nuño Sanche et le vicomte de Béarn réagirent aussitôt en allant occuper le château de Lourdes. Simon y mit le siège mais, faute de temps, renonça rapidement : il lui fallait se montrer en Couserans et en Comminges. De Saint-Lizier à Aspet, il n'hésita pas à régler diverses affaires en se substituant purement et simplement au comte Bernard IV – père, au demeurant, de Pétronille.

Rentré à Toulouse dans le courant de décembre, il apprit que le Saint-Siège avait décidé de restituer le château de Foix au comte Raymond-Roger, mesure qu'il estima suffisamment imprudente pour intervenir en personne. D'autant qu'en édifiant un château fort à Montgrenier, au-dessus de Montgailhard, non loin de Foix, Raymond Roger venait de rompre les engagements qu'il avait pris envers l'Église. Ce furent du moins les raisons que Simon avança pour s'en aller, au début de février – nous sommes maintenant en 1217 – mettre le siège devant Montgrenier, dont le comte avait confié la défense à son fils Roger-Bernard, au vicomte de Couserans Roger de Comminges et à une solide garnison de *faidits*, au premier rang desquels Pierre-Roger de Mirepoix, cousin germain de Raymond de Péreille, le seigneur de Montségur, dont on sait les profondes attaches avec le catharisme. Au bout de quelques semaines, la raréfaction des vivres et de l'eau conduisit les défenseurs à négocier. Simon, dont l'armée était éprouvée par un temps épouvantable, accepta leurs conditions : ils sortiraient sains et saufs avec armes et bagages, mais à condition de signer une trêve d'un an. Ce qui fut fait le 25 mars. Moyennant quoi une garnison française prit possession de Montgrenier.

La libération

Simon passa le mois d'avril en famille au Château Narbonnais de Toulouse. S'il avait affermi sa position au sud et au sud-ouest de ses États, la paix n'en était pas pour autant acquise. S'il avait espéré que la sentence du Latran sonnerait l'achèvement de la croisade et lui permettrait de jouir tranquillement de sa conquête, il avait eu depuis son retour de France en juin de l'année précédente, tout le loisir de déchanter. En réalité, son fief, à peine concédé, faisait eau de toutes parts, comme une digue dont on ne colmate une brèche que pour se jeter sur celle qui vient de se créer ailleurs. La captation de l'héritage bigourdan, la soumission du Comminges et du Couserans, la leçon donnée au comte de Foix n'étaient que de bien illusoires succès : l'alerte vint à nouveau de Provence.

Depuis sa victoire de Beaucaire, Raymond le Jeune n'avait cessé d'y étendre et d'y consolider son pouvoir, et d'y rallier des partisans à coups de libéralités, agrandissant ici le fief de tel ou tel vassal, délivrant ailleurs des privilèges à tel établissement religieux. Autant d'actes où on le voit s'intituler « comte jeune », ou « fils du seigneur Raymond, par la grâce de Dieu duc de Narbonne, comte de Toulouse et marquis de Provence »... On ne saurait mieux exprimer son refus d'accepter la sentence du Latran. Ni mieux marquer que face au statut de la terre conquise tel que prétend l'imposer cette même sentence, la dynastie raymondine est toujours debout et qu'il va falloir compter avec elle. A ce conflit entre la légalité nouvelle née de la conquête et la légitimité des princes indigènes, la *Canso* fait écho sans ambiguïté quand elle oppose au « seigneur postiche » le « comte naturel », et explique qu'ils incarnent aux yeux de l'opinion, le premier Orgueil et Fausseté (*Engan*), le second Bon Droit, Loyauté (*Dreitura*) et Parage. Il est certain – toute allégorie mise à part – que la Provence catholique, qui avait massivement souscrit aux serments de Paix en 1209, n'entendait pas pour autant accepter la déchéance de Raymond VI au profit d'un seigneur étranger. Raymond ne manqua pas, d'ailleurs, de se montrer une nouvelle fois dans le pays qui lui demeurait fidèle : de la fin mars au début de mai, il sillonna la vallée du Rhône, concédant des privilèges à diverses villes, dont Beaucaire et Avignon, puis il regagna la Catalogne.

C'est certainement ce retour en Provence aux côtés de son fils, qui donna de l'inquiétude à Simon de Montfort. Ce dernier décida d'intervenir. Il confia à la garde de Gervais de Chamigny et de Thibaud de Nonneville le Château Narbonnais, avec les femmes et les enfants de sa famille : son épouse Alix, ses deux brus Béatrice de Viennois et Pétronille de Bigorre, la femme de son frère Guy, ses propres enfants Simon le Jeune, Robert, Amicie, Laure et Pétronille de Montfort – laquelle avait six ans –, ainsi que ceux de Guy, à savoir Philippe et sa sœur Pétronille. Le 7 mai, il passait à Carcassonne quand on lui signala qu'une certaine agitation régnait dans les Corbières, où les *faidits* du Termenès avaient repris divers châteaux dont ils avaient été dépossédés, dont Montgaillard, près de Tuchan. Soucieux d'y mettre bon ordre, Simon se vit contraint de retarder son expédition provençale. Il prit Montgaillard, ce qui impressionna sans doute les rebelles, car le 22 mai Guillaume de Peyrepertuse lui fit spontanément soumission.

Prudent, Simon laissa une forte troupe en Carcassès, sous le commandement de son sénéchal Philippe Goloin, entouré des deux Guy de Montfort – le frère et le fils de Simon – et de quelques-uns de ses plus vaillants compagnons, Guy de Lévis, Alain de Roucy, Foucaud de Berzy, Hugues de Lacy. Sur le chemin de la Provence, il trouva closes les portes de Saint-Gilles, que Raymond le Jeune avait occupé au lendemain du siège de Beaucaire, au grand dam de l'abbé, qui était parti nu-pieds avec ses moines en jetant l'interdit. Ce dernier était en conflit avec les consuls, dont il avait usurpé les pouvoirs en 1215. L'affaire était entre les mains du nouveau légat que venait de nommer Honorius III, le cardinal Bertrand, lequel, installé depuis trois mois à Orange chez Guillaume des Baux, tentait en vain de faire rentrer dans l'obéissance villes et seigneurs qui s'étaient dressés contre la sentence du Latran. Simon ne tenta rien contre Saint-Gilles mais, en revanche, s'empara de Posquières, puis de Bernis, qu'il détruisit après avoir fait pendre les défenseurs. Stratégie apparemment payante : la quasi-totalité des châteaux de la rive droite du Rhône, à l'exception de Saint-Gilles et de Beaucaire, furent abandonnés sans coup férir.

Le 14 juillet, arrivant à Pont-Saint-Esprit, Simon réussit à détacher du parti de Raymond VI son vassal le seigneur d'Alès, Raymond Pelet, et reçut son hommage. Son intention était de faire de même avec le puissant Adhémar de Poitiers, le comte de Valentinois et de Diois. Il gagna Viviers où il franchit le Rhône, s'empara de Montélimar et, rejoint par Guillaume des Baux, par les évêques de Valence et de Die, et par une centaine de chevaliers arrivés du nord en renfort, il alla assiéger Crest sur la Drôme, au terme d'un raid fort dévastateur à travers les domaines d'Adhémar. Si dévastateurs que celui-ci ouvrit des pourparlers.

Ceux-ci étaient en cours lorsque, peu après la mi-septembre, Simon reçut un courrier de son épouse Alix. Il fit croire à tous qu'il venait de son frère Guy et l'informait que tout allait pour le mieux. Le coup de bluff, apparemment, réussit, car Adhémar de Poitiers promit sa neutralité, livra en garantie trois châteaux, et l'on forma même le projet de marier son fils à la petite Amicie de Montfort.

En réalité, Alix informait son mari que Raymond VI, revenu d'Espagne avec une armée, avait fait son entrée à Toulouse et avait soulevé la population...

Cela s'était passé le 13 septembre – quatre ans, à un jour près, après la débâcle de Muret. Le véritable réseau clandestin de résistance qui s'était constitué dans la ville à la suite du sac de septembre 1216 avait réussi à garder des intelligences avec le comte. C'était même une *conjuratio*, une ligue scellée par serment. On connaît ses chefs : l'ancien consul Hugues Déjean, Raymond Béringuier, d'une vieille famille de notables, et Aimery de Castelnau que la répression avait contraint de fuir outre-Pyrénées, où il avait sans doute rejoint Raymond. Le retour de celui-ci avait donc été soigneusement préparé, et l'éloignement de Simon de Montfort avait offert évidemment l'occasion de mettre en œuvre le plan libérateur.

Raymond dut passer les Pyrénées au port de Salau, dans le haut Couserans, car c'est à Saint-Lizier qu'il tint conseil de guerre avec le vicomte de Couserans Roger de Comminges, le fils du comte de Foix Roger-Bernard, le comte de Comminges Bernard IV, son fils et plusieurs de leurs vassaux, des émissaires de Toulouse et divers *faidits*, dont Guillaume Hunaud de Lanta, le frère de la châtelaine de Montségur. Passant sur la rive gauche de la Garonne pour gagner Toulouse, l'armée se heurta à un certain Jori, un chevalier commis par Simon à la garde du Comminges, mais sa petite troupe fut bousculée au cours d'un combat bref et meurtrier, qui vit ledit Jori prendre la fuite. Au soir du 12 septembre, on arriva, toujours sur la rive gauche du fleuve, devant les murailles du faubourg Saint-Cyprien. Toulouse proprement dite, avec le Château Narbonnais et sa garnison française, étaient sur l'autre rive. Les chefs de la *conjuratio* vinrent rejoindre Raymond. « On vous attend comme le Saint-Esprit... » lui aurait dit Raymond Béringuier. On passa la nuit sans bouger et le lendemain à l'aube, profitant de l'épais brouillard qui flottait sur les eaux, Raymond VI et les siens franchirent le fleuve à gué par la chaussée du Bazacle et entrèrent dans Toulouse par le bourg Saint-Sernin, autrement dit par une porte tout à fait à l'opposite du Château Narbonnais, dont les occupants n'avaient rien vu du tout...

Même si la *Canso* n'avait pas raconté l'événement avec un magnifique élan et le souffle épique qui souvent la traverse, on se douterait que la ville explosa de joie. Immédiatement, la population s'arma jusqu'aux dents et se lança à la chasse aux Français et aux Toulousains transfuges. N'évitèrent d'être massacrés que ceux qui réussirent à gagner le Château Narbonnais ou à se réfugier dans le cloître de Saint-Étienne ou dans celui de Saint-Sernin. Évidemment, Alix de Montfort et le sénéchal Gervais de Chamigny ne tardèrent pas à rédiger des messages à l'intention de Guy et de Simon. Ils tardèrent d'autant moins que par les fenêtres ils voyaient les Toulousains faire des travaux de terrassements propres à isoler complètement le château, dont d'ici peu nul ne pourrait sortir... Alix eut quand même le temps de s'en échapper, et partit immédiatement pour la France lever des renforts.

Avant la fin du mois, Raymond VI avait restauré le consulat. Faute d'avoir le temps de procéder à des élections, il en nomma lui-même les vingt-quatre membres, les choisissant dans de vieilles familles patriciennes qu'il connaissait bien. Hugues Déjean et Raymond Béringuier furent du nombre. Il nomma aussi un viguier, Guillaume de Rouaix, l'un des fils de son ami David. Certains de ces lignages avaient fourni des juges à la cour nommée par Simon de Montfort. Raymond ne leur en tint pas rigueur : il était d'autant plus soucieux de se poser en rassembleur qu'il lui fallait asseoir son autorité sur la classe des notables et la vieille aristocratie, s'il voulait éviter que le turbulent parti populaire qui s'agitait depuis quelque temps ne mît à profit les troubles du moment pour faire sa petite révolution sociale...

Autre tâche urgente : parer à l'inévitable retour offensif de Simon de Montfort et de l'armée française. Raymond ordonna qu'on remît la ville en état de défense en redressant ses murs et ses tours, en recreusant ses fossés. Toulouse se transforma alors en un gigantesque chantier dont la *Canso* brosse un rutilant tableau. Nobles, bourgeois, ouvriers, femmes, enfants, serviteurs, tout le monde se mit au travail, dans une indescriptible atmosphère de fête. Partout on chantait pour se donner du courage. On travaillait même la nuit à la lueur des torches. Et de jour en jour des renforts affluaient du pays d'alentour, seigneurs anciennement soumis aux croisés ou *faidits* qui avaient pris le maquis : du Lauragais vinrent le seigneur et ancien diacre cathare de Caraman Guiraud de Gourdon, et Pierre de Lahille, chevalier de Fanjeaux, et Guiraud Hunaud de Lanta, et Bernard de Saint-Martin-Lalande ; de l'Albigeois, Arnaud de Montégut, Pelfort de Rabastens, Sicard de Puylaurens ; un noble de l'Armagnac, Arzieu de Montesquiou ; et Arnaud de Lomagne ; et Arnaud de Villemur, futur sénéchal ; et le Périgourdin Bernard de Cazenac, qui espérait bien prendre sa revanche sur l'été 1214 ; le comte de Comminges Bernard IV arriva avec son neveu le vicomte de Couserans et ses vassaux de Labarthe et de Saint-Béat ; Bertrand-Jourdain de l'Isle avec son frère le seigneur du Gimoez ; et le sénéchal d'Agenais Guillaume de Tantalon, et maints Quercynois de haut rang. Toulouse devint bientôt un formidable camp retranché bourré de soldats.

Quand, le 22 septembre, Guy de Montfort arriva de Carcassonne avec ses compagnons, il tenta une attaque par le quartier Saint-Jacques. Comme l'année précédente, il se heurta aux barricades, puis dut reculer devant l'arrivée de Roger-Bernard de Foix et de sa troupe, qui le repoussèrent avant qu'il ait pu atteindre la place Saint-Étienne. Il essaya de se replier sur le Château Narbonnais. Mais Bernard, le fils du comte de Comminges, en tenait solidement les abords. Guy n'avait plus qu'à attendre, hors de la ville, l'arrivée de son frère et du gros de l'armée.

« Et la pierre arriva tout droit où il fallait... »

Simon et ses troupes plantèrent leurs tentes à Baziège, un soir d'octobre. Guy les y rejoignit et les accompagna le lendemain jusqu'à Toulouse. On installa le camp au sud de la ville, non loin de la Garonne, dans les vergers et les potagers du faubourg Saint-Michel, qui faisait face au Château Narbonnais dont Simon rompit de l'extérieur l'isolement et dont il fit aussitôt sa résidence et son quartier général. Autour du camp, on creusa des fossés, on érigea des palissades. Quand il reçut des renforts gascons conduits par l'archevêque d'Auch, Simon comprit que les Toulousains eux aussi pouvaient en recevoir par la rive gauche du fleuve. Il décida donc d'aller bloquer le faubourg Saint-Cyprien, qui commandait à l'ouest les deux ponts de la ville. Las ! son fils Amaury, laissé à Saint-Michel, ne put empêcher le comte de Foix d'entrer dans la cité avec un corps de chevaliers aragonais et catalans, dont quelques vétérans de Muret... Quant à l'attaque de Saint-Cyprien, elle échoua piteusement devant une contre-attaque toulousaine et Simon et les siens revinrent sur la rive droite, les uns en barque, les autres – dont Simon lui-même – en allant passer le fleuve bien en amont par le pont de Muret. Il ne restait qu'une solution : le siège.

Il dura dix mois. Simon de Montfort et ses compagnons y déployèrent une obstination et un courage dont n'eurent pas raison les moments de découragement et de doute qui les assaillirent parfois, tant leur situation était défavorable. « On en a pour dix ans... » grommelait, paraît-il, Guy de Lévis. La longueur des fortifications ne rendait pas possible un blocus intégral, si bien qu'on ne pouvait empêcher hommes et vivres de pénétrer dans la ville, alors que les assiégeants n'avaient à espérer aucun renfort avant le retour des beaux jours.

L'hiver se passa dans le calme. Pâques, qui tombait le 15 avril, marqua le véritable début des combats. Le potentiel militaire des assiégés était tel que, loin de se replier sur une défense purement passive et d'attendre les assauts, ils prirent à plusieurs reprises l'initiative de sorties meurtrières, provoquant des affrontements en terrain découvert, comme le fameux combat du pré Montoulieu, ou allant faire le dégât jusqu'au camp de Saint-Michel. C'est dans l'une de ces batailles que fut tué le fils du sénéchal français de Carcassonne et blessé Loup, le bâtard du comte de Foix

Au début de mai, les assiégeants reçurent des renforts considérables, conduits par Alix de Montfort et par Foulque : quelque trente hauts barons, soit autant de corps de cavaliers et de piétons. Simon prit la tête d'une partie de l'armée et s'en alla franchir la Garonne à Muret pour revenir attaquer le faubourg Saint-Cyprien. Alors les Toulousains, eux aussi, divisèrent leurs troupes en deux corps. Tandis que l'un gardait la cité, l'autre passa les ponts et se porta à la défense du faubourg sous le commandement de Roger-Bernard de Foix. L'assaut des croisés faillit réussir : on se battit longtemps dans les rues même de Saint-Cyprien, mais les assaillants durent finalement se replier hors des remparts sans avoir pu s'emparer des deux ponts. Mais voici que les éléments vinrent soudain à leur secours : trois jours d'une pluie torrentielle provoquèrent une crue si forte que tout le faubourg fut inondé. Quand les eaux eurent baissé, Simon occupa sans coup férir le quartier dévasté et abandonné. Il fit aussitôt transformer en forteresse l'hôpital Saint-Jacques. Mais cela ne lui apporta finalement pas grand-chose : il ne pouvait espérer pénétrer dans Toulouse par les ponts, car la crue les avait emportés...

Simon, revenu sur la rive droite, multiplia dès lors les attaques directes et déploya des trésors de ruse tactique pour tromper l'adversaire et le surprendre. Ce fut en vain. Une puissante offensive de cavalerie s'étant brisée de façon sanglante, le 2 juin, sur les barricades, palissades et fossés aménagés par les défenseurs en avant même des remparts pour protéger les lices, il renonça à exposer ses troupes et décida de faire appel à toutes les ressources de l'art des sièges. On commença par construire une énorme chatte, galerie roulante capable d'abriter au sol de nombreux cavaliers, des sapeurs et, sur deux étages, quelque cent cinquante archers. On en était à ces préparatifs, quand Simon vit arriver Raoul de Nesle, le comte de Soissons. Mais le 7 juin, ou peu avant, ce furent les cloches toulousaines qui sonnèrent : Raymond le Jeune faisait son entrée dans la ville avec l'armée provençale... Toulouse fit grande fête au prince de vingt et un ans encore tout auréolé de sa victoire de Beaucaire, et qui allait se révéler – mais qui le savait alors ? – l'âme de la revanche occitane.

Le 23 juin, Simon tint un conseil d'état-major. Il était temps de trouver une issue. Le moral des croisés n'était pas au plus haut. Maints barons venus du nord s'étaient attendus à combattre une horde de vils suppôts du diable rebelles à l'Église et au seigneur qu'elle leur avait désigné. Ils avaient trouvé en face d'eux une grande ville défendue avec acharnement par tout un peuple serré autour de ses princes légitimes... Si l'on en croit la *Canso* – mais d'où le poète tenait-il une telle information ? – Amaury de Craon, le futur sénéchal d'Anjou, aurait déclaré que cette guerre était inique et que s'il avait su... Pour le comte de Soissons non plus, on ne prendrait pas Toulouse de sitôt, car c'était Raymond VI qui était dans son droit... Alors Simon, paraît-il, déclara qu'il se donnait un mois pour réussir, ou lever le siège. L'attaque généralisée aurait lieu le lendemain à l'aube, dimanche 24 juin, avec l'aide de tous les engins d'assaut qui avaient été construits, chattes, tours roulantes, catapultes et trébuchets, claies et targes pour protéger les tireurs.

Toulouse, aux remparts et aux tours couverts d'archers et d'arbalétriers et où l'on avait dressé des plates-formes hérissées de pierrières, ne laissa même pas les assaillants approcher de ses défenses. Fantassins et cavaliers occupèrent en masse les lices dont on renforça aussitôt les protections avancées. Toute la journée se passa en échanges de flèches et de boulets. La grande chatte fut endommagée et immobilisée. A la tombée du jour, les Français n'avaient toujours pas emporté la décision. Le lundi matin, les combats recommencèrent. Ce furent les défenseurs qui prirent l'initiative, en opérant une puissante sortie en direction du camp de Saint-Michel. Les Français les attendaient, dissimulés derrière des claies. Ils sautèrent à cheval, et de la porte Montoulieu à la porte Montgailhard, ce fut une sanglante mêlée.

Bientôt, Simon lui-même arriva avec sa garde personnelle et se jeta dans la bataille. Atteint au côté par un carreau d'arbalète, son frère Guy tomba de cheval. C'est alors que Simon, ayant mis pied à terre, se précipitait vers lui, qu'un boulet de catapulte lui fit éclater la tête. « Et la pierre arriva tout droit où il fallait, si bien frappa le comte à son heaume d'acier... » exulte le poète de la *Canso*, témoin de l'explosion de joie qui secoua Toulouse, et que confirme la *Chronique* de Guillaume de Puylaurens.

Le mardi 26, le cardinal Bertrand investit officiellement Amaury de Montfort des titres et des domaines qu'il héritait de son père. Les seigneurs français qui avaient été les compagnons et les vassaux de Simon lui firent hommage. Un chevalier de vingt ans se trouvait donc projeté soudain sur le devant de la scène. Ironie du sort : il lui faudra exactement six ans pour perdre tout ce que son père avait mis six ans à conquérir...

Le 1er juillet, avant que ne repartent tous ceux qui avaient achevé leur quarantaine, Amaury lança une nouvelle attaque. On réussit à incendier les palissades et abris de bois qui constituaient les défenses avancées, mais une sortie des défenseurs fit une nouvelle fois plier les assaillants, qui regagnèrent leur camp. Bravade, incompétence, ou courage désespéré ? Amaury voulut continuer le siège. Son oncle Guy et Alain de Roucy lui remontrèrent que la mort de Simon ne laissait aucun espoir de vaincre un adversaire qui avait dû puiser dans ce funeste événement une énergie nouvelle. Ce fut le cardinal-légat qui décida. Il fallait abandonner le siège, mais plus que jamais on mobiliserait par la prédication en faveur de la croisade. Un jour, une armée viendrait, si puissante qu'elle s'emparerait de Toulouse...

Le 25 juillet, on mit le feu aux campements, aux machines, ainsi qu'au Château Narbonnais, et Amaury de Montfort prit avec son armée la route de Carcassonne, emportant dans un sac de cuir les restes de son père.

La bataille de Baziège

Les effets de la mort de Simon et de l'échec du siège de Toulouse ne se firent pas attendre. « Beaucoup d'indigènes, s'indigne Pierre des Vaux-de-Cernay, apostats détestables et traîtres pervers, se détachèrent d'Amaury, de l'Église et de Dieu même, et rallièrent le parti ennemi. » Ce fut, immédiatement, le cas de villes comme Pamiers en comté de Foix, Lombers et Lescure en Albigeois – et Albi même, avec la complicité de son évêque, ce qui valut à ce dernier de sévères remontrances de la part d'Honorius III ! Des barons qui avaient plié devant Simon de Montfort, comme le comte Centule d'Astarac, rejoignirent Raymond le Jeune alors que celui-ci et le sénéchal Guillaume-Arnaud de Tantalon chevauchaient triomphalement à travers l'Agenais. En Comminges, Bernard, le fils du comte, récupérait diverses places, tandis que Raymond-Roger de Foix faisait les préparatifs d'une vaste opération en Lauragais. En Provence, le principal ennemi de la maison de Toulouse sur lequel Amaury aurait pu compter, le prince d'Orange, avait lancé un coup de main sur Avignon, mais avait été capturé par les habitants, qui l'avaient écorché vif et dépecé.

Avec hardiesse, Amaury, tentant de prendre ses ennemis de vitesse, parcourut l'Albigeois, le Quercy, l'Agenais, pour y compter ses partisans. Jori fit de même en Comminges, mais loin d'obtenir le moindre ralliement, il se heurta au soulèvement des seigneurs gascons dont l'armée, commandée par le fils du comte, l'intercepta du côté de Martres-Tolosane, le pourchassa et le rattrapa alors qu'il assiégeait Meilhan en Astarac. Jori fut fait prisonnier – mais il fut à peu près le seul : tous ses compagnons furent massacrés sur place.

Les derniers mois de 1218 se passèrent ainsi, en une sorte de vaste partie d'échecs où, entre les affrontements, qui furent rares, chacun des deux adversaires essayait d'avancer ses pions. En septembre, Amaury fit revenir dans son camp l'évêque d'Albi, puis se fit prêter serment par l'abbé de Moissac ; en octobre, il réoccupa Gontaud et Montastruc en Agenais, après quoi, fonçant sur le Comminges, il assiégea Cazères, s'en empara et mit à mort ses habitants, puis reçut la soumission d'Arnaud de Marquefave. Ayant vu arriver vers la Noël un renfort de quelque soixante chevaliers que lui avait amené sa mère Alix, il s'en alla dans les Corbières mettre au pas l'abbaye de Lagrasse, dont on disait que l'abbé avait noué des intelligences avec les *faidits* du pays...

Pendant ce temps, Raymond le Jeune menait une action tout à fait symétrique. Il était le 6 janvier à Najac en Rouergue, avec Centule d'Astarac, et il y inféoda divers domaines du bas Languedoc à des compagnons qui l'avaient secondé à la défense de Toulouse. Son père, pendant ce temps, s'en était allé en Roussillon affermir sa position ; en octobre, il avait détaché du parti de la croisade ce vieil adversaire cévenol qu'était pour lui la maison d'Anduze – dont le chef, Pierre-Bermond, avait pourtant épousé sa fille Constance. Raymond traita avec Pierre-Bermond le Jeune, le fils de Constance – donc son propre petit-fils – qu'il pourvut de vastes domaines et de divers droits féodaux. En novembre, il envoya Sancie d'Aragon, la femme de Raymond le Jeune, confirmer en son nom aux consuls de Nîmes les privilèges jadis accordés par Simon de Montfort, et en concéder d'autres...

A l'autre bout du comté, Amaury était en train d'assiéger Marmande, où s'étaient rassemblés grand nombre de ses ennemis d'Agenais, de Quercy, de Lomagne et de Gascogne, quand le comte de Foix se lança sur le Lauragais. Il commença par s'enfermer dans Baziège, à cinq lieues au sud-est de Toulouse, avec ses deux fils Roger-Bernard et Loup. A ses propres chevaliers s'étaient joints des *faidits* notoires originaires du Carcassès, tels Jourdain de Cabaret, Chabert de Barbaira ou Guillaume de Niort, gendre de la parfaite Blanche de Laurac. Il prévint Raymond le Jeune, qui arriva bientôt de Toulouse avec sa chevalerie : son demi-frère Bertrand, Arnaud de Villemur, Bertrand-Jourdain de l'Isle, Guiraud, Guillaume et Raymond Hunaud de Lanta, Isarn de Montaut, Hugues de Lamothe, même le chevalier navarrais Hugues d'Alfaro, ancien sénéchal de Raymond VI en Agenais. Sans oublier les fantassins de la milice toulousaine. L'enjeu était de mettre hors d'état de nuire les Français qu'Amaury avait laissés à Carcassonne et qui, de là, opéraient des razzias meurtrières à travers le Lauragais, sous le commandement, notamment, des frères Foucaud et Jean de Berzy, qui s'étaient fait une épouvantable réputation de cruauté gratuite. C'est d'ailleurs au cours d'un de ces raids qu'en compagnie d'Alain de Roucy, de Thibaud de Nonneville et de trois transfuges de marque, le vicomte Sicard de Lautrec, Pierre-Guillaume de Séguret et Sicard de Montaut, ils décidèrent de marcher sur Baziège afin d'en déloger leurs ennemis.

A leur approche, les Occitans sortirent de Baziège et se disposèrent en ordre de bataille quelque part sur les berges de l'Hers, le comte de Foix dans le premier corps, les Commingeois dans le second, Raymond le Jeune dans la réserve. Rien que de banal – mais ce ne fut pas, pourtant, une bataille ordinaire ! Ce ne fut pas la cavalerie lourde avec ses chevaliers pesamment équipés qui fonça sur la troupe de Foucaud de Berzy, mais des chevaux montés par des arbalétriers et des soldats armés de frondes et de javelines. Autrement dit une cavalerie légère extrêmement mobile qui, rapidement, enveloppa l'adversaire et l'assaillit de tous les côtés à la fois. Et c'est quand celui-ci, encerclé, fut suffisamment accablé par les pluies de projectiles, et affolé ou désorganisé au point de ne pouvoir se dégager du piège, que la cavalerie lourde chargea sur lui, suivie par les fantassins de la milice toulousaine. Il est aisé d'imaginer le carnage. Si Alain de Roucy et Sicard de Lautrec réussirent à fuir, Jean et Foucaud de Berzy furent pris et emmenés à Toulouse. Pierre-Guillaume de Séguret aussi, mais il fut pendu pour trahison. Capturé également, Sicard de Montaut, de surcroît blessé. Des amis qu'il avait dans le parti adverse le ramassèrent et le mirent à l'abri... Il eut plus de chance que Séguret : il épousa une sœur de Guillaume Hunaud de Lanta, lequel, au moment de mourir, en novembre 1222, lui confiera par testament la tutelle de l'enfant dont sa propre femme, Gauda, sera alors enceinte.

Baziège, à coup sûr, avait vengé Muret. Non seulement du fait que cette fois les Occitans avaient gagné, mais surtout parce qu'ils avaient gagné intelligemment. Amaury et les siens, tout en se défendant des années encore, valeureusement, pied à pied, ne verront jamais leur armée se remettre de la bataille du printemps 1219. Fatal renversement des choses ! S'il y a du charisme quelque part dans l'affrontement qui s'annonce – on en a eu la preuve dès le lendemain du siège de Toulouse –, c'est en faveur de Raymond le Jeune. Simon de Montfort, c'est évident, n'a pas transmis le sien, qui était pourtant immense, à son fils aîné. Il ne lui a pas transmis non plus son génie militaire. La science des armes, elle aussi, a changé de camp.

Il s'en fallut de peu, pourtant, que tout recommençât comme aux pires jours de 1209 et de 1210. Informé du désastre de Baziège, Amaury s'apprêtait à lever le siège de Marmande après un assaut qui venait d'échouer, quand, le 2 ou le 3 juin, arriva une formidable armée commandée par le prince Louis de France. Les appels alarmés du Saint-Siège avaient été entendus. Mais Louis venait-il sauver la croisade en tant que telle, c'est-à-dire aider au triomphe de l'Église sur l'hérésie cathare et ses complices, ou préserver une principauté vassale d'un possible retour en force de ses princes indigènes – Raymond VI et Raymond le Jeune – dont la fidélité à la couronne de France était rien moins qu'assurée ?...

Un nouvel assaut ayant permis aux Français d'enlever les défenses avancées, Centule d'Astarac, qui commandait dans Marmande, demanda à parlementer avec Louis, et se rendit à merci. Il offrit de livrer la ville contre la vie sauve pour lui et ses compagnons. L'état-major du prince se montra fort divisé sur le sort qu'il fallait lui réserver. L'évêque de Saintes voulait qu'on le remît à Amaury pour qu'il le brûlât ou le pendît, à son gré. Le comte de Saint-Pol, le duc de Bretagne, dirent que ce serait là grand déshonneur. L'archevêque d'Auch aussi plaida pour le seigneur gascon vaincu – son compatriote, au fond – qui n'avait jamais été hérétique ni, jusque-là, ennemi déclaré de la croisade. Guillaume des Roches, sénéchal de Philippe Auguste, fut du même avis : Centule d'Astarac ne serait pas mis à mort. Il fut emprisonné à Puylaurens, et plus tard échangé contre Foucaud de Berzy.

Cette mansuétude eut, hélas ! une terrible contrepartie. Marmande fut pillé, et sa population entièrement massacrée sans distinction d'âge ni de sexe. Cinq mille morts, dit Guillaume le Breton, et pour une fois le chiffre est plausible. Sauvagerie totalement injustifiée, qui n'avait pas l'excuse, comme le sac de Béziers en 1209, de s'inscrire dans une stratégie de la terreur propre à écourter la guerre – donc à faire l'économie d'autres sièges et à éviter d'autres morts inutiles.

Le 17 juin, l'armée du prince Louis arriva devant Toulouse. La prédiction du cardinal Bertrand semblait bien se réaliser.

Toulouse : troisième siège...

Raymond le Jeune réunit en conseil les chevaliers de son état-major et les consuls. Une question se posait, primordiale : où était leur intérêt à tous ? Personne ne doutait de la capacité des Toulousains à résister une nouvelle fois. Mais Pelfort de Rabastens analysa très finement la situation et ses implications au plan du droit féodal. Investi par l'Église des titres et des domaines de son père, Amaury ne l'était pas encore par le roi de France. Raymond le Jeune avait donc encore la possibilité de demander au roi de le reconnaître pour vassal. Il fallait profiter de la présence de Louis pour lui proposer cette solution. Le lien entre la Couronne et le comté serait ainsi définitivement normalisé, Raymond le Jeune conservant son héritage comme grand feudataire de Philippe Auguste. Amaury de Montfort, évincé, n'aurait plus qu'à rentrer chez lui. Raymond apprécia la logique du raisonnement, mais déclara qu'il ne ferait pas le premier pas, car c'était Louis qui s'était mis dans son tort en tirant l'épée le premier et en laissant faire l'abominable massacre de Marmande. Et il organisa aussitôt la défense.

Le récit que fait la *Canso* de ce troisième siège, en neuf ans, de la capitale comtale – et sur quoi, d'ailleurs, elle s'achève – est moins haut en couleur que celui du siège précédent, mais a le grand intérêt de reposer en partie sur un précieux document, dans lequel on ne peut voir qu'une sorte de circulaire d'état-major ou d'état des effectifs : c'est la liste des dix-huit points fortifiés de la ville – portes, barbacanes et ponts – avec les noms des capitaines commis à leur garde et au commandement de leurs garnisons. Au total, cinquante-neuf personnages, sur lesquels allait reposer le salut de Toulouse. Il y a des chefs de routiers avec leurs compagnies, et des officiers comtaux comme le sénéchal d'Agenais ou Hugues d'Alfaro. Il y a des nobles de très haut rang, comme le fils du comte de Comminges, son cousin le seigneur du Savès, et Bertrand vicomte de Lautrec, et le vicomte de Gimoèz, et le fils du vicomte de Lomagne. Il y a Bertrand de Toulouse, le demi-frère de Raymond le Jeune. Il y a des barons venus du Quercy, de l'Albigeois, du Périgord, de la Gascogne, du Carcassès – et même des Provençaux qui avaient combattu deux ans plus tôt à Beaucaire. Et, bien sûr, un certain nombre de *faidits* notoires dont d'autres sources révèlent les attaches étroites avec l'Église hérétique : Guillaume de Minerve, Jourdain de Cabaret,

Arnaud de Villemur, Guillaume Hunaud de Lanta et ses parents Guiraud, Raymond et Jourdain, et Pelfort de Rabastens, et Sicard de Puylaurens, et Guiraud de Gourdon... Ces chevaliers croyants cathares ne constituent certes pas, il s'en faut de beaucoup, la majorité de l'armée de Raymond le Jeune, qui, comme le gros de la population, est demeurée catholique – on ne manque d'ailleurs pas d'exposer à Saint-Sernin les reliques de saint Exupère – mais on saisit ici sur le vif, une nouvelle fois, que la résistance à l'armée venue du nord dépassait de beaucoup les clivages religieux et que, sous la bannière de Raymond le Jeune, les Occitans se battirent plus que jamais au coude à coude, toutes religions confondues. Ce qui, formellement parlant, rendait inopérant à leurs yeux le concept même de croisade. Ils faisaient front, tout simplement, à une guerre de conquête.

Sa quarantaine achevée – et même dépassée – le prince Louis leva le camp le 1er août, après quarante-cinq jours d'un siège inutile qui dut quand même voir se dérouler quelques combats, puisque l'évêque de Cambrai y fut tué.

Les mois qui suivirent furent mis à profit par Raymond le Jeune et par son père pour pousser leur avantage et cimenter mieux encore la sorte d'union sacrée qui s'était faite autour de leurs personnes. Il fallait aussi, c'est certain, relancer une économie malmenée par des années de guerre. Ils concédèrent aux Toulousains de très importantes franchises fiscales. D'autres barons les imitèrent comme Centule d'Astarac. D'autres chartes suivront, qui faciliteront le commerce toulousain à travers les comtés de Comminges et de Foix et les terroirs de maintes seigneuries, Rabastens, l'Isle-Jourdain, Montréal, Laurac.

N'en croyons pas pour autant qu'une sorte de paix idéale s'était soudain mise à régner sur le pays. Comme toute guerre, six années de croisade avaient profondément perturbé la vie sociale et changé les mentalités. La reprise en main de la situation par les princes légitimes ne signifiait nullement un retour à l'ordre ancien. L'oligarchie toulousaine qui tenait traditionnellement le consulat avait pu, à la faveur des événements, mesurer la fragilité de son pouvoir. Elle entendit se donner des assurances, et la plupart des chartes qui marquèrent les années 1219-1222 entérinent en fait un recul du pouvoir des féodaux. Il y a plus. Les rapports de force au sein même de la population de Toulouse tendaient à se modifier. Les élections consulaires de 1218 avaient vu accéder aux charges municipales, pour la première fois, des hommes issus des rangs du commerce et de l'artisanat, deux marchands, un saunier, un forgeron, un aubergiste. Ce mouvement sera sensible jusqu'aux élections de 1227, et ce n'est qu'à la faveur de sa défaite devant la croisade royale, en 1229, que Raymond VII réussira à endiguer cette poussée « populaire » pour s'appuyer, à nouveau, sur un consulat de composition patricienne.

Le siège de Castelnaudary

Après le départ de Louis, Amaury de Montfort s'installa pour plusieurs semaines à Castelnaudary, sans doute pour être en position d'intervenir si les Occitans rassemblés à Toulouse s'en allaient menacer Carcassonne. Soucieux de sauver ce qui pouvait l'être, il s'accorda avec Thédise, l'ancien adjoint à la légation pontificale devenu évêque d'Agde, sur les droits féodaux relatifs à divers domaines pour lesquels il y avait litige.

Raymond VI et son fils occupèrent l'hiver à recevoir les hommages de divers vassaux. On mit fin, aussi, aux rapines de Foucaud et Jean de Berzy, les prisonniers de Baziège qui, échangés contre Centule d'Astarac, avaient recommencé à terroriser le Lauragais. Capturés au cours d'un engagement, ils furent décapités et leurs têtes ramenées à Toulouse plantées sur des lances.

C'est au printemps 1220 que Raymond le Jeune engagea l'ultime campagne destinée à bouter les croisés hors du pays. Il commença par Lavaur, après avoir été rejoint par un transfuge de haut rang, le vicomte Sicard de Lautrec en personne, ce qui dit assez à quel point la déconfiture de la croisade devenait une évidence même pour ceux qui avaient joué sa carte. Le château de Lavaur pris d'assaut et sa petite garnison française massacrée, Raymond gagna Puylaurens, tenu par la veuve de Foucaud de Berzy. Il lui accorda la vie sauve, ainsi qu'aux soldats, à condition qu'ils déguerpissent, puis marcha sur Castelnaudary, qu'Amaury avait quitté pour se replier sur Carcassonne. En fait, ce pourrait bien avoir été un piège : quand l'armée toulousaine se fut installée dans la place, il vint y mettre le siège. Son jeune frère Guy fut tué lors d'un assaut, le 20 juillet.

Dans la ville, le chevalier Raymond de Roqueville fut blessé d'un trait d'arc ou d'arbalète. En bon croyant cathare, car c'en était un, il demanda le *consolament* des mourants et le reçut des mains de deux parfaits, en présence d'un de ses frères et du seigneur de Montgaillard-Lauragais, Guillaume d'Issus, qui mourra lui-même vingt-quatre ans plus tard sur le bûcher de Montségur. Ce ne serait qu'anecdotique, si cela ne révélait la situation de l'Église cathare au cours de cette guerre de reconquête : il est clair que parfaits et parfaites se précipitent sur les villages abandonnés par les croisés ou ceux qui leur sont enlevés de vive force. Qu'ils se soient installés à Castelnaudary dès qu'Amaury de Montfort eut tourné le dos, ou qu'ils y soient arrivés pour ainsi dire dans les fourgons de Raymond le Jeune, les deux parfaits qui consolèrent Raymond de Roqueville n'étaient pas les seuls représentants de leur Église dans la ville assiégée : il y avait – entre autres – Guilhabert de Castres, *fils majeur* de l'évêque cathare du Toulousain Gaucelin à qui il succédera bientôt, et Raymond Agulher, diacre du Sabarthès et futur évêque du Razès. La hiérarchie réfugiée à Montségur en 1209 n'avait donc pas perdu de temps pour revenir diriger l'Église dans le pays libéré des croisés. La diriger, mais surtout, d'abord, la réorganiser, tâche qu'assumera essentiellement Guilhabert de Castres lui-même, lorsque, vers 1222, et devenu évêque, il pourra se réinstaller à Fanjeaux et – ô paradoxe ! – y restaurer à deux pas du couvent dominicain de Prouille le siège de l'évêché cathare...

En attendant, sa présence dans Castelnaudary assiégé et celle de Raymond Agulher font courir à l'Église cathare un risque suffisant pour que trois chevaliers croyants, trois *faidits* qui ont rallié Raymond le Jeune – Bernard-Othon de Niort, Guillaume de Lahille et Bernard de Saint-Martin – se dévouent pour faire évader les deux dignitaires, leur faire franchir les lignes françaises, et les accompagner jusqu'à Foix, où ils les confient à un autre croyant de haut rang, Raymond Sans de Rabat. Ils ont même fait étape, une nuit, incognito, à l'abbaye de Boulbonne...

Amaury s'obstina huit mois devant Castelnaudary. Honorius III avait compris, depuis le départ du prince Louis, que « l'affaire de la Paix et de la Foi » était en mauvaise posture. Il pensa débloquer la situation en nommant un nouveau légat à la place du cardinal Bertrand : ce fut le cardinal Conrad, évêque de Porto, à qui il demanda de reprendre en main un clergé local dont il apparaissait chaque jour un peu plus qu'il prenait ses distances à l'égard de la croisade. Aux barons du Languedoc, aux consulats, aux populations, le pape lança des appels comminatoires pour qu'ils fissent serment entre les mains du légat de revenir à l'unité de l'Église catholique et se mobilisent contre l'hérésie et ses complices ; aux comtes de Comminges et de Foix, il ordonna d'abandonner le parti des Raymond sous peine des pires sanctions spirituelles et temporelles. Conrad effectua même un voyage en France pour supplier Philippe Auguste d'intervenir... Bref, Honorius III redéfinissait la croisade dans ses objectifs et dans ses moyens, comme l'avait fait jadis Innocent III. Mais 1220 n'était pas 1209, les enjeux n'étaient plus les mêmes. Aux yeux de tous, ils étaient maintenant purement politiques, comme si la question religieuse était dépassée et n'intéressait plus personne désormais. Honorius III exigeait des Toulousains un serment de Paix calqué sur ceux de 1209. Ils répondirent, avec l'aval de Raymond VI, en prenant le 1er septembre 1220 un décret de représailles contre ceux de leurs compatriotes qui avaient collaboré avec Simon de Montfort...

La curée

Amaury ne leva le siège de Castelnaudary qu'en février 1221, pour se replier sur Carcassonne. Raymond le Jeune et Roger-Bernard de Foix se mirent aussitôt sur ses talons. Quand ils arrivèrent à Montréal, la population leur ouvrit spontanément les portes, mais ils durent assiéger le château tenu par un vieux compagnon de Simon de Montfort, Alain de Roucy. Grièvement blessé lors d'une attaque, Alain agonisait dans sa chambre quand son fils livra la place moyennant la vie sauve. C'est du moins ce qu'on peut dégager de divers témoignages pas toujours très concordants. Quoi qu'il en fût, le *faidit* particulièrement combatif qu'était Bernard-Othon de Niort – il était le neveu d'Aimery de Montréal, supplicié lors de la prise de Lavaur – reprit possession de ses biens.

Faute de chroniques détaillées – comme la *Canso*, l'*Historia albigensis* de Pierre des Vaux-de-Cernay s'arrête en 1219 –, on connaît mal les étapes de la phase ultime de la reconquête occitane, qu'on ne peut évoquer qu'au travers de renseignements très fragmentaires fournis par les actes diplomatiques, ou de brèves allusions que feront plus tard les témoins de l'Inquisition. Ce qui est certain, c'est que l'étau, inexorablement, se resserra sur Amaury et sur ses compagnons. En juin 1221, le comte de Foix occupa Limoux, Fanjeaux, ainsi que Prouille – confirmant d'ailleurs au prieur du couvent dominicain toutes les donations qui lui avaient été faites antérieurement, tant par les croisés que par les indigènes. Ce qui n'empêcha pas Fanjeaux d'être le théâtre d'une véritable ruée de parfaits et de parfaites impatients de se réinstaller en ce haut lieu du catharisme, et d'y rouvrir publiquement leurs maisons-ateliers, d'y reprendre leur travail et leur prédication. Les nobles Esclarmonde et Orbria de Festes, Dame Suaud de Lanta, Turca Ferrand, Arnaud de Verfeil, Pons Bonnet, Guiraud de Gourdon, qui a définitivement raccroché son épée, Guillaume Espitalier, Pierre Bordier, Pierre Couloume, qui tient un atelier de peausserie, on n'en finirait pas de citer toute cette Église de Fanjeaux réapparue au grand jour, alors que Guilhabert de Castres, revenu lui aussi après avoir passé un temps au Mas-Saintes-Puelles, se fait construire une maison « sous celle du chevalier Bernard-Hugues de Festes ».

Dans le courant de juillet, des renforts de croisés arrivèrent à Carcassonne, conduits par l'archevêque de Bourges et les évêques de Limoges et de Clermont. Plutôt que de les utiliser à desserrer l'étau autour de Carcassonne, Amaury eut l'idée saugrenue d'aller avec eux et le cardinal Conrad s'assurer de la fidélité des habitants d'Agen... Il eut beau, le 1er août, délivrer aux consuls une charte de protection, les Agenais revinrent avant la fin du mois dans le camp de Raymond le Jeune, qui leur concéda une amnistie générale.

Suivirent plusieurs mois d'expectative, occupés surtout, à Toulouse, par le règlement de divers problèmes d'ordre législatif, notamment le mode d'élection des consuls. Le mouvement amorcé en 1218 s'était confirmé : de plus en plus de gens de métier étaient entrés au consulat, au détriment des vieilles familles patriciennes. Y a-t-il un lien de cause à effet ? Toujours est-il que l'assemblée municipale prend de plus en plus d'indépendance par rapport au pouvoir du comte, à qui l'on finit par contester tout droit d'ingérence dans les élections, dans le temps même que le décret instituant l'inéligibilité des proches parents des consuls en exercice vise à empêcher que le pouvoir municipal ne soit monopolisé, comme par le passé, par un petit nombre de familles... Toute l'année 1222 sera marquée par l'octroi aux Toulousains de nouvelles franchises de la part des féodaux du pays, grands ou petits. On ne peut qu'y voir la main d'un consulat soucieux de s'émanciper des anciennes structures du pouvoir.

Le 27 mars 1222, Raymond le Jeune, de retour d'un voyage en Gévaudan pour y restaurer ses droits supérieurs, délivrait aux habitants de Moissac une charte d'amnistie et confirmait leurs coutumes. C'était annuler la soumission obtenue deux ans plus tôt par Amaury de Montfort.

Contraint de renoncer à ses conquêtes du haut Languedoc, du Quercy, de l'Agenais – où seuls semblent encore tenus par des garnisons françaises Penne sur le Lot et Verdun sur la Garonne – Amaury tenta d'affermir son pouvoir sur la vicomté de Carcassonne en distribuant des fiefs, en donnant notamment à Sicard de Montaut, cet Occitan qui lui demeurait encore fidèle, tout ce que Sicard de Laurac possédait jadis en Lauragais, et qui représentait de fort vastes domaines. Donation bien illusoire ! Le principal héritier de Sicard était son petit-neveu Bernard-Othon de Niort, et celui-ci était justement en train de tout récupérer par les armes... Au printemps 1222, ce fut le Biterrois qui se souleva. Deux ans plus tôt déjà, l'évêque de Béziers, en butte à la vindicte des habitants, avait dû se réfugier chez l'archevêque de Narbonne. Cette fois, la rébellion avait gagné toute la région, et le Minervois aussi. Le légat Conrad dut excommunier une trentaine de villes qui s'étaient jointes au mouvement en menant contre les domaines ecclésiastiques du Narbonnais une véritable guerre de dévastation.

Replié, à peu de chose près, sur le seul Carcassès, Amaury comprit qu'il était pris en tenaille, et qu'il ne s'en sortirait pas tout seul. Philippe Auguste, comme avant 1209, restait sourd aux appels du Saint-Siège. Amaury imagina alors de lui forcer en quelque sorte la main : s'il offrait la terre conquise au roi lui-même, celui-ci se ferait un devoir de venir la sauver, et même de reconquérir ce qui en avait été perdu. Il dépêcha en mai auprès du roi les évêques de Nîmes et de Béziers porteurs du projet, qu'Honorius III lui-même appuya fortement auprès du souverain.

Raymond le Jeune eut-il vent de la manœuvre d'Amaury ? Toujours est-il que le 16 juin, se trouvant à Montpellier, il écrivit à son tour à Philippe Auguste : promettant de rentrer dans l'unité de la sainte Église romaine, il demandait au roi de le recevoir pour vassal. C'était solliciter sa reconnaissance officielle en tant que comte de Toulouse tenant tous ses États en fief de la Couronne – ce qui impliquerait l'éviction totale d'Amaury et écarterait le spectre d'une guerre menée par le roi. C'était ce que Pelfort de Rabastens avait suggéré de faire trois ans plus tôt...

Finalement, le dilemme proposé à Philippe Auguste était simple : hériter du seigneur « légal » – selon le droit nouveau imposé par la croisade – et se lancer dans une guerre de reconquête ; ou se poser en suzerain du seigneur « légitime », ce qui ne manquerait pas de mettre la Couronne en porte à faux à l'égard du Saint-Siège, aux yeux de qui ledit seigneur était un suppôt de l'hérésie, excommunié d'ailleurs comme tel. On comprend que le roi ait refusé l'une et l'autre solution.

Raymond VI ne connut sans doute pas l'issue de ces démarches diplomatiques de l'été 1222. Tombé malade à Toulouse, chez son ami Hugues Déjean, il y mourut dans le courant du mois d'août, entre les mains des chevaliers de Saint-Jean de Jérusalem, dont il s'était déclaré donat par le testament qu'il avait fait pendant le grand siège. Sa dépouille fut remise aux chevaliers, mais comme il était excommunié, il ne put être inhumé en terre bénite et son cercueil fut abandonné dans un couloir... Il avait soixante-cinq ans. Sa veuve Éléonore d'Aragon se retira à la chartreuse de Valbonne, près d'Uzès.

L'avènement de Raymond le Jeune, devenu Raymond VII, eut lieu le 21 septembre au cours d'une cérémonie qui se déroula en l'église Saint-Pierre-des-Cuisines. Il est intéressant de noter, dans la nombreuse assistance qui fut témoin des serments échangés, la présence de Sicard de Montaut, qui avait enfin abandonné le parti d'Amaury...

Des mois passèrent encore. Philippe Auguste resta longtemps sans répondre officiellement aux propositions qu'Amaury et Raymond lui avaient faites au début de l'été. En décembre, le légat Conrad lui écrivit pour lui dire que celle d'Amaury tenait toujours. Au printemps 1223, juste avant de mourir à son tour, le comte de Foix Raymond-Roger enleva Mirepoix au maréchal Guy de Lévis. C'était apparemment la dernière importante seigneurie encore tenue par un compagnon de Simon de Montfort. Dès le 27 mars, le comte avait reçu au château de Pamiers l'hommage des douze coseigneurs de Mirepoix, avant même, semble-t-il, qu'ils n'aient effectivement repris possession de leurs domaines. Parmi eux, évidemment, le plus éminent, Pierre-Roger de Mirepoix, avec à ses côtés son frère Isarn de Fanjeaux et son cousin Arnaud-Roger, le frère de Raymond de Péreille.

Mirepoix récupéré, le diacre cathare Raymond Mercier sortit de la clandestinité et, comme à Fanjeaux, comme partout ailleurs, parfaits et parfaites rouvrirent leurs maisons. Il y en avait cinquante à Mirepoix avant la croisade...

Le 1er mai, le légat reçut enfin, à Béziers, la nouvelle que le roi convoquait à Melun une assemblée de prélats et de barons pour débattre de l'affaire albigeoise. Il lui écrivit aussitôt pour le supplier de voler au secours du pays, où les hérétiques étaient si dramatiquement revenus en force, disait-il, que l'Église et la foi y étaient en grand péril. Amaury lui-même se précipita auprès du souverain pour lui renouveler sa proposition – mais il le trouva très malade. On ne sait même pas si l'assemblée de Melun eut lieu. En revanche, Conrad réunit à Sens un concile qui s'ouvrit le 9 juillet. Le roi, alors à Pacy-sur-Eure, demanda le transfert de l'assemblée à Paris, afin de pouvoir y assister. Il mourut lui-même en cours de route, le 14 juillet. Du concile, il ne sortit pas grand-chose, sinon la promesse que fit le prince Louis, maintenant roi, de prélever au profit de la croisade une partie de l'argent que son père avait laissé par testament aux aumônes.

Amaury revint à Carcassonne avec l'évêque de Limoges et un corps de nouveaux croisés. Il avait engagé ses propres domaines d'Ile-de-France afin de lever quelques troupes et de pouvoir les solder. Il décida alors d'aller, avec le légat, dégager la garnison bloquée dans Penne-d'Agenais, ce qu'il réussit d'ailleurs à faire sans difficulté. A son retour, le légat comprit quand même que les croisés n'étaient plus en mesure de soutenir une vraie guerre, et s'employa à négocier une trêve. Raymond VII rencontra donc Amaury à Carcassonne, il partagea même sa chambre au Château comtal ; on dit que les deux jeunes hommes plaisantèrent beaucoup ensemble. En fait, la trêve était si limitée dans le temps que, la rencontre n'ayant débouché sur rien de concret, chacun reprit vite les armes.

A l'automne, Raymond Trencavel, le fils du vaincu de 1209, revint de son exil catalan. Il n'eut aucune peine à lever des partisans. Il dut même prendre possession d'Albi, car c'est avec un contingent d'Albigeois qu'il alla assiéger Lombers. Il rallia à lui Conques et Laure-Minervois, et sans doute bien d'autres localités, avant d'aller se joindre à Roger-Bernard de Foix et à Raymond VII, qui assiégeaient Carcassonne.

Amaury et le dernier carré de ses fidèles – son oncle Guy, le maréchal de Lévis, Lambert de Thury et une vingtaine d'autres seulement, car soixante venaient de l'abandonner – étaient à bout de forces et de ressources. Lâché par le vicomte de Narbonne, qui venait de faire hommage à Raymond VII, Amaury s'était tourné vers l'archevêque. Ce dernier avait engagé ses plus beaux domaines afin d'emprunter de l'argent pour qu'Amaury pût payer leur solde aux quelques chevaliers qu'il lui restait. Trop tard. La souricière s'était refermée.

Amaury de Montfort signa sa capitulation le 14 janvier 1224, entre les mains des comtes de Toulouse et de Foix, sous une tente du camp que les Occitans avaient dressé sur la berge de l'Aude, au pied de la Cité. Le lendemain, il prit avec ses compagnons le chemin de la France. Au terme de quinze ans de guerre, la croisade « albigeoise » était vaincue...

10

La croisade royale

Le Saint-Siège n'avait que deux solutions : abandonner la partie, ou tout reprendre à zéro. Le long rapport qu'Arnaud Amaury, aidé des évêques de Nîmes, Uzès, Agde et Béziers, expédia de Montpellier, le 23 janvier 1224, au roi Louis VIII, exprime bien la façon dont l'Église interprète – ou fait mine d'interpréter, pour les besoins de sa cause – la défaite d'Amaury de Montfort : elle est moins la victoire militaire des princes occitans sur une armée d'invasion, que le triomphe de l'hérésie... « Les dragons de Pharaon paraissent avoir dévoré le dragon de Moïse, l'Esprit immonde qui avait jadis été chassé de la province de Narbonne et des pays voisins par le ministère de l'Église romaine et la puissance de votre règne est revenu comme par enchantement et, avec les sept autres Bêtes, est rentré dans la demeure qu'on avait balayée... »

Dans son lyrisme apocalyptique, le vieil archevêque n'a pas tout à fait tort : le catharisme est sorti de la guerre plus puissant qu'il ne l'était avant. Une nouvelle génération de parfaits et de parfaites a pris le relais de celle que les bûchers de 1209 et 1210 avaient si durement éprouvée. En cet homme cultivé et influent qu'est Guilhabert de Castres, l'évêché cathare de Toulouse, et peut-être l'Église hérétique en son ensemble, ont trouvé celui qui va mettre à profit la libération et tout ce qu'elle véhicule d'espérance et de sentiments exaltés pour donner un nouvel essor à sa religion. De Fanjeaux, Guilhabert rayonne sur tout le Lauragais, et bien au-delà, prêchant aux simples fidèles, donnant le *consolament* aux mourants, visitant les communautés de parfaits et de parfaites qui se sont partout réimplantées, réorganisant le réseau des diaconés, mais aussi conférant avec la noblesse locale,

dont on sait bien qu'une bonne part du clergé cathare se recrute
dans ses rangs et que les croyants y sont particulièrement nombreux. A Toulouse, il rencontre des notables et des membres de
l'oligarchie traditionnellement favorables à l'hérésie, comme
Alaman de Rouaix. Un jour de 1223, avec Raymond Agulher, le
diacre du Sabarthès, il va s'entretenir avec le vicomte de Castelbon, beau-père du comte de Foix, et celui du Couserans ; et cela
se passe chez le prieur bénédictin de Manses, près de Mirepoix...
Va-t-on en revenir, comme avant la croisade, à la *convivenza* de
fait des deux religions ? Sans parler de la complicité du comte de
Toulouse lui-même, du moins de son entourage et de ses officiers : en 1225, à Castelnaudary, Guilhabert est hébergé en l'hôtel du bayle de Raymond VII, son futur sénéchal Pons de
Villeneuve.

Et l'évêque, dans son entreprise de reconstruction spirituelle,
est admirablement secondé. Il suffit de suivre par exemple la
grande tournée que le diacre Bernard de Lamothe, qui sera bientôt son *fils majeur*, entreprend en 1222 à partir de Montauban :
plus de trois ans durant, Lamothe visite systématiquement le bas
Quercy, Toulouse, le Lauragais, une partie du comté de Foix – il
va même jusqu'à Montségur. Long périple qui l'amène au début
de 1226 à Pieusse, entre Carcassonne et Limoux, où Guilhabert
de Castres a réuni un concile destiné à régler un important problème d'administration : pour faciliter sa propre gestion, l'Église
cathare crée un cinquième évêché, celui du Razès, et c'est Benoît
de Termes – vraisemblablement le frère du célèbre *faidit* des Corbières, Raymond de Termes, tombé en 1210 aux mains de Simon
de Montfort – qui est élu à sa tête, avec pour *fils* le diacre du
Sabarthès Raymond Agulher et Pons Bernardi, qui avait été parfait à Cabaret avant la croisade.

Honorius III n'avait évidemment pas attendu que les choses
en fussent à ce point. En décembre 1223, trois semaines avant la
capitulation d'Amaury, espérant sans doute qu'on pouvait encore
sauver la croisade, il avait écrit au roi pour le supplier d'intervenir. Ayant pris conseil des prélats et des barons du royaume, et
rompant très nettement avec l'attitude qui avait toujours été celle
de son père, Louis promit qu'il irait lui-même en « pays albigeois ». Fin janvier, il adressa au pape un mémorandum en neuf
articles énumérant les conditions auxquelles il partirait. Le ton
en était sec et comminatoire : il donne ses ordres à l'Église, il lui
dicte les garanties politiques, juridiques et financières qu'il exige

d'elle... Il veut notamment que le Saint-Siège s'engage par avance à lui reconnaître, à lui et à ses héritiers, la pleine et entière propriété, à perpétuité, de la « terre conquise », ce qui écarte *a priori* le même Saint-Siège de toute intervention dans les règlements futurs...

C'est alors que, très habilement, le roi se servit d'Amaury et de la donation que ce dernier avait voulu faire en 1222 à Philippe Auguste, mais que Philippe Auguste avait refusée. Prenant au mot les récents courriers du pape comme du légat Conrad qui avaient réitéré l'offre d'Amaury, il accepta celle-ci. Ce qui – ainsi que tout le monde l'avait prévu – le mettait dans l'obligation morale de s'en aller reconquérir le « pays albigeois », puisqu'il en était désormais le seigneur direct. Mais l'acte de donation, passé en février, stipula que celle-ci était soumise à une condition formelle : que le Saint-Siège entérine le mémorandum du roi...

Acceptation, fût-elle conditionnelle, de la donation d'Amaury, promesse d'aller en Albigeois : le revirement de la Couronne est patent, si l'on compare l'attitude de Louis VIII à celle de son père. A cette volte-face, il peut y avoir plusieurs raisons. Louis vouait-il à l'hérésie une haine particulière, sous l'influence de sa très dévote épouse Blanche de Castille ? Ambitionnait-il de donner au royaume la fenêtre maritime qui lui aurait acquis une place dans le commerce méditerranéen, alors que les grands ports étaient jusqu'ici sur les terres d'Empire ? Estimait-il que la possession directe du « pays albigeois » serait un atout de poids dans son projet de bouter les Anglais hors de l'Aquitaine voisine ?

Quoi qu'il en fût, Honorius III ne céda pas au chantage du roi. Il y avait en particulier, dans le mémorandum, une exigence qu'il ne pouvait accepter : le roi entendait désigner lui-même, en la personne des archevêques de Bourges, de Reims et de Sens, les prélats qui auraient la direction spirituelle de l'expédition, précisant même que le Saint-Siège devrait nommer légat le premier... Non seulement le roi se substituait à Honorius, mais il voulait contraindre celui-ci à révoquer la toute récente nomination du cardinal de Saint-Ange, Romain Frangipani, qu'il avait déjà annoncée à Raymond VII le 31 janvier ! Les clauses juridiques, en outre, ne pouvaient manquer de léser le Saint-Siège. Il avait tiré de grands bénéfices fiscaux et territoriaux de la croisade. Le cens de trois deniers par feu instauré à son profit par Simon de Montfort, les châteaux remis en gage à l'Église, les domaines saisis par elle tels que le marquisat de Provence et le comté de

Melgueil, qu'adviendrait-il de tout cela, une fois le roi de France maître absolu de la « terre conquise », sans que le Saint-Siège ait sur elle, à aucun niveau, droit de regard ?

Alors Honorius III, pour amener Louis à en rabattre sur ses exigences, voulut, à son tour, exercer un chantage. Ce fut Raymond VII qui, à défaut de lui en avoir donné l'idée, lui en fournit les éléments. Obstiné – et on le comprend ! – à écarter la menace d'une intervention armée du roi, il avait envoyé quatre ambassadeurs au Saint-Siège, courant janvier, pour offrir à Honorius III son entière soumission aux ordres de l'Église... Et le 4 avril Honorius informe le roi qu'il n'est nul besoin qu'il se prépare à aller en Albigeois : le Saint-Siège est en train de négocier la paix avec Raymond. Il révoque donc les indulgences de croisade, puisque celle-ci sera sans objet, et même impossible en droit : on n'attaque pas un fils soumis de l'Église... Le pape demande cependant au roi de continuer à brandir la menace de son intervention afin d'amener Raymond à une totale et sincère soumission. Mais Louis dut bien lire entre les lignes que la paix entre l'Église et le comte, cela signifiait que Raymond VII serait officiellement reconnu comme bon catholique, mais aussi comme seul légitime possesseur du « pays albigeois ». Ce qui rendrait totalement inopérante la donation faite par Amaury. A moins, bien sûr, que le roi ne revienne sur les clauses du mémorandum de février...

Honorius crut certainement s'être mis en position de force. Mais le roi réagit d'une façon qu'il n'avait sans doute pas prévue. Peu enclin à se contenter de jouer les épouvantails devant Raymond VII, il remit le 5 mai sa réponse au cardinal Conrad : puisque le pape ne veut pas accéder aux demandes du roi, ce dernier se décharge de toute l'affaire ; puisque le pape veut négocier la paix avec Raymond VII, qu'il le fasse « comme bon lui semblera » – mais tout seul : le roi s'abstiendra d'intervenir auprès de Raymond. La seule chose que le roi exige, c'est qu'en tout état de cause ses droits supérieurs soient saufs.

Si l'on ajoute que le souverain pontife avait enrobé sa propre opération d'un confus prétexte – une intervention de l'empereur Frédéric II demandant que priorité absolue fût donnée à la croisade de Terre sainte, ce qui reléguait au second plan l'affaire albigeoise – on ne peut que rester perplexe. Ces curieux jeux croisés d'exigences, de ruses et d'intimidations ne pouvaient que bénéficier à l'hérésie et à ceux qui, à tort ou à raison, passaient pour ses complices.

Raymond Trencavel, installé à Carcassonne, avait évidemment repris possession de la vicomté de ses pères. Dès février 1224, il avait nommé viguiers Jourdain de Cabaret et Pierre de Laure. Or voici que le 21 mars mourut l'évêque Guy des Vaux-de-Cernay. Bernard-Raymond de Roquefort se réinstalla d'autorité sur le siège dont Innocent III l'avait destitué en 1211 en raison de ses attaches familiales avec le catharisme et de sa propre tolérance. Dans le même temps, son parent par alliance Pierre Isarn, évêque cathare du Carcassès, avait érigé Cabaret en siège de sa propre Église...

Raymond VII, de son côté, acheva de mettre de l'ordre dans ses droits féodaux. Si l'évêque de Cahors, Guillaume de Cardaillac, qui avait été tout dévoué à la croisade, fit directement hommage à Louis VIII, en février, de l'important temporel qu'il avait sur la ville, Raymond restaura son autorité sur tout le reste du Quercy, ainsi que les droits qu'il avait sur Albi. En avril, un véritable coup de force auquel il se livra sur Agde arracha à l'évêque Thédise la seigneurie de la ville et de plusieurs châteaux des environs – quitte à revenir bientôt à de meilleurs sentiments : en août, sous la pression d'Arnaud Amaury, il restitua la vicomté d'Agde en fief à Thédise, ce qui préservait quand même ses propres droits supérieurs.

Les serments de Montpellier

Apparemment, les rôles sont bien distribués dans la partie qui se joue en cette année 1224. Le roi ne peut que chercher à empêcher la réconciliation de Raymond VII, parce qu'elle le priverait de toute raison de s'en aller conquérir aux frais de l'Église, et avec sa bénédiction, le « pays albigeois ». Honorius III, de son côté, ne peut qu'engager le processus de cette réconciliation, à la fois parce que la menace en est un moyen de pression sur le roi, et parce que si la croisade royale, par malchance, n'a pas lieu, ladite réconciliation permettra le règlement de l'affaire albigeoise, pour laquelle on ne peut perdre de vue qu'il faudra bien, un jour, trouver une solution stable.

Arnaud Amaury réunit à Montpellier, le 3 juin, Raymond VII, Roger-Bernard de Foix et Raymond Trencavel. Ils promirent de s'engager envers l'Église, sur le modèle des serments de Paix de 1209. Raymond demanda cependant que soient formellement révoqués tous les actes souscrits dans le pays par Simon et Amaury de Montfort, toutes les investitures à eux concédées par le Saint-Siège, et l'inféodation du pays faite à Simon par Philippe Auguste en 1216. Le 11 juillet, Honorius III donna son accord et un concile fut convoqué à Montpellier pour le 22 août.

Ce fut Amaury de Montfort qui réagit, et violemment. Puisque le pape, écrivit-il aux prélats réunis à Montpellier, n'a pas souscrit au mémorandum du roi, la donation à ce dernier du « pays albigeois » n'est pas entrée dans les faits, et il est toujours, lui, Amaury de Montfort, comte de Toulouse, duc de Narbonne et vicomte de Béziers, Carcassonne, Albi et Razès... D'ailleurs, affirme-t-il, le roi est prêt à intervenir en Albigeois pour y remettre de l'ordre.

Le concile, fort des directives du pape, passa outre. Le 23, Raymond VII, pour se mettre en paix avec l'Église, régla les contentieux qu'il avait avec l'évêque d'Agen et celui de Nîmes. Le 25, lui-même, Roger-Bernard de Foix et Raymond Trencavel faisaient officiellement serment à l'Église d'expulser les routiers, de restituer au clergé les biens usurpés, de réprimer l'hérésie et d'œuvrer de toutes leurs forces pour l'unité de la foi catholique. Le 26, Raymond régla l'affaire d'Agde avec Thédise. Tout était prêt pour que les trois princes occitans reçoivent leur absolution du Saint-Père lui-même. L'archevêque d'Arles prit la tête de l'ambassade qui s'en alla porter à Rome les serments de Montpellier.

Étrange conclusion de la croisade des Montfort ! Dans le temps même que sur le terrain les croisés venaient, au plan militaire, de perdre complètement la partie, il avait suffi de la menace d'une croisade royale pour que les complices d'hérésie qui avaient si farouchement résisté quinze ans durant, soient soudainement amenés à résipiscence ! Moyennant quoi lesdits complices avaient été restaurés par l'Église elle-même dans les titres et les biens que la croisade leur avait légalement confisqués. C'était renier du tout au tout le principe même de l'exposition en proie sur lequel avait reposé toute la guerre sainte. Quinze années de chevauchées, de sièges, d'incendies, de massacres, tant de peines et tant de morts, pour obtenir de trois barons les serments de paix que leurs pères n'avaient pas voulu souscrire en 1209 – ou qu'ils avaient souscrits puis trahis, comme l'avait fait Raymond VI !

Honorius III était-il aveugle au point de se contenter de promesses, même faites sur les Évangiles, de la part d'hommes dont le subit dévouement à la cause catholique ne pouvait être que suspect ? Eux-mêmes étaient-ils assez naïfs pour imaginer que le pape s'en contenterait ? Ils se firent pourtant piéger...

Louis VIII avait passé l'été à conquérir le Poitou sur Henri III d'Angleterre. C'est au retour de cette campagne, alors qu'il avait pris La Rochelle mais échoué devant Bordeaux, qu'il apprit, en novembre sans doute, ce qui s'était passé à Montpellier. Les serments du 25 août étaient venus se mettre en travers de ses projets. Il envoya promptement Guy de Montfort en ambassade à Rome. Il put y constater que la Curie ne se pressait pas d'achever le processus de réconciliation canonique des princes occitans. Bien des prélats étaient même fort mal disposés à leur égard, convaincus que leurs promesses n'avaient été que verbales et qu'ils n'avaient aucunement l'intention de combattre l'hérésie...

Les choses traînèrent ainsi pendant des semaines. Ce n'est que le 13 février 1225 que le pape fit savoir qu'il envoyait comme légat le cardinal de Saint-Ange, avec pleins pouvoirs pour procéder au règlement de l'affaire albigeoise. On ne pouvait refuser de façon plus catégorique la clause du mémorandum royal exigeant la nomination de l'archevêque de Bourges, plus proche évidemment du roi de France que Romain Frangipani. Celui-ci voulut mettre Louis au pied du mur. Il eut avec lui maintes discussions, longues et difficiles, à Paris en mai, à Tours et à Chinon en juin. On décida finalement de réunir un concile à Bourges en novembre. Raymond VII y serait convoqué, ainsi qu'Amaury de Montfort. Il en sortirait nécessairement, ou bien l'absolution des princes occitans et la paix de l'Église – ou bien la croisade royale. Mais il est évident que le légat et le roi se mirent d'accord à l'avance sur ce qui y serait dit et décidé.

Le concile de Bourges

Le concile s'ouvrit le 29 novembre. Cent vingt-trois évêques y assistèrent, cinq cent vingt abbés, ainsi que quatorze archevêques – mais il y avait chez ces derniers un absent de marque, Arnaud Amaury, mort deux mois plus tôt. Une chance, peut-être, pour le vieux prélat qui, après tant de fanatisme déployé contre les complices d'hérésie, avait fini par œuvrer, en toute sincérité certainement, pour la réconciliation de Raymond VII et la paix. Car ce qui se passa à Bourges ne fut rien moins qu'un déni de justice, voire une forfaiture.

Raymond renouvela publiquement les promesses qu'il avait faites à Montpellier. Il demanda que le cardinal de Saint-Ange vînt lui-même s'assurer qu'il appliquait à la lettre les clauses de son serment concernant les routiers, l'hérésie, la restauration de l'autorité de l'Église catholique, etc. Après quoi il sollicita son absolution, offrant de se plier à toute pénitence qui lui serait imposée à raison de ses fautes passées. On se serait cru à Saint-Gilles en juin 1209...

Le concile voulut bien lui accorder son absolution. Mais il y mit une condition : qu'il abandonne tous ses domaines et y renonce pour toujours, tant pour lui que pour ses successeurs... C'était proclamer sa déchéance, comme le concile du Latran avait prononcé, dix ans plus tôt, celle de son père. Mais cette clause d'abandon n'avait à aucun moment figuré dans les promesses de Raymond VII, ni lors de la réunion de Montpellier en juin 1224, ni dans le serment du 25 août ! Mieux, le pape, le 11 juillet, avait donné son accord pour la révocation de toutes les concessions et investitures faites à Simon et Amaury de Montfort, et le fait d'avoir laissé Raymond s'intituler, dans son serment, duc de Narbonne, comte de Toulouse et marquis de Provence, n'équivalait-il pas à la reconnaissance de ses titres de propriété ? Jamais l'Église ne lui avait mis en mains, pour l'absoudre, un tel marché. Personne d'ailleurs, ni les légats de 1209, ni Simon de Montfort, n'avait jamais dépossédé quelqu'un qui jurait fidélité à l'Église et prêtait le serment de paix... Le concile de Bourges n'avait été qu'un traquenard, une mise en scène propre à démontrer que l'Église était en position de force et maîtresse du jeu – et que son choix était fait depuis longtemps : la croisade, et non point la paix. Elle ne s'était avancée masquée que pour mieux endormir Raymond VII et menacer le roi de voir le « pays albigeois » lui échapper.

Raymond ayant refusé d'abdiquer, le processus de paix était rompu. Il ne fut donc pas admis à réconciliation. Ce qui mettait ses domaines en position d'être exposés en proie.

La voie était libre, désormais, pour que Louis VIII se posât en seigneur du « pays albigeois », en lieu et place de celui qui n'apparaissait plus que comme un usurpateur : il aurait évidemment l'aval de l'Église. Pour la forme, le concile décida de lui demander officiellement d'intervenir – mais il allait de soi que le roi n'était en cette affaire que le bras armé du Saint-Siège et que celui-ci, tout en finançant la croisade à hauteur du dixième des revenus de l'Église du royaume sur cinq ans, conservait la haute main, par légat interposé, sur toute l'entreprise. Il avait fallu deux ans, après la déconfiture de la première croisade, pour mettre sur pied la seconde...

Il fallut encore six mois pour définir les conditions juridiques et financières dans lesquelles elle se ferait, la prêcher, mobiliser l'armée – et mettre tous les atouts dans le jeu du roi en négociant la neutralité de l'Angleterre et de l'Aragon.

C'est au parlement réuni à Paris le 28 janvier 1226 que le roi annonça officiellement sa prise de croix. Ses vassaux présents l'en félicitèrent et lui promirent leur aide et leur fidélité. Parmi les sceaux apposés au document, il y avait ceux du duc de Bretagne, des comtes de Boulogne, Chartres, Dreux, Vendôme, Saint-Pol, du connétable Mathieu de Montmorency, d'Enguerrand de Coucy, de Robert de Poissy, de Jean de Nesle le seigneur de Bruges[1], et de quelques vétérans de la croisade des Montfort : Robert de Courtenay, Bouchard de Marly. Plus celui de Savary de Mauléon, l'ancien allié de Raymond VI, sénéchal du roi d'Angleterre en Poitou, que sa récente défaite à La Rochelle avait incité à se rallier au roi de France.

Le cardinal de Saint-Ange proclama solennellement, pour Louis et ses futurs compagnons, les indulgences de croisade, prit leurs personnes et leurs biens sous la protection du Saint-Siège, et prononça l'excommunication de Raymond VII, de ses partisans et de ses complices. Le surlendemain, on procéda à la cérémonie de prise de croix, ce qui fut l'occasion d'une nouvelle proclamation du légat, que suivit le 5 février une circulaire à tous les archevêques du royaume pour qu'ils publient l'excommunication de Raymond et fassent prêcher la croisade.

Le plan de la campagne fut élaboré au cours du parlement du 29 mars. Le calendrier en fut fixé avec une étonnante précision, en prenant pour repères les fêtes religieuses : rassemblement à Bourges le quatrième dimanche après Pâques (17 mai), arrivée à Lyon le jeudi de l'Ascension (28 mai), et devant Avignon le lundi

---

1. Il n'est pas sans intérêt de savoir que Jean de Nesle possédait un manuscrit d'un des plus fameux romans du cycle du Graal, *Perlesvaus*, si usagé à force d'avoir été lu que son voisin et ami le seigneur de Cambrin lui fit cadeau d'un manuscrit tout neuf – aujourd'hui conservé à Bruxelles. Cf. *Les cathares et le Graal*, p. 64.

de Pentecôte (7 juin). La mobilisation ne rencontra pas un enthousiasme délirant. Le roi dut même forcer quelque peu la main, en les menaçant de fortes amendes, à ceux qui rechignaient à un tel service d'ost dont un passé récent avait montré les dangers et les incertitudes. Quant aux subsides, nombre de chapitres de cathédrale, craignant leur ruine, refusèrent de les verser...

L'armée se mit néanmoins en marche à la date prévue, rejointe bientôt par quelques éminents retardataires : les comtes de Champagne, de la Marche, de Blois, de Namur, de Sée... Amaury de Montfort et son oncle Guy furent aussi du voyage.

Peu avant son départ, et comme pour bien marquer que l'Église et la Couronne marchaient la main dans la main, le roi avait promulgué une ordonnance contre les hérétiques et leurs complices. Reprenant à son compte les décrets de l'Église, elle enjoignait au bras séculier d'appliquer « le châtiment mérité » à tout hérétique condamné par un tribunal épiscopal. Par ailleurs, tout complice d'hérésie était déclaré passible de la confiscation de ses biens. C'était aligner la loi civile sur la loi canonique, comme l'avaient fait jadis, chez eux, les rois d'Aragon. C'était aussi créer dans le royaume de France un précédent dont les successeurs de Louis VIII sauront faire usage.

L'effondrement

L'annonce de la croisade royale provoqua un véritable séisme en Languedoc. Nul doute que pour beaucoup d'esprits le processus de paix mis en branle dès la capitulation d'Amaury, les dispositions prises par l'Église pour l'absolution des princes, les serments souscrits à Montpellier, tout cela rendait l'intervention de Louis VIII plus qu'improbable. Il fallait brusquement déchanter. La nouvelle tomba sur le pays, d'ailleurs, bien avant la prise de croix officielle, dès l'issue du concile de Bourges : Raymond VII, à son retour en décembre, avait largement fait savoir avec quelle iniquité on venait de le traiter. Mais l'armée du roi ne s'était pas encore mise en marche que le Languedoc s'était pour une large part effondré...

Quels furent les mobiles exacts des soumissions anticipées qui affluèrent en masse à la chancellerie royale dès la mi-mars ? Barons et villes espéraient-ils encore que devant tant de marques d'allégeance et de respect le roi tiendrait pour inutile une expédition armée ? Plus vraisemblablement, si l'on ne pouvait enrayer son départ, du moins pouvait-on peut-être faire de ce voyage, plutôt qu'une campagne d'invasion et de conquête, une sorte de pacifique promenade à travers des terres qui venaient de se reconnaître spontanément vassales ?... Éviter une nouvelle guerre, et l'éviter à tout prix, fut à coup sûr la préoccupation principale, et quasi obsessionnelle, de ceux qui envoyèrent par écrit leur soumission ou se précipitèrent auprès des abbés ou des évêques locaux pour faire entre leurs mains serment au roi. Les premiers, les Avignonais firent savoir par une ambassade qu'ils offraient le passage à l'armée royale. Dieu sait pourtant s'ils avaient été de fidèles partisans de Raymond VI et de Raymond le Jeune ! Mais ce fut à partir de la mi-mars, et durant tout le mois d'avril, que les actes de soumission furent massivement souscrits. Bernard d'Alion, puissant seigneur de la haute vallée de l'Aude, vassal à la fois du comte de Roussillon, du vicomte de Carcassonne et du comte de Foix, et dont les attaches hérétiques étaient bien connues, se soumit le 16 mars au château d'Usson devant l'abbé d'Ardorel, tandis que le même jour Raymond de Roquefeuil allait à Narbonne se jeter aux pieds de l'archevêque Pierre Amiel. Puis ce fut le Quercynois Bertrand de Gourdon, puis cet ancien *faidit*, redoutable adversaire des Montfort et de l'Église s'il en fut, Bernard-Othon de Niort, qui écrivit directement à Louis, l'assurant qu'il se réjouissait « du fond du cœur » d'avoir appris que toute la terre du comte de Toulouse devait être annexée au domaine royal : « Nous sommes impatients de nous placer à l'ombre de vos ailes et sous votre sage domination... » Ce qui ne l'empêchera pas de cacher bientôt Guilhabert de Castres en personne. Dix ans plus tard, un procès fleuve pour hérésie lui sera d'ailleurs intenté, à lui, à sa mère et à ses frères... Presque tous les seigneurs de la vicomté de Béziers se soumirent en avril. Les consuls de la ville le firent le 29 devant leur évêque – cette ville qui, en 1209, avait refusé d'ouvrir ses portes à la croisade parce qu'elle ne voulait pas qu'on touchât à ses institutions...

Que le pays ait voulu éviter une nouvelle guerre après les quinze ans de la croisade conduite par les Montfort père et fils, rien de plus compréhensible. Une économie rendue sans doute exsangue après tant de ravages et de dépenses, et tant de familles atteintes dans leurs biens et dans leur chair par les confiscations, la fuite dans le maquis – le *faidiment* – sans parler des massacres, des batailles, des bûchers et des désordres causés par le banditisme né de l'appauvrissement général : tout le pays, ou presque, assurément, baisse les bras.

L'aurait-il fait s'il ne s'était pas agi du roi ? Certainement pas – l'avenir va vite le prouver. Mais on l'avait grandement aidé à se laisser gagner par la panique. L'archevêque de Narbonne, Pierre Amiel, avait été chargé de mener dès son retour de Paris une grande campagne de propagande auprès des villes et des châteaux, et de lever en masse évêques et abbés occitans pour arracher aux consulats et aux barons des serments d'allégeance. Il était aisé de faire valoir que le roi n'était pas un chevalier comme les autres, qu'il était oint, donc personnage sacré, doté de pouvoirs thaumaturgiques, dépositaire de toute justice et de toute miséricorde, et qu'il valait mieux s'en remettre à sa sublimité que s'exposer à ses foudres. La lettre de Bernard-Othon de Niort, pour ne citer qu'elle, n'aurait aucun sens si l'ancien *faidit*, le farouche croyant cathare, le dévoué protecteur de l'Église hérétique, n'avait, à la fois, craint le roi et attendu de lui quelque miracle. Bien sûr, cette obséquiosité de commande qui nous paraît aujourd'hui quelque peu délirante fut dictée, dans sa formulation, par les religieux qui recevaient les serments ; il est quand même significatif que ceux-ci se soient quasiment donné le mot pour que ces serments expriment un mélange de terreur sacrée et d'attente mystique.

Les soumissions de mars et d'avril n'empêchèrent évidemment pas l'armée de quitter Bourges le 17 mai. Le 28, à Lyon, on embarqua sur le Rhône vivres et bagages, les hommes et les chevaux continuant par la rive gauche. A Montélimar, une délégation venue d'Avignon confirma que la ville aiderait le roi et son armée au passage du fleuve. Mais tout le monde ignorait sans doute que, sous la pression de Raymond VII, les deux podestats de la ville venaient de décider de ne pas laisser passer l'armée française. Effectivement, quand elle arriva, le 7 juin, elle trouva les portes closes et les remparts bien gardés...

Tandis que le roi mettait en place le siège, le légat lança contre la ville une proclamation la déclarant repaire d'hérétiques et ennemie de l'Église. Par ailleurs, afin d'éviter tout incident diplomatique avec l'empereur Frédéric, suzerain du Venaissin, les prélats et les barons lui écrivirent pour s'excuser d'être contraints de l'assiéger, puisqu'elle était hérétique... L'armée resta bloquée trois mois, exactement jusqu'au 12 septembre, jour où la ville, à bout de ressources, offrit sa capitulation. Elle paiera assez cher sa résistance au roi de France : le légat, quatre mois plus tard, la frappa d'une lourde amende, fit saisir son artillerie, détruire les remparts, les tours et trois cents maisons, et exigea l'envoi avant six mois, en Terre sainte, aux frais de la Commune, de trente chevaliers. Pour l'armée royale aussi, il était temps que cessât le siège : les combats avaient été très durs, il y avait eu beaucoup de morts, sans compter une meurtrière épidémie de dysenterie qui avait ravagé le camp français, frappant mortellement l'archevêque de Reims, le comte de Namur, et l'un des plus valeureux compagnons de Simon de Montfort, Bouchard de Marly ; enfin nombre de croisés, et des plus éminents, tel le comte Thibaud de Champagne, estimant leur quarantaine achevée, avaient plié bagage sans se préoccuper de l'issue d'un siège qui n'avait pas été prévu au programme.

Pendant ce temps, les soumissions avaient continué. Dès le 3 juin, les consuls de Nîmes avaient fait serment entre les mains de leur évêque de se soumettre aux volontés du légat et du roi. Le 8, ce fut un ancien *faidit* et croyant cathare de haut rang, Sicard de Puylaurens, qui, avec tous les chevaliers et les bourgeois de sa seigneurie, écrivit au roi que « la nouvelle porteuse de joie et de bonheur universel » leur était parvenue, et qu'ils « n'avaient pas assez de mots » pour dire combien l'arrivée de la Majesté royale « honorait très glorieusement le pays »... Quelques jours plus tard, Sicard se rendit sur ses domaines de Saint-Paul-Cap-de-Joux, où, de concert avec lui et avec l'autre coseigneur, chevaliers et bourgeois se soumirent devant l'abbé de Castres et écrivirent eux aussi au roi. Le 12, ce fut au tour de la ville de Castres elle-même ; le 14, Guillaume-Bernard de Najac, devant l'évêque d'Albi ; le 16, les consuls de Carcassonne, devant l'abbé de Lagrasse ; le 17, Bernard Pelet, coseigneur d'Alès. Et puis Albi, Narbonne, Limoux, Beaucaire. D'autres firent le voyage d'Avignon pour voir de leurs propres yeux le souverain, s'agenouiller devant lui, le toucher. Le comte Bernard V de Comminges fut de ceux-là, au cours du mois d'août. Après son hommage au roi, il jura même au légat de combattre Raymond VII – prélude aux serments que ses propres vassaux feront le 14 septembre entre les mains de l'abbé de Feuillant. Le 26, ce sera Bernard-Jourdain de l'Isle. Selon Guillaume de Puylaurens, le comte de Foix lui-même serait venu au camp d'Avignon offrir sa soumission, mais Louis VIII l'aurait refusée. On ne peut en dire plus, faute de documents, sur celui dont Raymond VII, pourtant, s'était attaché l'alliance le 18 mai en lui inféodant Saint-Félix-Lauragais et tout son terroir avec quinze villages, châteaux et maisons fortes.

Car Raymond, lui, n'entendait nullement se soumettre. Un tel geste, d'ailleurs, n'aurait rien signifié du tout : à Bourges, l'Église lui avait offert son absolution contre son abdication. Il ne pouvait donc s'en remettre aux volontés du roi et du légat tout en demeurant maître de ses États. C'était tout l'un ou tout l'autre, le pardon et la dépossession, ou le refus de céder et, par conséquent, la mise au ban de la chrétienté, donc la résistance. C'est ce qu'il choisit, dans un mouvement où se mêlaient certainement de l'indignation, de l'orgueil, et un héroïsme de desperado.

Il pouvait apparemment compter sur la fidélité de Toulouse. Mais les autres villes ? Et ses vassaux ? Pensant peut-être que comme en 1219 Louis arriverait en Languedoc par le Poitou et l'Agenais, il alla assurer sa position sur ses marches occidentales. Le 22 mai, il signa un traité avec le consulat d'Agen, s'engageant à venir défendre la ville si elle était attaquée, les consuls lui promettant en retour aide et fidélité, et jurant de ne pas conclure de paix séparée avec le roi de France ni avec quiconque. Quelques jours plus tard, la croisade arrivant en fait par la vallée du Rhône, Raymond se précipita en Venaissin et, grâce à des libéralités qu'il fit aux Avignonais, obtint, on l'a vu, que ceux-ci revinssent sur leur décision de laisser passer le roi.

Louis VIII entra donc en Languedoc avec trois mois de retard. Un retard qui fut fatal à son plan initial. On passa à Béziers, puis à Carcassonne, abandonnée par Trencavel et où le légat destitua l'évêque Bernard-Raymond de Roquefort, le remplaçant par Clarin, l'ancien chapelain de Simon de Montfort. Jourdain de Cabaret, le viguier de Trencavel, vint en personne se soumettre au souverain. Il regagnait son château quand il fut capturé par des *faidits* qui le livrèrent à Raymond VII. Jeté dans une prison, il y mourut deux ans plus tard...

Puis ce fut Pamiers, où Amaury de Montfort céda à Louis les droits que son père Simon avait acquis sur la ville lors de son paréage avec l'abbé de Saint-Antonin à l'automne de 1209. Le roi, comme s'il avait fallu rappeler qu'il s'agissait d'une croisade, profita de cette étape pour promulguer une ordonnance contre les complices d'hérésie. Mais elle atténue si largement la rigueur habituelle en la matière qu'elle témoigne certainement du souci de ne pas s'aliéner brutalement les populations, à un moment où, on l'a dit, le catharisme avait partout retrouvé ses positions d'antan : ce n'est qu'après trois monitions que seront excommuniés les récalcitrants qui renâcleraient à faire amende honorable. Quant aux contumax, leurs biens seront certes confisqués, mais pas avant un an, afin de leur laisser le temps de revenir à de meilleurs sentiments.

On était en octobre. Il était trop tard dans la saison pour engager une campagne propre à s'emparer de Toulouse. De surcroît, le roi, malade depuis le siège d'Avignon, voyait son état empirer. Il décida de rentrer à Paris, remettant au printemps prochain l'achèvement de sa conquête... L'armée évita soigneusement par le Lauragais les abords de Toulouse. Faisant étape à Belpech, le roi inféoda au comte de Roussillon, Nuño Sanche, qui venait de se rallier à lui, la vicomté de Fenouillèdes et le Peyrepertusès dans les hautes Corbières. Puis il arriva à Castelnaudary. Le bayle de Raymond VII, Pierre Marty, qui jadis avait défendu la ville contre Amaury de Montfort, prit peur et alla se réfugier auprès de Bernard-Othon de Niort, qui le garda huit jours à Laurac, puis le cacha deux mois en son donjon de Besplas, où Guilhabert de Castres et d'autres parfaits s'étaient déjà mis en sécurité à l'approche de la croisade royale...

Après Castelnaudary, ce fut Puylaurens, puis Lavaur, ensuite Albi, où le roi reçut le serment des habitants et s'accorda avec Agnès de Montpellier, la mère de Raymond Trencavel, augmentant la rente que lui avait assignée Simon de Montfort. A Monestiès, à Rodez, à Espalion, à Saint-Flour, Louis passa divers actes avec des prélats locaux et reçut divers hommages de barons ou d'abbés. Après Clermont-Ferrand, il arriva à Montpensier, où, épuisé, il dut s'aliter. Il y mourut le 8 novembre, après avoir confié le commandement de l'armée qui allait rester en Languedoc à son cousin Humbert de Beaujeu, avec le titre et les pouvoirs de vice-roi, ou lieutenant du roi.

Le sursaut

Aussitôt, ce fut la guerre...

La nomination par le roi de trois sénéchaux, à Beaucaire, Carcassonne et Albi, entérinait au plan juridique la conquête : on était désormais en domaine royal. La présence à leurs côtés de plusieurs vétérans de la croisade de 1209 – Guy de Lévis, Guy de Montfort, Pierre de Voisins – disait assez que l'implantation française allait reprendre. Tout cela, une bonne partie du pays, villes et barons confondus, l'avait accepté comme inéluctable, faute d'avoir les moyens militaires de s'y opposer, mais faute, surtout, de concevoir qu'il était moralement possible de se rebeller contre la personne du roi.

Le roi mort, c'était tout différent. Les événements s'étaient brusquement banalisés, et comme désacralisés. Le pouvoir souverain s'était à nouveau éloigné, il était retourné dans cette France qui ne parlait pas la même langue, et pour échoir à un enfant de douze ans, Louis IX. Le pays avait donc simplement affaire à une nouvelle guerre de conquête conduite par des étrangers. Le choix était désormais ouvert, de se soumettre ou de résister, sans qu'intervînt aucune considération mystique.

Trois fronts s'ouvrirent aussitôt – dont deux là où on ne les attendait certainement pas, le Razès et la montagne du Cabardès. Sur le premier – la « guerre de Limoux », « grande guerre », « dure guerre » comme disent à maintes reprises les sources – on ne sait rien de précis, si ce n'est qu'en juin 1227 deux chartes de Trencavel datées du 27 témoignent que ce dernier tenait toujours la ville, avec le comte de Foix et une quarantaine de *faidits*, dont Pierre-Roger de Mirepoix et son cousin Arnaud-Roger, les frères Raymond-Sans et Augier de Rabat, Arnaud de Villemur.

Quant à Cabaret, on a dit que l'évêque cathare du Carcassès, Pierre Isarn, en avait fait son siège sitôt que la croisade d'Amaury de Montfort avait reflué du pays. D'importantes communautés de parfaits et de parfaites s'y étaient réinstallées, sous la protection des coseigneurs. Qu'à l'été 1226 l'un d'eux, Jourdain, se soit précipité à Carcassonne aux pieds du roi n'entraîna pas la soumission de la place. Bien au contraire, elle devint le point de ralliement de ceux qui choisirent le *faidiment* – peut-être peu nombreux mais décidés – et, dès que le roi fut mort, Bernard-Othon de Niort en personne, nonobstant son récent serment, en prit le commandement. Des témoignages postérieurs nous disent qu'Humbert de Beaujeu dut assiéger Cabaret, et nous livrent les noms de maints défenseurs de la place, dont celui d'Olivier de Termes, le fils du vaincu de 1210. Ils nous apprennent aussi que Pierre Isarn fut capturé au mas de Cesserol près d'Auriac-sur-Vendinelle en Lauragais, alors qu'il se rendait à Toulouse. Humbert le remit à l'archevêque de Narbonne, qui le fit brûler à

Caunes-Minervois[1]. Ce fut l'un des parfaits alors présents à
Cabaret, Guiraud Abit, qui devint évêque à sa place. Quand, au
bout de deux ans, il fallut se résigner à rendre la place au vice-
roi, Pierre-Roger de Cabaret, Bernard-Othon de Niort et le
viguier de Trencavel Pierre de Laure se chargèrent de le faire
sortir et d'aller le mettre en sécurité. On ne manqua pas d'aider
à fuir les parfaits et les parfaites. Mais on ne connaît pas le sort
final de Guiraud Abit : dès 1232, Pierre Paulhan lui avait succédé
comme évêque cathare du Carcassès[2].

Des deux guerres de Cabaret et de Limoux, les sources ont
conservé trace de maints *faidits* qui y avaient combattu : Raoul
de Laure et Pons de Mirabel furent faits prisonniers, et le second
pendu ; Géraud-Amiel de Villalier mourut en prison ; Raymond
de Roquefeuil, grièvement blessé, mourut à Couiza, consolé par
Benoît de Termes ; d'autres, contraints à l'exil, le plus souvent
en Catalogne, finirent leurs jours *faidits*, comme Arnaud-
Guillaume de Barbaira ou Pierre-Géraud de Routier ; d'autres
encore se retrouveront vingt ans plus tard dans Montségur
assiégé, tel Raymond de Marceille – qui y finira d'ailleurs sur le
bûcher. Olivier de Termes, lui, se ralliera plus tard à Saint Louis
et deviendra l'un de ses plus fidèles compagnons.

Raymond VII avait pris les armes dès avant la mort du roi,
commençant par enlever Auterive, sur l'Ariège, à la faible garnison française qui l'occupait. Au cours de l'hiver, il fortifia Labé-
cède-Lauragais, dont il confia la défense à Pons de Villeneuve,
son bayle de Castelnaudary dont il fera bientôt son sénéchal. Pendant le Carême 1227, l'archevêque Pierre Amiel réunit à Narbonne un concile qui réaffirma solennellement les principes de la
croisade – dont l'exposition en proie – et jeta l'excommunication
et l'anathème sur Raymond, sur le comte de Foix, sur Trencavel
et sur tous leurs partisans. On imagina aussi, pour la première
fois, d'organiser systématiquement la chasse aux hérétiques, au
moyen de « témoins synodaux », c'est-à-dire de commissions
d'enquête qui seraient installées dans chaque paroisse.

La position de l'Église, cependant, se révéla très vite moins
assurée que ne l'avait laissé prévoir la prise de croix du roi, un

---

1. La date du bûcher de Pierre Isarn est à vrai dire imprécise : peu avant ou peu après la
mort du roi. Si ce fut avant, son supplice dut être « offert » au roi au cours de son étape
Béziers-Carcassonne par la route minervoise. Un autre bûcher sera « offert » à Philippe le
Hardi à Toulouse en mai 1272.
2. *Petrus Pollanus, Pollainh, Polha, Pola*, etc. On peut indifféremment transcrire par
Paulhan ou Poullain.

an plus tôt. Au plan militaire, d'abord : abandonné par de très nombreux barons qui avaient achevé leur quarantaine, Humbert de Beaujeu se retrouva à la tête d'une armée squelettique. Financièrement, la situation s'aggrava rapidement : Romain de Saint-Ange dut prendre des mesures draconiennes pour contraindre les prélats du royaume à verser les subsides prévus – si draconiennes que le pape, qui était maintenant Grégoire IX, fut obligé d'intervenir pour modérer son zèle. Restait l'attitude même de la Couronne : aux prises, au lendemain de la mort de Louis VIII, avec la fronde des grands barons du royaume, Blanche de Castille, régente au nom du petit Louis IX, avait plus urgent à faire que de s'occuper de l'affaire albigeoise, et ce malgré les objurgations du Saint-Père, fort inquiet de la tournure qu'à peine engagée celle-ci avait prise. La croisade royale, qui avait été si difficile à mettre sur pied, allait-elle avorter lamentablement ?

Humbert de Beaujeu la sauva, et dans des conditions qui dénotent chez lui une volonté farouche d'œuvrer pour la Couronne, même s'il pouvait avoir l'impression d'être peu ou prou abandonné par elle. Il allait se révéler un soldat d'une redoutable efficacité, certes peu scrupuleux sur les moyens, mais fort bon tacticien. Il commença par se débarrasser, au cours de l'été, de cette écharde que constituait Labécède. Il y mit le siège, et quand il finit par y entrer après la fuite des défenseurs, il en fit massacrer toute la population civile, « par l'épée et par l'épieu ». Foulque, qui était là, s'employa en vain à ce qu'on épargnât les femmes et les enfants. On trouva dans la ville plusieurs parfaits, dont un dignitaire, le diacre quercynois Géraud de Lamothe, frère de Bernard de Lamothe le *fils majeur* de Guilhabert de Castres. Il était rentré depuis peu de Lombardie. On dressa un bûcher, et il y périt, avec ses compagnons. Un autre parfait cependant s'échappa, le seigneur même du lieu, Pagan de Labécède, qui réussit à gagner les environs de Lanta où il se cacha dans un *clusel* – un souterrain-refuge –, mais il sera arrêté en 1232 dans la Montagne Noire.

A court d'effectifs, Humbert leva un contingent de soldats à Albi et s'en alla assiéger Lagrave, sur le Tarn, puis faire le dégât dans la région de Cordes. Au cours de l'hiver 1227-1228, Sicard de Puylaurens rallia le parti de Raymond VII : ses seigneuries de Puylaurens et de Saint-Paul-Cap-de-Joux s'ouvrirent aux troupes du comte – et, à nouveau, aux parfaits et aux parfaites. Guilhabert de Castres lui-même vint s'y installer. Après le passage du roi, qui l'avait contraint à se cacher dans le donjon de Besplas, il ne paraît pas avoir regagné Fanjeaux. Il fut un temps à Mirepoix, puis à Toulouse, lorsque la libération de Saint-Paul l'incita à s'y rendre. A ses côtés viennent s'installer son *fils majeur* Bernard de Lamothe, les diacres de Saint-Paul, de Lanta, de Caraman, de Palajac, de Verfeil, et nombre de simples parfaits et parfaites, dont Guillaume-Bernard d'Airoux, médecin quasi attitré, depuis longtemps, de la noblesse croyante du Lauragais, qui loue une maison et s'y installe. Et la vie reprend comme entre les deux croisades – encore qu'on puisse se demander si la chevauchée royale de 1226 et la soumission de Sicard de Puylaurens avaient réellement entraîné la fuite des parfaits et des parfaites. En tout cas, ceux-ci vivent publiquement dans leurs maisons, on prêche, on distribue le *consolament* aux mourants, on s'occupe des lépreux. Des notables toulousains et des hobereaux du Lauragais viennent rendre visite à Guilhabert : Bertrand Alaman de Saint-Germier, Alaman de Rouaix, Jourdain Hunaud de Lanta, et bien d'autres.

La prise d'Auterive, le ralliement de Puylaurens et de Saint-Paul-Cap-de-Joux, le fait que Rabastens et Gaillac, sur le Tarn, étaient demeurés fidèles à Raymond, permettaient à ce dernier de tenir à bonne distance de Toulouse l'armée royale, occupée d'ailleurs, entre autres opérations, par les guerres de Cabaret et de Limoux. Humbert de Beaujeu avait néanmoins réussi – mais quand ? – à mettre une garnison à Castelsarrasin. Raymond jugea prudent d'aller l'en déloger. Entré dans la ville, il bloqua les Français dans le château. Beaujeu, miraculeusement rejoint par un corps de troupes conduit par l'archevêque de Bourges – les premiers renforts qu'il recevait depuis un an et demi ! – tenta de les secourir. Ce fut en vain. En revanche il prit Montech mais, au cours d'un combat qui se serait déroulé le 18 mai dans une forêt, et que seul rapporte un chroniqueur anglais, les troupes de Raymond auraient fait un grand carnage de Français, se livrant même sur les cinq cents prisonniers qu'ils capturèrent à d'épouvantables atrocités.

C'est au début de l'été 1228 que le vice-roi mit en œuvre la stratégie qui allait être fatale à Raymond VII. Il avait certes eu l'intention, à la fin du printemps, de prendre Saint-Paul-Cap-de-Joux, il s'était même avancé à cet effet jusqu'à Lavaur. Et puis il changea brusquement de plan. Il appela à l'aide les archevêques d'Auch et de Bordeaux, qui arrivèrent en personne à la tête d'importants renforts gascons levés par leurs soins. L'enjeu était de faire le dégât, mais à très grande échelle cette fois, tout autour de Toulouse, et d'arracher notamment les vignes... L'idée d'empêcher la prochaine vendange suggère que la viticulture occupait une place importante dans l'économie du pays, non seulement dans la campagne, mais aussi dans la ville elle-même par tous ses artisanats et commerces dérivés, main-d'œuvre spécialisée ou saisonnière, tonnellerie, donc commerce du bois et ferronnerie, transport, donc batellerie, etc.

L'armée s'installa à la mi-juin sur le coteau de Guilheméry, et les ravages commencèrent, soigneusement programmés de l'aube au coucher du soleil : les cavaliers s'y employèrent systématiquement, couverts par des lignes d'arbalétriers. De Guilheméry, on passa à Montaudran. Fin septembre, tout était fini. Il n'y avait pas eu que les vignes : tout avait été dévasté, détruit, on avait même abattu toutes les maisons qu'on avait pu trouver.

On est frappé par l'inertie, plus de trois mois durant, des Toulousains ! Pas une sortie, pas un engagement. Les sources parlent simplement des ravages, et du siège de la ville à l'occasion duquel ils se firent. En fait, un blocus plus qu'un siège en règle, car il ne semble pas y avoir eu une seule attaque, un seul assaut. Beaujeu s'était livré à une stratégie de l'étouffement. Raymond, certes, n'était pas dans Toulouse : le 8 juin il était à Gaillac, sur les bords du Tarn. Mais il est quand même étrange que, si combatif les mois précédents, il ait laissé les Français marcher sur la capitale...

Levant le camp de Montaudran, et ayant pris congé des troupes gasconnes, sans doute heureuses et fières d'avoir détruit ces vins toulousains qui faisaient alors ombrage à ceux de Bordeaux, car les Anglais les achetaient aussi, Humbert de Beaujeu alla à Pamiers, puis poussa jusqu'au Pas de Labarre, porte du haut comté de Foix. Il était inutile d'aller plus loin. La croisade venait de se terminer.

Négociations

Le cardinal de Saint-Ange aurait dû rentrer à Rome au début de l'année, mais Blanche de Castille, qui, en une période difficile, avait apprécié son dévouement à la couronne de France et ses qualités politiques, avait demandé au pape de proroger sa légation, ce que Grégoire IX fit le 21 mars. Trois mois plus tard, il écrit au cardinal, et sa lettre est de toute évidence une réponse à des suggestions faites par ce dernier et auxquelles il donne sa totale approbation : c'est une très bonne idée, dit-il, que de travailler à conclure la paix entre la Couronne et Raymond VII ; et il laisse pleins pouvoirs au cardinal pour qu'il propose ses bons offices aux deux parties ; si par ailleurs cette paix peut être confortée par un mariage entre Jeanne de Toulouse, la fille de Raymond, et un frère du roi, le Saint-Siège donne également licence à son légat pour qu'il accorde la dispense nécessaire, car les deux enfants sont issus de cousins germains[1]. Autrement dit, dès le printemps 1228, à l'époque où Humbert de Beaujeu n'a pas encore commencé à faire le dégât autour de Toulouse, Blanche de Castille et Romain de Saint-Ange, qui joue désormais les Premiers ministres, projettent de mettre fin à la guerre. Quelle issue envisagent-ils exactement, on ne sait, mais l'idée d'une alliance matrimoniale entre les deux maisons donne à penser qu'ils sont très en retrait sur la politique mise en œuvre du vivant de Louis VIII, qu'ils ne visent ni à la déchéance de Raymond VII ni à l'annexion de tous ses domaines.

Les raisons de ce recul peuvent être multiples : la résistance de Raymond fait augurer, sur le terrain, des difficultés imprévues, le prolongement de la guerre coûtera de la peine et de l'argent pour des succès qui demeurent incertains, enfin la reine Blanche n'a certainement pas le cœur à mettre à terre un cousin à qui, par-delà le lourd contentieux qu'il y a entre lui et la Couronne, elle porte une considération certaine, voire de l'affection. Dépositaire, certes, des intérêts supérieurs du royaume, elle ne fera aucune concession politique qui puisse affaiblir celui-ci. Mais elle se gardera, aussi, des solutions extrêmes du type de celle qu'avait tenté d'imposer le concile de Bourges.

Il n'en fallait pas moins, dans l'immédiat, amener Raymond VII à traiter, c'est-à-dire briser sa résistance en le mettant dans une situation telle qu'il n'aurait pas d'autre issue que la négociation. C'est certainement ce qui incita Humbert de Beaujeu, au début de juin, à substituer à une guerre de mouvement et d'usure la vaste et brutale opération de ravages destinée à brandir devant Toulouse le spectre d'une ruine totale : reconstituer le terroir viticole, notamment prendrait plusieurs années....

1. On rappellera que Raymond VII et Blanche de Castille étaient cousins germains, leurs mères respectives, Jeanne et Aliénor, étant sœurs (et sœurs de Richard Cœur de Lion et de Jean sans Terre), et filles d'Aliénor d'Aquitaine et de Henri II Plantagenêt.

Le dégât achevé, ce fut l'abbé de Grandselve, le grand monastère cistercien de Lomagne, qui revint de Paris chargé par le cardinal de Saint-Ange de prendre les premiers contacts. Il envoya des émissaires à Raymond. Une rencontre eut lieu à Baziège, et la trêve fut immédiatement proclamée – ce qui explique le brusque arrêt de la chevauchée qu'Humbert de Beaujeu avait lancée sur le comté de Foix. Le 10 décembre, Raymond VII, après avoir pris conseil de son entourage et des consuls de Toulouse, souscrivit à une déclaration préliminaire qui entérinait les pourparlers de Baziège : la paix religieuse exigeait qu'il se mît en situation d'obtenir sa réconciliation canonique, ce qui lèverait son excommunication, au prix, évidemment, de sa promesse de combattre l'hérésie ; mais on n'avait pas marchandé, cette fois, son pardon contre son abdication ; la paix politique impliquait simplement qu'il se reconnût vassal du roi de France et lui fît hommage et serment de fidélité... La couronne comtale était sauvée. Blanche de Castille proposait elle-même en 1228 ce que Philippe Auguste avait refusé en 1222, et le concile de Bourges en 1225 ! Autrement dit l'exposition en proie était révoquée, et il n'était plus question de la dévolution du comté au roi de France.

On conçoit que Raymond n'ait pas laissé passer cette occasion, à vrai dire inespérée, de conserver ses titres et ses domaines. La situation, au demeurant, ne le lui aurait certainement pas permis. S'il n'était pas venu au secours de Toulouse assiégée, c'est qu'il ne devait pas être militairement en état de le faire. Songeons par ailleurs qu'en cet automne 1228, l'armée royale est venue à bout des guerres de Limoux et de Cabaret ; Trencavel est reparti en exil, Olivier de Termes remet le 21 novembre toute la seigneurie du Termenès au pouvoir de l'évêque de Carcassonne et du maréchal Guy de Lévis, et prête serment de fidélité au roi entre les mains de ses sénéchaux et de l'abbé de Fontfroide ; bien des *faidits* ont certes repris le maquis, mais toute résistance organisée a apparemment cessé. Et puis il y a, en cette affaire, le poids considérable de Toulouse. On ne peut douter que l'oligarchie, nobles et gros marchands, que la montée du parti populaire – artisans, boutiquiers, petits commerçants – fait un peu plus reculer chaque année aux élections consulaires, notamment à celles de 1226 et de 1227, aspire à ce qu'on arrête les frais : le temps n'est plus à l'union sacrée, comme en 1211 ou 1218 ; le désordre extérieur, la guerre – surtout lorsqu'elle vous est défavorable –

ne sont pas propices à la stabilité intérieure[1]. Aux sanctions économiques prises en 1227 par le pape – l'interdiction des foires de Champagne aux Toulousains – s'ajoute maintenant, après bientôt vingt ans de conflit, une nouvelle dévastation de tant de domaines ruraux que la ruine définitive est à craindre. Il est symptomatique de voir que les premières élections de la paix, celles de 1229, ramèneront au consulat les vieilles familles patriciennes...

Quant au menu peuple, on ne peut douter non plus que lui manque le ressort nécessaire pour tenter, comme jadis, une héroïque résistance. La ville est à bout de forces. Les ravages causés dans la campagne et dans le vignoble ont mis brusquement au chômage tous les métiers induits par ce dernier. Certes, toute la ville ne vivait pas du vin, et le désastre ne touchait qu'un secteur donné de la vie économique. Il faut croire que la situation générale s'était quand même largement dégradée : plus d'un an après, la disette sera telle encore, et les mendiants affamés si nombreux, que Foulque organisera des soupes populaires...

Le document du 10 décembre, que l'abbé de Grandselve emporta à Paris, n'était pas un règlement définitif, il s'en faut de beaucoup. Ce n'était qu'un accord de principe. Il restait à définir les modalités selon lesquelles la paix serait officiellement conclue, ainsi que les clauses mêmes du traité. Raymond avait accepté à cette fin de souscrire par avance à tout ce que décideraient de concert l'abbé de Grandselve et le second médiateur désigné, le comte Thibaud de Champagne. Il avait aussi donné son accord pour qu'une seconde réunion se tînt à Meaux, sur les domaines justement de Thibaud, qui était aussi comte de Brie. Imprudentes promesses – surtout la première ! S'il avait cru que l'Église et la Couronne allaient se contenter une nouvelle fois d'un simple engagement calqué sur les serments de 1209 – ces serments qu'il avait été si facile, si souvent, et à tant de gens, de trahir effrontément –, il allait tomber de haut...

La réunion prévue eut lieu dans le courant de janvier 1229. On appelle parfois « traité de Meaux » le document auquel Raymond souscrivit une fois arrivé, mais c'est bien impropre. Ce n'était pas

---

1. Une première « révolution sociale » avait eu lieu au tout début du siècle : aux élections de 1202, riches négociants et changeurs avaient emporté dix-neuf des vingt-quatre sièges du consulat, au détriment du vieux patriciat urbain. Cf. Pierre GÉRARD, *Toulouse au XIIᵉ siècle*, Toulouse, Association des Amis des Archives de la Haute-Garonne, collection « Mémoires des pays d'Oc », s. d. Vingt-cinq ans plus tard, cette bourgeoisie d'affaires, véritable aristocratie du commerce, et qui possédait la richesse foncière, allait être à son tour débordée – un temps du moins – par les classes plus modestes.

du tout le traité, mais un texte préparatoire auquel on lui demanda de donner son aval, et qui allait servir de base à la Couronne pour établir le document définitif, signé le 12 avril seulement, à Paris. L'analyse comparée des deux montre que si celui de Meaux contenait déjà l'essentiel en matière de clauses territoriales, successorales, militaires et financières, celui de Paris, beaucoup plus long, marqua un durcissement certain de celles-ci, sans compter qu'il ajouta des clauses religieuses qui ne figuraient pas dans le premier [1]. Ce fut bien le document de Paris, et lui seul, qui constitua le règlement de l'affaire albigeoise.

Le traité de Paris

Contrairement à l'en-tête du document de Meaux, Raymond ne s'intitule plus duc de Narbonne ni marquis de Provence. Seulement comte de Toulouse. D'emblée, donc, sa titulature est réduite à sa plus simple expression, ce qui laisse augurer que ses domaines et ses droits vont être considérablement rognés. Mais c'est sur les clauses religieuses que s'ouvre le traité, comme si l'on concédait à l'Église, en l'affaire, une préséance propre à rappeler que tout ce qui s'était passé depuis vingt ans n'avait pour but que d'extirper la damnable hérésie qui s'était installée en pays d'oc et de restaurer la paix des âmes en même temps que la paix civile. On commence donc par reprendre les formulations des vieux serments de paix : promesse de lutter contre ladite hérésie, de chasser les routiers, d'ôter toute charge publique aux hérétiques et aux juifs, de restituer au clergé les biens et les droits dont on l'a spolié. Pour pénitence, Raymond devra prendre la croix pour la Terre sainte, s'embarquer avant août 1230 et rester cinq ans outre-mer. A tout cela on ajoute dix mille marcs d'argent de dommages et intérêts et quatre mille d'amende, le tout réclamé par l'Église. Mais le traité va beaucoup plus loin, en instaurant un nouveau système répressif associant obligatoirement le pouvoir civil à la poursuite des hérétiques et en institutionnalisant à cet effet la délation. Pour couronner l'édifice, on crée à Toulouse une université qui sera à la charge financière de Raymond. On estime d'ores et déjà le coût des professeurs à

1. Traduction intégrale, en parallèle, des deux documents, dans *Le Lys et la Croix*, p. 387-400.

quatre mille marcs sur dix ans. Certes, ce n'est pas la seule université que l'Église crée alors – elle a même un plan quasi européen de scolarisation – mais il était bien évident que celle de Toulouse, créée dans le contexte que l'on sait, aurait pour mission d'encadrer les esprits et de veiller à la sauvegarde de l'orthodoxie.

Suivent les clauses territoriales. Du vaste État sur lequel régnait jadis la dynastie des Raymond de Saint-Gilles, on ne laisse à Raymond VII que le haut Languedoc. A savoir :

— la partie du comté située dans le diocèse de Toulouse – à l'exception cependant de la « Terre du maréchal », c'est-à-dire de la seigneurie que Simon de Montfort avait donnée à Guy de Lévis, qui incluait le pays de Mirepoix et le pays d'Olmes, et qui lui est confirmée ;

— les diocèses d'Agen et de Cahors – moins Cahors, dont le seigneur est l'évêque, qui a fait directement hommage au roi ;

— dans le diocèse d'Albi, la rive droite du Tarn.

Tout le bas Languedoc – vicomté de Nîmes, Beaucaire et la Terre d'Argence, vicomté de Lodève, vicomté d'Agde, seigneurie de Sauve et d'Anduze, seigneurie d'Alès – est soustrait à la possession directe de Raymond ou à ses droits de seigneur supérieur. Nîmes et Beaucaire, annexés au domaine royal, constitueront d'ailleurs une sénéchaussée. Autrement dit, toute la façade méditerranéenne de l'État toulousain tombe, avec son arrière-pays, dans l'escarcelle capétienne. Enfin le Saint-Siège, qui avait déjà saisi, en deçà du Rhône, le comté de Melgueil, reçoit officiellement, au-delà du fleuve, le marquisat de Provence, ce qui anéantit toute présence de Raymond en terre d'Empire. On notera que Trencavel, loin de bénéficier de la restitution, ne fût-ce que partielle, de ses domaines, est totalement exclu du règlement de l'affaire albigeoise : purement et simplement annexée au domaine royal, et désormais administrée par un sénéchal, l'ancienne vicomté, définitivement arrachée à la suzeraineté de Barcelone, devient une marche qui, hérissée de forteresses sur sa frontière sud, va jouer un rôle stratégique essentiel face aux domaines de la maison d'Aragon-Catalogne.

La restitution en fief, à Raymond, de la moitié occidentale de ses domaines est cependant soumise à des clauses successorales. Elles sont très précises, et draconiennes. Jeanne, l'enfant unique de Raymond et de Sancie d'Aragon, épousera un frère du roi – on pense, à cette époque, à Robert d'Artois, mais ce sera en fait Alphonse de Poitiers. Elle est d'ores et déjà déclarée unique héritière du comté, même si un fils venait à naître... Tous les cas de figure sont alors examinés, selon qu'elle mourra avant ou après son père, avant ou après son mari, avec ou sans enfants. La conclusion est claire : le comté reviendra, selon le cas, au roi de France, ou à son frère, ou aux descendants de l'un ou de l'autre. Bref, à un mâle de la maison capétienne. Le traité de Paris ne raye certes pas de la carte le comté de Toulouse – et l'on ne peut voir là que la volonté de Blanche de Castille de ne pas radicaliser, au détriment de son cousin germain, le triomphe de la Couronne – mais il n'en pose pas moins toutes les conditions juridiques qui doivent à plus ou moins longue échéance entraîner fatalement son annexion. En attendant, et puisque comté de Toulouse il y a encore, le traité révoque toutes les concessions faites jadis à Simon et Amaury de Montfort, seul l'hommage lige et le serment de fidélité que Raymond a faits au roi définiront les rapports mutuels du comte vassal et de son suzerain. Une amnistie générale est d'ailleurs proclamée afin que nul ne soit poursuivi, ni par le comte ni par le roi, à raison de son engagement, au cours de la croisade, dans l'un ou l'autre des deux camps en présence. En sont cependant exclus les hérétiques et leurs complices avérés, ainsi que ceux qui refuseraient de prêter le serment que Raymond sera tenu de faire souscrire à tous ses sujets.

L'incontestable volonté d'apaisement de la Couronne ne lui fait cependant pas oublier les exigences d'une situation dont elle entend rester maîtresse. Vingt années de guerre en un pays qu'il faut bien dire étranger ont montré à la chevalerie française la capacité de résistance et de mobilisation des indigènes, ainsi que la faculté d'adaptation de leurs princes – au moins Raymond VII et le comte de Foix – à la guerre imposée par l'armée venue du nord. Il est urgent, pour prévenir tout retour de flamme, d'abattre le potentiel militaire du comte de Toulouse. Les clauses financières, qui le saignent littéralement – amendes, dommages et intérêts, financement de l'université –, sont là pour le mettre dans l'impossibilité d'entretenir une armée – routiers ou chevaliers soldés. Le comté sera en fait démilitarisé. Toulouse et trente autres villes et châteaux verront leurs fortifications démantelées, de Saverdun et Auterive au sud à Agen et Casseneuil au nord. Seul le Château Narbonnais restera debout – mais ce sera pour recevoir pendant dix ans une garnison française, comme en recevront une Peyrusse en Rouergue, Montcuq en Quercy, Penne en Agenais, l'autre Penne et Cordes en Albigeois, Villemur, Verdun,

Lavaur en pays toulousain, Castelnaudary en Lauragais. L'occupation militaire durera dix années. Pendant les cinq premières, l'entretien des garnisons sera à la charge du comte, ce qui est évalué à un total de trois mille marcs d'argent. A quoi il faut ajouter dès maintenant six mille marcs pour la réfection et le renforcement des châteaux destinés à recevoir les soldats français. Total de la facture : vingt-sept mille marcs, soit, sauf erreur, près de six tonnes d'argent fin. Le prix, c'est le cas de le dire, auquel Raymond sauvait sa couronne était exorbitant. Mais au moins la sauvait-il.

Au demeurant, digne fils, en cela, de son père, il n'avait nullement l'intention d'être rigoureusement fidèle à ses engagements, surtout pas de partir en Terre sainte, ni de payer les professeurs, ni de verser toutes les amendes, ni de lâcher le marquisat de Provence. Pour le reste, le destin allait lui laisser vingt ans pour tenter, par tous les moyens, de déjouer les clauses successorales...

Le traité de paix avec l'Église et la Couronne était une chose, la réconciliation canonique une autre, impliquant, comme pour Raymond VI à Saint-Gilles en 1209, une cérémonie d'humiliation publique. Elle eut lieu le jeudi saint 12 avril à Notre-Dame de Paris, devant toute la cour de France, dont le roi Louis IX, qui avait quatorze ans, un grand concours de prélats, et les conseillers de Raymond qui avaient accompagné à Paris leur prince. En chemise et en braies, celui-ci reçut du cardinal de Saint-Ange le pardon de l'Église, qui levait son excommunication. Un procès-verbal en fut dressé. Deux jours plus tard, une ordonnance, dans laquelle on ne peut voir que la main du cardinal, fut publiée au nom de Louis IX ; elle rappelait les peines auxquelles s'exposaient les hérétiques et leurs complices – notamment la confiscation à perpétuité de leurs biens – mais allait plus loin que l'ordonnance prise par Louis VIII en avril 1226 : elle décrétait pour quiconque l'obligation de traquer les hérétiques et de les livrer aux autorités religieuses, non seulement en tant que bon chrétien ayant prêté serment de paix à l'Église, mais en tant aussi, désormais, que sujet, vassal ou officier du roi. Une prime serait versée pour toute arrestation. Mais l'avertissement valait surtout pour Raymond VII et son entourage : l'action répressive contre le catharisme serait désormais encadrée par les représentants du roi.

Le comte et les siens n'en avaient pas pour autant terminé. Thibaud de Champagne avait à charge de régler la question du démantèlement des fortifications de Toulouse. Il proposa qu'en garantie vingt personnes de la suite de Raymond demeurent comme otages au Louvre pendant toute la durée des travaux. La Couronne se contenta de dix, mais à condition que Raymond lui-même en fît partie, et qu'ils restent au Louvre jusqu'à ce que les garnisons françaises prennent possession des châteaux destinés à être occupés, et jusqu'à ce que la petite Jeanne soit remise, à Carcassonne, aux envoyés de la Cour.

Un vice-légat, Pierre de Colmieu, ancien chapelain du pape, fut envoyé à Toulouse par le cardinal de Saint-Ange pour y recevoir les serments des notables de la ville et des nobles du comté. Blanche de Castille nomma un nouveau vice-roi, Mathieu de Montmorency, beau-frère et ancien compagnon d'armes de Simon de Montfort. Fin avril, afin que tout fût parfaitement en ordre au plan du droit féodal, Amaury confirma la cession qu'il avait jadis offerte, au roi, de toute la « terre conquise ». Il reçut en compensation, l'année suivante, la charge de connétable, autrement dit de chef d'état-major général. A son cousin Philippe de Montfort, le fils de Guy, la Couronne, reconnaissante envers la maison qui avait si vaillamment combattu en Albigeois, donna en fief une partie de l'ancienne vicomté d'Albi, qui devint la seigneurie de Castres.

Le 17 mai, le vicomte Aimery de Narbonne, les consuls et les chevaliers de la ville prêtèrent serment entre les mains de Pierre de Colmieu. Un mois plus tard, le comte Roger-Bernard de Foix fit à son tour soumission, à Saint-Jean-de-Verges, entre les mains du vice-légat et de Mathieu de Montmorency. Raymond VII lui avait écrit du Louvre pour lui conseiller cette solution, la plus raisonnable à ses yeux. Avec le vice-roi étaient venus plusieurs barons français à qui Simon de Montfort avait jadis inféodé diverses seigneuries acquises par droit de conquête, Guy de Lévis, Lambert de Thury, Pierre de Voisins et d'autres. Ils allaient en reprendre possession, mais cette fois sous la suzeraineté directe du roi.

Le 3 juin, Raymond avait quitté sa résidence forcée : ce jour-là, qui était la Pentecôte, le jeune roi lui fit l'honneur de l'armer lui-même chevalier. Le même mois, Jeanne de Toulouse, arrivée à Moret-sur-Loing où son père avait suivi la Cour, fut officiellement fiancée à un frère du roi, Alphonse de Poitiers, qui comme elle avait neuf ans. Puis Raymond regagna ses États. En quelques jours, au début de juillet, il s'arrangea pour recevoir l'hommage des seigneurs de Najac, de Bernard-Jourdain de l'Isle, des coseigneurs de Fanjeaux, d'autres sans doute. La Couronne lui en fit vertement remontrance : il n'avait pas le droit de procéder à des inféodations sans l'autorisation du roi, son seigneur supérieur...

Décidément, il faudrait que Raymond se fasse à l'idée qu'il n'était plus entièrement maître chez lui...

TROISIÈME PARTIE

L'INQUISITION

11

Naissance de l'Inquisition

La paix de Paris, la paix de Pâques, la paix de l'Église et du roi comme on disait aussi, à laquelle Raymond VII s'employa à donner une large publicité – on en fit circuler des traductions en occitan –, suscita sur ses États des réactions indignées. Dans un virulent *sirventès* qui prend à partie *Roma enganairitz*, Rome la fourbe, le troubadour Guilhem Figueira s'indigne : « De quelle démesure accablez-vous le comte Raymond ! » – compte tenu que *Desmesura* s'oppose, dans le vocabulaire « courtois », à Merci, Honneur et Loyauté[1]. « La bonne aventure que cette paix ! Paix de clercs et de Français ! » enrage Bernard de Labarthe. Guillaume de Puylaurens, clerc lui-même – mais, il est vrai, toulousain –, dit dans sa chronique que si Raymond VII avait été fait prisonnier au cours de la guerre et qu'on l'eût libéré moyennant un tel traité, on aurait estimé qu'il avait été rançonné plusieurs fois...

Outre Raymond VII, ce fut évidemment l'Église cathare qui fit immédiatement les frais de la paix de Paris. L'annonce en parvint à Guilhabert de Castres alors qu'il était toujours à Saint-Paul-Cap-de-Joux. L'arrivée à Toulouse du vice-légat et du vice-roi, accompagnés d'une chevalerie française qui ne rappelait que trop celle de la croisade, lui commanda de déguerpir au plus vite. Un chevalier de Puylaurens, Guillaume Maffre, qui avait combattu à la défense de Toulouse, et quatre autres croyants, s'étant procuré les clefs de la ville, firent sortir Guilhabert de

1. Cf. *Écrivains anticonformistes du Moyen Age occitan*. I. *Hérétiques et Politiques*, anthologie bilingue par René NELLI, Paris, Phébus, 1977, et l'anthologie de Francesco ZAMBON, *Paratge. Els trobadors i la croada contra els càtars*, avec introduction et traduction en catalan, Barcelone, Columna Edicions, 1998.

nuit, avec les diacres Bernard Bonnafous et Bernard Enjalbert, et maints autres parfaits et parfaites puis, une fois hors les murs, les confièrent à Raymond Hunaud de Lanta, qui les emmena se cacher dans un mas. Là les rejoignirent des parfaits et des parfaites de Toulouse conduits par deux notables parmi les plus dévoués auxiliaires de l'Église interdite, Alaman de Rouaix et Pons Saquet. Le seigneur des Cassés, Raymond de Roqueville, aidé par ses frères, conduisit alors les fugitifs dans un *cammas* proche de Saint-Félix, d'où une nouvelle escorte leur fit gagner un bois entre Cazalrenoux et Laurac. Cinq chevaliers de Fanjeaux et d'autres amis vinrent les y chercher pour les accompagner jusqu'au fin fond du haut Razès, dans l'inexpugnable et vertigineux château d'Albedun – aujourd'hui Le Bézu – où ils furent accueillis par le seigneur des lieux, Bernard Sermon.

Ce qui frappe, en cette affaire, racontée plus tard en détail par plusieurs de ses participants, c'est bien sûr le caractère précipité de ce départ, exemple entre bien d'autres possibles de l'exode massif qui se produisit au printemps 1229. C'est aussi, c'est surtout, au travers de cette fuite protégée par des relais successifs, l'étonnante solidarité qui se manifeste autour des Bons Hommes et des Bonnes Dames menacés par des mesures coercitives dont personne ne doute qu'à la suite du traité lui-même et de l'ordonnance royale, elles vont être vite appliquées. Chevaliers de la noblesse rurale comme grands bourgeois toulousains, un peu partout se mettent déjà en place, dans la société des croyants, des réseaux clandestins de protection qui n'iront qu'en se développant et en s'organisant, et qui donneront tant de fil à retordre aux pouvoirs que le système répressif lui-même ira se durcissant dans les conditions qu'on verra bientôt.

Un des effets de l'exode de 1229 fut d'entraîner une nouvelle vague de peuplement à Montségur. Le *castrum* de Raymond de Péreille s'était quelque peu dégarni à la faveur de la reconquête occitane quand ceux qui y avaient trouvé refuge lors de l'invasion de 1209 avaient pu redescendre dans le bas pays et – Guilhabert de Castres en tête – se réinstaller chez eux. La paix de Paris incita de nouveau maints parfaits et parfaites à aller s'abriter au sommet du piton pyrénéen. Une habitante de Baziège, Raymonde Bordier, évoquera plus tard l'époque où elle a vu les parfaits « traverser le pays quand ils fuyaient vers Montségur ». C'étaient essentiellement ceux de l'évêché cathare de Toulouse.

L'évêque du Razès, Benoît de Termes, s'enfuit pour sa part au château de Quéribus, dans les hautes Corbières.

Une égale précipitation – et ceci explique sans doute cela – fut mise à faire entrer dans les faits tout ce qui avait été décidé à Paris au cours de la semaine sainte. Le 24 mai, moins de six semaines donc après la signature du traité, l'université s'ouvrit à Toulouse, dans le couvent des Prêcheurs de la rue Saint-Rome. Ses premiers professeurs, nommés et envoyés de Paris par le cardinal de Saint-Ange, n'eurent pas la partie facile. Hélinand de Froidmont, un vieux cistercien originaire de Picardie, témoigna dans son discours inaugural d'une sorte d'obscurantisme bêtifiant qui laissait mal augurer de la suite. Mais le grammairien anglais Jean de Garlande était un grand esprit. Tous deux, et les quelques maîtres demeurés anonymes arrivés en même temps qu'eux, seront rejoints à l'automne de l'année suivante par un dominicain italien, Roland de Crémone, homme d'une érudition encyclopédique habité par une insatiable curiosité pour toutes les sciences et toutes les philosophies. Il n'empêche : quelle que fût leur bonne volonté, ces maîtres « importés », qu'on commença par chahuter, seront victimes du contexte extrêmement sensible dans lequel on les avait hâtivement projetés et connaîtront bien des déboires.

En juillet, le vice-légat Pierre de Colmieu procéda à Toulouse à la réconciliation de la population. Une armée d'ouvriers, pour beaucoup d'entre eux recrutés en France, était déjà à pied d'œuvre pour procéder au démantèlement des murailles de Toulouse et des autres places démilitarisées, tandis que les garnisons arrivaient peu à peu du nord pour prendre possession des autres. Fin septembre, le cardinal de Saint-Ange arriva à son tour. Un procès-verbal fut dressé de la remise officielle à Raymond VII, par les commissaires du roi, des domaines que lui laissait le traité de Paris.

Le concile de Toulouse

En novembre, le légat réunit, toujours à Toulouse, un important concile. Devaient y assister Raymond VII, deux délégués du consulat, et le sénéchal nommé par la Couronne à Carcassonne, André Chaulet. Il en sortit quarante-cinq canons consacrés aux moyens de réprimer l'hérésie et de restaurer partout le culte catholique. Il apparaissait clairement qu'avoir confié cette tâche, en 1209, à une armée, même si aux chefs militaires étaient étroitement associés des chefs religieux, n'avait servi de rien. Il n'en était advenu que des difficultés politiques et diplomatiques de tout ordre, sans qu'au bout de vingt ans de guerre la question de l'hérésie ait avancé d'un pas. Dans le droit fil du traité de Paris, qui avait posé le principe de l'étroite association du pouvoir civil à l'épiscopat dans la recherche des hérétiques, le concile de Toulouse imposa au comte, à son administration et à tous les représentants de l'autorité laïque un véritable carcan législatif propre à faire de tout citoyen un auxiliaire actif de la répression. Ordre était donné de créer dans chaque paroisse, sous la direction d'un prêtre, un corps de police assermenté habilité à enquêter, à écouter la rumeur et à recevoir les dénonciations – celles-ci étant évidemment rétribuées –, à perquisitionner en tout lieu douteux, à interpeller toute personne suspecte ou dénoncée et à la placer en garde à vue jusqu'à ce que le seigneur du lieu, l'abbé le plus proche ou l'évêque, dûment informés, fasse procéder à l'arrestation et au transfert. S'ensuivra, évidemment, la comparution devant le tribunal épiscopal. L'échelle des peines, globalement reprise, d'ailleurs, de la législation antérieure, est fixée avec précision : tout complice d'hérésie, même purement passif – par exemple celui qui tolère la présence d'hérétiques sur ses terres – verra ses biens confisqués. Les repentis sont classés en deux catégories. Ceux dont le repentir est estimé sincère devront changer de ville, porter deux croix cousues sur leurs vêtements, obtenir de leur évêque une lettre de réconciliation et accomplir la pénitence qui leur sera imposée. Ceux dont le repentir paraîtrait guidé seulement par la peur de la mort seront envoyés faire pénitence au « mur », c'est-à-dire en prison – mais être ainsi « emmuré » n'a pas du tout, évidemment, le sens littéral que l'historiographie romantique a cru devoir lui donner au siècle dernier ! A noter quand même que le « mur » est en principe une peine perpétuelle. Quant aux obstinés, aux Bons Hommes et aux Bonnes Dames qui refuseraient de reconnaître qu'ils étaient dans l'erreur et d'en faire contrition, les canons du concile n'en parlent pas, tout simplement parce qu'il est implicite qu'on s'en tient à l'égard des impénitents à la législation traditionnelle : la remise au bras séculier, c'est-à-dire au pouvoir civil, ce qui signifie la mort sur le bûcher.

Si l'on ajoute que tout sujet du comte de Toulouse parvenu à sa majorité – quatorze ans pour les hommes, douze ans pour les femmes – est tenu de faire au plus tôt serment d'abjurer toute hérésie, de demeurer catholique, de rechercher et de dénoncer les hérétiques, et qu'il devra renouveler ce serment tous les deux ans, on saisit avec quelle rigueur est désormais mis en place un système généralisé de lutte contre le catharisme auquel tout le monde est contraint de s'associer, sous peine de paraître à son tour suspect et de se désigner aux coups dudit système...

Autrement dit, la recherche des hérétiques, première étape obligée de la lutte active contre l'hérésie, qui était depuis le siècle dernier du ressort des tribunaux dits « ordinaires », c'est-à-dire des évêques locaux – d'où son nom d'inquisition épiscopale, au sens étymologique du mot inquisition, qui ne veut pas dire autre chose qu'enquête – se voit renforcée par l'obligation faite aux laïcs de se livrer pour leur part à une inquisition, qu'on nomme dès lors séculière. Tout le problème, pour l'Église, sera bien entendu de faire entrer dans les faits ce second système, afin qu'il soit l'auxiliaire efficace du premier.

Quand le légat avait convoqué le concile, il avait demandé à l'évêque Foulque de procéder immédiatement à une enquête qui permettrait de se faire une idée de la situation de l'hérésie, et dont l'assemblée de novembre aurait à connaître. Le concile, érigé en tribunal, écouta donc les suspects que lui présenta Foulque. Ils répugnèrent à avouer quoi que ce fût comme à dénoncer quiconque. Arguant des principes élémentaires du droit, certains demandèrent à savoir qui les avait eux-mêmes dénoncés : ce pouvaient être des ennemis personnels. Le légat leur présenta alors, globalement, la liste de tous les témoins de l'enquête. Nul ne put évidemment y reconnaître ses propres dénonciateurs... On justifiera bientôt cette façon de procéder par le souci de ne pas mettre en péril la vie des délateurs, ce qui s'avérera, en effet, prudent, mais n'empêchera quand même pas que quelques-uns finissent assassinés... Le procès de Toulouse s'acheva néanmoins, le légat prononça les sentences, Foulque rédigea les lettres de pénitence. On ne sache pas qu'il y ait eu alors des remises au bras séculier : ceux qui auraient encouru le bûcher avaient pris le large.

En revanche, dès l'annonce de l'enquête, il y avait eu des abjurations spontanées. Notamment celle d'un personnage non négligeable au sein de l'Église cathare, Guillaume du Solier. Il avait été le *sòci* du diacre Bernard de Lamothe. Les sources nous le montrent prêchant activement à partir de 1222, à Montauban, à Villemur, à Lagarde et à Montgaillard en Lauragais. Pendant la croisade royale, il était à Toulouse, membre, comme Bernard de Lamothe, Guillaume Salamon et Raymond Gros, de l'entourage de Guilhabert de Castres quand l'évêque et ses compagnons résidaient chez les Rouaix ou chez les Roqueville. Il connaissait alors de célèbres croyants cathares, tous gens de haut rang : Bernard-Othon de Niort, Pons Grimoard, sénéchal de Raymond VII en Quercy. Il faut croire qu'en 1229 le légat jugea son repentir tout à fait sincère : accueilli à bras ouverts par une Église qui ne manqua pas de faire de la publicité à une telle conversion, Guillaume du Solier reçut une prébende de chanoine.

La mission du cardinal de Saint-Ange achevée, toute l'autorité de l'Église reposait, à Toulouse, sur le vice-légat, Pierre de Colmieu, et sur Foulque. Le vieil évêque n'était pas au bout de des peines ! Il eut le malheur de demander la restitution de la seigneurie de Verfeil, dont lui avait fait don, jadis, Simon de Montfort. La chevalerie locale ne l'entendit pas ainsi, et se souleva contre lui. On fit même appel à un *faidit* aussi notoire que Bernard-Othon de Niort en personne... Il y eut des affrontements entre la troupe de celui-ci et les soldats que l'évêque avait été contraint, par sécurité, d'engager. C'est ainsi que Bernard-Othon fut un jour blessé au front d'une flèche. Il se fit transporter à Laurac, dont il était coseigneur et, craignant de mourir, il voulut recevoir le *consolament* ; mais pas des mains de n'importe quel parfait ! Il envoya chercher Guilhabert de Castres à Albedun... Un des participants de la cérémonie, qui se déroula devant la mère et les frères du blessé, et de très nombreux amis croyants, tomba bientôt aux mains du sénéchal André Chaulet et, dans sa prison, parla. C'est alors sans doute que le sénéchal décida de lancer une opération sur la terre des Niort, le pays de Sault, ce plateau reculé et d'accès malaisé situé entre les hautes vallées de l'Aude et de l'Ariège. Venant de Quillan, il ne l'avait pas encore atteint que, dans un bois, près de Coudons, il tomba dans un guet-apens et fut assassiné. Voilà qui laissait bien mal augurer de ce qui attendait les officiers de la Couronne sur les terres annexées au domaine royal !

A Toulouse, les choses ne se présentaient guère mieux. Il y eut des assassinats d'enquêteurs et de délateurs dans lesquels l'Église vit la main de Bernard-Othon, mais qu'elle imputa surtout à la négligence de Raymond VII. Il faut dire que sitôt rentré dans ses

États, le comte eut d'autres soucis que de s'engager activement dans la répression du catharisme et de sévir contre les complices d'hérésie. Sa mauvaise volonté fut telle, d'ailleurs – il oublia, bien sûr, de payer les professeurs de l'université ! –, qu'en 1230 le haut clergé délégua l'évêque de Carcassonne pour qu'il allât s'en plaindre à Rome. Mais Raymond aussi envoya des ambassadeurs au pape : ce fut pour pleurer misère ; les dommages et intérêts qu'il devait à l'Église l'empêchaient, dit-il, de financer son passage en Terre sainte, qui devait avoir lieu au plus tard en août ; il supplia donc le Saint-Père de lui accorder des délais, à la fois pour le paiement des sommes dues et pour le pèlerinage outremer.

Le 9 juillet, le pape les lui accorda. Alors Raymond rassembla sa chevalerie et fonça sur la Provence, pour secourir Marseille assiégée par le comte catalan, Raymond-Bérenger V. Ce dernier décampa avant même l'arrivée des Toulousains et, le 7 novembre, Marseille reconnut Raymond pour seigneur supérieur. Il y nomma un viguier. Dix-huit mois après le traité de Paris qui l'avait privé du marquisat, le vaincu de 1229 avait repris pied au-delà du Rhône... Il est intéressant de connaître les principaux vassaux qui l'avaient accompagné dans son expédition : le comte de Rodez, le vicomte de Lautrec, Olivier de Termes, Sicard de Montaut, Guiraud Hunaud et Jourdain de Lanta, Bernard-Othon de Niort... Catholiques bons teint ou croyants cathares : apparemment, pas plus après le traité de Paris qu'avant, la ségrégation religieuse n'était de mise à la cour comtale...

A peine rentré de Provence, Raymond fut convoqué à Castelnaudary par le nouveau légat nommé par Honorius III, l'évêque de Tournai Gauthier de Marnis. Ce dernier le sermonna. Raymond promit évidemment tout ce qu'on voulut, il fit même preuve de bonne volonté en réglant quelques contentieux avec divers établissements religieux et en ordonnant à certains de ses vassaux d'en faire autant. Néanmoins, le 2 janvier – nous sommes maintenant en 1231 –, le pape lui écrivit assez sèchement pour lui ordonner de commencer à régler ses dettes, demandant même au légat de l'y contraindre au besoin par les censures ecclésiastiques – sans aller cependant jusqu'à l'excommunication et l'interdit. En novembre, Raymond finit par prélever un peu d'argent sur ses revenus du péage de Marmande pour commencer à verser à l'abbaye de Cîteaux les dédommagements qu'elle avait réclamés.

A la Noël mourut Foulque, le vieil évêque de Toulouse dont les vingt-cinq années d'épiscopat n'avaient pas été de tout repos ! Pris en tenaille entre une population qui ne l'aimait guère et des princes – Raymond VI, puis Raymond VII – qui ne manquaient pas une occasion de l'humilier, déchiré lui-même entre la vindicte qu'il nourrissait à l'égard d'une ville qui l'avait chassé plusieurs fois, et la pitié qu'il éprouvait pour ses malheurs, poussé par l'intransigeance de sa foi à jouer jusqu'au fanatisme le jeu de la croisade, par ailleurs homme capable de bonté, d'une grande rigueur morale et d'un total désintéressement, il devait laisser devant l'Histoire une image très entachée par l'ambiguïté du rôle qui lui avait été imposé : celui de pasteur d'un troupeau dont toutes les brebis, ou presque, étaient rebelles...

Sur ses derniers temps, Foulque semble avoir baissé les bras devant l'inertie de Raymond VII. Il n'en fut pas de même avec son successeur Raymond du Fauga. Issu d'une famille noble du bas comté de Foix, ce n'était autre que le prieur provincial des Frères prêcheurs, autrement dit d'un ordre dont la vocation était certes d'évangéliser le monde par la prédication, mais qui était né dans un contexte bien précis : la nécessité de faire pièce, justement, à la prédication hérétique. Le nouvel évêque était à peine élu qu'en mars 1232 le légat réunissait un concile à Béziers, afin de réitérer toutes les mesures édictées par le concile toulousain de 1229, et de sévir contre ceux qui ne les appliquaient pas ; l'entorse essentielle était évidemment la tiédeur que les pouvoirs civils, et les laïcs en général, mettaient à seconder le clergé dans la recherche des hérétiques. Bref, le concile réaffirme avec fermeté la nécessité de l'inquisition séculière. On comprend dès lors que Raymond du Fauga ait exercé suffisamment de pression sur le comte pour que celui-ci consentît enfin à s'associer à une opération répressive, sous peine de paraître, à la fois, trahir le traité de Paris, faire fi de l'ordonnance royale d'avril 1229 et désobéir aux conciles de Toulouse et de Béziers. Il accompagna en effet le prélat dans une expédition visant à arrêter une vingtaine de Bons Hommes et de Bonnes Dames qu'on avait repérés dans la Montagne Noire. Ils furent capturés. On trouva parmi eux Pagan, l'ancien seigneur de Labécède, qui avait échappé au bûcher dressé par Humbert de Beaujeu en 1226. Il en réchappa encore : évadé, ou racheté à ses gardiens contre argent comptant par des croyants dévoués – cela se pratiquait assez souvent –, toujours est-il qu'il reprit son ministère clandestin au moins jusqu'en 1237.

Raymond VII, en tout cas, dut estimer que cette aventure suffisait largement à prouver sa bonne foi, et retomba à l'égard de la répression de l'hérésie dans une attitude si indifférente que le légat, de nouveau, s'en alarma.

Également associés, en principe, à la répression, les consuls de Toulouse. En fait, ils étaient beaucoup plus préoccupés par l'ordre public que par l'hérésie, et soucieux de protéger la population du zèle des Frères prêcheurs. Il fallut que les magistrats interdisent à ceux-ci, menacés à l'appui, d'affirmer dans leurs sermons qu'il y avait des hérétiques dans la ville, et qu'ils y tenaient des réunions... Mais le dernier arrivé des professeurs de l'université, Roland de Crémone, se mit à faire chorus avec ses frères, et alla même beaucoup plus loin. Ayant appris qu'un donat de Saint-Sernin s'était fait inhumer dans le cloître alors qu'il avait reçu le *consolament*, il le fit déterrer et brûler sur un bûcher. Il usa de même à l'égard d'un vaudois dont, de surcroît, il promena le cadavre en procession à travers la ville et fit raser la demeure... On ne sait pas comment la population réagit, mais il est certain que l'air de Toulouse devint peu à peu très malsain pour les maîtres de l'université. Un jour de 1232, Jean de Garlande quitta la ville en barque. Hélinand de Froidmont partit peu après, puis ce fut Roland de Crémone lui-même, en 1233.

La fondation de Montségur

C'est sans doute au concile de Béziers et à la rigueur de ses directives qu'on doit l'événement qui allait jouer un rôle si important dans l'histoire du catharisme occitan : la fondation de Montségur.

La deuxième fondation, en vérité, puisque nous savons que c'est entre 1204 et 1206 que l'Église cathare avait demandé à Raymond de Péreille de rééédifier le *castrum* de montagne, qui était alors ruiné. Le site avait donc connu en 1209 un premier peuplement, essentiellement constitué de parfaits et de croyants qui avaient fui Fanjeaux, mais on a vu que ce ne fut alors, pour la plupart d'entre eux, qu'un refuge provisoire. Il en va tout autrement en 1232. Entre-temps, Montségur est devenu la principale résidence de son seigneur Raymond de Péreille.

En cet automne 1232, justement, Raymond est là. Il a autour de lui sa femme Corba, née Hunaud de Lanta, ses filles Arpaïx et Philippa, son bayle Bernard Marty, son frère Arnaud-Roger, ci-devant coseigneur de Mirepoix, plusieurs neveux, une poignée de chevaliers qui sont de fidèles amis, et quelques sergents. Un jour donc, il reçoit un message de Guilhabert de Castres en personne : l'évêque cathare lui donne rendez-vous près de Villeneuve-d'Olmes. Raymond de Péreille s'y rend, avec quelques compagnons. Il trouve Guilhabert entouré de quelque vingt ou trente Bons Hommes – leur nombre varie selon les témoignages. Ils arrivent de la grande forêt de Gaja, au nord de Mirepoix, déjà familière aux proscrits et visiblement leur lieu de rassemblement. De là, ils ont été conduits jusqu'au pied de Montségur par trois chevaliers croyants, l'un du comté de Foix, Raymond Sans de Rabat, un autre ci-devant coseigneur de Mirepoix, Isarn de Fanjeaux – cousin germain de Raymond de Péreille – le troisième coseigneur de Gaja, Pierre de Mazerolles. Les trois chevaliers repartis, Raymond de Péreille ramena tout le monde à Montségur. C'est alors que l'évêque demanda au seigneur des lieux de bien vouloir le garder, avec ses compagnons, « afin que l'Eglise pût avoir là son siège et sa tête (*domicilium et caput*) et qu'elle pût, de là, envoyer et défendre ses prédicateurs ». Après quelques hésitations, Raymond accepta, et plus de dix années durant Montségur jouera effectivement, de façon parfaite, son rôle de « siège et tête » de l'Église interdite – à la fois refuge de sa haute hiérarchie et quartier général de la résistance religieuse qui allait clandestinement se développer et s'organiser dans le bas pays.

Tout de suite, Guilhabert de Castres tint un petit concile. Il confirma des charges, il en institua d'autres. Six de ses compagnons seulement sont nommément cités, mais ils suffisent à nous montrer qu'on est devant une véritable Curie de l'Église hérétique. Guilhabert a avec lui son *fils majeur*, Bernard de Lamothe, que nous connaissons déjà, et son *fils mineur*, Jean Cambiaire, déjà venu plusieurs fois à Montségur alors que, de 1224 à 1230, il exerçait son ministère à Mirepoix. Présent aussi, l'évêque de l'Agenais, Tento ou Teuto – très obscur personnage inconnu par ailleurs – avec son *fils majeur* Vigouroux de la Bacone, sur lequel, en revanche, on sait beaucoup de choses, notamment qu'il sera brûlé deux ans plus tard. Et puis trois diacres au moins, Pons Guilhabert, Bernard Bonnafous et Raymond de Montouty, qu'on verra maintes fois par la suite exercer tous trois en pays toulousain ou tarnais. Car une chose est d'ores et déjà certaine : Montségur sera tout, sauf le refuge clos d'une communauté de

« purs » et de contemplatifs qu'une littérature fantasmatique présente parfois. Bien au contraire, ce sera, et jusqu'à ses tout derniers jours, le théâtre d'incessantes allées et venues – y compris de la part des évêques. Les Bons Hommes qui reviennent d'une tournée pastorale croisent ceux qui repartent en mission, sans parler des innombrables croyants qui viennent, véritables pèlerins, visiter et saluer à Montségur les dignitaires de leur Église, les écouter prêcher, recevoir parfois de leurs mains le *consolament* d'ordination ou même celui des mourants. Ajoutons-y le va-et-vient des hommes d'armes, aussi bien ceux des escortes toujours prêtes à protéger les voyageurs – un moyen pour se faire un peu d'argent – que les sergents et les chevaliers de la garnison qui, toujours en éveil, surveillent les abords du *castrum*, puis les marchands et les paysans des villages d'alentour qui viennent y vendre tout le ravitaillement nécessaire, et Montségur, plus de dix ans durant, donne l'image d'une ruche fort peuplée et fort active, d'une petite cité qui ressemblerait à tous les habitats montagnards de son temps si ses habitants n'étaient pas des proscrits qui risquaient le bûcher ou la prison perpétuelle, et si toutes ses activités, y compris le commerce, n'étaient pas clandestines...

L'appel aux Frères prêcheurs

Il n'y a certainement pas de lien de cause à effet entre la « fondation » de Montségur à l'automne 1232 et la circulaire que le pape Grégoire IX envoya le 20 avril 1233 aux prieurs des Frères prêcheurs des archevêchés de Bordeaux, Bourges, Auch et Narbonne, pour confier à leur ordre la répression de l'hérésie. Les deux événements témoignent néanmoins, chacun à sa façon, d'un net durcissement de la situation. D'un côté, une religion interdite qui organise sa résistance en se dotant d'un sanctuaire stratégique apparemment inexpugnable d'où sera dirigée pour une large part la vie clandestine de l'Église ; de l'autre, la mise en place d'un système répressif nouveau qui aura pour caractéristiques principales, à la fois, la compétence de ses agents, leur disponibilité, et leur totale indépendance à l'égard des autorités locales, tant religieuses que civiles – d'où il découle qu'ils ne seront responsables que devant le pape lui-même et n'auront d'ordres à recevoir que de lui. Autant de garants, semble-t-il de leur efficacité, là où l'association entre les Ordinaires et les pouvoirs laïcs, entre l'inquisition épiscopale et l'inquisition séculière, est restée, sauf très ponctuelles exceptions, purement théorique.

A vrai dire, l'idée de confier la poursuite de l'hérésie à un organisme spécial n'est pas, en 1233, une absolue nouveauté. Dès 1227, en Allemagne, le Saint-Siège avait donné pleins pouvoirs à un écolâtre de Mayence, maître Conrad de Marbourg, dont on ne sait à quel ordre il appartenait exactement, pour qu'il sévît contre une secte luciférienne. Il recruta deux auxiliaires, mais il se livra à de tels excès, procédant notamment sans jugements à des exécutions massives, que les archevêques rhénans en appelèrent contre lui au pape. Les trois hommes furent assassinés avant même que le Saint-Siège n'ait étudié leur cas. La même année 1227, un tribunal spécial composé d'un dominicain, d'un cistercien et d'un chanoine avait été institué à Florence pour juger un hérétique indépendamment du tribunal épiscopal. Mais sa mission n'avait été que temporaire. En 1233, en revanche, c'est bien de façon permanente que Grégoire IX entend confier la répression de l'hérésie aux Frères prêcheurs, créant ainsi, à côté de l'inquisition épiscopale et de l'inquisition séculière, une inquisition monastique, ou, ce qui revient au même, une inquisition pontificale par dominicains interposés, et qui sera pour les historiens l'Inquisition tout court – mais avec, cette fois, une majuscule[1].

Que la répression systématique de l'hérésie par des voies judiciaires ait été confiée à l'ordre des Prêcheurs pose un certain nombre de problèmes. Pour tout un courant de l'historiographie traditionnelle, la création de l'Inquisition dominicaine a entaché jusqu'à la mémoire de saint Dominique. Il faut noter quand même que le fondateur de l'Ordre était mort en 1221, et l'on ne sache pas que lors de son séjour en Languedoc, de 1206 à 1217, il ait jamais prôné contre les cathares la vindicte et la coercition, bien au contraire. Les pénitences qu'il délivra aux repentis, ou qu'il fit délivrer par Foulque, n'allèrent jamais au-delà des abstinences et du port de croix cousues sur le vêtement ; elles étaient la suite d'une confession, non l'issue d'un procès. Dans un seul cas connu, celui de Pons Rougier, il infligea comme pénitence une flagellation publique, au demeurant toute symbolique. Parler, avec Christine Thouzellier, de « son zèle précocement

---

1. Il va de soi qu'attribuer la fondation de l'Inquisition au concile du Latran de 1215, voire à saint Dominique (mort en 1221), est une erreur qui ressortit à la fois à l'abus de langage, à la confusion des diverses inquisitions, et à l'ignorance des dates.

"inquisitorial"[1] », c'est laisser entendre qu'il se livrait à des enquêtes systématiques, utilisait des moyens policiers, faisait arrêter et incarcérer des suspects, les jugeait, remettait les récalcitrants au bras séculier, qui les envoyait au bûcher et confisquait leurs biens... La formule *persécuteur des hérétiques* utilisée en 1233 dans son procès en canonisation ne doit pas nous tromper : que Dominique ait *poursuivi* les hérétiques, au sens étymologique n'implique nullement qu'il les ait *persécutés*, au sens moderne du mot.

Le passage soudain des Prêcheurs en toute première ligne, en 1233, dans le combat contre l'hérésie, au risque de trahir l'esprit de la mission que s'était fixée leur fondateur, a deux raisons : le prodigieux développement de l'Ordre, et le savoir des Frères. Dominique avait quitté Toulouse à la fin de 1217, pour n'y revenir que très brièvement en 1219, le temps de réunir ses Frères en chapitre. Ce qui l'occupe dès lors, c'est la dispersion de ceux-ci, décidée lors du chapitre de mai 1217, afin que l'Ordre essaime sur toute la chrétienté. Tandis que les uns restent à Prouille, d'autres au petit couvent récemment créé rue Saint-Rome à Toulouse, sept de ses compagnons partent pour Paris, quatre pour l'Espagne. Quatre ans plus tard, au moment de la mort de Dominique, l'Ordre comptera six provinces en Europe occidentale, auxquelles s'ajoutent immédiatement celles de Dacie et de Danemark, décidées la même année au chapitre général de Bologne. La Pologne (1225), la Norvège et l'Estonie (1229), la Livonie (1231), même le Maroc (1225) et la Tunisie (1234), voient arriver des Frères venus du couvent de Tolède... Bref, une foudroyante expansion qui, en moins d'une génération, a donné à l'Église une dynamique nouvelle, volontariste, militante, à la fois une capacité à reprendre en main les fidèles et une force de propagation qui la pousse à la conquête des terres païennes ou « infidèles ». On ne peut douter que pour le Saint-Siège le nouvel ordre incarne désormais les forces vives de la foi, et qu'il ait peu ou prou pris dans le cœur des souverains pontifes la place qu'y occupait jusque-là l'ordre de Cîteaux.

Il y a autre chose. On sait que si son but est l'évangélisation, son arme principale – outre, évidemment, l'exemple de la vie

1. Ch. THOUZELLIER, *Catharisme et valdéisme en Languedoc*, Paris, P.U.F., 1966, p. 251. Position réfutée par M.-H. VICAIRE, « Saint Dominique et les inquisiteurs », dans *Annales du Midi*, t. LXXIX (1967), p. 173-194, et dans *Dominique et ses Prêcheurs*, Paris, Cerf, 1977, p. 36-57 et p. 143-148.

apostolique – est la prédication. Celle-ci n'est plus seulement l'une des fonctions de l'évêque ou du curé de paroisse ; elle est l'affaire, désormais, de gens de métier, si l'on peut dire : un ordre a été créé pour prêcher. Passage obligé de la prédication, si l'on veut qu'elle soit intelligente et efficace, le savoir, donc l'étude. C'est d'abord pour étudier qu'en 1217 Dominique a envoyé sept de ses Frères à Paris. Si l'Ordre devient, par excellence, celui des « intellectuels » de l'Église, on le doit à cette mission bien particulière qu'avait définie son fondateur.

Hommes de grand renom, hommes de grande sainteté – leur fondateur est en voie de canonisation – hommes de grand savoir : au moment même où le Saint-Siège retirait à la chevalerie la charge d'éradiquer l'hérésie – la croisade albigeoise n'avait rien éradiqué du tout – et où l'inquisition épiscopale se révélait insuffisante, sans parler de l'inquisition séculière, les Prêcheurs étaient sans doute tout désignés pour assumer un combat auquel on allait donner une forme et des moyens nouveaux. Mais il est certain que ceux d'entre eux qui seraient nommés « juges délégués par l'autorité du Saint-Siège à l'Inquisition de la perversion hérétique » – ce sera leur titre officiel – allaient outrepasser de beaucoup leur mission première et trahir en un sens leur propre vocation, au moins pendant le temps de leur mandat, en n'ayant plus de « prêcheurs » que le nom...

Le transfert des compétences ne se fit pas brusquement. La lettre aux Frères prêcheurs était du 20 mars 1233. Huit jours avant, le 13, le pape avait déjà écrit aux prélats du royaume pour leur annoncer qu'afin de les décharger d'un surcroît de tâches et les laisser respirer un peu, il allait envoyer des Prêcheurs s'occuper de l'hérésie. Mais le 8, c'était encore à l'évêque de Toulouse qu'il avait demandé d'ouvrir une enquête sur Bernard-Othon de Niort, sa mère et ses frères. En fait, la création de l'inquisition monastique, qui avait évidemment sa raison dans le souci de pallier les insuffisances des deux autres inquisitions, posa d'emblée un grave problème de prérogatives que le pape ne pouvait pas trancher de façon trop abrupte. La lettre du 13 mars demandait aux évêques de prêter aide et concours aux Prêcheurs dans leur nouvelle mission. C'était inverser imprudemment les rôles. Grégoire IX en fut certainement conscient, car il continuera, pendant un certain temps, à confier des enquêtes aux Ordinaires de Toulouse ou d'Albi. Mais sans doute fut-il très difficile de maintenir en place deux systèmes parallèles pour poursuivre l'hérésie.

Après une période de collaboration, l'épiscopat cédera vite le pas à l'Inquisition dominicaine – quitte à lui refuser bientôt toute aide, et même à lui disputer plus tard l'exclusivité de la répression...

Le 22 avril, Grégoire IX écrivit derechef à Romeu de Llivia, le prieur provincial. C'était, cette fois, pour lui demander de choisir lui-même ceux de ses Frères qui seraient susceptibles de se consacrer à la poursuite de l'hérésie. Ainsi furent nommés les premiers « inquisiteurs », étymologiquement de simples enquêteurs – mais dotés de pouvoirs si exorbitants qu'il fallait bien que le vocabulaire finît un jour par les distinguer des autres[1]. Romeu de Llivia proposa donc au légat du Saint-Siège, le cardinal Jean de Bernin, les noms du prieur du couvent de Toulouse, Pons de Saint-Gilles, de Frère Guillaume Arnaud, qui était de Montpellier, et de Frère Pierre Seilan, ce Toulousain qui avait été l'un des premiers compagnons de Dominique. Mais ce ne fut qu'au début de 1234 que le légat entérina officiellement leur nomination. Comme ils n'avaient en charge que les diocèses de Toulouse et de Cahors, on nomma Frère Arnaud Cathala et Frère Guillaume Pelhisson pour le diocèse d'Albi. Le Catalan Ferrer quittera bientôt son couvent de Narbonne pour être inquisiteur à Carcassonne, avec pour premier collègue Pierre d'Alès. Par la suite, il y aura d'autres nominations, le ressort de chaque tribunal, sa composition, et aussi le nombre de tribunaux, seront souvent modifiés.

L'initiative de Grégoire IX n'avait quand même pas fait perdre de vue la nécessité d'associer le pouvoir civil à la répression. L'indifférence dont Raymond VII avait fait preuve après l'opération de 1232 dans la Montagne Noire avait alarmé le légat Gauthier de Marnis, qui n'avait rien trouvé de mieux que de s'en plaindre au roi, puisque, aussi bien, le comte traitait par le mépris à la fois le traité de Paris et l'ordonnance royale d'avril 1229. Alors Louis IX convoqua Raymond. Outre le légat, assistèrent à la rencontre, qui eut lieu à Melun, l'archevêque de Narbonne et l'évêque de Toulouse. Ce dernier fut chargé de trouver le moyen de contraindre le comte à tenir ses promesses. Rentré à Toulouse, il rédigea un édit que Raymond n'eut plus qu'à signer et à proclamer en son nom propre. Ce qui fut fait solennellement en la cathédrale Saint-Étienne, devant le légat et le sénéchal de

---

1. La distinction ne se fait évidemment pas dans les documents en latin : ce sont tous des *inquisitores*. Le français *inquisiteur* semble être apparu au XVe siècle seulement, comme doublet savant d'*enquêteur*.

Carcassonne, le 20 avril 1233 – le jour même où Grégoire IX chargeait les Frères Prêcheurs de la poursuite de l'hérésie. L'édit de Raymond VII arrivait à point nommé. Non qu'il contînt, sur le fond, quelque innovation. Il se bornait à rappeler, mais avec un grand luxe de détails, toutes les mesures promulguées par le passé contre les hérétiques ou les complices d'hérésie, de l'incapacité civile à la confiscation des biens, de la façon de porter les croix cousues à la destruction des maisons, cabanes et autres cachettes suspectes, etc. Tout comme l'ordonnance de 1229 inscrivait la poursuite de l'hérésie dans la loi du roi, l'édit de 1233 l'inscrivait dans la loi du comte. Une copie en fut immédiatement adressée au roi, une autre au pape. Raymond VII, cette fois, s'était personnellement et publiquement engagé devant ses propres sujets. Il ne pouvait plus se dérober.

Peut-on douter alors que l'étrange opération qui se fit en son nom, la même année ou l'année suivante, il importe peu, lui ait été imposée par le légat, l'évêque de Toulouse et le sénéchal de Carcassonne, unis pour le contraindre à respecter ses engagements ? Racontée une dizaine d'année plus tard par deux résidents de Montségur, les chevaliers Arnaud-Roger de Mirepoix et Bérenger de Lavelanet, l'affaire n'est certes pas d'une totale clarté, mais on a au moins quelques certitudes minimales. Le bayle et le châtelain de Raymond VII à Fanjeaux, Massip de Gaillac et Astnar Pardou, se rendirent plusieurs fois à Montségur, ensemble ou séparément, y furent accueillis par Arnaud-Roger de Mirepoix, et allèrent s'entretenir avec Guilhabert de Castres, Jean Cambiaire et plusieurs de leurs compagnons, après les avoir *adorés*, c'est-à-dire salués à la manière de tout bon croyant cathare. Et même, une fois au moins, ils partagèrent leur repas. Leurs visites avaient pour but, assure Bérenger de Lavelanet, de « recevoir le *castrum* de Montségur au nom du comte de Toulouse », autrement dit d'en prendre possession sur son ordre. En fait, rien ne se passa. Mais Massip revint, accompagné cette fois d'une troupe de chevaliers, de sergents et d'arbalétriers. Guilhabert de Castres était absent, ainsi que son *fils majeur* Bernard de Lamothe. Le plus haut dignitaire présent était le *fils mineur*, Jean Cambiaire. Or voici que Massip repartit avec lui et trois autres parfaits, « sans que personne l'en empêchât ». « Il les emmena prisonniers, poursuit Bérenger de Lavelanet, les livra au comte de Toulouse, et ils furent brûlés »... C'est du moins ce qu'on dut rapporter plus tard à Bérenger. Brûlés, les trois parfaits inconnus le furent peut-être, mais pas Jean Cambiaire : trop de témoins l'ont vu prêcher trop de fois en trop de lieux, entre 1233 et 1237. Évadé, libéré contre rançon, on ne sait. Mais comment interpréter cette descente de police faite au nom de Raymond VII par un de ses officiers – une exemplaire opération d'inquisition séculière – et les conditions fort curieuses dans lesquelles se fit l'arrestation de Jean Cambiaire ? Ou bien celui-ci s'est volontairement sacrifié, avec trois de ses compagnons, pour que Raymond VII pût donner des gages à l'Église, ou bien il s'est agi d'une opération plus ou moins simulée destinée à donner le change, en faisant mine de lancer un coup de main sur le *domicilium et caput* de l'hérésie, et d'en ramener *manu militari* le plus haut dignitaire qui s'y trouvait alors...

Guilhabert de Castres, en effet, avait quitté un temps Montségur après y avoir installé une partie de la hiérarchie cathare. Sans doute est-ce à Laurac qu'il apprit les événements de Montségur, car c'est à Laurac que Bernard-Othon de Niort le confia à deux chevaliers pour qu'ils le conduisent en un lieu plus sûr, au cœur de la seigneurie des Niort, à Dourne au pays de Sault. A Guilhabert se joignit Raymond Agulher, qui avait récemment succédé à Benoît de Termes à la tête de l'évêché du Razès. Bernard-Othon rejoignit bientôt les deux dignitaires, et les garda ainsi six mois sous sa protection, avec quelques *faidits* notoires réfugiés eux aussi à Dourne, et que nous connaissons déjà : Pierre de Mazerolles, Béranger de Peyrepertuse, le Toulousain Alaman de Rouaix. C'est de Dourne que Guilhabert de Castres et Raymond Agulher regagneront Montségur en 1234 – alors que les premiers inquisiteurs s'étaient depuis peu mis au travail.

Premiers troubles...

Les Frères nommés au début de l'année s'étaient réparti leurs tâches. Tandis que Pons de Saint-Gilles restait à Toulouse, Guillaume Arnaud et Pierre Seilan gagnaient le Quercy, Arnaud Cathala et Guillaume Pelhisson l'Albigeois. Le premier document inquisitorial qui nous soit parvenu – et encore n'est-ce que par une copie du XVIIe siècle – est cependant plus tardif de quelque dix-huit mois : c'est la sentence d'excommunication lancée le 10 novembre 1235 par Guillaume Arnaud contre dix consuls de Toulouse – sur les vingt-quatre que comptait

l'assemblée municipale ! Pourquoi ? Précisément parce qu'ils
empêchaient l'Inquisition de fonctionner dans la ville...

Il faut dire que les Frères eurent une étrange manière d'inau-
gurer la mission que le pape leur avait confiée. Fut-ce pour terroriser les populations, et de façon très spectaculaire, ou parce que
c'était plus facile, toujours est-il qu'à Cahors Guillaume Arnaud
et Pierre Seilan, émules tardifs de Roland de Crémone, commencèrent par s'en prendre aux morts. En toute légalité, d'ailleurs :
on sait que les excommuniés ne peuvent être inhumés en terre
bénite ; or les hérétiques sont automatiquement excommuniés ;
ils ne peuvent donc, en tant que tels, reposer en cimetière chrétien ; il faut par conséquent les déterrer ; et comme ils sont morts
hérétiques, donc impénitents, à ce titre il faut les brûler. Le raisonnement est canoniquement imparable. Ce qui supposait
quand même, si l'on voulait agir avec un minimum de discernement, un minimum d'enquêtes, de citations et d'auditions de
témoins, et pour finir une sentence en bonne et due forme. Pour
éviter ce sort odieux au corps de son père, un habitant alla le
déterrer et le cacha...

A Albi, Arnaud Cathala faillit payer cher les bûchers de
cadavres qu'il donnait en spectacle. Le 15 juin – nous sommes
toujours en 1234 – le bayle de l'évêque ayant refusé de procéder
à l'exhumation d'une femme, Cathala prit une pioche, et se mit
lui-même à creuser. Surgirent une trentaine d'habitants qui se
jetèrent sur lui et le bastonnèrent, criant les uns qu'il fallait le
pendre, d'autres qu'il fallait le noyer dans le Tarn. Il fut sauvé *in
extremis*, déjà sur la berge, par quelques personnes mieux inten-
tionnées qui le ramenèrent à la cathédrale.

On s'occupa quand même aussi des vivants, mais, au début,
sans beaucoup de succès. Les premiers suspects cités en Quercy
par Guillaume Arnaud prirent la fuite, qui à Rome, qui en Lombardie, qui à l'abbaye cistercienne de Belleperche, qui à Montségur, comme le Moissacais Jean de Lagarde, qui s'y fit ordonner
parfait et y resta jusqu'à mourir sur le bûcher de mars 1244.
A Albi, Cathala et Pelhisson prononcèrent une douzaine de
pénitences de pèlerinage en Terre sainte – mais aussi la remise
au bras séculier de deux parfaits qui avaient refusé d'abjurer.
Pierre Pechperdut et Pierre Bonmassip sont donc les deux premiers martyrs connus pour lesquels s'allumèrent les deux premiers
bûchers de l'Inquisition.

Exhumations, émeutes, pénitences, bûchers : le tableau serait incomplet sans les abjurations. Cathala finit par en recevoir au moins une, et d'importance, en avril de l'année suivante. Ce fut celle de Raymond Déjean, un habitant d'Albi qui, croyant dévoué et auxiliaire actif de son Église pendant dix ans, s'était fait ordonner parfait en 1230 « dans un bois » par Bernard de Lamothe et le diacre de Catalogne, Pierre de la Corogne. Une longue carrière donc, qui lui avait permis de connaître les chefs de l'Eglise hérétique – dont Guilhabert de Castres, auprès de qui il avait assisté au concile cathare de Pieusse en 1226, et Bernard de Lamothe, qu'il avait accompagné dans sa grande tournée – mais aussi, car c'était un grand voyageur, une foule de croyants, souvent de haut rang, du bas Quercy, de l'Albigeois, du Lauragais, du Razès, du comté de Foix, de Catalogne et de Toulouse. Confessé spontanément à Arnaud Cathala le 30 avril 1235, il obtint de l'évêque d'Albi Durand de Beaucaire sa lettre de réconciliation. L'inquisiteur Ferrer l'interrogea à son tour le 12 février 1243, et Déjean eut tout le loisir de lui raconter en détails ses pérégrinations en dénonçant une foule de gens.

Ferrer, ou Ferrier – mais la forme catalane de son nom est préférable, puisqu'il était né à côté de Perpignan – s'est fait dans l'histoire de l'Inquisition languedocienne une place quasi privilégiée : ce sera lui qui, en 1244, interrogera les rescapés de Montségur. Autant dire que sans ses procédures, l'histoire du fameux *castrum* et de sa fin tragique se réduirait aux dix lignes que Guillaume de Puylaurens lui consacre dans sa *Chronique*... Maître en théologie de l'université de Paris, il était prieur du couvent des Prêcheurs de Narbonne lorsque, en mars 1234, avant même sa nomination d'inquisiteur de Carcassonne, il se mit à déployer un grand zèle en faisant arrêter des hérétiques et en les livrant à l'archevêque, Pierre Amiel. Une émeute suscitée par une confrérie d'artisans libéra l'un des captifs. Le vicomte s'en mêla. On décida d'arrêter de nouveau le suspect, qui se cachait dans le bourg, mais la police en fut empêchée par une violente manifestation de rue. L'affaire prit vite l'allure d'une guerre civile entre le bourg, cette petite ville indépendante que l'archevêque avait collectivement excommuniée, et la cité, domaine du prélat. Ce dernier s'enfuit, en appela au légat du Saint-Siège, tandis que les consuls du bourg sollicitaient les bons offices de Raymond VII, lequel ne trouva rien de mieux que de dépêcher à Narbonne Olivier de Termes et Géraud de Niort. Ce dernier, qui vouait grande haine à l'Église catholique, ne fut certainement pas étranger à la nouvelle émeute qui, fin 1234 ou début 1235, mit à sac le couvent des Prêcheurs et saccagea sa vigne et son verger... Il fallut faire appel à l'abbé de Fontfroide pour que le bourg et la cité concluent une trêve, en avril 1236. Ce n'est cependant qu'en mars 1237 que le sénéchal du roi, Jean de Friscamps, mit un point final à l'affaire en chiffrant les dommages causés par les uns et par les autres, en prononçant quelques sentences d'exil temporaire, et en interdisant désormais toute confrérie. A cette date, Ferrer était inquisiteur, en charge de la poursuite de l'hérésie dans les deux diocèses de Carcassonne et d'Elne.

C'est à Toulouse néanmoins que l'hostilité suscitée par les premières initiatives de l'Inquisition déboucha sur les troubles les plus graves. Sans doute Guillaume Pelhisson a-t-il quelque peu noirci le tableau en dépeignant dans sa *Chronique* une ville livrée aux hérétiques et opprimant les catholiques, un consulat tout entier aux mains de l'hérésie de même que l'entourage du comte, nobles et grands bourgeois organisant la chasse aux délateurs et les faisant assassiner. En fait, il n'était point besoin d'être cathare pour se sentir victime d'un système oppressif qui ne laissait personne en paix et qui sautait sur la moindre occasion d'exercer quelque coercition. Le premier incident connu – il est rapporté par Guillaume Pelhisson – est très significatif. Un artisan, ayant été traité d'hérétique par un voisin au cours d'une altercation, porta plainte pour diffamation devant le consulat. Le coupable reconnut qu'il avait menti et fut condamné à une amende. Mais il fit appel devant le tribunal de l'évêque, où les inquisiteurs Pierre Seilan et Guillaume Arnaud vinrent en personne le soutenir. Cette fois, on le relaxa, et ce fut le diffamé qui fut condamné. Il s'enfuit en Lombardie avant son arrestation...

On pourrait multiplier de tels exemples, complaisamment rapportés par Guillaume de Pelhisson lui-même afin de montrer la malignité des Toulousains qui dissimulent leur appartenance à l'hérésie et, corrélativement, la perfidie du pouvoir civil qui leur donne systématiquement raison.

Tâtonnements, inexpérience, manque de discernement, ou crainte d'être débordés par l'hérésie, c'est en tout cas dans les tout premiers mois d'Inquisition que se produisirent à Toulouse les plus évidentes « bavures ». L'une d'entre elles eut une issue bien imprévue. C'est comme dangereux dissimulateur que fut condamné par les inquisiteurs un certain Jean Tisseyre qui, ayant reçu sa citation, eut l'imprudence de crier sur tous les toits qu'il n'était pas hérétique. Le tribunal le prit pour un parfait – ce en quoi il se trompait manifestement, car un vrai parfait fidèle à sa foi ne mentait pas sur son état – et le remit au bras séculier, en l'occurrence le viguier du comte, Durand de Saint-Bars. Celui-ci le conduisait au bûcher quand la foule prit à partie le cortège et l'empêcha de gagner le lieu du supplice. Le viguier ramena alors son prisonnier dans les cachots de l'évêché, où vinrent bientôt le rejoindre des parfaits – authentiques, ceux-là ! – qui avaient été arrêtés près de Lavaur. Et Tisseyre les pria de l'ordonner. Quand ils furent condamnés et conduits au bûcher, il demanda à les suivre, et mourut avec eux... Brûlé aussi, un forgeron du quartier Croix-Baragnon, Arnaud Sans, mais cette fois malgré ses dénégations. Quant à la triste affaire qui survint le 5 août 1234, elle donne la mesure du climat dans lequel, à peine l'Inquisition créée, s'opérait la répression.

C'était la première célébration de la Saint-Dominique, Grégoire IX ayant canonisé le mois précédent le fondateur de l'ordre des Prêcheurs. Pons de Saint-Gilles, le prieur, nommé quelques mois plus tôt inquisiteur, apprit au moment de passer à table que dans la rue de l'Orme-Sec – aujourd'hui rue Romiguières – toute proche du couvent, une vieille mourante venait de recevoir le *consolament*. Il le dit à l'évêque Raymond du Fauga, dominicain lui-même, qui se précipita chez la malade avec quelques Frères et lui fit confesser sa foi en se faisant passer pour Guilhabert de Castres... Il se dévoila enfin. Elle refusa d'abjurer. Alors l'évêque convoqua le viguier et, comme la vieille femme était impotente, on l'emporta et on la jeta sur le bûcher avec son lit.

La fin de l'hiver 1234-1235 vit se mettre en place une vaste opération. Il y eut une « prédication générale », c'est-à-dire un appel collectif à venir se confesser, abjurer et dénoncer... Un délai de grâce était accordé : quiconque se présenterait avant son terme avait la garantie de n'être ni exilé ni emprisonné, et de ne pas voir ses biens confisqués ; passé le délai, pénitences et condamnations pleuvraient, sans compter que les récalcitrants seraient amenés de force devant le tribunal. Beaucoup, profitant de la bienveillance, voire de la relative impunité, liées au délai de grâce, n'attendirent pas et, le vendredi saint 6 avril notamment, il se présenta tant de monde au couvent des Prêcheurs que ceux-ci durent appeler à l'aide des franciscains et des curés pour recevoir les confessions... Parmi ceux qui, n'ayant pas voulu obtempérer en temps voulu, furent arrêtés, il y eut un artisan, Arnaud Domergue.

Menacé de mort par le viguier, il parla et fit capturer sept parfaits aux Cassès, en Lauragais. Il fut assassiné une nuit, en plein sommeil. Arrêté aussi, chez lui, un ancien consul, le vieux Guillaume Delort. Des amis le libérèrent des mains du viguier et le cachèrent, mais il fut condamné par contumace. Ces premiers jours du printemps 1235 virent aussi reprendre les exhumations, les processions et les bûchers de cadavres. Cette fois, la population vit rouge et s'agita. Des plaintes affluèrent à Raymond VII qui, le 22 avril, destitua son viguier Durand de Saint-Bars, instrument trop complaisant de ces macabres cérémonies, et le remplaça par Pierre de Toulza, d'une vieille famille d'officiers comtaux et de consuls.

A une date indéterminée, Guillaume Arnaud se rendit à Carcassonne pour s'occuper un temps de l'enquête ouverte sur les Niort. A son retour, il cita douze notables qu'il soupçonnait – avec raison ! – d'être croyants cathares. Au lieu de se présenter, ils firent intimer à l'inquisiteur, de leur part et, dirent-ils, avec l'assentiment de Raymond VII, l'ordre de quitter Toulouse ou de cesser l'Inquisition... Guillaume Arnaud ayant décidé de persévérer, les consuls le firent arrêter et expulser. C'était le 10 octobre. Il se réfugia à Carcassonne, auprès du sénéchal du roi, et de là écrivit au prieur Pons de Saint-Gilles et aux curés de Toulouse de continuer eux-mêmes les poursuites. Alors les consuls firent expulser le prieur et les curés, menaçant cette fois de mort quiconque lancerait des citations. C'était une véritable déclaration de guerre à l'Inquisition et à ses auxiliaires.

L'expulsion des Prêcheurs

On commença par interdire à son de trompe d'avoir quelque relation que ce fût avec les Prêcheurs, et surtout de rien leur vendre. La mesure fut étendue à l'évêque Raymond du Fauga et aux chanoines de la cathédrale. Malade, ne trouvant où faire cuire son pain, ayant vu son hôtel pillé et ses chevaux volés, l'évêque quitta la ville. On fit même garder les presbytères par la police, afin que les curés ne pussent se ravitailler. Puis ce fut le blocus, par une foule surexcitée, du couvent même des Prêcheurs. Courageux, ou inconscients, ou ayant le goût du martyre, quatre Frères – dont Pelhisson lui-même – sortirent pour aller porter les citations à domicile. On les laissa passer et il n'y eut pas d'incident, jusqu'à ce qu'ils arrivassent chez le vieux Maurand : ses deux fils se jetèrent sur eux et les poussèrent à la rue à coups de pied et de poing.

Les consuls ordonnèrent alors l'expulsion de tous les Prêcheurs... Le lendemain – c'était le 5 novembre –, la messe dite, les Frères, en attendant la police, décidèrent de finir les provisions du couvent et se mirent à table. Quand la maréchaussée arriva et somma qu'on lui ouvrît, les religieux se levèrent et se rassemblèrent dans l'église au chant du *Miserere*. Une fois entrés, les sergents municipaux commencèrent par se ruer sur les victuailles. A l'ordre que leur donna un consul de quitter le couvent et la ville, Pons de Saint-Gilles et ses compagnons répondirent en se couchant par terre dans la galerie du cloître. Il fallut que les agents les prissent un par un par les épaules et par les pieds. Une fois dehors, et remis debout, ils furent poussés par le pont de la Daurade jusque sur la rive gauche. Par la suite, ils se répartirent dans plusieurs couvents du pays.

Immédiatement prévenu, Guillaume Arnaud lança de Carcassonne, le 10 novembre, une sentence d'excommunication contre les dix consuls qui, à tort ou à raison, passaient pour responsables du coup de force, et qui furent décrétés fauteurs d'hérésie. Il excommunia aussi Raymond VII, toutes sentences que confirmèrent l'archevêque de Narbonne et les évêques de Toulouse et de Carcassonne, et qu'on demanda aux franciscains de proclamer. Alors on s'en prit aux franciscains, qu'on molesta et chassa de Toulouse à leur tour, tandis que Pons de Saint-Gilles et Raymond du Fauga s'en allaient à Pérouse pour tout raconter au pape.

Les foudres pontificales tombèrent le 28 avril 1236. Grégoire IX écrivit ce jour-là à Raymond VII une lettre exaspérée et indignée. Tout ce qui venait de se passer, le comte l'avait en partie suscité, en partie cautionné, ou, au mieux, laissé faire. Il avait donc trahi tous les engagements qu'il avait pris depuis le traité de Paris. Sans compter qu'en ne payant pas les salaires des professeurs, il avait conduit l'université à se désagréger. Complices de cette situation désastreuse, les consuls, bien sûr. Eux aussi reçurent les remontrances du pape, tandis que le légat Jean de Bernin eut ordre de contraindre tout le monde, par la censure ecclésiastique, à faire réparation. Par ailleurs, injonction était faite à Raymond de se décider enfin à partir pour la Terre sainte, comme l'avait stipulé le traité de Paris, et de prendre le bateau lors du départ de Pâques 1237. Copie de tout cela fut portée au roi, à qui le pape écrivit directement le 7 et le 27 mai, pour le prier d'envoyer son frère Alphonse gouverner le comté en l'absence de Raymond, puisque aussi bien il donnait la dispense nécessaire au mariage dudit Alphonse avec Jeanne de Toulouse. Le 14 juin, nouvelle lettre au roi, pour lui demander d'exiger de Raymond VII qu'il respecte le traité de 1229, et nouvelles directives au légat, ordonnant que les personnes condamnées au port de croix cousues partent en Terre sainte, elles aussi, à Pâques 1237, que les maisons de Toulouse qui ont servi aux hérétiques soient détruites, enfin que Raymond paye immédiatement les dix mille marcs de dommages et intérêts qu'il devait à l'Église. Une dernière mesure fut édictée le 23 : si un pénitent meurt avant son départ outre-mer, ses héritiers devront verser à l'Église l'équivalent du coût du voyage, à peine d'être condamnés comme hérétiques...

Faut-il s'étonner de ce coup de colère du Saint-Père ? Revenons un peu en arrière... En promulguant, même si ce fut contraint et forcé, l'édit du 20 avril 1233, Raymond s'était attiré les bonnes grâces de Grégoire IX. En janvier 1234 encore, le pape se félicitait, et le félicitait, d'une telle initiative. Le 15 de ce mois, il recommandait le comte à la bienveillance de son nouveau légat, l'archevêque de Vienne Jean de Bernin. Deux jours après, il lui écrivait au sujet du marquisat de Provence : Raymond en avait fait demander la restitution par ses ambassadeurs, mais le pape, pour l'instant, entendait ne pas s'engager. Raymond avait alors pris les choses en main. Le Saint-Siège, on le sait, avait saisi le marquisat en vertu du traité de Paris ; mais il l'avait donné en garde à un lieutenant du roi de France. Alors Raymond alla voir le roi et obtint que celui-ci écrivît au pape, en mars 1234, que la Couronne n'avait pas l'intention d'assumer plus longtemps la garde dudit domaine ; elle demandait donc au souverain pontife de le restituer à son légitime propriétaire. Et Grégoire IX le fit, d'autant plus volontiers que Raymond était venu soutenir en personne à Viterbe, les armes à la main, la cause du Saint-Siège alors en conflit avec les Romains. En octobre, l'empereur Frédéric II, en bons termes à cette époque, lui aussi, avec Grégoire IX, put investir officiellement du marquisat, dont il était suzerain, son vassal le marquis, Raymond VII. Le 22 novembre – nous sommes toujours en 1234 – Grégoire IX renouvelait à Raymond ses encouragements dans la bonne voie qu'il avait choisie, et à son légat ses recommandations de bienveillance...

Quand, un an plus tard, il apprit l'expulsion des Prêcheurs de

Toulouse, le Saint-Père vit bien qu'elle n'avait fait que couronner une politique d'obstruction systématique face au travail de l'Inquisition, et que cette politique, mise en œuvre certes par les consuls, avait été largement couverte par le comte, ce qui prouvait que lui-même et son entourage avaient conservé des liens étroits avec les milieux hérétiques. Grégoire ne pouvait que crier à la trahison, et agir en conséquence. D'où le ton comminatoire et les directives sévères des lettres d'avril 1236 et de celles qui suivirent. Elles donnèrent sans doute à réfléchir à Raymond, car dès qu'il revint d'Orange où, en juillet, il était allé recevoir l'hommage de ses vassaux provençaux, il alla à Carcassonne régler avec le légat et Guillaume Arnaud la question du retour à Toulouse des inquisiteurs et de tous les Prêcheurs.

Des discussions elles-mêmes, on ne sait rien. On ne connaît que leur résultat : les dominicains rentrèrent dans leur couvent le 4 septembre[1]. Le comte et le légat avaient cependant dû faire des concessions réciproques. Déjà, on ne sait trop quand, Raymond avait obtenu de Jean de Bernin que le diocèse de Toulouse ne fût plus du ressort de Pierre Seilan, car, s'était-il plaint, ce Toulousain, qui avait été un familier de la cour comtale, était devenu son ennemi. La mission de Seilan fut donc réduite à l'évêché de Cahors, où il repartit, avec pour collègue Guillaume Pelhisson. L'évêché de Toulouse fut confié à Guillaume Arnaud. Mais il lui fallait un collègue, les inquisiteurs allant toujours par deux, comme les dominicains, les parfaits cathares, et les apôtres... Pons de Saint-Gilles, le prieur de Toulouse, ne paraît pas avoir été disponible, il sera d'ailleurs élu bientôt prieur provincial. Raymond VII ne fut alors peut-être pas étranger à la nomination, non point d'un Prêcheur, mais d'un franciscain cette fois, mesure apaisante, au moins en apparence, car les Mineurs passaient pour plus modérés. Le légat choisit le provincial des franciscains de Gascogne, Jean de Notoire, mais celui-ci délégua à sa place un de ses Frères, Étienne de Saint-Thibéry.

L'Inquisition pouvait reprendre.

---

1. La *Chronique* de l'inquisiteur Guillaume Pelhisson pose parfois de difficiles – et peut-être insolubles – problèmes de datation des événements qui y sont rapportés. Je m'en tiens ici à la chronologie que j'avais adoptée dans *Mourir à Montségur* en 1989. Sur cette question, cf. l'introduction de Jean DUVERNOY à son édition de ladite *Chronique*, Paris, Éditions du C.N.R.S., 1994.

12

Persécution et résistance

Ce fut peut-être pour calmer un peu le jeu à Toulouse, au moins momentanément, qu'en cet automne 1236 Guillaume Arnaud et Étienne de Saint-Thibéry décidèrent d'entreprendre une tournée d'enquêtes en Lauragais. Sans doute vivaient-ils non point au couvent des Prêcheurs, qui s'était récemment transféré de la rue Saint-Rome au site des actuels Jacobins, mais dans la maison proche du Château Narbonnais que Pierre Seilan avait jadis donnée à saint Dominique, et qu'on appela bientôt « Maison de l'Inquisition ». Ils sont là avec leur suite de scribes, greffiers, notaires, appariteurs, un clerc comptable, un clerc apothicaire, un portier, un cuisinier, quelques domestiques, sans doute quelques sergents aussi pour assurer leur sécurité. Il n'y a aucune chance pour qu'ils aient vécu dans le luxe, comme Raymond VII s'en plaindra méchamment au Saint-Siège, qui leur en fera remontrance. Il est vrai que le comte, en tant que bénéficiaire des confiscations, devait pourvoir à leurs besoins, partie en espèces, partie en nature... Même son très catholique gendre Alphonse de Poitiers trouvera que l'Office lui coûtait bien cher ! Mais le livre de comptes de deux autres inquisiteurs, heureusement conservé, indique un train de vie plutôt modeste. Guillaume Arnaud et Étienne de Saint-Thibéry ne sont-ils pas issus de l'un et l'autre des deux ordres mendiants ?

La procédure inquisitoriale

Donc, le dominicain et son collègue le franciscain prirent des chevaux de louage, versèrent à cette fin les cautions demandées par les loueurs, engagèrent des palefreniers pour s'occuper des bêtes et acheter sur place le fourrage et la paille des litières, et partirent avec leur personnel, leurs écritoires et leurs rouleaux de parchemin, sur les routes du Lauragais. Les procès-verbaux des interrogatoires qu'ils conduisirent au cours de cette enquête sont perdus, mais à l'aide de procédures ultérieures et des premiers manuels d'Inquisition on peut avoir une idée de la façon dont les choses se passaient.

S'arrêtant dans les presbytères, les prieurés, les abbayes s'il s'en trouve, les inquisiteurs commencent par faire rassembler par le crieur public la population du village, et lancent la « prédication générale » : c'est le sermon qui appelle les catholiques à venir dénoncer les hérétiques et leurs complices, et qui ordonne à ces derniers de venir spontanément se confesser pendant le « temps de grâce », dont on fixe d'ores et déjà la durée – en général une semaine, parfois, lorsque le calendrier le permet, « jusqu'à Pâques », afin que les confessions coïncident avec la semaine sainte, ce qui n'en donne que plus d'éclat à la communion pascale. Le tribunal ouvre aussitôt ses audiences. Les deux « juges délégués par autorité du Saint-Siège à l'Inquisition de la perversion hérétique » font prêter serment de dire toute la vérité à ceux et celles qui se présentent devant eux, ils les écoutent, les questionnent, chacun en tant que « témoin assermenté ». Un scribe ou un greffier prend des notes, sans doute dans la langue des déposants, qu'un notaire mettra par la suite en ordre, et en latin cette fois, pour rédiger l'acte public et pour constituer un registre dont il arrivera qu'on fasse des copies afin d'obtenir des classements et des reclassements selon des critères variés, géographiques ou chronologiques.

Sur le fond, il y a évidemment plusieurs cas de figure.

Si le témoin n'a rien à dire, ou s'il parle – c'est-à-dire dénonce – mais en convainquant les juges qu'il n'a en rien trempé lui-même dans la « perversion hérétique », on lui fait jurer de garder la foi catholique et d'abjurer, en quelque sorte par avance, toute hérésie. C'est dans le droit fil des serments imposés à tous les sujets du comte par le traité de Paris et le concile de 1229.

Si le témoin avoue avoir eu quelque sympathie pour l'hérésie, avoir cru et s'être comporté en croyant cathare, avoir peu ou prou aidé les parfaits et les parfaites, mais reconnaît qu'il était dans l'erreur et s'en repent, de témoin il devient évidemment prévenu, sa déposition est une confession, sa confession débouche sur une nécessaire et solennelle abjuration, suivie d'une absolution assortie d'une pénitence légère – puisque nous sommes dans le temps de grâce – port de croix cousues ou pèlerinages, ces derniers dosés en nombre et en éloignement proportionnellement à la gravité des fautes avouées. Lui est alors délivrée une « lettre de pénitence », à la fois sauf-conduit à l'égard des autorités religieuses et brevet d'orthodoxie.

Tout cela vaut pour ceux qui se sont présentés pendant le temps de grâce. Passé ce délai, l'Inquisition, de passive en quelque sorte, devient active : sur la foi des informations recueillies, les inquisiteurs citent à comparaître les suspects et font rechercher les récalcitrants. Là encore, plusieurs éventualités se présentent.

Le suspect comparaît – soit parce qu'il a spontanément répondu à la citation, soit parce qu'il a été arrêté et conduit *manu militari* devant les juges. On lui lit les témoignages qui l'accusent, tout en lui cachant le nom des témoins. S'il parvient à se justifier, ce qui est rare – songeons qu'il n'a pas droit à un avocat –, il est libre. Si sa culpabilité ne fait pas de doute pour les juges, il y a encore deux possibilités, selon que le prévenu avoue ou n'avoue pas. S'il avoue et se repent, on retombe sur l'un des cas précédents, mais il y a une circonstance aggravante : on n'est plus dans le temps de grâce. *A fortiori* la pénitence est-elle alourdie si, de surcroît, il a fallu arrêter le prévenu. Elle peut aller jusqu'au mur, c'est-à-dire la prison, mur strict, au pain et à l'eau et les fers aux pieds, ou mur large, où l'on peut acheter de la nourriture pour améliorer son ordinaire, recevoir des visites, avoir parfois des permissions de sortie. A noter cependant que ce qui nous apparaît aujourd'hui comme une lourde peine coercitive – par exemple le mur, qui est en principe perpétuel – a dans l'esprit de l'Inquisition une vocation pénitentielle, et non vindicative. C'est simplement la plus lourde des pénitences...

Il en va différemment avec les autres cas qu'il reste à examiner : la comparution, mais sans aveux, et la contumace.

Si le prévenu n'avoue pas, les juges peuvent fort bien l'estimer quand même coupable : dans ce cas ils l'envoient incontinent au cachot, certains que de ce fait, lorsqu'on l'interrogera de nouveau, il sera revenu à de meilleurs sentiments. L'emprisonnement est alors, incontestablement, un moyen de coercition et de pression. S'il amène le prévenu à avouer, on retombe sur le cas précédent, et si on le renvoie en prison, ce sera cette fois à titre pénitentiel et non plus coercitif.

Dernier cas de figure : si la personne citée ne comparaît pas – qu'elle se cache, qu'elle ait pris le maquis ou qu'elle ait choisi l'exil – elle est systématiquement condamnée par contumace, le jugement précisant qu'elle est « condamnée comme hérétique par sentence définitive », ce qui implique la confiscation immédiate de ses biens, qui seront vendus aux enchères au profit de l'autorité qui détient le pouvoir supérieur sur le lieu où le condamné était domicilié : la commune si c'est un bourgeois de ville consulaire, le seigneur si l'on est sur un domaine féodal, l'évêque si l'on est sur un domaine ecclésiastique, le sénéchal du roi si l'on est sur une terre rattachée à la Couronne. S'il vient à être arrêté, il est jugé, et l'on retombe sur l'un des cas précédents, à ceci près qu'il n'y a cette fois aucune indulgence et que le contumax est automatiquement envoyé au mur perpétuel. Notons au passage que c'est auprès du bayle ou du châtelain local, ici officier comtal, ailleurs officier royal, donc dans tous les cas représentant du pouvoir temporel, autrement dit « bras séculier » disposant d'une force armée, que les inquisiteurs doivent trouver – en principe – l'assistance policière dont ils peuvent avoir besoin pour les arrestations, les gardes à vue, les transferts.

Le schéma judiciaire qu'on vient d'exposer ne vaut cependant que dans le cas, qui est évidemment le plus fréquent, de simples croyants, de « complices d'hérésie ». Pour les hérétiques « accomplis », les parfaits et les parfaites, il n'y a guère que trois cas de figure : l'abjuration spontanée, qui conduit à une pénitence mais aussi, parfois, à l'entrée dans un ordre religieux catholique ; l'arrestation suivie de l'aveu et de la contrition, ce qui induit une simple pénitence – qui peut être quand même la prison perpétuelle ; enfin l'arrestation suivie de l'obstination à rester dans « l'erreur » et du refus d'abjurer : c'est automatiquement, cette fois, la condamnation comme hérétique impénitent avec remise au bras séculier, autrement dit c'est le bûcher.

Tous les jugements, qu'il s'agisse du prononcé d'une simple pénitence ou d'une sentence portant condamnation au mur ou remise au bras séculier, sont pris en principe collégialement par les juges et après un délibéré avec des conseillers dont les noms sont, toujours en principe, mentionnés dans le jugement. Celui-ci est solennellement lu au condamné, en général un dimanche, à l'issue de la messe, en chaire ou sur le parvis, devant un grand concours de peuple et d'autorités religieuses et laïques. C'est le « sermon général », qui peut regrouper jusqu'à une cinquantaine de condamnations d'un seul coup.

Il va sans dire qu'il s'agit là de schémas théoriques, idéaux en quelque sorte, qui correspondent aux normes fixées par la loi canonique. Un inquisiteur qui dit honnêtement le droit – et ce fut de très loin la règle générale – leur est scrupuleusement fidèle. Leur application put être néanmoins sujette à variantes, soit en raison d'irrégularités de procédure, d'erreurs judiciaires patentes, de « bavures » ou d'excès de sévérité, soit au contraire par suite de grâce pontificale, de commutation de peine, voire tout simplement de bienveillance des juges.

Il est non moins certain que sur un siècle la procédure était appelée à évoluer, et l'on ne s'étonnera pas qu'elle l'ait fait dans le sens d'un durcissement. Il était inévitable en effet qu'à un modèle de société de persécution répondît un modèle de société de résistance, et que cette partie de bras de fer ait entraîné, chez ceux qui détenaient les moyens de la répression, des pratiques d'une violence sans cesse accrue.

La torture, utilisée au début de façon totalement illicite, et d'ailleurs très rarement, sera légalisée par le pape Innocent IV en 1252. L'usage – qui n'est pas une invention de l'Inquisition mais qui vient du droit commun – n'en deviendra pas pour autant systématique ni généralisé, les inquisiteurs intelligents se méfiant de la valeur des aveux ainsi obtenus. Mais enfin, c'est certain, on torturera, à l'aide du chevalet, notamment au mur de Carcassonne, à partir de la dernière décennie du siècle.

L'évolution de certaines pratiques a pu tendre à allonger démesurément les procédures. Ainsi les inquisiteurs semblent-ils parfois chercher, en même temps, à rassembler le plus possible d'informations et à s'assurer de façon certaine de la sincérité du repentir, ce qui conduit à multiplier les auditions d'un même prévenu. De 1277 à 1279, Pierre Peytavi, de Sorèze, sera interrogé huit fois, Pierre de Beauville, d'Avignonet, onze fois. Puisqu'il s'agit, en effet, de ramener dans le droit chemin une âme égarée, une contrition de pure façade, dictée par la ruse ou par la peur de la prison ou du bûcher, n'a aucune valeur. L'assurance que le repentir est sincère ne s'obtient qu'au terme d'une sorte d'action psychologique dans laquelle certains inquisiteurs sont passés maîtres, la preuve quasi absolue de cette sincérité étant notamment la dénonciation de ses proches, voire de ses propres parents.

D'où une pression continue exercée sur les prévenus repentis pour qu'ils s'enferment peu à peu dans ce système à l'intérieur duquel ils n'obtiendront leur absolution qu'à force de jouer le jeu abominable de la délation. Certes, dès les premières enquêtes, on voit bien que le tribunal exige des dénonciations. Mais beaucoup de témoins rusent en dénonçant en priorité des morts, ou des gens qui ont pris le large... Au fil des tribunaux successifs, cela deviendra de plus en plus difficile. Il n'est pas besoin de longues analyses pour comprendre qu'à la solidarité de la famille et du clan qui fit longtemps la force de la résistance religieuse – jusqu'à la défense de Montségur assiégé – se substituera peu à peu un climat de suspicion qui brisera du dedans ces réseaux de solidarité : le jour où tout le monde se méfiera de tout le monde, il n'y aura plus de résistance possible.

D'autres pratiques inquisitoriales traduiront la nécessité dans laquelle se trouvera parfois le tribunal de faire vite, sous peine de se laisser engorger et paralyser par le volume des procédures. D'où d'évidentes irrégularités, comme la mention purement formelle que le jugement a été rendu « conseil ayant été pris de nombreux prud'hommes », alors qu'on ne cite aucun d'eux, et qu'il saute aux yeux que les inquisiteurs ont décidé seuls. Plus étrange encore l'habitude qui fut prise, à certaines époques, notamment vers 1250-1255, d'exiger de personnes non encore jugées qu'elles s'engagent par avance à accepter et accomplir la pénitence qui leur sera infligée après jugement, quelle qu'elle soit ! Sans doute estimait-on qu'un tel engagement équivalait à une preuve anticipée de repentir.

Les dernières années de l'Inquisition contre les cathares occitans seront marquées par une évolution bien paradoxale. Alors que Jacques Fournier, inquisiteur de 1318 à 1325, autorisera les prévenus à avoir des avocats, la répression se durcira considérablement, avec Bernard Gui, Jean Duprat ou Henri Chamayou, à l'égard des simples croyants convaincus ou simplement accusés de relapse. Il suffira dès lors, après avoir abjuré, de tenir en prison quelque propos favorable à l'hérésie ou à tel hérétique – ou d'être dénoncé comme l'ayant tenu – pour être condamné comme « étant retourné à son vomi », et expédié incontinent au bûcher. Les premiers martyrs connus de l'Inquisition languedocienne étaient, on l'a vu, deux parfaits d'Albi. Les derniers seront, en 1329 à Carcassonne, trois croyants et une croyante.

Guillaume Arnaud et Étienne de Saint-Thibéry

En cette fin d'année 1236, Guillaume Arnaud et son collègue franciscain quittèrent donc Toulouse pour enquêter en Lauragais. Les procès-verbaux de leurs interrogatoires, on l'a dit, sont perdus, mais on sait par d'autres sources qu'ils passèrent au moins à Puylaurens, à Avignonet, à Laurac, à Fanjeaux, ainsi qu'à Castelnaudary, où ils se heurtèrent d'ailleurs à un véritable complot du silence, sans doute fomenté par la noblesse locale, avec menaces de mort à l'appui contre les délateurs potentiels, comme cela se produira souvent par la suite. Du véritable itinéraire de l'enquête, non plus que de sa durée, on ne sait rien, mais on a quand même conservé un certain nombre d'actes qui témoignent de l'activité de Guillaume Arnaud en 1237 et 1238.

De la mi-février au début de mars 1237, d'abord, il fit un séjour à Carcassonne, non point comme inquisiteur à proprement parler, mais comme juge subdélégué par le légat Jean de Bernin pour achever le procès de Bernard-Othon de Niort, de sa mère et de ses frères, en lieu et place de l'évêque de Toulouse, alors absent, mais qui, avec l'archidiacre de Carcassonne, avait bouclé l'audition des témoins : il y en avait eu cent quatorze, dont l'archevêque de Narbonne et maints autres religieux de haut rang. Il ne restait plus qu'à prononcer les jugements. Seuls Bernard-Othon et son frère Guillaume avaient répondu aux citations, ils avaient tout nié, le tribunal les avait relâchés sous caution, mais le sénéchal du roi les avait fait immédiatement arrêter et incarcérer, dans l'intention de les brûler. Les chevaliers français de son entourage l'en avaient cependant dissuadé, de crainte que cela n'entraînât un soulèvement général de la noblesse de la sénéchaussée Le 13 février, Guillaume Arnaud et l'archidiacre de Carcassonne condamnèrent Bernard-Othon à la prison perpétuelle. La même peine fut prononcée le 2 mars contre son frère Guillaume. Les autres frères Géraud et Guillaume-Bernard, ainsi que leur mère Esclarmonde, furent condamnés par contumace le même jour. Trois ans plus tard cependant, Géraud négociera sa soumission au roi contre la libération des deux prisonniers, et l'obtiendra.

Fin mars, le dominicain et le franciscain, faisant de nouveau équipe, avaient quitté le Lauragais pour Castelsarrasin. Le 29 de ce mois, ils délivrèrent une lettre de pénitence à un haut personnage, un grand officier de Raymond VII, son sénéchal en Quercy,

Pons Grimoard. Elle dit, cette lettre, qu'il s'est spontanément présenté pendant le temps de grâce – elle ne dit pas quand – sachant qu'ainsi il ne risquait ni la mort, ni le mur, ni la confiscation de ses biens ; qu'il a confessé avoir vu des hérétiques, les avoir salués, écoutés prêcher, leur avoir fait des présents ; que de cela il avait fait contrition et qu'il avait demandé qu'une pénitence salutaire lui fût donnée ; qu'il lui fut donc enjoint de nourrir et de loger un pauvre toute sa vie durant, de verser une amende de dix livres aux inquisiteurs, et d'aller avant Pâques 1239 en pèlerinage à Rocamadour, à Saint-Gilles, à Notre-Dame-du-Puy et à Saint-Jacques-de-Compostelle... Bien connu par d'autres sources, Grimoard avait effectivement été un croyant cathare assidu, familier du diacre Bernard de Lamothe comme du *fils majeur* d'Agenais, Vigouroux de la Bacone.

Le 2 avril survint à Toulouse même un événement tout à fait comparable à ce qu'avait été la conversion de Pierre du Solier un an auparavant : ce fut celle de Raymond Gros, un parfait en activité depuis une bonne vingtaine d'années et fréquentant la société des croyants, hobereaux du Lauragais ou notables toulousains. Informés, mais alors en Quercy, Guillaume Arnaud et son collègue ordonnèrent que le sous-prieur des Prêcheurs reçût sa confession. Il paraît qu'il dénonça une foule de gens. Il fut admis au couvent comme frère convers[1]. Dix ans plus tard, cependant, le bruit courait, mais au couvent des franciscains, qu'il s'était converti par ruse et était mort hérétique...

Le 26 mai, les deux inquisiteurs lurent dans le cloître du couvent des Prêcheurs, devant une vingtaine d'abbés, de prieurs et de curés, la longue sentence qui condamnait par contumace à la prison perpétuelle l'un des plus en vue et des plus puissants parmi les croyants toulousains, actif auxiliaire, depuis longtemps, de l'Église cathare, Alaman de Rouaix lui-même. Condamnation qui ne lui fit ni chaud ni froid : il continua, entre deux voyages auprès des plus éminents *faidits* ses amis, à se promener dans Toulouse, escorté de gardes du corps qui molestaient les clercs qu'ils rencontraient... Guillaume Arnaud et Étienne de Saint-Thibéry frappèrent alors à la tête du pouvoir urbain, qu'ils estimaient évidemment responsable de l'arrogante impunité d'Alaman de Rouaix : le 24 juillet, ils excommunièrent le viguier du comte,

---

1. La *Chronique* de Guillaume Pelhisson date cette conversion du 2 avril 1236, l'année nouvelle commençant alors à Pâques, soit, pour 1237, le 19 avril. Cf. *supra*, page 333, note 1.

Pierre de Toulza, et huit consuls. Alaman prit le maquis, se cacha où il put, souvent sur ses propres domaines du Lauragais, mais au bout de onze ans, lassé sans doute du *faidiment*, il se livrera à l'Inquisition et acceptera d'accomplir sa peine.

Septembre 1237 fut marqué par une vague sans précédent d'exhumations et de bûchers de cadavres. Pelhisson y fait allusion dans sa *Chronique*, donnant même dix-huit noms dont ceux de cinq anciens consuls, les treize autres étant des bourgeois et des bourgeoises issus de familles très en vue, dont les frères Embrin, leur mère, la femme de l'un d'eux, la femme d'Arnaud Barrau, celle de Bertrand de Rouaix, etc. Un crieur ouvrait à travers les rues les macabres cortèges en psalmodiant : « *Qui aytal fara, aytal perira* » (Qui ainsi fera ainsi finira). Quatorze de ces jugements posthumes ont été conservés pour les seules journées du 5 et du 10 septembre, ainsi que cinq condamnations par contumace datées du 11 et du 19. Mais il y eut bien d'autres jugements par défaut : Pelhisson cite dix-neuf noms, dont celui de l'ancien consul Arnaud Rougier, qui dans son exil se fera ordonner parfait, et succédera même à Bertrand Marty comme évêque cathare du Toulousain après la chute de Montségur. Vers la même époque, l'abbé de Saint-Sernin fit arrêter au bois du Bousquet, près de Lanta, l'ancien seigneur de ce village, le parfait Guillaume-Bernard Hunaud, qui avait eu l'imprudence de redescendre du château d'Albedun pour venir se cacher chez ses fils. Il fut brûlé à Toulouse, tandis que son *sòci* Arnaud Gifre, arrêté en même temps que lui, le fut à Albi, d'où il devait être originaire.

Il faut sauter au 19 février 1238 pour trouver, du moins dans les documents que les hasards du temps qui passe nous ont conservés, une nouvelle sentence de nos deux inquisiteurs. Cette fois il ne s'agit ni de défunts ni de contumax ordinaires, et les deux Frères ont la main lourde : ils envoient à la prison perpétuelle une fournée de trente-cinq Toulousains et Toulousaines qui avaient confessé devant eux être des croyants et des fauteurs d'hérésie, qui avaient abjuré, qui avaient reçu pour pénitence de porter des croix cousues, mais qui étaient, assure le jugement, retombés dans leurs erreurs et leurs coupables activités. On y trouve les plus grands noms de la haute bourgeoisie, des Villeneuve, des Rouaix, des Caraborde, des Centoul, des Siguier, des Masse. Il n'est pas certain du tout, cependant, qu'ils aient tous obtempéré à l'ordre de gagner leur cachot – car, ayant reçu leurs pénitences, ils étaient libres ! – ni que les inquisiteurs aient trouvé auprès du bras séculier l'aide policière apte à les y conduire de force. Raymond VII est en train, en effet, de travailler activement, une nouvelle fois, contre l'Inquisition...

La suspension de l'Inquisition

Le hasard voulait que la conjoncture internationale, dirions-nous aujourd'hui, l'ait mis en relative position de force à l'égard du Saint-Siège. En plein conflit, depuis quelque temps, avec l'empereur Frédéric II, contre qui il avait soulevé les cités lombardes, Grégoire IX avait tout intérêt à mettre dans son jeu le grand vassal provençal du Hohenstaufen. Raymond le savait bien et, dès la fin de 1236, il en avait profité pour tenter d'arracher des concessions au Saint-Père. Il avait commencé par prier le roi de demander pour lui au pape, *primo*, de repousser une nouvelle fois son départ pour la Terre sainte, prévu pour Pâques 1237, *secundo*, rien moins que de renvoyer Guillaume Arnaud et Étienne de Saint-Thibéry, qui en étaient alors à leur tournée d'enquêtes en Lauragais.

Le pape a répondu le 9 février 1237. D'accord pour le sursis, le comte peut remettre son départ à la Saint-Jean-Baptiste. Pour le renvoi des deux inquisiteurs, c'est moins simple. Le Saint-Père ne peut d'un trait de plume les destituer, ce serait un grand scandale pour l'Église. Mais il demande à son légat Jean de Bernin d'examiner soigneusement les griefs que le comte a contre eux – et de les remplacer s'il estime devoir le faire. Quinze jours plus tard, il prie le légat de veiller à ce que les inquisiteurs respectent scrupuleusement les formes judiciaires, il ne veut ni irrégularités de procédure ni excès de rigueur. Raymond met à profit toutes ces marques de bienveillance pour avancer ses pions. Il vole à l'aide des Marseillais révoltés contre le comte catalan de Provence – ce qui lui vaut, le 18 mai, d'être excommunié, car ce comte-là est du parti du pape contre celui de l'empereur... Ce qui amène Grégoire à dresser, le 20, à l'intention du roi de France, un véritable réquisitoire contre Raymond VII, qui n'a toujours pas rempli, dit-il, un seul des engagements du traité de Paris... Raymond ne se démonte pas pour autant : en juillet, il envoie l'évêque de Clermont porter au pape un long mémoire en dix-huit articles. Un véritable cahier de doléances. Le pape accepta la moitié des demandes : le pèlerinage du comte en Terre sainte était ramené de cinq à trois ans, entière liberté lui était laissée pour fixer la date de son départ, remise lui était faite de l'amende de dix mille marcs prévue par le traité de Paris, les excommunications fulminées en 1235 à la suite de l'expulsion des Prêcheurs étaient levées, les pénitences pour les repentis de l'hérésie seraient distribuées avec mesure, ceux d'entre eux qui étaient en âge de combattre pourraient partir outre-mer avec le comte, les femmes et les handicapés condamnés à des pèlerinages pourront racheter leur peine par une faible amende, etc. Mais il ne saurait être question, en revanche, de laisser debout les maisons qui ont abrité des hérétiques, ni d'autoriser pour feu Raymond VI l'excommunié la sépulture en terre bénite. Restaient les demandes qui, dans le contexte de l'année 1237, étaient les plus importantes : Raymond souhaitait que le pape retirât la poursuite de l'hérésie à l'ordre des Prêcheurs, « parce qu'ils procèdent toujours à l'encontre des règles du droit civil et du droit canonique », pour la confier, comme cela se passait jadis, aux évêques de ses États... Il demandait aussi le renvoi du légat Jean de Bernin !

Grégoire IX était devant un difficile dilemme. Il suffisait d'un rien d'intransigeance de sa part pour jeter Raymond dans le camp de Frédéric II, au moment même où celui-ci, ayant franchi les Alpes et établi son quartier général à Vérone, venait de battre les Milanais à Cortenueva. Mais le Saint-Père pouvait-il s'assurer l'alliance du même Raymond au prix d'un désaveu total de l'Inquisition, donc du puissant et dévoué ordre des Prêcheurs – le plus efficace fer de lance, à coup sûr, contre l'hérésie – sans compter que, de surcroît, le collègue du dominicain Guillaume Arnaud était présentement un franciscain, ce qui risquait de faire un drame, aussi, chez les Mineurs ? Quant à renvoyer incontinent Jean de Bernin dans son archevêché de Vienne...

Alors le Saint-Père ménagea la chèvre et le chou. Pour le légat, il trouva une échappatoire : il ne le révoquait pas, mais son mandat prenait fin en mars 1238, et il ne le renouvellerait pas. Pour l'Inquisition, la manœuvre fut extrêmement subtile – et liée, d'ailleurs, à la question de la légation. Dès le 4 décembre 1237, il écrivit à l'archevêque de Narbonne pour que soient commuées en menues aumônes les pénitences de pèlerinage qui frappaient les femmes, les vieillards, les malades et les infirmes. C'est bien clair : le pape joue le jeu de la modération ; trois mois plus tard, c'est aux inquisiteurs eux-mêmes qu'il ordonnera de commuer la peine d'outre-mer infligée à un Toulousain inapte à porter les armes. Sans doute y eut-il d'autres directives pontificales qui allaient dans le sens de l'apaisement. Certes, vu le délai nécessaire aux courriers, rien n'empêcha les trente-cinq condamnations du 19 février 1238. Il est quand même symptomatique que, du 21 mars au 28 mai, nous n'ayons plus aucune sentence de nos deux inquisiteurs, mais seulement des lettres de pénitence, lesquelles induisent naturellement des peines légères et non coercitives.

Les choses se concrétisèrent vraiment lorsque, le 13 mai, le pape annonça la nomination comme légat de l'évêque de Palestrina, Jacques de Pecoraria, nomination assortie d'une clause formelle : l'Inquisition était suspendue pour trois mois. Cinq jours plus tard, dans une lettre aux inquisiteurs eux-mêmes, le pape porta la durée de la suspension à six mois... Étrange mélange de ruse et de nécessité ! Car en fait, étant donné la situation politique en Italie du Nord, personne ne sait quand le légat pourra gagner le Languedoc : l'empereur bloque les routes et les ports... Or Grégoire IX n'a nullement l'intention de laisser les inquisiteurs poursuivre sans contrôle leur travail pendant la vacance de la légation, situation qui ne donnerait que trop aisément à Raymond VII l'occasion, et peut-être aussi des motifs, de se plaindre de nouveau. En attendant donc que Frédéric II veuille bien autoriser l'évêque de Palestrina à s'embarquer, le Saint-Père adresse à ce dernier ses directives : douze lettres, étalées du 13 mai au 19 juin. Elles contiennent toutes des mesures de bienveillance à l'égard du comte de Toulouse et des dispositions propres à modérer considérablement le zèle de la répression, non point, bien sûr, en ce qui concerne les parfaits impénitents, mais à l'égard des croyants repentis sur lesquels l'Église ne doit pas exercer de vindicte, mais qu'elle doit au contraire accueillir en son sein avec douceur et commisération...

Le 9 août, l'évêque de Palestrina – à qui Frédéric II en voulait personnellement – n'avait toujours pas de sauf-conduit. Alors Grégoire IX nomma légat à sa place Guy, l'évêque de Sora. On ne sait pas du tout quand il arriva en Languedoc. Il y vint, c'est sûr, car il obtint de Raymond VII le déblocage de cinq cents livres pour payer les professeurs de l'université, prononça l'absolution du même Raymond et fit libérer des condamnés à la prison perpétuelle – mesure que le Saint-Siège annulera cinq ans plus tard. C'est à peu près tout. Le prochain document inquisitorial connu est du 22 mai 1241...

Prévue au début pour trois mois, la suspension de l'Inquisition dura en fait trois ans, fruit, à la fois, des opportunités, des hasards et des nécessités du moment.

Trencavel et le soulèvement de la sénéchaussée

Grégoire IX semblait bien mal connaître Raymond VII ! Le comte avait récupéré le marquisat de Provence, fait annuler ses amendes, obtenu que fût laissé à sa discrétion son départ pour la Terre sainte – où il n'ira jamais –, réussi enfin à ce que fût paralysée la répression de l'hérésie, qui frappait ses sujets et prioritairement ses amis, ses vassaux et ses officiers. Il ne lui restait plus, pour tourner à peu près entièrement le traité de Paris, qu'à rendre caduques ses clauses successorales, et l'on va y revenir. Fort de cette étonnante accumulation de succès, dus en totalité à la bienveillance du pape – bienveillance intéressée, certes, mais bien utile et bien efficace ! –, qu'allait-il faire ?

Il passa toute l'année 1239 à s'occuper de questions intérieures à ses États, n'oubliant pas, au demeurant, d'affermir tels droits supérieurs ou de récupérer tels autres. Le comte de Valentinois, l'évêque de Carpentras, lui firent ainsi successivement hommage. Mais il observa surtout le développement du conflit qui mettait aux prises le Saint-Siège et l'Empire. En octobre, l'évêque de Palestrina, Jacques de Pecoraria, réussit à gagner la Provence déguisé en pèlerin, afin d'y chercher des alliances. C'est ainsi que le 10 novembre le comte catalan de Provence, Raymond-Bérenger V, promit son aide au Saint-Siège par une charte dans laquelle il s'intitulait « comte *et marquis* de Provence »... Le sang de Raymond VII ne fit qu'un tour, et sans doute aussi celui de Frédéric – mais pas tout à fait pour la même raison. Ulcéré par la décision de son vassal Raymond-Bérenger, l'empereur, alors à Crémone, le mit au ban de l'Empire pour félonie et lui enleva le comté de Forcalquier qu'il donna à son autre vassal Raymond VII. Moyennant quoi il ordonna à ce dernier de marcher contre le comte catalan. Sans l'ombre d'une hésitation, Raymond se précipita en Provence avec une puissante armée – il avait avec lui le sénéchal d'Agenais, le comte de Comminges, celui du Rouergue, Olivier de Termes, etc. – et attaqua l'allié du pape en l'assiégeant dans Arles. Ce qui lui valut d'être excommunié le 26 avril, et de voir tous ses compagnons et alliés frappés de la même sentence le 10 mai, excommunications qui furent solennellement confirmées le 15 juillet par un concile réuni à Viviers.

L'intervention diplomatique du roi d'Angleterre et celle, militairement menaçante, du roi de France – ils étaient tous deux gendres de Raymond-Bérenger – permirent de trouver une issue au conflit. Mais Raymond VII, après avoir ravagé la Camargue, était sur le chemin du retour et faisait étape à Pennautier, près de Carcassonne, dans les derniers jours d'août, lorsque le sénéchal Guillaume des Ormes vint lui demander son aide d'urgence « contre les ennemis du roi de France ». Revenu de son exil outre-monts, Raymond Trencavel était en train de soulever le pays... Raymond VII répondit qu'il lui fallait aller d'abord à Toulouse pour y prendre conseil. Le sénéchal ne le revit plus.

Le fils de l'héroïque vaincu de 1209 venait de tenter une opération d'une incroyable audace. De tous les *faidits*, de tous ceux que la croisade, la conquête royale, le traité de Paris, avaient dépossédés, il était celui qui par sa naissance avait le plus haut rang. Il se mit en tête d'arracher de vive force à la couronne de France la quadruple vicomté dont il avait été spolié, maintenant simple sénéchaussée du royaume capétien. Il ne doutait pas de trouver sur place l'aide qui lui serait nécessaire. De fait, il n'eut guère de peine à rallier à lui la noblesse et les populations d'une terre déjà mise en coupe réglée par une administration à la fois tatillonne et corrompue – au demeurant fort mal payée – que le roi lui-même aura du mal à mettre au pas. Ce sont d'ailleurs les enquêtes que Louis IX ordonnera pour écouter les plaintes et réparer les abus qui sont la principale source historique des événements de 1240.

Dès qu'il eut franchi les Pyrénées, Trencavel vit les anciens vassaux de son père, ou leurs fils, lui livrer les grandes seigneuries des Corbières : Olivier de Termes, Guillaume de Peyrepertuse, Pierre de Cucugnan, Pierre de Fenouillet. Les villes de la vallée de l'Aude et du Razès suivirent, Alet, Limoux, Montréal, celles de la Montagne Noire et de son piémont comme Saissac et Montolieu – où ses soldats pillèrent le monastère – puis le Cabardès avec Salsigne, puis le Minervois, sauf quelques cités, dont Minerve, défendues par des officiers royaux. Bien des *faidits* dépossédés par la conquête, quittant leurs repaires, se précipitèrent pour le rejoindre, les anciens seigneurs de Cabaret, celui de Gaja Pierre de Mazerolles, Géraud de Niort, Chabert de Barbaira, Guillaume de Minerve, Arnaud d'Aragon, Jourdain de

Saissac, Jourdain de Lanta – le fils du parfait brûlé à Toulouse en 1237. Certains chevaliers descendirent même de Montségur, comme Pierre-Roger de Mirepoix, Raymond de Marceille, Brézilhac de Cailhavel, ou Guillaume de Lahille, qui fut chargé de percevoir au profit du rebelle l'impôt du fouage. Il est intéressant de voir la part que prit au soulèvement la noblesse la plus directement impliquée dans l'hérésie...

Au début de septembre, Trencavel avait sous ses ordres une armée suffisante pour assiéger Carcassonne, où le sénéchal s'était enfermé. Raconté avec force détails, plus tard, dans le long rapport que ce dernier adressera à Blanche de Castille, le siège dura trente-quatre jours. Il ne fut levé que le 11 octobre, à l'approche de l'armée de secours envoyée par le roi sous le commandement de son chambellan Jean de Beaumont.

L'armée occitane se replia sur Montréal. Jean de Beaumont vint l'y assiéger. Or il se trouve que l'évêque cathare du Carcassès, Pierre Paulhan, était alors dans la ville, avec maints autres parfaits, dont l'ancien curé de Lux en Lauragais. Ils avaient suivi dans son repli l'armée de Trencavel. Plusieurs rescapés du siège raconteront plus tard comment, chez qui et devant qui il arriva à Paulhan et à ses compagnons de prêcher, entre deux attaques des Français : c'est un véritable Bottin mondain de la noblesse hérétique et, en la circonstance, rebelle au roi... Désespérant cependant de pouvoir résister indéfiniment aux assauts, même si les femmes s'étaient mobilisées pour transporter des pierres aux défenseurs, sur les remparts, Jourdain de Lanta fut d'avis qu'il fallait à tout prix mettre en sécurité Pierre Paulhan et ses compagnons. Il s'en ouvrit à Pierre de Mazerolles, qui confia à l'un de ses sergents la mission de les faire sortir subrepticement et de les conduire chez une certaine dame croyante de Gaja. Pierre de Mazerolles les rejoignit deux jours plus tard, avant d'être à son tour rejoint par Guiraud Hunaud, le frère de Jourdain de Lanta, et par le bayle de Raymond VII à Laurac, ainsi que par un chevalier venu de Montségur, Guillaume de Balaguier. Ayant trouvé une mule pour l'évêque cathare, ils allèrent le cacher dans le donjon de Besplas, où Bernard-Othon de Niort avait déjà, par le passé, hébergé Guilhabert de Castres et tant d'autres...

Pendant ce temps, Montréal se défendait vaillamment contre l'armée de Jean de Beaumont, qui avait pour principaux capitaines de grands noms du royaume, comme Geoffroy, vicomte de Châteaudun, Henri de Sully, Adam de Milly, un temps lieutenant du roi après la paix de Paris. Ce fut l'arrivée et l'intercession de Raymond VII et du comte de Foix qui permirent d'arrêter les combats et de négocier. On comprend qu'ils n'aient pas voulu laisser massacrer une chevalerie qui comptait dans ses rangs nombre de leurs vassaux, même si pour la plupart ils étaient *faidits*. Trencavel et ses compagnons obtinrent la vie sauve et le droit de partir avec armes et bagages, mais la population de Montréal qui avait accueilli l'armée rebelle fut chassée, vit ses biens confisqués et ses maisons détruites – comme fut rasé quelques jours plus tard Montolieu, en représailles du sac de l'abbaye.

Trencavel et les siens reprirent le chemin de la Catalogne, mais Jean de Beaumont était sur leurs talons. Il fit jurer la paix aux notables de Limoux, puis à ceux d'Alet, avant de rattraper l'arrière-garde de Trencavel à La Roque de Buc, de faire prisonniers quelques *faidits* et de les pendre. Détruisant les châteaux de Missègre et de Montcournié, il se heurta, devant La Roque de Fa, à une forte résistance conduite par Olivier de Termes. Il en vint à bout, et envoya dans les prisons de Carcassonne quelques-uns des défenseurs. Mais Olivier de Termes eut la vie sauve et resta libre, puisque six mois plus tard il se soumettait au roi, à Pontoise.

A la mi-novembre, un mois à peine après la levée du siège de Carcassonne, la résistance des Corbières finit par s'effondrer. Le 16, Guillaume de Peyrepertuse signa sa reddition. Puis ce fut Géraud de Niort qui vint trouver Jean de Beaumont à son quartier général de Duilhac, sous Peyrepertuse, demandant sa réconciliation à l'Église, pour lui, sa mère et ses frères, et livrant au roi sa terre et ses châteaux du pays de Sault – à condition qu'on les lui rendît quand le pape l'aurait absous. Jean de Beaumont ayant repris la route de France, Géraud partit avec lui. Le roi ratifia sa soumission en janvier 1241 et bientôt furent libérés ses deux frères emprisonnés depuis quatre ans à Carcassonne.

Trencavel reparti en Catalogne, deux des chefs de la rébellion et sans doute les plus redoutables, Olivier de Termes et Géraud de Niort, neutralisés, les populations de la sénéchaussée rebellée durement châtiées par l'administration royale à coups d'emprisonnements, d'amendes, de saisies de troupeaux, de récoltes, de mobilier – il n'est que de lire les plaintes reçues à partir de 1247 par les enquêteurs envoyés par Louis IX – il ne restait à la Couronne qu'une question à régler pour que fût mis un point final à ces quatre mois de troubles : c'était celle de Raymond VII.

Il n'avait certes pas commis la folie de s'engager aux côtés des rebelles – ce qui n'aurait pas tellement surpris : il fera bien pire dans deux ans... Mais il ne s'était pas engagé non plus aux côtés de l'armée royale, malgré les injonctions du sénéchal de Carcassonne. Et cela, c'était de la félonie envers le roi son suzerain : vassal lige de Louis IX depuis le traité de Paris, Raymond lui devait sans discuter l'aide militaire contre ses ennemis. Sa dérobade ne pouvait lui valoir quelque retour de bâton...

On ne sait si ce fut le roi qui convoqua Raymond, ou si ce dernier se rendit spontanément à la Cour. Ce qui est certain, en revanche, c'est que le comte était en train d'élaborer un plan très intelligent et d'une rare perfidie pour tourner la dernière clause du traité de Paris qui faisait encore obstacle à sa politique : la clause successorale. On sait que le traité avait déclaré sa fille unique Jeanne héritière du comté, excluant de la succession tout enfant ultérieur, et l'avait mariée à un frère du roi. Seule la naissance d'un fils légitime pourrait donner à Raymond VII à la fois l'occasion et les motifs de remettre en question cette clause. Il aurait l'opinion pour lui. Quant aux juristes, ils seraient sans doute divisés, mais il serait peut-être plus facile de plaider les droits naturels du fils à son héritage, que les droits dévolus à la fille par un écrit antérieur à la naissance du fils...

La comtesse de Toulouse, Sancie d'Aragon – avec qui Raymond était d'ailleurs brouillé –, ne pouvait plus avoir d'enfants. Il fallait donc que, pour tenter d'avoir un fils légitime, Raymond se remariât. Cela impliquait que fût d'abord annulé son mariage avec Sancie. Or une telle annulation était du ressort du Saint-Siège, et uniquement de lui. Il fallait donc un renversement d'alliance : rompre avec Frédéric II et se ranger aux côtés du Saint-Père, tout en faisant dans le même temps ses excuses au roi et lui jurer, à l'avenir, une indéfectible fidélité. Le tout assorti, évidemment, du plus grand secret, pour l'instant, en ce qui concernait les projets matrimoniaux.

Tout fut rondement mené. Fin février 1241, Raymond, en route pour la Cour, rencontra à Clermont l'évêque de Palestrina. Il s'engagea solennellement devant lui à obéir en tout à ses ordres, au Saint-Père et à l'Église romaine, et à les soutenir « contre Frédéric, soi-disant empereur »... Le 1er mars, il écrivit au comte de Foix, à ses propres vassaux et aux consuls des villes de ses États, pour leur demander de prêter un serment identique entre les mains de l'évêque d'Agen. Le 14, il était à Montargis aux pieds de Louis IX. Il lui renouvela par écrit son hommage vassalique et son serment de fidélité, s'engagea à le servir loyalement et à combattre ses ennemis, à détruire les châteaux que, nonobstant le traité de Paris, il avait fortifiés, à chasser de ses États les ennemis de l'Église et du roi, les hérétiques et les *faidits*, et même à détruire Montségur « sitôt que nous pourrons nous en emparer », à mettre tout en œuvre, enfin, pour que ce fût le plus tôt possible

Raymond quitta Montargis avec la totale confiance et de l'Église et du roi. Ce qui lui permettait de travailler en toute tranquillité à la trahison de l'un et de l'autre. Il passa le plus clair de l'année loin de Toulouse, d'abord dans l'attente de s'embarquer à Marseille – non point pour la Terre sainte, mais simplement parce que le légat l'avait invité au concile que Grégoire IX avait convoqué à Rome. Les galères impériales ayant coulé des nefs chargées d'évêques et d'abbés, Raymond préféra renoncer et s'occupa de ses affaires provençales, après quoi il tint conférence à Montpellier, en juin, avec le roi Jacques d'Aragon et le comte catalan de Provence, Raymond-Bérenger V. Jacques d'Aragon était là, justement, pour aider à ce que les deux adversaires concluent une paix durable.

Quand Raymond regagna Toulouse, l'été s'achevait. Il y trouva une situation qui n'avait certainement pas fait partie de son plan. L'Inquisition avait repris...

Elle avait repris en douceur, si l'on peut dire. Depuis mai en effet, Guillaume Arnaud et Étienne de Saint-Thibéry avaient délivré un certain nombre de lettres de pénitence à des bourgeois et à des chevaliers toulousains, mais pas une seule condamnation au mur ni une seule remise au bras séculier – autant qu'on le sache du moins, sur la foi des documents conservés. Mais cette mansuétude est corroborée par le fait que dans le même temps Pierre Seilan, reparti pour le Quercy, y délivra à partir du mois d'août, en se fondant sur les enquêtes qu'il y avait menées en 1234 et 1236, près de sept cents pénitences de port de croix cousues, ou d'aumônes aux pauvres, ou de pèlerinage – beaucoup de ces peines frappant d'ailleurs des vaudois tout autant que des croyants cathares. Mansuétude assez relative : être envoyé cinq ans à Constantinople par exemple, ou devoir accomplir huit pèlerinages, de Compostelle à Cantorbéry, en passant par Souillac, Rocamadour, Limoges, Le Puy, Saint-Antonin et Saint-Gilles, équivaut à un long exil. Certes, vos biens ne sont pas confisqués, mais songeons au coût de tels voyages ! Certes, vous n'allez pas au cachot, mais cela ne veut pas dire qu'on a supprimé le mur : un Toulousain reçoit pour pénitence – en plus de ses pèlerinages – de fournir trois mille briques, telle quantité de sable et tant de sacs de chaux, « pour construire des prisons pour les hérétiques ».

Cette reprise d'activité ne peut pas être un effet du hasard. En fait, un facteur a remis à l'ordre du jour l'Inquisition : la rébellion de Trencavel, qui a largement démontré le danger que représente cette noblesse *faidite* qui n'a pas abandonné sa foi ; deux autres l'ont rendue possible : les engagements pris par Raymond VII devant le roi interdisent qu'il y fasse obstacle, au moins dans l'immédiat et de façon trop voyante ; et puis la mort, le 21 août, du très vieux Grégoire IX. Célestin IV fut élu en novembre, mais il ne régna que deux semaines. Le suivant, Innocent IV, ne sera pape que dix-huit mois plus tard. Vingt et un mois donc, au total, sans souverain pontife, autrement dit sans contrôle, vingt et un mois pendant lesquels l'Inquisition allait être livrée à la totale discrétion des inquisiteurs...

Elle renoua avec ses méthodes traditionnelles dès avant la fin de 1241. En octobre à Saint-Paul-Cap-de-Joux, en novembre à Lavaur, Guillaume Arnaud et son collègue condamnèrent « comme hérétiques, par sentence définitive », divers contumax, dont trois chevaliers *faidits* de Laurac que nous connaissons déjà et qui avaient trouvé refuge à Montségur, Bernard de Saint-Martin, Guillaume de Lahille et Guillaume de Balaguier. Après quoi ils entreprirent leur seconde grande tournée d'enquêtes en Lauragais.

Ils auraient dû pourtant se méfier. La reprise de l'Inquisition avait d'autant plus exaspéré les populations que celles-ci avaient pu nourrir l'illusion que c'en était fini des « prédications générales », des citations, des perquisitions, des serments... On s'en était déjà pris au bas clergé des campagnes quand il faisait du zèle et jouait lui-même à l'Inquisition – et en Lauragais justement, comme ce jour où le curé de Vitrac et son clerc étaient tombés dans un guet-apens tendu par dix habitants de Caraman, à l'initiative du bayle de Verdun et du collecteur des dîmes : le curé s'était enfui, mais le clerc avait été rattrapé, tué et jeté dans un puits.

En janvier, le dominicain et le franciscain passèrent à Auriac, puis ce furent Saint-Félix, Labécède, Castelnaudary, Laurac, Fanjeaux. Vers la mi-mai Sorèze, puis Avignonet. Mais là ce n'étaient pas dix villageois qui les attendaient au coin d'un bois avec des gourdins. C'était Pierre-Roger de Mirepoix en personne, avec cinquante chevaliers et sergents armés jusqu'aux dents. Ils arrivaient de Montségur.

L'organisation de la résistance religieuse

Il y avait dix ans déjà, à quelques mois près, que Montségur était devenu *domicilium et caput*, « le siège et la tête » de l'Église interdite. J'ai rapidement esquissé, au chapitre précédent, la façon dont les sources nous imposent de nous représenter le *castrum* de Raymond de Péreille dans sa fonction, à la fois, de refuge de la haute hiérarchie et de quartier général de la résistance religieuse[1]. Montségur était né, en effet, de deux nécessités rigoureusement corrélatives ; trouver un abri sûr pour les dignitaires, au moins pour ceux de l'évêché cathare de Toulouse, à qui étaient définitivement interdits les villages qui avaient été leurs lieux de résidence familiers avant la croisade de 1209, puis de la reconquête occitane jusqu'au traité de Paris – voilà pour le *domicilium* ; ensuite, établir une sorte de poste de commandement et de point de ralliement, « d'où l'Église pût envoyer et défendre ses prédicateurs », comme avait dit Guilhabert de Castres – voilà pour le *caput*.

Pesons bien les mots. Prédicateurs (*predicatores*) : dans la situation de clandestinité qui est celle de l'Église cathare depuis 1229, il n'est plus question pour les parfaits d'avoir dans chaque village leurs « maisons », donc d'exercer leur artisanat au grand jour et de donner à des apprentis une formation professionnelle ; en revanche, l'enseignement religieux qu'ils dispensaient aussi dans leurs « maisons » peut continuer à se pratiquer en cachette. Depuis toujours, la prédication est en quelque sorte la clef de voûte de l'activité du parfait, tout repose sur elle, puisque c'est elle qui, en propageant et en expliquant la foi, fait les croyants et les croyantes, les amène à recevoir le *consolament* sur leur lit de mort, et suscite aussi de nouvelles vocations de parfaits et de

1. On a conservé les interrogatoires, par les inquisiteurs Ferrer et Pierre Durand, de dix-huit rescapés du siège de Montségur. Ils sont suffisamment volumineux pour constituer, une fois réunis, un livre entier pour le texte et un second pour la traduction : Jean DUVERNOY, *Le dossier Montségur*, Carcassonne, 1998, C.V.P.M., pour le texte ; Toulouse, 1998, Le Pérégrinateur, pour la traduction.

parfaites. Un art où les cathares étaient assurément passés maîtres, puisque, faut-il le rappeler ? c'est sur ce terrain-là que Dominique de Guzman entendit les affronter, c'est par la prédication qu'il entreprit de combattre cet « ordre de prêcheurs » qu'était déjà – avant lui, avant les dominicains – l'Église cathare. L'urgence, pour celle-ci, de maintenir la foi vivante dans le pays sur lequel s'était abattue la répression exigeait que la hiérarchie apportât un soin tout particulier à ce que ce pays ne soit pas privé de prédicateurs. Les envoyer et les défendre (*transmittere et deffendere*) : Montségur, en effet, dix années durant, envoya dans le bas pays un certain nombre de Bons Hommes – et l'on va y revenir – dont certains firent même plusieurs fois le voyage. Et l'habitude, disons surtout la prudence, fut de les y envoyer – et parfois de les ramener – avec une escorte militaire : la garnison de Montségur pourvut largement à ces missions de protection dont les exemples abondent, de Bernard Bonnafous, diacre du Lantarès, partant un jour de 1238 avec sept autres parfaits, accompagné jusqu'au-delà de Laroque d'Olmes par trois sergents et deux chevaliers, Arnaud-Roger de Mirepoix lui-même et Brézilhac de Cailhavel, à Raymond du Mas, diacre du Vielmorès, chevauchant à la Noël 1242 la monture que lui avait donnée le chevalier Bernard de Saint-Martin, et qu'escortèrent jusqu'à Gaja le sergent Imbert de Salles et trois autres hommes d'armes.

Mais qu'en était-il exactement sur le terrain ? Car la résistance religieuse, ce n'étaient évidemment pas les seuls envoyés de Montségur. Les enquêtes inquisitoriales de 1245-1246, dont on a conservé plus de cinq mille procès-verbaux d'interrogatoires conduits en Lauragais, permettent de se faire une idée extrêmement précise de la façon dont cette résistance était organisée – et d'éclairer, du même coup, le rôle exact joué par Montségur.

Prenons par exemple Fanjeaux. De 1229 à 1242, vingt-trois parfaites et vingt parfaits y sont attestés. De ces derniers, douze ne font que passer, le temps d'une nuit et d'un repas chez quelque croyant accueillant – ou le temps d'un prêche. Des huit autres, cinq sont présents à Fanjeaux de façon à peu près continue, dont le diacre Pierre Bordier, avec cette particularité qu'ils sont natifs de Fanjeaux ou de ses environs immédiats, et qu'on ne les voit jamais ailleurs, si ce n'est quand ils se cachent dans un bois voisin. Les trois autres y sont attestés plusieurs fois, mais de façon discontinue. Ils ont en commun de ne pas être de Fanjeaux, d'être des itinérants – on les rencontre durant la même période dans d'autres localités –, d'être membres de la hiérarchie et d'être en relation avec Montségur.

Bertrand Marty, natif de Cailhavel en Razès, est d'abord *fils mineur* de Guilhabert de Castres, puis *fils majeur* à partir des environs de 1237, évêque lui-même vers 1240, et dès lors installé à demeure à Montségur, où il est déjà venu en 1234 et en 1238 ; outre Fanjeaux, une vingtaine de localités du Lauragais et du sud Albigeois ont reçu sa visite, parfois plusieurs fois, entre 1229 et 1240.

Jean Cambiaire, qui succéda à Bertrand Marty comme *fils mineur* de Guilhabert, et dont on a déjà parlé à l'occasion de son arrestation en 1233, était arrivé à Montségur en 1232, venant de Fanjeaux, où son patronyme – en fait un nom de métier, « le Changeur » – n'est cependant pas autrement attesté ; il revint à Montségur en 1234 ou peu après, tandis qu'on le signale à plusieurs reprises au Mas-Saintes-Puelles et de nouveau à Fanjeaux entre 1233 et 1237.

Enfin le diacre Bernard de Mayreville : c'était un chevalier *faidit* qui portait le nom d'une *forcia* située entre Pamiers et Castelnaudary, et qui s'était fait ordonner en 1230. Il est arrivé à Montségur en 1232 en même temps que Guilhabert de Castres, il y a sa propre maison de 1237 à 1243, mais on le voit aussi durant ces années dans tout le sud du Lauragais, dont Fanjeaux, ainsi que plus au nord à Auriac, Saint-Félix et Saint-Julia.

Au total, la vie clandestine de l'Eglise cathare est assurée à Fanjeaux, de 1229 au siège de Montségur – indépendamment des parfaites, qui n'ont pas de place dans la hiérarchie – par huit personnages qu'il faut bien appeler les permanents de la résistance religieuse ; cinq sont du cru, et sont des sédentaires : en quelque sorte les militants de base de la clandestinité ; les trois autres représentent une strate supérieure dans l'organisation de la résistance religieuse – en quelque sorte les cadres, et l'on serait presque tenté de dire les inspecteurs en mission : ils appartiennent à la hiérarchie montségurienne, ce qui leur donne évidemment autorité sur les parfaits du cru, comme sur les autres parfaits de toutes les autres localités qu'ils visitent entre deux séjours à Montségur, leur port d'attache, résidence quasi permanente de l'évêque, Guilhabert de Castres puis Bertrand Marty.

Fanjeaux n'est qu'un exemple entre d'autres possibles : on connaît au total vingt-huit parfaits qui ont fait ainsi la liaison entre la « tête » de leur Église et le bas pays – dont dix-sept membres de la hiérarchie : trois évêques, trois *fils*, et onze diacres[1]. On est certainement assez loin de la réalité, si l'on songe que pour la même période de dix ou douze ans, on ne voit que quatre-vingt-deux parfaits à Montségur, soit, avec les vingt-deux parfaites connues, cent quatre religieux, alors qu'on sait qu'il y en eut exactement le double brûlés le 16 mars 1244. Une bonne moitié de l'Église de Montségur a sombré dans l'anonymat.

Cette organisation « verticale » se combine avec une organisation « horizontale ». Je veux dire que si l'on dresse une cartographie des activités de nos « missionnaires », on constate un regroupement significatif des localités dont chacun s'occupe. C'est extrêmement net pour Guillaume Tournier, diacre de Mirepoix, qui vient presque en voisin prêcher à Mirepoix même et dans les alentours immédiats, Queille au sud, Montgradail à l'est. C'est tout aussi clair pour le diacre Guillaume Vital : Vauré, Saint-Martin-Lalande, Laurac, Issel, Roquefort de la Montagne Noire, Labécède, soit l'est et le sud-est du Lauragais. Raymond du Mas, après avoir exercé dans son village natal, le Mas-Saintes-Puelles, part de Montségur comme diacre du Vielmorès, mais il est surtout signalé un peu plus au sud, aux Cassès, à Cambiac, à Caragoudes, aux Touzeilles, avant de partir pour la Lombardie. A l'ouest immédiat des diaconés de Guillaume Vital et de Raymond du Mas, on a le territoire dont s'occupe – en plus de Fanjeaux et de Laurac – Bernard de Mayreville : une bande assez étroite qui va de Gaja et Pech-Luna au sud à Auriac, Saint-Julia et Montégut en nord du Lauragais, en passant par Baraigne, Montmaur et Saint-Félix. A l'ouest encore, le diaconé de Bernard Bonnafous est peut-être celui qu'on perçoit avec le plus de précision ; son centre est incontestablement Montesquieu, d'où Bonnafous rayonne – Gardouch, Montgaillard, Baziège, Labastide, Aurin, Lanta – et prend contact avec les parfaits de la clandestinité locale : Pons de Sagornac, Raymond Laget, Raymond Gros, qui l'accompagne à Toulouse vers 1235 et qui est d'ailleurs son *sòci* jusqu'à sa conversion en avril 1237. Pour d'autres, un Guillaume Ricard, un Pons de Sainte-Foy, les choses sont plus floues – du fait, peut-être, de l'insuffisance de nos informations. De toute façon, la clandestinité condamnait certainement les par-

---

1. Pour une étude exhaustive des missions effectuées à partir de Montségur, cf. mon article « Montségur, refuge ou quartier général ? » dans *La persécution du catharisme*, actes de la 6ᵉ session d'histoire médiévale du Centre René-Nelli, Collection Heresis, Carcassonne, 1996, p. 159-192.

faits à se déplacer plus fréquemment et plus soudainement que ne devait l'exiger leur seul ministère, et l'on ne peut demander à l'Église cathare d'avoir, sous l'Inquisition, tout à fait le même dispositif qu'avant la croisade de 1209. Il est néanmoins remarquable que grâce, en grande partie, à Montségur, un effort très efficace ait été fait pour maintenir dans la clandestinité, autant que faire se pouvait, l'ancienne structure ecclésiale des diaconés. Jusqu'aux environs de 1240, on peut en compter vingt-trois dans le seul évêché cathare de Toulouse.

Si l'on met à part Mirepoix et le pays d'Olmes, qui sont au pied de Montségur, le Lauragais s'est donc taillé la part du lion dans l'organisation de la résistance religieuse. Mais pour plus diffuses qu'elles nous paraissent, ou du moins plus malaisées à percevoir au travers des sources conservées, les liaisons de Montségur avec d'autres régions, d'autres « pays », n'ont pas été négligées : pays de Sault, pays d'Alion, Sabarthès, Toulouse même avec Bernard Bonnafous, Bernard de Lamothe et Raymond de Montouty, le bas Quercy avec Pons Guilhabert, la Catalogne avec Arnaud de Bretos, vaste est la zone qui, à un moment ou à un autre, et souvent plusieurs fois, a été visitée par un ou plusieurs émissaires du siège de l'Église interdite.

A noter cependant qu'aucune relation n'est connue entre Montségur et les évêchés cathares d'Albigeois et de Carcassès. Pour celui d'Agen, l'évêque Teuto arrive en 1232 avec son *fils majeur* Vigouroux de la Bacone, mais de Teuto il n'est jamais question, Vigouroux repart, et l'on ne voit par la suite aucun montségurien en Agenais. Quant à l'évêché du Razès, créé en 1226, il se réduit à son évêque Raymond Agulher, qui est replié à Montségur et ne paraît pas avoir entretenu de contacts avec le pays de Limoux. Bref, l'aire géographique des émissaires de Montségur, loin de couvrir tout le « pays cathare », correspond à l'évêché de Guilhabert de Castres puis de Bertrand Marty, c'est-à-dire à la seule Église de Toulouse, qui est certes très vaste, vu que la Catalogne elle-même est un de ses diaconés. Mais on comprend pourquoi, si la résistance religieuse a continué en Razès, en Carcassès et en Albigeois – c'est-à-dire sur la sénéchaussée royale – ce fut de façon beaucoup plus informelle que dans la zone coiffée par la hiérarchie montségurienne.

Un mot sur les parfaites de Montségur. On n'en connaît, on l'a dit, que vingt-deux, dont leur prieure, Rixende du Teilh. Or quinze d'entre elles sont attestées comme ayant été brûlées le

16 mars 1244, indice que les femmes de la communauté religieuse sont beaucoup plus sédentaires que les hommes, ce qui se comprend · elles ne participent pas à la hiérarchie de l'Église et, sauf à descendre dans le bas pays pour y visiter des compagnes, on ne les voit nullement chargées de mission de prédication ou de liaison avec la noblesse croyante, pas plus qu'on ne les voit donner de *consolament*. Pour la plupart d'entre elles, d'ailleurs, leur présence à Montségur s'explique par le fait que ce sont des parentes des chevaliers *faidits* installés au *castrum*. Fournière de Péreille est la mère de Raymond de Péreille, Marquésia Hunaud de Lanta est sa belle-mère, Saïssa du Congost une de ses nièces, Braida de Montserver est la belle-mère d'Arnaud-Roger de Mirepoix, Bruna et India de Lahille sont sœur et cousine de Guillaume de Lahille, Raymonde de Cuq est la sœur ou la belle-sœur de Bérenger de Lavelanet, etc. Elles ont quand même été rejointes par quelques Bonnes Dames issues de la noblesse du Lauragais, comme Guiraude de Caraman, Navarre de Servian, Dias de Saint-Germier. Quand l'une ou l'autre quittait Montségur, elle s'exposait évidemment aux mêmes périls que les hommes, et comme eux elle avait besoin de l'aide de complices.

Les réseaux de complicités

On n'en a pas terminé avec l'organigramme de la résistance clandestine tant qu'on n'a pas cerné ce qu'impliquait exactement la clandestinité elle-même. Les fonctions du ministère clandestin, on les connaît : mises à part la vie communautaire et la nécessité de vivre du produit de son travail, toutes choses désormais exclues, elles sont les mêmes que celles du ministère exercé librement et au grand jour, prédication, échange du baiser de paix, bénédiction et fraction du pain pour les croyants, distribution du *consolament* aux mourants – et encaissement des legs faits à cette occasion, qui sont nécessairement, vu la situation, en espèces plutôt qu'en biens fonciers – enfin direction de noviciats et ordination de nouveaux parfaits et parfaites si des vocations se présentent. Mais il est bien certain que toutes ces fonctions ne peuvent être assumées que si sont réunies un minimum de conditions propres à assurer au moins la survie des ministres, au premier chef l'hébergement et la subsistance. Le plus confortable est assurément de trouver le gîte et le couvert chez quelque croyant dévoué – souvent, celui-là même chez qui l'on prêche – mais comme la prudence commande de ne pas rester trop longtemps au même endroit, il faut fréquemment passer d'une maison à l'autre, de cave en solier, d'étable en grenier à foin, de colombier en moulin. On n'a pas toujours la chance de trouver un abri : à plusieurs reprises, un habitant de Fanjeaux, Pons Rigaud, a découvert deux parfaites qui venaient de passer la nuit dans un fossé, à la belle étoile. Il les amena une fois chez lui, une autre fois chez une voisine. Dix années durant, la parfaite montalbanaise Arnaude de Lamothe a erré dans le Lauragais avec sa *sòcia*, se cachant aussi souvent dans les bois que dans le mas de tel ou tel croyant. Un bouvier d'Odars, Guillaume Garnier, les conduisait de clusel en cabane de bûcherons ou de charbonniers, leur construisant des abris ou leur creusant des souterrains quand il n'en trouvait pas. Quand elles furent arrêtées, à l'été 1242, elles vivaient depuis quinze jours sous une tente dans le bois de Sainte-Foy-d'Aigrefeuille.

Tout aussi précaire que le logement est la nourriture. Quand ils ont la chance d'être hébergés par un habitant, parfaits et parfaites partagent parfois le repas familial – sauf les aliments d'origine animale ; s'ils se cachent dans la nature, quelques bonnes âmes leur apportent un peu de ravitaillement – mais il arrive souvent qu'ils soient obligés de l'acheter. Il en est de même des vêtements, surtout des plus utiles d'entre eux, les pelisses et les bonnets en peau d'agneau ; des croyants les taillent et les cousent pour eux – mais il faut aussi, parfois, envoyer quelque ami faire des emplettes au marché le plus proche. D'où la nécessité d'avoir toujours un peu d'argent sur soi. Les dons faits par les mourants lors de leur *consolament* ne doivent pas suffire aux besoins de l'Église clandestine, car on voit un habitant de Fanjeaux, Arnaud Dou, et un autre de Mirepoix, Pierre Barbe, « faire par tout le pays, tailles et collectes au profit des hérétiques », autrement dit lever sur les croyants un véritable impôt de solidarité pour les parfaits et les parfaites.

Bref, il est clair que l'activité religieuse clandestine n'est possible que si les parfaits et les parfaites bénéficient, à de multiples niveaux et en de multiples circonstances, de l'aide des croyants ; autrement dit si les réseaux proprement religieux s'appuient sur de solides réseaux de complicités. Quand Jean Cambiaire prêche à Fanjeaux chez le noble Bernard-Hugues de Festes devant cinquante, soixante, ou même, une fois, une centaine d'auditeurs, et quand il le fait avec dix autres parfaits, on imagine les précautions prises. Même quand, par sécurité, la prédication a lieu hors les murs, dans un potager, une vigne, en plein champ au pied d'un colombier, plus fréquemment dans une clairière reculée, il est bien rare qu'à l'aller comme au retour les prédicateurs clandestins ne soient pas accompagnés d'une petite troupe de croyants qui veillent à ce qu'il ne leur arrive rien. A plus forte raison quand il s'agit d'aller en plein village donner le *consolament* à un mourant : vers 1233 – toujours à Fanjeaux –, Augier Isarn voulut recevoir le sacrement des mains de Bertrand Marty ; ce dernier fut amené, de nuit, par Pierre Martel et Arnaud Dou, précédés de quatre chevaliers en armes, « portant épées, pourpoints et capels de fer », Bec de Fanjeaux, Guillaume de Lahille, Gaillard de Festes et Jourdain Picarel.

Partout, le réseau des complicités repose essentiellement sur la noblesse locale et les notables. Les statistiques qu'il est possible de dresser sur Fanjeaux grâce aux enquêtes inquisitoriales de 1245-1246, et que je ne fais ici que résumer, sont particulièrement éloquentes. Elles nous font connaître, pour la quinzaine d'années précédant l'enquête, 313 croyants représentant 155 familles différentes. Quatorze d'entre eux ont reçu clandestinement le *consolament* au moment de mourir. Soixante-deux sont des « receleurs d'hérétiques », comme dit l'Inquisition, en ce sens qu'ils ont accueilli pour un prêche, ou hébergé pour une nuit, ou caché chez eux ou n'importe où, des parfaits ou des parfaites. On trouve parmi eux, en majorité, des Festes, des De Fanjeaux, des Durfort, des Cailhavel, des Lahille, etc., bref des membres de la noblesse. Sur les 13 chevaliers qui firent hommage à Raymond VII en 1229, 12 sont des croyants cathares avérés, « complices d'hérésie » selon les critères de l'Église catholique. En 1243, ils seront 17 chevaliers et 6 consuls à prêter serment aux représentants du roi : 12 de ces chevaliers et 4 de ces consuls sont des fauteurs d'hérésie. Inutile de dire que ce sont ces hommes-là, en général, qui font pression sur la population pour que personne ne révèle quoi que ce soit devant les inquisiteurs. Au demeurant, la population, pour une bonne part, suit les seigneurs et les notables. Quand, en 1243 encore, 161 chefs de famille prêtent serment de fidélité au roi, une bonne moitié d'entre eux sont des gens qui ont trempé de près ou de loin dans l'hérésie...

Piliers de la résistance religieuse, les croyants qui appartiennent à la noblesse, et dont beaucoup ont ou ont eu quelque grand-mère parfaite – celle des seigneurs du Mas-Saintes-Puelles, Garsende, a même été arrêtée et brûlée avec l'une ses filles –, sont les contacts privilégiés des émissaires de Montségur. Et ce n'est pas vrai que pour le Lauragais : en comté de Foix, les Rabat, les Châteauverdun, les Arnave, les Villemur de Saverdun, sont de ces croyants de haut rang sur qui l'Église interdite sait qu'elle peut compter. Aux confins du Lauragais et du pays de Mirepoix, les Mazerolles, seigneurs de Gaja, sont si accueillants aux parfaits qui vont à Montségur ou en reviennent, que leur village sera rasé. Il faut dire que Gaja – ses maisons, mais aussi sa grande forêt – est, avec Queille plus au sud, l'un des deux relais obligés entre le Lauragais et Montségur. Mais c'est peut-être à Montesquieu-Lauragais que la collusion entre l'Église clandestine et la noblesse locale se laisse cerner avec le plus de précision : le clan des Montesquieu-Villèle y fait figure de protecteur attitré du diacre Bernard Bonnafous. L'aïeule, Ermengarde de Baraigne, était parfaite. A la génération suivante, les deux frères Bernard de Montesquieu et Guillaume de Villèle – ce dernier étant sans doute un ancêtre lointain du ministre de Louis XVIII et de Charles X – moururent *consolés* et furent inhumés entre 1220 et 1230, à Montesquieu, « au cimetière des hérétiques ». Leur succédèrent les trois fils de Bernard et les deux de Guillaume, qui furent, avec leurs propres épouses, et de longues années durant, des auxiliaires ardemment dévoués de Bonnafous et de ses compagnons parfaits.

Malgré ces complicités, de nombreux périls guettaient les Bons Hommes de la clandestinité. Une dénonciation, une descente-surprise de la police d'un bayle, ou des sergents envoyés par un curé ou un abbé, et ce pouvait être l'arrestation, la garde à vue, le transfert, le tribunal, et le bûcher – ou l'abjuration. Guillaume Carrère, qui avait fait son noviciat à Montségur avant d'y être ordonné par Bertrand Marty à Pâques 1241, sera capturé et abjurera en 1253. Renégat aussi, Guillaume Tardieu, ordonné à Montségur, puis arrêté dans un bois entre Issel et Labécède à la Toussaint 1242, tout comme le Catalan Arnaud de Bretos, que Bertrand Marty avait ordonné à la fin de 1240 et qui fut arrêté au printemps 1244 alors qu'il partait pour la Lombardie. Arnaud Déjean, en revanche, n'attendit pas d'être capturé : revenu dans son Lauragais natal après deux ans passés à Montségur, il fit intervenir un oncle auprès du curé d'Odars, qui le recommanda à l'inquisiteur Ferrer, à qui il alla se confesser. Dame Dias de

Saint-Germier s'était fait ordonner après son veuvage, vers 1225.
Elle gagne Montségur à la fin de 1240, en redescend au printemps
1242. Après un an d'errance dans les bois du Lauragais, elle est
arrêtée avec sa *sòcia* Algaïa de Loubens, mais elle n'abjure qu'en
juin 1245, au terme d'une longue incarcération dans les prisons
de Toulouse et de trois interrogatoires...

Carrère, Tardieu, Bretos, Dias et Algaïa, autant de parfaits et
de parfaites pour qui les croyants, autant qu'on le sache, ne firent
rien ou ne purent rien faire quand ils furent capturés. D'autres
eurent plus de chance, sans doute en raison de leur rang et de
leur notoriété – à commencer par Bertrand Marty lui-même. Il
fut arrêté vers 1233 chez un habitant de Fanjeaux, avec trois
compagnons, par le bayle de Raymond VII. Une croyante, Causida Fournier, fit aussitôt une collecte : le bayle demandait une
rançon de trois cents sous pour libérer Bertrand Marty... Causida
lui laissa en gage trois coupes d'argent, le temps de réunir la
somme.

En revanche, l'arrestation du diacre Guillaume Vital, en 1241,
tourna très mal pour les croyants qui voulurent le libérer alors
qu'il était gardé à vue à l'abbaye de Saint-Papoul. Il semble
même que l'abbé leur ait tendu un piège, en faisant courir le bruit
qu'il relâcherait son prisonnier contre mille sous. Collecte faite
dans tout le Lauragais oriental, quarante croyants se présentèrent
à Saint-Papoul. Mais les gardes de l'abbaye, qui les attendaient
en armes, leur tombèrent dessus. Il y eut une violente échauffou-
rée, qui coûta aux assaillants un mort et un prisonnier. Les autres
prirent la fuite. Dix-sept ans plus tard, l'Inquisition recherchait
encore les membres du commando de « l'affaire de Saint-
Papoul », dont on disait qu'ils avaient voulu mettre le feu au
fenil des moines. Six d'entre eux furent condamnés à la prison
perpétuelle.

Quant au diacre cathare Guillaume Vital, qui disparaît de nos
sources après cette affaire, il y a de fortes probabilités pour qu'il
ait été brûlé.

13

Le massacre d'Avignonet

Nous avions laissé Raymond VII en 1241 – l'année même de l'affaire de Saint-Papoul – alors qu'en juin il conférait à Montpellier avec son vieil adversaire le comte de Provence Raymond-Bérenger et le cousin germain de ce dernier, le roi Jacques d'Aragon. Le roi était là pour aider à ce qu'une paix durable fût enfin négociée. Raymond la souhaitait. La raison de cet inattendu pacifisme ? Raymond-Bérenger avait deux filles à marier, Sancie et Béatrice...

Raymond jeta son dévolu sur Sancie[1]. C'était un bon parti, moins par la dot espérée que par les alliances qui découleraient d'un tel mariage : Raymond-Bérenger avait déjà marié deux autres filles, Marguerite en 1234 au roi de France Louis IX, Éléonore en 1236 au roi d'Angleterre Henri III. Raymond VII deviendrait donc beau-frère des reines des deux plus puissants royaumes d'Europe. Mais ce n'était pas sans créer une situation assez extravagante, presque vaudevillesque. L'épouse en titre de Raymond VII, Sancie d'Aragon, était, on le sait, sœur de feu Pierre II, donc tante du roi Jacques ; par son autre frère Alphonse, elle était grand-tante de Sancie de Provence. En se faisant complice du projet de Raymond VII, le roi Jacques aidait par conséquent à l'éviction de sa tante au profit de sa petite-cousine, et il est aisé de comprendre pourquoi. Sancie d'Aragon ne pouvait plus avoir d'enfant. Mais si Sancie de Provence donnait un fils à Raymond VII, les clauses successorales du traité de Paris pourraient être remises en question, et le comté de

---

1. Sur les mariages successifs de Raymond VII, ou ses projets de mariage, cf. Hélène Débax, « Stratégies matrimoniales des comtes de Toulouse (850-1270) », dans *Annales du Midi*, n° 182 (avril-juin 1988), p. 231-233.

Toulouse échapperait au Capétien à qui l'on avait marié de force Jeanne, pour échoir à un rejeton de la maison de Barcelone, ce qui était hautement préférable. Alors, quand Raymond VII, était dans les bonnes grâces du Saint-Siège, demanda l'annulation de son mariage avec Sancie d'Aragon, les enquêteurs délégués par le pape pour examiner l'affaire découvrirent à point nommé que Raymond VI avait jadis tenu sur les fonts baptismaux ladite Sancie et que par conséquent Raymond VII avait épousé la filleule de son père : cas flagrant de « parenté spirituelle » qui rendait ce dernier mariage nul... L'annulation, cependant, ne réglait pas tout. Raymond VII, qui était déjà devenu le beau-frère de son propre père – chacun ayant épousé une sœur de Pierre II –, voulait maintenant épouser la petite-nièce de sa propre femme... Situation suffisamment amorale pour déplaire à l'Église. A moins qu'une dispense pontificale... On dépêcha vite des ambassadeurs auprès du Saint-Père. Ils apprirent en route que Grégoire IX venait de mourir.

La grande coalition

Alors, soudain, Raymond modifia ses projets. Rentré à Toulouse en septembre, il alla à Angoulême, où il se livra à une activité diplomatique dont on ne connaît pas les détails, soigneusement tenus secrets, mais seulement le résultat : à la mi-octobre, un pacte était déjà signé entre Hugues de Lusignan, comte d'Angoulême et de la Marche, Raymond VII, et Jacques d'Aragon... L'avenir va montrer que cette triple alliance était dirigée contre le roi de France – d'où le secret. Par ailleurs, Raymond avait obtenu la main de Marguerite, fille d'Hugues de Lusignan et d'Isabelle d'Angoulême...

A l'origine de cette vaste machination politico-matrimoniale, le refus des barons poitevins de reconnaître pour seigneur Alphonse – le gendre de Raymond VII – à qui son frère le roi Louis IX venait de donner le Poitou en apanage, au détriment des droits du comte anglais de Poitiers, Richard de Cornouailles, frère du roi Henri III. Poussé par son épouse Isabelle d'Angoulême, veuve de Jean sans Terre – et mère, par conséquent de Henri III et de Richard –, Hugues de Lusignan entra dans la coalition anglo-poitevine. Il est vraisemblable que sa fille Marguerite servit alors de monnaie d'échange pour que Raymond VII y entrât à son tour, à charge pour lui de rallier le plus possible de partisans à un soulèvement général contre le roi de France. A Angoulême, il signa le pacte au nom de Jacques d'Aragon. Tout fut rondement mené. Le 17 octobre, Jacques Ier recevait à Barcelone l'hommage de Trencavel pour ses domaines – preuve que la déroute de l'an passé n'avait pas découragé ce dernier et qu'il espérait récupérer sa terre au plus tôt – tandis que le sénéchal du roi d'Angleterre en Gascogne mettait au point un plan de campagne : Henri III débarquerait à Royan et appuierait le soulèvement du Poitou avec son armée et ses vassaux gascons, tandis que, sous la bannière de Raymond VII, se lèveraient, jusqu'au Rhône, tous les vassaux et les alliés du comte. De fait, Raymond, de décembre à avril, s'assura par serment l'alliance des comtes de Foix, de Comminges, d'Armagnac et de Rodez, des vicomtes de Narbonne, de Lomagne, de Lautrec, d'une foule de seigneurs de moindre rang, et même de la ville d'Albi... Fin avril 1242, il était à Penne-d'Agenais, certainement pour maintenir le contact avec ses alliés de l'Ouest. L'évêque d'Agen en profita pour aller le rencontrer et sonder ses intentions en matière de lutte contre l'hérésie – à moins que ce ne fût Raymond qui l'ait convoqué, afin de mettre en œuvre avec lui le plan tout à fait machiavélique que lui avait suggéré la vacance du Saint-Siège : se débarrasser une bonne fois de l'Inquisition, sans paraître pour autant, aux yeux de l'Église, favoriser l'hérésie. Il suffisait d'enlever la répression de celle-ci aux Frères prêcheurs, et de la confier au haut clergé local... Aucune autorité supérieure ne viendrait se mettre en travers : il n'y avait pas de pape, et les cardinaux étaient trop occupés à déjouer les embûches que l'empereur Frédéric II dressait pour empêcher la réunion du conclave. Ce n'étaient pas les évêques occitans qui pouvaient voir d'un mauvais œil une telle opération, propre à les restaurer dans leurs prérogatives.

Le 1er mai 1242, Raymond demanda donc par écrit à l'évêque d'Agen de s'occuper personnellement de la poursuite de l'hérésie dans son diocèse, quitte à s'associer à titre d'auxiliaires des dominicains et des franciscains, voire les Frères prêcheurs Bernard de Caux et Jean de Saint-Pierre, « non point en vertu du mandat inquisitorial qu'ils disent avoir reçu pour l'Agenais, mais à raison seulement de leur état de prud'hommes et de religieuses personnes »... Il s'engageait de son côté à fournir au prélat toute l'aide nécessaire. Même demande fut adressée aux évêques d'Albi, de

Cahors et de Rodez. La chasse aux hérétiques confiée aux tribunaux ecclésiastiques ordinaires, les inquisiteurs rabaissés du rang de « juges délégués par l'autorité du Saint-Siège » à celui de simples auxiliaires desdits tribunaux, sans qu'ils puissent en appeler à ladite autorité, puisqu'il n'y avait pas de pape, le tour était assurément bien joué.

Ce ne fut pas tout. Jusque-là, Raymond VII éliminait en droit l'Inquisition en tant qu'institution autonome. Il ne paraît pas cependant avoir adressé la même demande à l'évêque de Toulouse, Raymond du Fauga : il était dominicain et, à l'inverse de son collègue d'Agen, n'aurait certainement pas accepté sans protester avec véhémence la destitution des inquisiteurs de son diocèse. Alors le comte imagina purement et simplement de se débarrasser physiquement de ces derniers. Il était par ailleurs bien placé pour savoir de quel poids l'Inquisition toulousaine pesait plus que toute autre sur les populations. Sa brutale élimination provoquerait un choc psychologique certain, au moment même où il fomentait le soulèvement du pays contre la non moins pesante oppression de l'administration royale.

Le roi d'Angleterre débarqua à Royan le 20 mai. Le 26, un messager se présenta à Montségur et remit à Pierre-Roger de Mirepoix une lettre d'un officier du comte, Raymond d'Alfaro, le bayle d'Avignonet. Pierre-Roger rassembla une cinquantaine de chevaliers et de sergents de la garnison du *castrum* dont il assurait le commandement, et leur ordonna de le suivre, sans dévoiler cependant ce qu'ils allaient faire ; il leur dit simplement qu'un grand butin les attendait... La troupe gagna le jour même la maison forte de Génevrières, située dans la forêt entre Gaja et Saint-Amans. Elle appartenait à Bernard de Saint-Martin, un chevalier *faidit* qui faisait partie du commando. Pierre de Mazerolles, le seigneur de Gaja, arriva alors avec vingt-cinq hommes. Le lendemain, on reprit la route jusqu'à Antioche, une tour située sur une serre boisée proche du Mas-Saintes-Puelles, où Jourdain du Mas rejoignit la troupe. Le troisième jour – on est le 28 mai –, on forma un groupe d'éclaireurs avec trois chevaliers, Guillaume de Balaguier, Guillaume de Lahille et Bernard de Saint-Martin – tous trois condamnés par contumace par l'inquisiteur Guillaume Arnaud quelques mois plus tôt –, et douze sergents armés de haches. Tandis que Pierre-Roger de Mirepoix restait à Antioche avec une poignée de soldats, la petite avant-garde, suivie du gros de la troupe, prit le chemin d'Avignonet.

Elle s'arrêta à l'abattoir, situé à quelque distance des remparts de la ville, et attendit la nuit.

La nuit de l'Ascension...

Guillaume Arnaud et Étienne de Saint-Thibéry étaient là depuis quelques jours. Dès la reprise de l'Inquisition au lendemain du soulèvement manqué fomenté par Trencavel sur la sénéchaussée de Carcassonne, ils avaient commencé par s'occuper des Toulousains : du 22 mai au 1er septembre 1241, ils avaient infligé diverses pénitences de pèlerinage. Puis le 17 octobre, à Saint-Paul-Cap-de-Joux, ils avaient condamné par contumace les trois chevaliers *faidits* réfugiés à Montségur et dont on vient de parler, Balaguier, Lahille et Saint-Martin. Le 24 novembre, ils étaient à Lavaur, puis ce fut, à partir de décembre, leur deuxième grande enquête à travers le Lauragais. Les procédures n'en ont pas été conservées, pas plus que celles de 1236, et l'on va vite savoir pourquoi. Mais on sait par des documents postérieurs qu'arrivés à Sorèze peu après la mi-mai, ils gagnèrent de là Avignonet, où, accueillis par le prieur du lieu, ils s'installèrent avec les huit personnes de leur suite dans le château du comte de Toulouse.

Au soir du 28 mai, veille de l'Ascension, ils se mirent à table, sans se douter qu'une trentaine d'habitants sur le qui-vive allaient prêter main-forte à la troupe descendue de Montségur. L'un d'eux, Guillaume-Raymond Golairan, alla dire aux membres du commando que les inquisiteurs étaient en train de manger, qu'il fallait donc attendre. Il revint en ville. Il en ressortit pour dire qu'ils étaient allés se coucher, et que le moment était venu. Il ouvrit une porte, et la troupe pénétra à pas de loup dans Avignonet, où Raymond d'Alfaro avait déjà disposé des guetteurs aux carrefours, tandis que d'autres habitants armés de gourdins se joignaient aux assaillants. Quelques hommes se faufilèrent dans le château, ouvrirent de l'intérieur la porte principale, et la troupe monta l'escalier qui conduisait à la grande salle du donjon où l'on avait installé le dortoir des Frères et de leurs compagnons. On fracassa la porte à coups de hache. Les onze hommes eurent à peine le temps de sortir de leur sommeil qu'ils étaient déjà massacrés, avec la sauvagerie qu'on imagine. Outre les deux inquisiteurs, il y avait deux dominicains, un franciscain, l'archidiacre de Lézat et son clerc, un notaire, deux appariteurs et le prieur d'Avignonet. On fit aussitôt main basse sur tout ce qu'on trouva, chacun voulant emporter un souvenir de cette mémorable action, qui un livre, qui un scapulaire, qui un chandelier, qui un bliaut de soie ou un chapeau ; on vola tout, l'argent, les couvertures, les chausses, les souliers, la ceinture et le couteau de Guillaume Arnaud, les lutrins, même les draps ensanglantés. L'on mit immédiatement en pièces, évidemment, les registres si compromettants qui contenaient les récents interrogatoires, et sans doute aussi ceux de 1236.

Des complices attendaient les assassins en bas, avec des torches. Ils les firent sortir, et ils rejoignirent sans encombre Pierre-Roger de Mirepoix à Antioche, d'où la plus grande partie de la troupe regagna Montségur.

Le retentissement d'un massacre aussi minutieusement préparé et exécuté fut immense. De pieuses funérailles furent organisées à Toulouse pour ceux dont l'Église fit bientôt des martyrs. En revanche, un frisson de soulagement parcourut le pays. « On est libre, on est délivré ! » s'écrie-t-on au Mas-Saintes-Puelles, où nul n'ignore que la vieille châtelaine Garsende et sa fille ont été envoyées au bûcher. La liesse s'étend bien au-delà du Lauragais : « Frère Arnaud est bousillé (*escogotat*), les foutus registres sont déchirés ! » exulte-t-on à Castelsarrasin. D'autres avoueront plus tard : « On croyait que tout le pays allait être libéré ! »

La rébellion manquée

Le 6 juin, les inquisiteurs de Carcassonne, Ferrer et Guillaume Raymond, fulminèrent l'excommunication contre Raymond VII – quoique sans l'accuser directement encore d'avoir ordonné le massacre. On se contente de le déclarer, selon la formule habituelle, « fauteur, défenseur et receleur d'hérétiques ». C'est une façon de tenir pour nulles et non avenues sa décision de confier la répression de l'hérésie aux évêques et sa promesse de leur apporter personnellement son aide.

Le 11, Raymond écrivit aux consuls d'Agen pour leur demander de mettre leur ville en état de défense. Aussitôt commença ce que les documents postérieurs appellent « la guerre du comte de Toulouse ». Tandis que le vicomte de Narbonne et Raymond Trencavel soulevaient le bas Languedoc, Raymond VII entra en campagne contre le sénéchal de Carcassonne. Une rapide chevauchée, en vérité : à la mi-juillet il entrait triomphalement à Narbonne, dont l'archevêque Pierre Amiel alla aussitôt se réfugier à Béziers où s'était déjà replié le sénéchal Guillaume des Ormes, qui ne tarda pas à y être assiégé. Le 21, le prélat excommunia les auteurs du massacre d'Avignonet et tous leurs complices, englobant cette fois Raymond VII lui-même dans la sentence, ainsi que tous ses alliés, les comtes de Comminges et de Rodez, Trencavel, Olivier de Termes et autres seigneurs rebellés, ainsi que toutes les populations du Razès, du Minervois, du Narbonnais, du Termenès, qui avaient rallié le soulèvement des fauteurs d'hérésie.

Raymond VII était encore à Narbonne sans doute quand, au début d'août, il apprit l'effondrement de ses alliés de l'Ouest, au moment même où l'armée envoyée en bas Languedoc par Louis IX sous le commandement d'Humbert de Beaujeu, ayant dégagé Béziers, commençait à soumettre le pays et à lui faire payer très cher sa rébellion.

Le roi d'Angleterre avait bien débarqué à Royan le 20 mai, mais une action prématurée du comte de la Marche avait entraîné de la part de Louis IX une réaction plus prompte que prévu : dès le mois d'avril, il avait envoyé son frère Alphonse marcher contre Hugues de Lusignan, puis s'était lui-même mis en campagne, si bien que quand le roi d'Angleterre débarqua, l'armée française était déjà sur place. Le 9 juin, Louis prenait et rasait Fontenay, le 22 juillet, il battait les Anglais à Taillebourg. Henri III se réfugia à Bordeaux, tandis que le comte de la Marche, ayant capitulé, s'en alla implorer le pardon du roi de France...

Raymond VII se précipita à Bordeaux où, le 28 août il signa avec Henri III un engagement à ne pas conclure de paix séparée. Las ! L'armée française était déjà à Penne-d'Agenais. L'habile diplomatie du roi de France aidant, la coalition commença à se désagréger. Le 5 octobre, le comte de Foix Roger IV écrivit à Raymond VII – qui, avec un incontestable courage, assiégeait les Français dans Penne – pour lui dire en termes très polis qu'il abandonnait sa cause et qu'il veuille bien l'excuser s'il se voyait dans l'obligation de lui déclarer la guerre. Son argumentation était d'une logique implacable : s'il était vassal de Raymond pour Saverdun et le bas comté, il s'était déclaré homme lige du roi en 1241, avec l'assentiment de Raymond d'ailleurs, qui venait de signer de son côté le serment de Montargis. Roger se devait donc de défendre le roi contre tous ses ennemis. La fidélité due au roi

de France l'emportait sur la fidélité due au comte de Toulouse...
Raymond VII lui répondit par une pathétique lettre où la surprise et le chagrin l'emportaient sur la colère – ce qui ne l'empêcha pas d'envoyer son viguier de Toulouse confisquer Saverdun
et le bas comté de Foix.

Sans espoir de rétablir la situation, Raymond VII eut l'habileté
d'admettre son échec tant qu'il était temps encore de solliciter la
clémence du roi. L'évêque de Toulouse entama les négociations.
Raymond se dit prêt à rencontrer le souverain pour implorer sa
miséricorde, pour lui jurer éternelle fidélité et s'engager non seulement à extirper l'hérésie, mais à châtier les assassins des inquisiteurs...

Le 1er novembre, il s'entretint près d'Alzonne avec Humbert
de Beaujeu et l'évêque de Clermont, dépêché par le roi. Le 30, à
Saint-Rome, il capitula entre les mains des commissaires royaux.
Le 28 décembre, confiant le gouvernement du comté à Sicard
Alaman, il partit pour Lorris en Gâtinais, où l'attendait Louis IX.
Il signa la paix le mois suivant. Elle consista essentiellement à
promettre de respecter enfin, en toute chose, le traité de Paris de
1229... Par une lettre qu'il envoya de Lorris, Raymond assura sa
cousine Blanche de Castille qu'il allait purger ses États de l'hérésie. Le même mois, le vicomte de Narbonne et treize bourgeois
de la ville vinrent à leur tour se soumettre, tandis que Roger IV
de Foix renouvelait, mais à Montargis, son hommage lige au roi.
Le mois suivant, ce dernier envoya des commissaires recueillir en
son nom les serments des vaincus, vassaux de Raymond VII et
consulats urbains, et prendre possession de quelques places fortes
que Raymond livrait pour cinq ans à la discrétion de la
Couronne.

C'est sans doute à son retour de Lorris, vers février 1243, qu'il
épousa Marguerite de la Marche. Un acte de mariage fut en tout
cas dressé, mais sous la réserve expresse que soit obtenue une
dispense pontificale, car les deux époux étaient cousins au quatrième degré canonique... En fait, la dispense ne vint jamais.

Une fois à Toulouse, Raymond fit rechercher, ou laissa rechercher, quelques-uns des acteurs de l'affaire d'Avignonet, habitants
de la ville qui avaient été complices du commando meurtrier, ou
membres de celui-ci qui avaient préféré s'égailler dans la nature
plutôt que de remonter à Montségur. Opération au demeurant
fort limitée : trois furent pendus – dont Guillaume de Balaguier –
un autre fut marqué au fer rouge sur le front, mais beaucoup ne

furent jamais retrouvés : tel se cacha un temps avec la complicité du bayle d'Avignonet puis partit pour la Lombardie, tel autre, comme Guillaume-Raymond Golairan, s'enfuit pour Auriac et de là à Montségur ; arrêté, un chevalier de Laurac, Raymond Barthe, réussit à s'évader ; Pierre de Mazerolles, le seigneur de Gaja, se terra dans la forêt de Plaigne, ravitaillé par sa propre épouse. Bertrand de Quiders – qui s'était confessé à Guillaume Arnaud quelques jours avant le meurtre ! – se vantera plus tard que Raymond VII et Sicard Alaman lui avaient donné l'argent nécessaire à sa fuite en Italie...

Le 18 avril, le comte se présenta devant un concile réuni à Béziers sous la présidence des archevêques de Narbonne et d'Arles. Il lut une déclaration par laquelle il mettait violemment en accusation les Frères Ferrer et Guillaume Raymond, « qui prétendent avoir juridiction, par mandat du Saint-Siège, pour poursuivre sur mes domaines les hérétiques », et qui avaient prononcé contre lui une sentence d'excommunication qu'il jugeait inique car ils avaient profité de la vacance du Saint-Siège, ce qui mettait Raymond dans l'impossibilité de faire appel. Trois jours plus tard, il écrivit aux évêques de ses États – ceux d'Agen, Cahors, Rodez, Albi et, cette fois, Toulouse – pour leur demander d'assumer personnellement la poursuite de l'hérésie, avec l'aide, à leur choix, de cisterciens, de dominicains ou de franciscains. Trop heureux sans doute de le voir, dans le droit fil de sa décision du 1er mai 1242, restaurer les tribunaux ordinaires dans toutes leurs prérogatives judiciaires, les archevêques de Narbonne et d'Arles avalisèrent la circulaire du comte. Mais en ce qui concernait le diocèse de Toulouse, celle-ci tombait à plat : peu de temps après l'affaire d'Avignonet, le prieur provincial des Prêcheurs avait chargé l'inquisiteur de Carcassonne, Ferrer, d'assurer l'intérim des Frères assassinés. Dès octobre 1242, le dominicain catalan s'était mis au travail. L'intérim devait durer jusqu'au printemps 1245, quand le tribunal de Toulouse fut reconstitué et confié à Bernard de Caux et Jean de Saint-Pierre, jusque-là inquisiteurs en Agenais.

Mais avant que Raymond VII ne sorte finalement battu – pour un temps du moins – de cette partie de bras de fer qu'il avait engagée avec l'Inquisition, la situation demeura quelque peu indécise. En juin, quelques semaines donc après le concile de Béziers, un nouveau pape fut enfin élu, Innocent IV. Le comte décida d'aller le voir au plus vite, à la fois pour plaider la cause de la remise en selle du haut clergé occitan dans la lutte contre l'hérésie, pour obtenir son absolution de l'Église, mais aussi pour se faire restituer le marquisat de Provence que l'empereur lui avait confisqué. Il lui fallait donc se mettre dans les bonnes grâces, à la fois, du Saint-Siège et de l'Empire, et le plus sûr moyen d'y parvenir était de faire négocier entre eux, grâce à ses bons offices, une paix solide.

En même temps que lui, ou presque, arrivèrent à Rome deux Frères délégués par les Prêcheurs occitans et chargés de présenter au Saint-Père la démission des inquisiteurs... Excédés par les difficultés qu'ils rencontraient, par l'hostilité de Raymond VII et par l'attitude des prélats réunis à Béziers, ils voulaient résigner leurs fonctions de juges délégués et rentrer chacun dans son couvent. Innocent IV non seulement refusa leur démission, mais renforça leurs pouvoirs et envoya comme légat l'évêque d'Avignon Zoën Trencarari, afin que l'autorité supérieure du Saint-Siège et sa volonté de maintenir l'Inquisition dominicaine fussent bien manifestes aux yeux de tous ceux qui contestaient cette dernière. Si bien que l'Inquisition ne fut pas interrompue. Les quatre-vingts interrogatoires conduits par Ferrer et ses collègues de mars 1243 à septembre 1244 – les quatre-vingts conservés, il y en eut peut-être beaucoup d'autres – témoignent bien de l'échec de Raymond VII, et du repli qu'avait dû effectuer le haut clergé occitan.

Moins d'un an après le concile de Béziers, Ferrer commençait les interrogatoires des rescapés de Montségur.

14

La fin de Montségur

C'est à Béziers, vraisemblablement, qu'avait été prise en avril 1243 la décision de s'emparer du *castrum* pyrénéen d'où était partie la sanglante expédition d'Avignonet et où étaient revenus ses principaux meneurs, membres pour la plupart, au demeurant, d'un vaste clan de *faidits* tous croyants cathares et apparentés à quelques parfaits et parfaites : Pierre-Roger de Mirepoix, son cousin germain Arnaud-Roger, trois neveux de celui-ci, Othon et Alzieu de Massabrac ainsi que Gaillard du Congost ; un cousin de ce dernier, Bertrand du Congost ; le beau-frère des Massabrac, Guillaume de Plaigne ; un gendre de Raymond de Péreille, Guiraud de Rabat, et son frère Raymond ; plus quelques autres cousins plus éloignés. Bref, vue sous cet angle, l'affaire d'Avignonet, opération politique de grande envergure, pouvait apparaître aussi comme la vengeance d'un clan familial. Elle donnait en tout cas la mesure d'une solidarité de groupe qui, déjà naturelle dans la société médiévale, n'en était que renforcée, dans la société cathare, par la persécution. Abattre cette gênante famille – sans doute la plus gênante depuis que celle des Niort avait été mise hors d'état de nuire, du moins le croyait-on – entraînerait du même coup l'élimination de ses protégés : les hauts dignitaires de l'Église cathare réfugiés à Montségur, d'où ils dirigeaient, on a vu comment, la résistance religieuse dans le bas pays. Certes, on n'avait pas attendu le massacre d'Avignonet pour s'inquiéter de l'existence de ce réduit fortifié, à la fois sanctuaire de la religion interdite et repaire, par *faidits* interposés, de la résistance à l'ordre royal. Dès le 14 mars 1241, le roi lui-même, à Montargis, avait fait jurer à Raymond VII de le détruire « dès qu'il pourrait s'en emparer ». Raymond se borna, dans le courant de l'année, à

une date indéterminée, à envoyer quelques soldats faire un simulacre de siège au pied de la montagne, moyennant quoi il se
dédouanait à l'égard de l'Église et du roi, pouvant toujours dire
qu'il avait échoué à prendre la place. Bien que Pierre-Roger de
Mirepoix ait alors été suffisamment inquiet, quand même, pour
faire vérifier et régler par un spécialiste les arbalètes de la garnison, et pour envoyer acheter des cordes pour la catapulte, l'événement est totalement ignoré des chroniques du temps, indice de
sa probable inconsistance. On ne le connaît que par les très
brèves allusions qu'y firent plus tard trois rescapés du siège – du
vrai, celui qui commença au printemps de 1243.

Pour renforcer les contingents français, les *Gallici*, qui constituaient l'armée royale proprement dite, le nouveau sénéchal de
Carcassonne, Hugues d'Arcis, avait proclamé la *cavalgada*, la
chevauchée pour le compte du roi, service militaire dû par les
vassaux et les arrière-vassaux. On alla même chercher des
hommes très loin, en bas Languedoc. En fait, les populations indigènes ne mirent aucun enthousiasme à répondre aux ordres de
mobilisation, et les viguiers et les bayles chargés de l'opération
de village en village durent parfois employer la manière forte. En
revanche, Durand de Beaucaire, l'évêque d'Albi, réussit à mobiliser une petite troupe de bons catholiques, de cent cinquante à
quatre cents hommes, selon les sources, qui partirent avec lui.
Ils se feront un plaisir de hisser la bannière du prélat sur leurs
catapultes[1]. Mais l'Église prêta son concours, aussi, d'une autre
façon : en lançant une prédication de croisade. Un franciscain qui
prêchait à Auvillar en Lomagne aurait ainsi réussi à « croiser »
sept cents volontaires. Ce sont sans doute les Gascons dont parlent les rescapés[2]. On enrôla par ailleurs des hommes dans des
villages pas très éloignés de Montségur, comme Camon – mais,
contrairement aux Gascons, ils ne se montreront pas des assaillants très zélés.

Le siège se mit lentement en place, au fur et à mesure qu'arrivaient les troupes. Toute estimation chiffrée des effectifs est
impossible. Le nombre de dix mille hommes parfois avancé est

---

1. Un rescapé parlant des « machines de l'évêque d'Albi », on en a parfois hâtivement
conclu que le prélat était ingénieur en machines de siège. C'est oublier qu'il est aussi question
des « machines du roi »... Ce sont les contingents que ces formules désignent évidemment,
soldats du roi ou recrues albigeoises – identifiables grâce à leurs bannières – et non les
constructeurs des catapultes.
2. *Vascones*, ce que Peyrat, et tant d'autres après lui, ont eu tort de traduire par *Basques*,
qui se disait *Basculi*.

purement hypothétique, et sans doute très exagéré : il faut tenir compte des problèmes d'intendance qu'une troupe aussi considérable aurait eu à affronter, dans un pays si reculé, si hostile à l'Église et au roi, et où, de surcroît, l'hiver contraindrait à affronter un climat de haute montagne. Au sénéchal et à l'évêque d'Albi se joignit Pierre Amiel, l'archevêque de Narbonne, mais pas de façon continue : les deux prélats quittèrent en tout cas le siège à la fin de l'année pour assister à Narbonne à un concile appelé à régler, en fonction des récentes directives d'Innocent IV, la question de l'Inquisition et de ses relations avec le haut clergé local.

Si l'on ne sait que peu de chose, finalement, sur les assiégeants, la population assiégée est en revanche fort bien connue. On a parlé, plus haut, du rôle de Montségur comme « siège et tête » de l'Église cathare, et dit combien il était impossible de se le représenter comme une sorte de monastère de contemplatifs. En fait, il devait y avoir au *castrum*, à l'époque du siège, à peu près autant de laïcs que de parfaits et de parfaites, ce qui implique une vie civile, et aussi une vie militaire, parallèles à la vie religieuse.

Les sources nous font connaître plus de mille personnes ayant vécu à Montségur, un temps plus ou moins long, entre sa première fondation et sa chute, c'est-à-dire pendant quarante ans. Pour l'époque du siège, elles conduisent à une estimation minimale de trois cent soixante et une personnes, dont cent cinquante laïcs, y compris la garnison.

Le clan seigneurial, c'est-à-dire les lignages des deux coseigneurs, Raymond de Péreille et Pierre-Roger de Mirepoix, son cousin germain devenu son gendre, est fort de vingt-neuf personnes. Appelé vers 1232 par Raymond de Péreille pour diriger l'organisation et le commandement de la garnison propre à assurer la sécurité du siège de l'Église interdite – ce qui explique qu'il ait épousé une fille de Raymond, Philippa – Pierre-Roger règne sans partage sur le *castrum*, veillant à l'intendance autant qu'à la sécurité. Ce clan des Mirepoix-Péreille comprend, frères, cousins, neveux et gendres confondus, douze chevaliers, deux écuyers et un sergent, qui est un bâtard de Pierre-Roger. A ces quinze hommes s'ajoutent treize femmes, mères, belles-mères, épouses, filles, cousines, sœurs ou maîtresses des précédents. Trois d'entre elles ne cohabitent pas avec les hommes, car elles sont parfaites : Marquésia Hunaud de Lanta, belle-mère de Raymond de Péreille, Braida de Montserver, belle-mère d'Arnaud-Roger de

Mirepoix, et Saïssa du Congost, nièce de Raymond et d'Arnaud-Roger. Un enfant en bas âge enfin, le petit Esquieu de Mirepoix, fils de Pierre-Roger et de Philippa.

La suite civile et la domesticité des deux coseigneurs comprennent dix personnes. Raymond de Péreille et Pierre-Roger de Mirepoix ont chacun un bayle. Il y a quatre suivantes, et la nourrice du petit Esquieu, originaire de Camon et femme du bayle de Pierre-Roger, un Catalan nommé Ferrer – comme l'inquisiteur. Pierre-Roger a de surcroît un médecin-chirurgien personnel, Arnaud Rouquier, originaire de Belpech, qui est là avec sa femme et sa fille.

L'armée se compose, outre les douze chevaliers du clan seigneurial, de sept chevaliers *faidits* condamnés par contumace par l'Inquisition, plus un huitième, le seigneur de Scopont, aux confins du Lauragais et de l'Albigeois, si discret que l'Inquisition l'a jusque-là laissé en paix. L'un de ces *faidits* est Bérenger de Lavelanet qui, veuf, est installé à Montségur avec son bayle, son fils âgé de dix ans et ses deux filles, dont l'une a épousé le sergent Imbert de Salles. Aux chevaliers, il faut ajouter dix écuyers et cinquante-cinq hommes d'armes, sergents ou arbalétriers, d'origine géographique et de condition sociale fort diverses. Un arbalétrier, Guillaume Azéma, est un noble de Vals au pays de Mirepoix, mais les frères Narbona, de Carol en Cerdagne, sont apparemment des mercenaires catalans. A ajouter encore, dix messagers et agents de liaison qui arriveront à Montségur pendant le siège, et qui pourront éventuellement se joindre aux défenseurs, plus un ingénieur en catapultes. Soit un total de quatre-vingt-quinze combattants et auxiliaires : une garnison d'une importance inaccoutumé pour un *castrum* médiéval, et pour un site que ses seules défenses naturelles, déjà, rendaient remarquablement sûr[1]. Sans compter que sur les quatorze autres résidents dont on ne peut préciser le rôle, il y avait peut-être des soldats. On comprend que les sources ne parlent pas seulement d'une simple suite militaire (*familia*) mais parfois d'une véritable armée (*exercitus*).

On ne saurait oublier enfin seize femmes, en plus de celles qu'on a déjà mentionnées. Douze d'entre elles étaient des épouses ou des maîtresses de sergents.

La communauté religieuse n'est qu'en partie identifiable. A

---

1. Est-il besoin de rappeler qu'en occitan *Mont-segur* signifie *le Mont sûr* ?

partir du nombre de parfaits et de parfaits que les sources donnent comme ayant été brûlés le 16 mars 1244, et en tenant compte
à la fois des parfaits évadés avant le bûcher et des *consolés* de la
dernière heure, qui n'étaient pas des parfaits ni des parfaites de
profession, on peut estimer à deux cent onze personnes la
communauté religieuse surprise à Montségur par le siège. Seules
quarante-neuf d'entre elles sont nommément connues, trente-
quatre parfaits et quinze parfaites, les autres ayant eu sans doute
un rôle suffisamment effacé pour qu'aucun rescapé n'ait jugé bon
d'en parler.

A la tête de cette communauté religieuse, Bertrand Marty, évidemment, l'évêque du Toulousain, qui avait succédé vers 1240 à
Guilhabert de Castres. Il a à ses côtés Pierre Sirven, son *fils
mineur*. L'évêque du Razès aussi est là, Raymond Agulher. Et
puis plusieurs diacres : Guillaume Déjean, Pierre Bonnet, Raymond de Saint-Martin. Beaucoup manquent à l'appel : ils sont en
mission dans le bas pays. Les simples parfaits sont d'origine
diverse : Jean de Combel est chevalier de Laurac, Arnaud-
Raymond Gaut chevalier de Sorèze. Martin Roland est frère d'un
sergent. Outre les trois parfaites appartenant au clan seigneurial,
on connaît douze Bonnes Dames, dont leur supérieure Rixende
du Teilh. Soit quinze au total, à comparer aux vingt-deux identi-
fiées à partir de 1232[1] : les manquantes sont mortes de mort naturelle ou ont quitté Montségur avant le siège.

Les tâches de la vie collective sont réparties entre les diverses
communautés. Le *castrum* a un portier, le sergent Guillaume
Gironda. Il y a un meunier, le parfait Pons Aïs, qui est de
Moissac, et une fournière, la parfaite Guillelme Marty, de Mont-
ferrier. Nous savons que Bons Hommes et Bonnes Dames doivent obligatoirement travailler. Il y a chez les femmes des ateliers
de couturières. L'un fait de la confection féminine – voiles, chemises, gants – sous la direction de Marquésia Hunaud de Lanta.
Un autre produit des chausses pour les hommes. Les parfaits ont
un atelier de tailleurs qui fabrique des pourpoints pour les soldats
– c'est-à-dire des casaques en piqué, bien rembourrées. Un parfait, de son métier fabricant de bourses, confectionne aussi des
chaussures. Un autre est barbier.

Il est aisé, à travers ce rapide tableau, d'entrevoir les multiples
activités de ce qui est finalement un gros village de quelque

---

1. Cf. le chapitre précédent.

quatre cents personnes. Il est plus difficile de se représenter sa configuration exacte, car la construction du château dont on voit toujours les ruines, et qui doit dater de la fin du XIIIᵉ siècle ou du début du XIVᵉ, a emporté toute la partie centrale du *castrum* cathare, dont il ne subsiste plus que les terrasses d'habitats disposées en couronne autour de la plate-forme sommitale supportant l'actuelle forteresse. Celle-ci a donc détruit le « château de Pierre-Roger », le « donjon de Raymond de Péreille », dont parlent les rescapés. Ils parlent aussi d'hôtels, de maisons, de cabanes, de rues, d'une barbacane, des lices. Ils parlent d'un fossé, qui doit être la carrière qui servit à l'édification du village et de ses défenses. Le chroniqueur Guillaume de Puylaurens évoque un ouvrage fortifié situé « dans un angle de la montagne » : c'est l'édifice dont les parties basses ont été dégagées par les fouilles archéologiques au Roc de la Tour, à l'extrémité orientale de la crête dont le *castrum* occupe la partie occidentale[1].

Un assez grand flou plane sur les débuts du siège. Selon Arnaud-Roger de Mirepoix et Raymond de Péreille, l'armée du sénéchal était à pied d'œuvre – au moins en partie – à la fin mai 1243, un mois après le concile de Béziers. Il faudra plusieurs mois cependant pour que les communications de Montségur avec l'extérieur soient complètement coupées. Mais une chose néanmoins cessa immédiatement : le ravitaillement en vivres. Depuis quarante ans, si l'on excepte la pêche à laquelle les parfaits pouvaient se livrer dans le Lasset, Montségur, qui n'avait pas de terroir agricole, vivait du commerce que venaient y faire les paysans des villages d'alentour, Villeneuve, Massabrac, Fougax, Bélesta, Lavelanet, Dreuilhe, Laroque... Bien que ce fût formellement interdit par l'Église, ils vendaient aux résidents du vin, du blé, de l'huile, du sel, des légumes « et autres victuailles ». Quand, à la suite d'un hiver trop froid, comme en janvier 1234, la famine menaçait et que les paysans ne voulaient pas vendre, Pierre-Roger n'hésitait pas à descendre dans le bas pays avec ses soldats et à se faire livrer de force des marchandises. « Parfois on payait, parfois on ne payait pas... » Ces réquisitions étaient à l'occasion

---

1. A la bibliographie que j'ai donnée en 1989 dans *Mourir à Montségur*, ajouter : Michel BARRÈRE, « A Montségur, entre archéologues et historiens » ; André CZESKI, « Montségur, quelques résultats fournis par l'ensemble des fouilles » et « Résultats de fouilles de 1990 » ; Annie CAZENAVE, « Montségur, essai de datation de la forteresse actuelle » ; Michel ROQUEBERT, « Le *castrum* de 1204-1244 : l'apport des sources écrites » ; le tout dans *Historiens et archéologues*, actes du colloque 1990 du Centre René-Nelli, Berne, Peter Lang, 1992.

de pures et simples razzias, comme ce jour où Pierre-Roger s'en alla voler des vaches qui faisaient leur transhumance. D'autres fois, on trouvait des solutions plus honnêtes. Informés, en novembre 1242, que les habitants de Montségur n'avaient plus rien à manger, des croyants du Lauragais firent une grand collecte et envoyèrent en cachette un convoi de blé... Mais tout changea à partir du printemps 1243. « Ils n'osaient plus venir, par crainte des Français », dira un an plus tard Arnaud-Roger de Mirepoix en parlant des marchands clandestins. L'avenir montrera cependant que Montségur avait réussi à se constituer des réserves suffisantes pour tenir longtemps.

Pierre-Roger de Mirepoix eut un autre souci : la défense. Il put, au dernier moment, envoyer le bayle de Bérenger de Lavelanet acheter à Miglos, en haut comté de Foix, une douzaine de cordes et une poche de cuir pour servir à la catapulte. Le bayle revint avec, en plus, une arbalète. « Vers l'Ascension », donc vers le 21 mai, un habitant de Queille fit passer un pourpoint, un capel de fer et deux arbalètes, « en renfort contre l'armée des Français, alors que ceux-ci achevaient de mettre le siège », dira Raymond de Péreille. Quelques hommes, même, arrivèrent : un arbalétrier envoyé par Bernard d'Alion et Arnaud d'Usson, un habitant de la Bastide du Congost et son fils, un chevalier de Pieusse dans la vallée de l'Aude. Aucun d'eux ne manqua d'aller saluer dès son arrivée Bertrand Marty ni, par la suite, d'écouter ses sermons et ceux de ses compagnons.

Les débuts du siège

Longtemps, les assiégeants, faute de disposer de l'énorme effectif qu'aurait nécessité un blocus hermétique, ne purent faire mieux que de placer autour du rocher des postes de garde plus ou moins espacés les uns des autres. Longtemps, avec du courage et de l'astuce – et parfois quelques complicités dans les rangs des indigènes recrutés de force – on put passer à travers eux, dans un sens comme dans l'autre.

Dès le début du siège, les premiers morts sont signalés chez les défenseurs. Des victimes, certainement, d'accrochages survenus au cours de patrouilles de reconnaissance, car un assaut général aurait laissé des traces dans le souvenir des rescapés. Raymond de Ventenac, l'écuyer d'Arnaud-Roger de Mirepoix, fut mortellement blessé. Arnaud-Roger le fit transporter dans son propre hôtel. Il demanda le *consolament* et le reçut des mains de Raymond de Saint-Martin et Guillaume Razoul, puis expira. Arrivé à son chevet, le médecin, Arnaud Rouquier, n'avait rien pu pour lui. Courant juin tomba le sergent Sicard de Puivert, et un autre au mois d'août, Guillaume Gironda. Ce fut encore le diacre Raymond de Saint-Martin qui les *consola* tous deux.

Quelles pouvaient être les intentions des uns et des autres, des assiégeants comme des assiégés ? Qu'étaient-ils en mesure de faire, et d'espérer ? Certainement soucieux de prendre Montségur avant l'hiver, le sénéchal n'avait le choix qu'entre un assaut, opération terriblement difficile étant donné la configuration du site, et une guerre de positions et d'usure – mais qui pouvait savoir quand les défenseurs seraient à bout de forces, de munitions et de vivres ? Quant à Pierre-Roger de Mirepoix, on ne peut douter que son but ait été justement de tenir jusqu'à l'hiver – parce que celui-ci risquait de décourager les soldats du sénéchal.

Le chef de la garnison avait quand même en tête un souci bien particulier, dont on ne s'étonnerait que si l'on oubliait quelle était, au plan féodal, la situation juridique de Montségur. Sans doute le *castrum* rebelle faisait-il partie de la Terre du maréchal, pays de Mirepoix et pays d'Olmes réunis, vaste domaine donné en 1209 par Simon de Montfort à son compagnon Guy de Lévis, puis démembré du comté de Foix par le traité de 1229 et érigé en fief vassal immédiat de la couronne de France. Voilà ce que disait le droit des vainqueurs. Les *faidits* de Montségur voyaient les choses tout autrement ! Car si Raymond de Péreille, seigneur unique, jusqu'en 1232, de ce Montségur qu'il avait hérité de sa mère, était, au titre de ses domaines du pays d'Olmes, vassal du comte de Foix, il ne pouvait l'être que « sous réserve de la fidélité due au comte de Toulouse », comme le dit expressément un acte d'hommage des Péreille au comte Roger III de Foix, en 1137. Ce qui signifie que depuis un siècle au moins, les Péreille sont vassaux des comtes de Foix mais arrière-vassaux des comtes de Toulouse, parce que ces derniers détiennent sur le pays d'Olmes les droits de seigneurie supérieure : la fidélité due à Toulouse a le pas sur celle due à Foix. Pourquoi, depuis quand, on ne le sait pas. Mais, coseigneur de Montségur depuis 1232, Pierre-Roger, rebelle à Guy II de Lévis qui l'avait dépossédé, ne pouvait que s'inquiéter du seul seigneur supérieur qui était à ses yeux légitime, Raymond VII. Et s'en inquiéter d'autant plus qu'il n'avait rien à attendre du comte de Foix, lequel, ayant déclaré la guerre à Raymond à la fin de 1242, comme on l'a vu, avait justement envoyé des troupes contre une enclave toulousaine en pays d'Olmes, Nalzen, qu'étaient allés défendre des chevaliers *faidits* de Montségur...

Tout cela pour bien comprendre pourquoi Pierre-Roger s'entendit avec un sergent originaire du pays de Sault, Escot de Belcaire, qui vivait à Belvis, une bastide qui appartenait aux Niort. Pierre-Roger lui demanda d'aller s'informer pour savoir « si le comte de Toulouse menait à bien ses affaires ». Il fut convenu que si tout allait bien en effet, Escot allumerait un feu sur le Vidorle, un sommet proche de Belvis[1]. Quelques jours plus tard, le feu fut allumé, et par deux fois.

Sans doute Pierre-Roger estima-t-il nécessaire d'avoir confirmation et, si possible, des précisions. Il envoya deux sergents prendre contact, à Queille, avec son frère Isarn de Fanjeaux, afin de lui demander « de confirmer dans quelle mesure le comte de Toulouse menait à bien ses affaires ». Ils revinrent avec des nouvelles on ne peut plus rassurantes : « Le comte avait pris femme – il s'agit bien sûr de Marguerite de la Marche – il viendrait avant la Noël ; Pierre-Roger et tous ceux du *castrum* devaient tenir bon jusque-là... » Raymond VII s'était bien porté, en octobre 1240, devant Montréal, où s'étaient enfermés Trencavel et ses compagnons rebellés, pour négocier avec le sénéchal et le chambellan du roi la levée du siège. Qu'il intervienne, dès qu'il le pourrait, pour s'entremettre entre Hugues d'Arcis et les défenseurs de Montségur n'aurait rien eu d'extravagant. Mais pourquoi cette précision : « Avant la Noël » ? Parce qu'on était en juin ou juillet, que le comte s'apprêtait à aller en Italie voir le pape et l'empereur, et qu'il espérait en être revenu bien avant la fin de l'année.

L'été passa, l'automne vint. Après la mort des deux sergents Sicard de Puivert et Guillaume Gironda, ce fut le jeune écuyer Alzieu de Massabrac, un neveu de Raymond de Péreille, qui fut blessé vers la Saint-Michel, et dut rester alité. Il se remit quand même assez vite, puisqu'il put assister en octobre au *consolament* du sergent Guillaume Claret, mortellement blessé.

A peu de temps de là, en tout cas avant la Toussaint, arriva un parfait de Bélesta, porteur d'une lettre pour Bertrand Marty. Elle

---

1. Dans *Mourir à Montségur*, p. 373, corriger *Bidorte* (le *pech de Bidorta* de la copie du Manuscrit Doat, traditionnellement identifié sans preuve avec la montagne de la Frau) en *Vidorle* – qui signifie « le grelot » – attesté par la carte de l'I.G.N. 2247/Est (985 m d'altitude).

venait « des hérétiques de Crémone », c'est-à-dire de l'importante colonie de croyants et de parfaits languedociens déjà émigrés en Italie – et l'on en reparlera. On ne connaît pas le contenu de ce message. Arriva aussi, ou plutôt revint, le sergent Escot de Belcaire, envoyé cette fois par Raymond de Niort et sa femme Marquésia – la fille que Pierre-Roger avait eue d'un premier mariage. Il confirma au chef de la garnison que le comte de Toulouse « faisait bien ses affaires ». Mais il ne resta que deux jours et deux nuits. Pierre-Roger lui donna de l'argent, sans doute en salaire de la mission qu'il lui avait confiée au printemps.

Si l'on ne sait rien des combats qui émaillèrent les six premiers mois du siège, et qu'on infère seulement du fait que cinq membres de la garnison furent blessés, dont quatre mortellement, on a des témoignages directs, en revanche, sur la vie religieuse telle qu'elle se continuait au *castrum*. Frappante est d'abord l'osmose entre la communauté des Bons Hommes et des Bonnes Dames, et celle des laïcs, soldats compris. Les *consolaments* des soldats, même dans le cas d'un humble sergent, mercenaire peut-être, comme Guillaume Claret, ne sont pas donnés à la sauvette. Ce sont de vraies cérémonies qui mêlent hommes et femmes, nobles et roturiers, rassemblés autour du médecin-chirurgien – parfois lui-même accompagné de sa femme et de sa fille – et des parfaits venus officier : ils sont quatre au chevet de Raymond de Ventenac. Après le *consolament* de Guillaume Claret, quand tous les assistants l'eurent entendu réciter le *Pater*, ils échangèrent avec les parfaits, puis entre eux, le baiser de paix. Mais le plus spectaculaire sans doute, c'est l'assistance qui se presse aux sermons de Bertrand Marty. Il semble qu'une maison ait été spécialement réservée à cet effet, et suffisamment grande pour accueillir plusieurs dizaines de personnes. Tel se souviendra particulièrement du sermon de la Toussaint, de celui de l'Avent. Dresser la liste des fidèles, ce serait inventorier de nouveau la population du *castrum* : il y a les seigneurs et toute leur parentèle, les chevaliers faidits, le médecin et sa famille, les écuyers, les sergents et leurs maîtresses... Pas forcément, tous, des croyants très convaincus et très instruits dans la religion des Bons Hommes ; mais la prégnance du groupe est telle que personne, sans doute, n'a l'idée de se distinguer des autres.

Il n'y a pas que les sermons. Multiples sont les petites visites privées, quelques personnes, parfois deux seulement, faites aux parfaits et aux parfaites. Deux sergents vont chez India de

Fanjeaux partager le pain qu'elle a béni. Tels autres vont partager le repas de Bertrand Marty lui-même, d'autres celui de Saïssa du Congost ou de Raymonde de Cuq, etc.

Les moments décisifs

C'est en décembre que se produisit l'événement décisif. Il arrive souvent, c'est observable en tout cas de nos jours, qu'il ne neige pas à Montségur avant la mi-janvier, voire avant février. Il est donc tout à fait compréhensible que le sénéchal ait tenté de débloquer la situation et de se rendre maître du *castrum* avant Noël. Comment il s'y prit, seul Guillaume de Puylaurens le raconte : « Des valets armés à la légère furent envoyés avec des hommes qui connaissaient l'endroit ; ils organisèrent de nuit une ascension par des abrupts horribles. Conduits par le Seigneur, ils parvinrent à un ouvrage situé dans un angle de la montagne. Ayant surpris les sentinelles, ils occupèrent ce fortin et passèrent par l'épée ceux qu'ils trouvèrent. Le jour venu, à peu près au niveau des autres, qui occupaient la plus grande position, ils se mirent à les attaquer fortement. [...] Quand ils les eurent enfermés au sommet, un accès plus facile fut aménagé pour le reste de l'armée. »

Mille gloses ont souvent déformé et compliqué ce récit, très clair cependant et facile à comprendre si l'on connaît bien le site et si l'on prend la peine de refaire le chemin des assaillants. Un commando de soldats légèrement armés, sans doute des mercenaires recrutés dans le pays puisqu'ils connaissaient les lieux, a escaladé de nuit le Roc de la Tour, au-dessus des gorges du Lasset, et s'est emparé par surprise du poste de guet après avoir tué les sentinelles. Voici donc que les assaillants ont pris pied sur la montagne, à l'extrémité de sa crête orientale. « La plus grande position » occupée par les défenseurs, c'est-à-dire le *castrum*, se trouve à l'autre extrémité de la crête, à 800 mètres de là, et, en dénivelé, 350 mètres plus haut[1]. L'objectif des attaquants va donc être de progresser le long de cette crête fort pentue jusqu'aux premières défenses du *castrum* : sa barbacane orientale. L'évidente impossibilité d'attaquer par le chemin d'accès normal, situé sur la pente sud, trop découvert, trop exposé au tir des défenseurs

---

1. Le Roc de la Tour est à 850 m d'altitude, le castrum à 1 207.

et ne présentant aucun point d'appui intermédiaire, avait donc suggéré une autre solution. Le Roc de la Tour offrait en effet une base avancée idéale pour acheminer directement sur la crête des renforts en hommes et, en pièces détachées, du matériel d'attaque.

On ne peut douter que dans leur progression vers le *castrum* les assaillants n'aient rencontré de grandes difficultés : il y avait la pente du terrain, son irrégularité, ses nombreux ressauts, et les vraisemblables intempéries de décembre – même s'il ne neigeait pas encore. Il y eut aussi la résistance des défenseurs : les archéologues ont trouvé tellement de fers de trait au Roc de la Tour – flèches d'arc ou carreaux d'arbalète – qu'on ne peut les attribuer qu'à des contre-attaques. Les défenseurs ne reprirent pas la tour de guet, mais il est aisé d'imaginer que, jusqu'au *castrum*, et favorisés par leur position dominante, ils ne cédèrent le terrain que pas à pas. Un jour, les catapultes entrèrent en jeu. Les sources parlent en effet des machines des contingents venus d'Albi, de celles des soldats du roi, et l'on sait par ailleurs que les défenseurs en avaient, au départ, au moins une. Imaginer des duels d'artillerie sur un tel site ! On serait presque incrédule si les énormes boulets taillés dans le calcaire, encore éparpillés dans la forêt qui recouvre aujourd'hui la crête, ne témoignaient de ces combats.

Avant que Noël n'arrivât, Bertrand Marty décida de mettre en sécurité le trésor de la communauté religieuse. On confia « l'or, l'argent, et une quantité infinie de monnaie » au diacre Pierre Bonnet et au parfait Mathieu. Que ce fût par hasard ou exprès, toujours est-il qu'une fois descendus de Montségur ils tombèrent sur des postes de garde tenus par des gens de Camon – des voisins, ou presque, en tout cas des compatriotes, qui les laissèrent passer et leur indiquèrent même le chemin le plus sûr. Les deux Bons Hommes allèrent cacher leur précieux chargement dans une *spulga*, une grotte fortifiée du haut comté de Foix, dont la seule chose qu'on sache est qu'elle était tenue par un châtelain du comte, Pons Arnaud de Châteauverdun. Inutile de rêver à l'infini sur ce trésor, qui n'était pas autre chose que la trésorerie de l'Église de Montségur, constituée par les dons et les legs des croyants, sans doute aussi le produit du travail des parfaits et des parfaites. Astreint depuis sa fondation, en ce qui concernait l'alimentation, les objets de la vie quotidienne et les matières premières nécessaires à l'artisanat de transformation, à une pure économie d'échange, et non de production, Montségur avait toujours eu besoin d'un abondant numéraire. Le siège, qui obligeait désormais à ne vivre que sur les réserves, rendait inutile de garder cet argent au *castrum*. Mieux valait le cacher, et si le pire arrivait il servirait à d'autres Bons Hommes, et non pas au sénéchal du roi...

Dans les tout premiers jours de janvier, arriva, de nuit, un homme venu de loin et qui allait être particulièrement précieux à la garnison, Bertrand de *la Bacalaria*, « de Capdenac », est-il précisé. Il venait donc de cette ferme de Capdenac-le-Haut, sur le Lot, qui se nomme toujours La Vacalerie, et c'était un *machinator*, littéralement un fabricant d'engins – autrement dit un ingénieur en catapultes. Les témoins disent qu'il en construisit en effet, pour répondre « aux machines du roi ». Ils disent aussi que tout le monde savait qu'il avait été envoyé par un bayle du comte de Toulouse, Bertrand de Laroque.

A peu près en même temps que lui, arriva un habitant de Saint-Paul-Cap-de-Joux, Jean Rey, porteur, à l'intention de Bertrand Marty, d'une nouvelle lettre de l'évêque des cathares languedociens émigrés à Crémone. Il disait que son Église vivait « dans la tranquillité et la paix », et demandait à Bertrand de lui envoyer deux Bons Hommes pour lui donner de ses nouvelles.

Les événements devaient cependant se précipiter dans les premières semaines de 1244. « Entre Noël et Carnaval », c'est-à-dire avant le 14 février, les assaillants – des Français renforcés de Gascons – furent à pied d'œuvre pour lancer une attaque contre le *castrum*, « avec des échelles ». Mais un guetteur donna l'alarme, et cet assaut fut repoussé alors même que les assaillants commençaient à escalader les premières défenses du village – les restes de murs dégagés sur le site nommé par les archéologues « la barbacane de l'est ». Fut-ce en repoussant cet assaut, ou bien en recevant un lourd projectile ? toujours est-il qu'entre Noël et Carnaval le jeune chevalier Jourdain du Mas – on l'appelait Jordanet, et c'était le fils d'un des coseigneurs du Mas-Saintes-Puelles, donc le petit-fils de la parfaite Garsende brûlée par l'Inquisition – fut mortellement blessé dans la barbacane. Il fut *consolé* sur place, devant plusieurs de ses compagnons d'armes, par le *fils mineur* Pierre Sirven et le diacre Raymond de Saint-Martin, et ce bien qu'il ait perdu l'usage de la parole ; car il avait fait par avance sa *convenenza*. L'échange du baiser de paix suivit la cérémonie. Tombèrent aussi, dans les mêmes semaines, le sergent Bernard Rouain, ainsi que le chevalier Bertrand de Bardenac, que les mêmes Bons Hommes *consolèrent* dans la cabane du sergent Guillaume Garnier où on l'avait transporté. On vit alors un certain nombre de chevaliers et de sergents, craignant d'être surpris par une mort brutale, faire à leur tour avec l'évêque la *convenenza* qui leur garantissait de recevoir le sacrement, même s'ils étaient dans le coma.

Assurément, à la mi-février, la situation des défenseurs avait gravement empiré. Il est tout de même extraordinaire que dans la semaine du 14 au 21, ils aient reçu en renfort des hommes et des armes ! Le parfait Mathieu revint de sa mission avec deux sergents, deux arbalètes, un capel de fer... « et de l'argent pour pouvoir engager des partisans contre les Français qui assiégeaient le *castrum* » ! L'un des deux sergents, envoyé par Isarn de Fanjeaux, le frère de Pierre-Roger, dit à ce dernier de tenir jusqu'à Pâques – 3 avril – « car le comte de Toulouse arrivait dans le pays, avec un grand renfort de l'empereur... ». Comme lors de son départ avec Pierre Bonnet, Mathieu, à son retour, était passé avec ses deux compagnons par les postes tenus par les hommes de Camon.

Vers le 26 février, le sergent Bernard de Carcassonne fut blessé, et *consolé* chez Bertrand Marty lui-même avant de mourir. « Nous courions en tout sens à cause des attaques », racontera trois semaines plus tard à l'inquisiteur Ferrer Alazaïs, la sœur de Raymond de Péreille. Un autre sergent, Arnaud de Bensa, fut blessé et *consolé*, mais, apparemment, survécut – ce qui dut l'envoyer quinze jours plus tard au bûcher. Toujours à la fin de février, le *faidit* Guillaume de Lahille, chevalier de Laurac, fut grièvement blessé. On le porta chez Bertrand Marty. Six dames de la noblesse du *castrum*, dont les épouses de Raymond de Péreille, d'Arnaud-Roger et de Pierre-Roger de Mirepoix, allèrent lui rendre visite, et en profitèrent pour faire avec l'évêque leur *convenenza*. Le 1er mars, ce fut le bayle de Pierre-Roger, le Catalan Ferrer, qui fut tué. C'est la dernière victime connue des combats de Montségur.

La reddition et le bûcher

On peut sans peine imaginer maintenant la situation des habitants, pilonnés sans répit par des boulets de quatre-vingts kilos qui crevaient les toitures et fracassaient les maisons à pans de bois, exposés à la pluie des carreaux d'arbalète et des flèches, à la merci, enfin, d'un nouvel assaut qui, s'il réussissait, entraînerait – c'était la règle – un massacre général. Sans compter que, même si l'hiver fut exceptionnellement doux – aucun témoin ne fait en effet allusion à la neige ou au froid – vivre en cette saison à 1 200 mètres d'altitude, avec des blessés, dans un village chaque jour un peu plus ruiné, exigeait une énergie désespérée.

Le 2 mars, Pierre-Roger, certainement avec l'accord de Bertrand Marty, demanda à parlementer avec le sénéchal. D'autres avaient essayé de le faire avant lui, comme Imbert de Salles, mais Pierre-Roger l'avait vertement rabroué et, pour la peine, lui avait confisqué son équipement. Hugues d'Arcis, impatient d'en terminer, accepta les conditions auxquelles Pierre-Roger offrait de capituler : une trêve de quinze jours avant de livrer le *castrum* « à l'Église et au roi », et une amnistie générale pour l'affaire d'Avignonet. Les vainqueurs aussi exposèrent leurs exigences. Pierre-Roger devait donner immédiatement des otages ; parfaits et parfaites seraient livrés aux représentants de l'Église, qui les sommeraient d'abjurer ; ceux et celles qui refuseraient seraient immédiatement livrés au bûcher. Les autres résidents de Montségur, hommes et femmes, chevaliers et sergents, seraient interrogés par l'inquisiteur Ferrer et ses collègues. En effet, dix-huit procédures conduites du 10 mars – date de l'interrogatoire d'un otage – au 27 mai 1244 ont été conservées. Un dix-neuvième interrogatoire aura lieu, mais en mai 1245 seulement, et par Bernard de Caux. On ne sait pas s'il y en eut d'autres, qui seraient aujourd'hui perdus.

Parfaits et parfaites occupèrent la trêve à mettre de l'ordre dans leurs affaires, distribuant aux chevaliers et aux sergents ce qu'il leur restait de blé, de fèves, d'huile, de sel et de poivre, de cire, et le peu d'argent qu'ils avaient gardé par-devers eux. Qui donna une couverture, qui un bonnet de lin, qui une bourse... On donna aussi à Pierre-Roger « une couverture remplie d'argent ». Cet argent-là n'appartenait pas à l'Église cathare mais aux croyants, qui l'avaient remis en dépôt aux parfaits comme on aurait fait à une banque ou à une caisse d'épargne...

C'est au cours de la trêve que l'ingénieur Bertrand de la Vacalerie, réunissant dans la lice les chevaliers et les sergents, leur assura qu'il avait été envoyé à leur rescousse, de la part du comte Raymond VII lui-même, par son lieutenant Sicard Alaman et son bayle Bertrand de Laroque. « Si nous pouvons tenir huit jours encore, nous serons libérés... » Il est légitime alors de penser que si Pierre-Roger avait exigé cette trêve de quinze jours, c'était bien pour se donner une ultime chance de voir arriver le secours espéré. Hélas ! Raymond VII était toujours en Italie, où les difficiles négociations qu'il menait entre le pape et l'empereur l'avaient retenu bien plus longtemps qu'il ne l'avait prévu, et allaient le retenir pour de longs mois encore...

Le jour fatal, fixé par la trêve au mercredi 16 mars, approchait. Or il se passa, le dimanche 13, un fait étonnant. Vingt et un croyants et croyantes demandèrent à Bertrand Marty et à Raymond Agulher de leur donner le *consolament*, ce qui les vouait inéluctablement à partager le 16 le sort des parfaits et des parfaites qui n'abjureraient pas. Il y avait la femme et une fille de Raymond de Péreille, Corba et Esclarmonde ; quatre chevaliers *faidits* – Guillaume de Lahille, Raymond de Marceille, Brézilhac de Cailhavel et Bernard de Saint-Martin ; l'écuyer de Raymond de Marceille, Guillaume Narbona ; l'arbalétrier Raymond de Belvis ; six sergents, dont deux avec leur femme ; un marchand de Mirepoix, deux agents de liaison, dont Jean Rey, celui qui avait apporté la lettre de Crémone ; deux autres femmes enfin, dont une, Guillelme Aicart, abandonnait ainsi un mari et deux enfants. Bertrand Marty *consola* ceux qui étaient originaires de son évêché, Raymond Agulher ceux qui étaient du Razès, tel Raymond de Marceille, preuve que la structure ecclésiale fut respectée et fonctionna jusqu'à l'extrême limite.

Corba de Péreille se retira le jour même dans la maison de parfaites dirigée par Raymonde de Cuq. Le soir, six de ses parentes vinrent la voir et partager son repas. Le surlendemain, Arpaïx, femme de Guiraud de Rabat, et Philippa, la femme de Pierre-Roger de Mirepoix, toutes deux filles de Raymond de Péreille et de Corba, allèrent à leur tour voir leur mère : « Nous l'avons *adorée*, après quoi nous prîmes congé d'elle et des autres, et rentrâmes chez nous. C'était mardi, et le lendemain les hérétiques furent brusquement arrachés de Montségur et brûlés... » déclare Arpaïx elle-même, interrogée dès le vendredi par Ferrer.

A l'aube du mercredi 16, donc, Hugues d'Arcis vint prendre possession du *castrum* au nom du roi. L'archevêque Pierre Amiel fit rassembler les parfaits et les parfaites et leur demanda d'abjurer et de se convertir à la foi catholique. Pas un ne voulut. On dressa alors au pied de la montagne un enclos fait de pals et de pieux, que l'on remplit de bois auquel on mit le feu. Deux cent vingt-quatre Bons Hommes et Bonnes Dames y furent jetés, sans doute à l'aide d'échelles dressées contre la palissade. Une parfaite arrêtée avec les autres, Alazaïs Raseire, fut cependant conduite à Bram, dont elle était originaire, et ce fut là qu'on la brûla. De ceux – y compris les *consolés* du 13 mars – qui moururent au pied de Montségur, on ne connaît, à ce jour, que dix-neuf femmes et quarante-quatre hommes. Les noms des autres se sont perdus avec leurs cendres.

On notera que même si les inquisiteurs étaient présents sur les lieux, ce qui n'est pas certain du tout, le bûcher de Montségur ne fut pas un bûcher d'Inquisition : il n'y eut ni tribunal, ni procès, ni sentence. Hugues d'Arcis au nom du roi, Pierre Amiel au nom de l'Église, en étaient spontanément revenus aux bûchers de croisade, comme aux jours les plus sombres où Simon de Montfort et Arnaud Amaury, main dans la main, brûlaient en masse, « avec une grande joie ».

Mais l'histoire de Montségur ne s'arrête pas là. On sait par quatre rescapés que dans la nuit du mardi 15 au mercredi 16 Pierre-Roger de Mirepoix cacha quatre parfaits « sous terre » – il y a plusieurs avens sur la montagne de Montségur – puis qu'ils descendirent « sous le *castrum*, par le précipice, à l'aide d'une corde ». C'étaient Amiel Aicard, un certain Peytavi qui est sans aucun doute le parfait toulousain Peytavi Laurent, un prénommé Hugues qui ne peut être que Hugues Domergue, un parfait venu de Caraman ; les sources ne nomment pas le quatrième, mais il doit s'agir de Pierre Sabatier[1]. Ils n'emportaient rien avec eux[2] ; leur départ avait une raison bien simple : « C'était pour que l'Église ne perde pas son trésor, qui était caché dans les bois, ils le savaient. » Donc pour récupérer purement et simplement l'or et l'argent évacués vers la Noël par Mathieu et Bonnet. Mathieu, revenu à la mi-février, avait eu tout le loisir d'expliquer à ses compagnons dans quelle grotte s'ouvrant dans quelle forêt il avait déposé son chargement. Les quatre évadés de la dernière heure l'ont-ils récupéré ? C'est tout à fait possible. On sait qu'ils allèrent à Caussou, puis à Prades d'Alion, et de là à Usson, où

1. J'appuie mon identification sur le fait que les parfaits Peytavi, Hugues et Pierre Sabatier, attestés pendant le siège, le sont aussi après. Ils n'ont donc pas été brûlés.
2. Leur faire emporter un mystérieux trésor enveloppé dans une couverture ou un baluchon résulte d'une confusion entre plusieurs informations fournies par les rescapés, voire d'une manipulation malhonnête et fantasmatique des sources.

ils retrouvèrent Mathieu. Mais le plus important n'est pas là. Souvenons-nous que l'évêque de Crémone avait demandé à Bertrand Marty de lui envoyer deux de ses compagnons pour lui donner de ses nouvelles. Or Peytavi Laurent et Pierre Sabatier se retrouvent bel et bien plus tard en Italie... Il y a gros à parier qu'en même temps que la nouvelle de la fin de Montségur, ils ont emporté avec eux, à l'instar de ce que firent bien d'autres communautés cathares, le trésor de leur Église...

Quant aux rescapés, qui eurent la vie sauve et dont un certain nombre, on l'a dit, furent interrogés par l'Inquisition, l'histoire ne parle plus d'eux – pas même de Raymond de Péreille. De Pierre-Roger de Mirepoix, on sait seulement que quinze ans plus tard il était encore *faidit* et exhérédé. Un Pierre-Roger de Mirepoix apparaît bien des divers documents jusqu'en 1284, mais c'est un de ses neveux, entré au service du roi. Un seul des défenseurs donnera vraiment signe de vie, le seigneur Bernard de Scopont : interrogé par Bernard de Caux en mai 1245, avec les autres habitants de Scopont, où il était revenu, il partit pour l'Italie, où il se fit ordonner parfait...

Montségur fut remis à Guy II de Lévis, à qui le site appartenait par droit de conquête. Guy en fit hommage au roi, à Paris, en juillet 1245, mais, conformément à la législation canonique, qui exigeait qu'on rase les maisons où avaient vécu et prêché des hérétiques, et au vœu du roi, qui avait demandé dès mars 1241 sa destruction, le lieu n'était plus que ruines. Le remaniement en prose de la *Chanson de la croisade*, rédigé un siècle et demi plus tard environ, dit bien, d'ailleurs – même s'il se trompe de date –, qu'à cause des hérétiques Montségur « fut pris, abattu et rasé (*abatut e arasat*) et ses habitants jetés au feu et brûlés ». La forteresse que fit édifier sur les vestiges du *castrum* cathare le fils ou le petit-fils de Guy II, on ne sait, fut un puissant poste militaire, mais jamais une résidence seigneuriale. Quand un habitat se reconstitua, à la fin du XIIIᵉ siècle, ce fut au pied de la montagne, à peu près à l'emplacement du village actuel.

15

De Ferrer à Bernard de Caux

Quand Raymond VII revint enfin d'Italie, Montségur était tombé depuis six mois déjà. Entre-temps, la grande politique avait évidemment pris le pas sur un événement que les nouvelles donnes reléguaient au rang d'une affaire locale. On voit bien, avec le recul, que Montségur n'avait été qu'un pion sur l'échiquier politique du comte, il s'en était servi, par massacre d'inquisiteurs interposé, pour déclencher l'insurrection du pays ; sans doute avait-il projeté, au printemps 1243, de s'entremettre à son retour entre le sénéchal du roi et ses propres arrière-vassaux assiégés mais, en octobre 1244, les jeux étaient faits. Raymond était tout aux succès que son voyage lui avait valus, et ce fut un prince triomphant, au blason largement redoré après l'humiliant échec de 1242, qui rentra à Toulouse.

La paix durable qu'il avait espéré faire conclure entre le Saint-Siège et l'Empire n'était certes pas chose acquise, mais, grâce à lui, on en était passé tout près. L'essentiel était qu'à la faveur de sa diplomatie pacificatrice il avait obtenu, pour lui, deux choses : de l'empereur, la restitution du marquisat de Provence ; du Saint-Père, la levée de son excommunication et son absolution, officiellement publiées par l'archevêque de Narbonne le 14 mars – l'avant-veille du bûcher de Montségur ! En paix avec tout le monde, l'empereur, le pape, le roi, les prélats de ses États, comte et marquis à part entière, et reconnu comme tel, il réunit sa cour plénière au Château Narbonnais à la Noël, et y donna une fête somptueuse au cours de laquelle il arma deux cents nouveaux chevaliers, dont son plus proche conseiller, Sicard Alaman, le comte de Comminges, le vicomte de Lautrec, etc. Dès novembre, il avait tenu à recevoir l'hommage de ses grands et petits vassaux ;

en janvier, il chevaucha à travers ses domaines en compagnie des évêques de Toulouse et d'Albi, du comte de Comminges, du vicomte de Narbonne et de maints autres seigneurs de haut rang, recevant partout de nouveaux hommages et des serments de fidélité, comme s'il avait voulu faire entériner par ses propres sujets, deux ans après sa capitulation de Saint-Rome, la restauration de son honneur et de sa puissance...

Il est un point cependant sur lequel il n'avait pas réussi à obtenir gain de cause auprès d'Innocent IV : la suppression de l'Inquisition dominicaine et le retour, en matière de lutte contre l'hérésie, aux juridictions ordinaires. Dès son élection, on l'a dit, le nouveau pape, en refusant la démission des Frères inquisiteurs, avait bel et bien confirmé les pouvoirs de l'Office. Du même coup, il avait prescrit au haut clergé local d'aider celui-ci dans sa tâche. C'était en juillet 1243. Mais peut-être faut-il voir l'influence de Raymond VII dans l'infléchissement certain de son attitude à la fin de cette même année : car le concile qui se réunit alors à Narbonne sous la présidence de Pierre Amiel, et auquel assista le légat pontifical, œuvra très clairement pour que, sans rien enlever de ses pouvoirs à l'Inquisition dominicaine, le haut clergé occitan ne fût pas rabaissé dans ses prérogatives. Autrement dit pour que les deux institutions se respectent et collaborent. On verra que c'était presque tenter de résoudre la quadrature du cercle, mais enfin tout le monde semble – pour l'instant – y avoir mis de la bonne volonté. Les vingt-neuf canons du concile furent en effet présentés comme les réponses des prélats à des questions posées par les inquisiteurs. Sans rien changer à la procédure en vigueur, ces réponses précisaient certains points de détail sur lesquels la jurisprudence était mal ou pas du tout établie. Bref, les Frères daignaient consulter les prélats. Ceux-ci, en retour, reconnaissaient la validité de leur mandat apostolique et leur fournissaient « aide et conseil ».

Ferrer : un tribunal intérimaire

On était très loin de ce qu'avait souhaité Raymond VII. L'Inquisition pouvait continuer son travail sans obstacles. Seul handicap, peut-être, pour elle, le fait que Ferrer, depuis l'été 1242, avait à charge à la fois le tribunal de Carcassonne et à titre intérimaire celui de Toulouse, du moins de la majeure part de sa juridiction : tout le diocèse de Toulouse, qui était fort vaste – il englobait le comté de Foix –, sauf, afin de soulager un peu sa tâche, les archidiaconés de Villemur et de Villelongue, c'est-à-dire le nord de Toulouse entre le Tarn et la Garonne, confiés aux deux inquisiteurs alors en charge de l'Agenais, Bernard de Caux et Jean de Saint-Pierre.

Curieusement, les seuls interrogatoires menés par Ferrer qui nous soient parvenus concernent le ressort de son intérim, et non son ressort principal. Échelonnés d'octobre 1242 à septembre 1244, ils concernent en effet cinquante-neuf habitants de la partie la plus orientale du diocèse de Toulouse – Lauragais, Sud-Albigeois, ouest de la Montagne Noire – et dix-huit rescapés de Montségur, plus trois habitants de Mirepoix et un de Miglos, qui relevaient normalement de l'Inquisition toulousaine. Quatre autres étaient originaires des diocèses de Carcassonne ou d'Albi, mais furent interrogés sur le Lauragais. A ces procès-verbaux d'interrogatoires il faut ajouter deux sentences publiquement lues à Castres en août 1244, « sur l'esplanade devant le château », la première condamnant à la prison perpétuelle quatorze personnes, toutes nobles, dont plusieurs étaient de Fanjeaux, la seconde ordonnant de déterrer le corps d'un habitant de Montégut près d'Albi, et de le brûler. Tout cela n'est cependant qu'une faible partie des procédures de Ferrer : d'un registre de confirmations d'aveux faites devant lui en 1243 on n'a conservé que deux pages Deux cent quarante et un habitants du Lauragais diront par ailleurs, plus tard, avoir comparu devant lui, mais ces interrogatoires-là sont perdus.

Le dominicain catalan n'était pas un nouveau venu, en 1242, dans la lutte contre l'hérésie. On a même vu son zèle provoquer quelques émeutes à Narbonne dès 1234[1]. Il se fit chez les dominicains la réputation d'un juge intraitable : Bernard Gui, en jouant sur le nom de *Ferrer*, qui signifie en catalan « forgeron », évoque à son propos la *virga ferrea*, la « verge de fer » de l'Apocalypse. Son confrère Guillaume Pelhisson assure de son côté que les habitants d'Albi eurent beaucoup à craindre de lui, et qu'il en fit même brûler plusieurs. Car il enquêta en Albigeois, et des dépositions de 1253 révèlent qu'il y fit dresser une dizaine de bûchers et procéda à une vingtaine de confiscations de biens.

Consciencieusement menés, ses interrogatoires n'ont ni le

1. Cf. ci-dessus, chap. 11

laconisme parfois expéditif de ceux de son successeur immédiat Bernard de Caux, ni les vivants et pittoresques développements de ceux qui font de nos jours la réputation de Jacques Fournier, providence des historiens socio-ethnologues comme des romanciers. Les petites notations que les notaires de Ferrer ont consignées, même souvent très brèves, sont d'un incomparable intérêt, notamment pour l'histoire du siège de Montségur et l'approche de sa population. Sans lui, nous n'en connaîtrions à peu près rien. Ferrer s'est fait sans le savoir le mémorialiste du haut lieu de l'Église qu'il pourchassait. Au-delà même de Montségur, d'ailleurs, ce qui nous est parvenu de lui est extrêmement précieux pour la connaissance, au quotidien, de la société cathare.

Il a travaillé avec quatre collègues successifs. Le premier, Pierre d'Alès, était un ancien prieur des moniales de Prouille puis du couvent de Toulouse. De Guillaume Raymond, il est impossible de savoir s'il s'agit du Toulousain ainsi nommé qui avait été l'un des premiers compagnons de Dominique de Guzman ou, déjà, du dominicain bordelais Guillaume Raymond de Pierrecouverte, prieur du couvent de Bordeaux puis de celui de Narbonne, qu'on retrouvera inquisiteur en 1258. Pons Gary, collègue de Ferrer pendant toute l'année 1243, paraît avoir été de Fanjeaux, où l'on connaît trois frères Gary, un marchand croyant cathare, un consul, et un Frère prêcheur prieur, successivement, des couvents de Carcassonne, Montauban, Castres et Pamiers. Le quatrième et dernier, Pierre Durand, avec qui il interrogea les gens de Montségur, n'est pas autrement connu. Parmi les sept notaires qui tour à tour rédigèrent et authentifièrent les aveux recueillis par Ferrer et ses collègues, on note deux moines de Conques-Minervois, un notaire public venu de Béziers, un autre de Narbonne, un dominicain qui était clerc du comte de Toulouse. Enfin, pendant les audiences, les deux juges étaient assistés de témoins dont le notaire nota les noms à la fin de chaque interrogatoire. C'étaient, en principe, des conseillers qui devaient délibérer avec les juges pour déterminer la sentence, mais leur présence ne fut parfois que de pure forme. Leur nombre allait de deux à dix, il était souvent fonction de la personnalité du prévenu. C'étaient surtout des curés de paroisse, parfois un prieur ou un évêque, plus rarement des laïcs, chevaliers ou bayles.

Parfaits et croyants

Le drame de mai 1242 a servi de leçon : Ferrer et ses collègues ne vont pas se risquer sur les routes, on sait ce qu'il en a coûté à Guillaume Arnaud et Étienne de Saint-Thibéry de courir d'un village à un autre, autrement dit de sillonner un pays évidemment hostile. Prudent, Ferrer s'installe en des lieux sûrs, l'abbaye de Conques sur l'Orbiel, celle de Castres ou celle d'Alet, ou encore Saissac, ou Limoux, et il convoque les gens qu'il veut entendre. Il fera école : en 1245 et 1246, Bernard de Caux fera venir à Toulouse le Lauragais tout entier... Mais cela n'empêchera pas un courrier de l'Inquisition qui transportait des registres d'être attaqué sur un chemin, près de Caunes, en 1247 ; il fut tué, et son chargement brûlé...

La noblesse se taille la part du lion dans ces procédures : cinquante-quatre seigneurs, chevaliers et dames ; soit nettement plus de la moitié des interrogatoires conservés. Mais on trouve aussi des artisans et des gens de très humble condition, un barbier de Mirepoix qui avait été un agent particulièrement actif des parfaits de Montségur, Pierre de Flairan ; un charpentier d'Hautpoul dans la Montagne Noire ; un cordier de Burlats ; cinq laboureurs du Lauragais, etc.

Des trois parfaites que Ferrer interrogea, deux étaient nobles : Arnaude de Lamothe, arrêtée l'été 1243 dans le bois de Sainte-Foy-d'Aigrefeuille après dix années de fuite éperdue à travers tout le Lauragais, et Dias de Saint-Germier, arrêtée dans le bois de Caragoudes en mai de la même année, et qui raconta son ordination à Montségur par Bertrand Marty[1]. La troisième, Jeanne Delpas, était de Bannières, entre Lavaur et Caraman ; arrêtée à la Pentecôte 1243 dans le bois de Caragoudes elle aussi, et incarcérée à Toulouse, elle s'évada, mais fut reprise en novembre près de Saint-Germier par le curé du Faget. Elle avait quinze ans. Toutes trois abjurèrent.

Des six parfaits qu'il entendit aussi, le Catalan Arnaud de Bretos avait été arrêté au pays d'Alion, Raymond Carabasse dans une grotte du piémont de la Montagne Noire, Guillaume Tardieu dans un bois du Lauragais, près de Labécède. En revanche, l'Albigeois Raymond Déjean était un vieux converti : il avait spontanément abjuré en 1235 entre les mains de l'évêque d'Albi. Si

1. Cf. ci-dessus, chap. 12.

Ferrer l'interrogea, ce fut pour avoir des renseignements sur le Lauragais, voire sur la Catalogne, où il était allé. Renégat aussi, Bernard de Padiers, de Lavinières en Cabardès, un ancien diacre catholique qui assura n'avoir été parfait qu'un mois... mais croyant pendant seize ans ! Quant au vieux Gaucelin de Miraval, un ancien meurtrier ordonné de force parfait près de cinquante ans plus tôt, il prétendit ne pas l'être resté longtemps, ce qui était certainement vrai.

Si l'on peut dresser un bilan sur un ensemble de procédures somme toute très incomplet, on constate que Ferrer n'a pris que du menu fretin. Il faut dire qu'il a joué de malchance : on avait bien arrêté un diacre cathare près de Lanta, Pons de Sainte-Foy, mais il s'évada ou fut racheté contre rançon par des croyants avant son transfert à Toulouse. Parfaits et parfaites que Ferrer fit brûler, faute d'avoir réussi à les convertir, n'avaient pas joué un rôle éminent au sein de leur Église : Guillelme Cairol, la *sòcia* d'Arnaude de Lamothe, capturée avec elle, ainsi que sa fille Guillemette ; Maentia de Fontbonne ; une mère et sa fille, de Saint-Martin-Lalande ; un parfait de Montgaillard et son petit-fils, brûlés à Castelnaudary à Pâques 1243 ; Raymonde de Bannières, brûlée à Laurac, tandis que sa petite-fille, qui la cachait, fut marquée au fer rouge sur le front ; plus une dizaine d'autres. Une prise de choix, en revanche, fut celle du diacre de Saint-Paul-Cap-de-Joux, Guillaume Ricard, capturé lui aussi au bois de Caragoudes, avec son *sòci*. Comme tous deux refusèrent d'abjurer, ils furent livrés au bras séculier, et brûlés.

Des croyants que Ferrer interrogea se détachent quelques personnages d'un grand intérêt, et même de fameux auxiliaires de l'Église interdite. On citera bien sûr Bernard-Othon de Niort en personne, libéré des prisons de Carcassonne après la soumission de son frère Géraud, et qui savait tant de choses ! Il fut interrogé au titre de seigneur de Laurac, dès novembre 1242. En décembre 1245, Guillaume-Raymond le fera venir à Limoux pour l'entendre à son tour. Nouvelle audition, par le même inquisiteur, en juillet 1246, à Albi.

C'est devant Ferrer, qui l'avait convoqué à Narbonne, qu'un chevalier du comté de Foix, Arnaud de Miglos, bayle de Quié en Sabarthès, avoua en mai 1244, entre autres choses, avoir fourni à Pierre-Roger de Mirepoix, au début du siège de Montségur, des cordes et une poche de cuir pour la catapulte du *castrum*. L'Inquisition s'intéressera longtemps à ce personnage : Bernard de

Caux l'interrogera en décembre 1246 et de nouveau en mars 1247, à Pamiers. Ferrer – qui à cette date a pris pourtant sa retraite d'inquisiteur – viendra assister comme témoin à ce dernier interrogatoire. Arnaud de Miglos sera condamné à la prison perpétuelle, mais le pape Innocent IV le fera libérer au bout d'un an...

Parmi les femmes entendues par notre inquisiteur catalan, et qu'on ne peut toutes citer, mentionnons Dame Marquésia, née Isarn de Fanjeaux, veuve du Guillaume de Roquefort qui avait défendu le château de Termes en 1210 contre Simon de Montfort avant de se faire tuer en 1211 en défendant Toulouse ; veuve, également, de son second mari Bertrand de Pauligne, et sœur de l'évêque cathare Pierre Isarn, qui avait été brûlé lors de la croisade royale en 1226. Et puis le long interrogatoire d'Hélis de Mazerolles, la vieille Dame de Gaja, fille d'un viguier de Trencavel et d'Aude de Fanjeaux, laquelle s'était fait ordonner parfaite en 1204 en même temps qu'Esclarmonde de Foix. Hélis était alors enfant et garda de cette époque le souvenir de sa grand-mère, parfaite elle aussi, Guillelme de Tonneins. Ce fut son mariage avec Arnaud de Mazerolles qui fit d'elle la châtelaine de Gaja. Son fils Pierre, auxiliaire particulièrement dévoué de l'Église cathare, et notamment de la communauté de Montségur, avait participé au meurtre des inquisiteurs en 1242. Ses biens seront saisis et vendus aux enchères, et son village rasé.

Comme la plupart des prévenus de Ferrer qui n'étaient ni parfaits ni parfaites, Marquésia et Hélis reconnurent avoir été croyantes cathares. « Depuis l'âge de raison », précisèrent-elles. Ceux qui le nient, ceux qui jurent ne rien savoir de l'hérésie ou n'avoir jamais eu de sympathie pour les hérétiques – soit, pour ne parler que des nobles, treize hommes et deux dames – ne disent pas forcément la vérité : les frères Pierre et Guillaume de Corneille, par exemple, chevaliers de Montgey, peuvent être aisément convaincus d'hérésie, tout comme leur paysan Pons Boutier, qui adopta la même défense. On ignore le sort des deux chevaliers, mais Boutier fut condamné à la prison perpétuelle.

Ferrer dut prendre sa retraite d'inquisiteur à la fin de l'été 1244. Ce sont ses collègues Pierre Durand et Guillaume Raymond qui ont en charge le tribunal à partir d'octobre. Le dominicain catalan fut nommé en 1252 prieur du couvent de Carcassonne, six mois plus tard prieur du couvent de Béziers, où il resta jusqu'en 1254. Il semble être mort peu après, à Perpignan.

Pierre Durand et Guillaume Raymond seront de leur côté déchargés du diocèse de Toulouse lorsque, au printemps 1245, arriveront dans la cité comtale les inquisiteurs chargés jusqu'ici de l'Agenais et du Quercy, Bernard de Caux et Jean de Saint-Pierre.

Bernard de Caux : le Lauragais au peigne fin

Originaire de la Gascogne agenaise, Bernard de Caux était en fonction à la fin de 1241, avec son collègue Jean de Saint-Pierre, dont on ne sait absolument rien. Leurs plus anciennes procédures conservées ne sont cependant que de novembre 1243. Les quatorze premières concernent les archidiaconés de Villemur et de Villelongue, à eux confiés après l'affaire d'Avignonet. De mai 1244 à février 1245, installés à Cahors, ils enquêtèrent, entre autres suspects, sur l'ancien sénéchal de Raymond VII en Quercy, Pons Grimoard, et sur sa famille. Déjà confessé à Guillaume Arnaud et Étienne de Saint-Thibéry, qui lui avaient délivré en 1237 une lettre de pénitence, Pons dut réitérer ses aveux – et même les compléter sur quelques points. Il faut dire qu'il n'avait pas accompli les pèlerinages qui lui avaient été jadis imposés comme pénitence.

Après un bref passage à Montauban, les deux Frères arrivèrent à Toulouse où, tout en conservant dans leur ressort les diocèses d'Agen et de Cahors, ils eurent à charge de reconstituer un tribunal à part entière. Et c'est le 1er mai 1245 qu'ils entreprirent la grande enquête sur le Lauragais qu'ils devaient achever le 1er août 1246, et dont un tiers des procédures environ est conservé : plus de cinq mille interrogatoires, concernant cent une localités de l'archidiaconé du Vielmorès et surtout de celui de Lanta.

Ayant acheté une maison toute proche de l'abbaye de Saint-Sernin pour servir de prison temporaire au cours des procès, c'est dans le cloître de cette abbaye que les deux inquisiteurs interrogèrent les gens, après avoir lancé à travers tout le pays, village par village, les citations à comparaître. La population répondit de façon très inégale. Si l'on a quatre cent douze dépositions pour le Mas-Saintes-Puelles, trois cent deux pour Auriac sur Vendinelle, deux cent quatre-vingt-dix-neuf pour Montesquieu, on n'en a que vingt et une pour Villeneuve-la-Comptal, onze pour Beau-

teville, sept pour Saint-Julia... Ici, il y eut le complot du silence
– avec menaces à l'appui, de la part des seigneurs ; là, nombre
d'habitants prirent la fuite. La courbe chronologique du nombre
d'interrogatoires montre cependant que la plupart des gens cités
se sont précipités à Toulouse en deux vagues principales, corres-
pondant chacune à une vague de citations, et qu'ils ont chaque
fois voulu profiter du temps de grâce. Ce qui n'empêche pas des
villages entiers, ou presque, de dire qu'ils n'ont jamais rien eu à
voir avec l'hérésie : pour Saint-Félix, siège d'un diaconé cathare,
huit personnes seulement sur cent soixante et onze firent
quelques aveux. Les dépositions des cent soixante-trois autres
sont rigoureusement négatives. Bernard de Caux nota quand
même leurs noms – ce qui permettait, au moyen de divers recoupements, de savoir si elles avaient menti ou non. A Hautpoul
dans la Montagne Noire, haut lieu s'il en fut du catharisme, il
n'y eut que cinquante-cinq déposants, dont un seul avait entendu
parler de l'hérésie ! Quant à la condition sociale des gens interrogés, elle est d'une infinie variété. Beaucoup de nobles, bien sûr,
mais aussi des marchands, des paysans, des clercs. Et des
infirmes, des lépreux, des aveugles, une femme près d'accoucher.
Et Alissen, la voyante du Mas-Saintes-Puelles, qui dit qu'elle ne
croyait pas du tout à la boule de cristal, mais qu'elle avait besoin
d'argent...

Ces procédures sont très différentes de celles conduites par
Ferrer et ses collègues. Les interrogatoires sont réduits au strict
minimum, les informations qu'ils fournissent sont très brèves et
très avares de détails. Un fait, une date, des noms. Peu de
commentaires, encore moins de digressions. « J'ai vu tel hérétique et son compagnon chez Untel, à tel endroit ; il y avait Untel
et Untel. C'était il y a tant d'années. » Imperturbablement, ce
modèle se répète à l'infini avec des variantes, selon qu'il s'agit
d'une simple rencontre, d'un repas partagé, d'un baiser de paix,
d'un prêche, d'une ordination ou du *consolament* d'un mourant,
selon que le prévenu ou tel ou tel témoin de l'événement ont ou
non *adoré* les parfaits, etc. On peut malgré tout glaner, dans cet
énorme registre, quelques piquants ou tragiques traits de mœurs,
le *consolament* donné en cachette à Fanjeaux à un meurtrier
condamné par la justice civile à être enterré vif, les empoignades
de quelques joueurs de dés pris de boisson, dont un clerc tonsuré,
dans l'étude, transformée la nuit en tripot, de l'écrivain public du
Mas-Saintes-Puelles...

Beaucoup de choses, donc, par rapport à la façon dont travaillait Ferrer, ont été sacrifiées à l'aspect quantitatif de l'immense tâche qu'avaient à assumer Bernard de Caux et Jean de Saint-Pierre : passer littéralement au peigne fin tout un diocèse. Leur enquête reste cependant extrêmement précieuse, par l'abondance de ses informations, pour tout ce qui touche à la sociologie du catharisme, voire, plus largement, au peuplement du Lauragais médiéval.

Elle l'est aussi sur un point bien particulier, qui concerne la religion cathare elle-même. Alors que Ferrer se contentait, en fin d'interrogatoire, d'un aveu global du type : « J'ai été croyant des hérétiques depuis telle époque », Bernard de Caux et son collègue abordent un par un les articles de la foi cathare, et ils veulent sur chaque point une réponse précise : « Avez-vous entendu les hérétiques professer leurs erreurs, à savoir que ce n'est pas Dieu qui a fait le monde visible, que le baptême est sans valeur, de même l'hostie, qu'il n'y a pas de salut possible dans le mariage, qu'il n'y aura pas de résurrection des corps ? Si oui, avez-vous cru à ces erreurs ? Depuis quand ? » Tel est le schéma général du questionnement. A étudier par ailleurs de près la façon dont les prévenus se défendent, on s'aperçoit de deux choses. Ils connaissent parfaitement la gravité relative des faits incriminés, de la simple salutation donnée à des parfaits jusqu'à la réception du *consolament*, en passant par l'assistance aux prêches, le partage du baiser de paix, celui du pain bénit, la présence à un *consolament*, l'aide matérielle fournie aux clandestins, le « recel d'hérétiques ». La hiérarchie des fautes induit naturellement une hiérarchie des peines. Sur toutes ces choses-là, la défense des prévenus est en général claire, ils savent avouer ceci, qui n'est pas très grave, inventer pour cela, qui l'est un peu ou beaucoup plus, une excuse ou un alibi.

En revanche, dès qu'il est question, non plus des comportements, mais des articles de la foi, non plus de ce qu'ils ont fait mais de ce qu'ils croient, ils s'embrouillent dramatiquement. On se trouve même souvent devant ce cas limite : quelqu'un qui assure, comme Jourdain du Mas le Vieux, n'avoir jamais cru à aucun des articles de la foi sur lesquels on l'interroge, mais qui dit cependant avoir été « croyant des hérétiques » de 1225 à 1240[1]...

---

1. Cf. *Les cathares, de la chute de Montségur aux derniers bûchers*, Perrin, 1998, chap. 5, « Une famille de croyants devant le tribunal ». J'ai pris pour exemple les interrogatoires de dix-huit membres de la famille seigneuriale du Mas-Saintes-Puelles.

La contradiction s'efface dès lors qu'on comprend qu'être « croyant », c'est avant toute chose, dans l'esprit de celui qui l'est réellement, croire que « les hérétiques étaient de bons hommes, de véritables amis de Dieu, et qu'on ne pouvait être sauvé que par eux » – la formule revient un nombre incalculable de fois. Elle montre que pour le croyant de base, la frontière passait moins entre deux dogmes qu'entre deux catégories de religieux : ceux qui avaient toutes les apparences d'être d'authentiques chrétiens, et les autres. D'où l'on inférait que les voies du salut proposées par les premiers devaient être meilleures que celles des seconds...

Ce qui n'empêchait pas quelques-uns de ces croyants, plus curieux ou intellectuellement mieux armés, d'aller plus loin. En août 1247, les deux Frères firent un procès tout à fait spécial à un changeur toulousain, Pierre Garcias, fils d'un croyant cathare et d'une croyante vaudoise, qui, au Carême de cette année-là, juste avant d'être élu au consulat, avait fait un grand scandale au couvent des franciscains en allant y tenir des propos hautement hérétiques.

Selon les témoignages de six Frères qui en avaient été témoins, Pierre Garcias était parfaitement rompu à la théologie des deux créations, à l'exégèse cathare du prologue de l'Évangile de Jean – là où l'apôtre dit que « sans Dieu a été créé le Néant[1] », c'est-à-dire le monde visible, corruptible et transitoire, domaine du mal – et de la théorie cathare des deux universalités : d'un côté la bonne universalité, celle dont parle l'Épître aux Colossiens quand elle dit qu'en Dieu a été créé *tout* ce qui est ; et la mauvaise universalité, celle dont l'Ecclésiaste dit que « *tout* est vanité ». Et Pierre Garcias d'expliquer cela en détail à son ami franciscain, de même que le docétisme, le rejet de la croix, de la Passion rédemptrice, de l'eucharistie, de la peine de mort, de la justice civile, etc. Bref, il possédait fort bien tout un corpus dogmatique parfaitement cohérent du point de vue cathare, tout à fait en accord avec ce que nous apprend le *Traité anonyme* découvert à Prague en 1939... C'est peut-être pour cela que nos deux inquisiteurs lui firent un procès fleuve, ce qui n'était pas dans leurs habitudes : parce qu'ils avaient flairé en lui un dangereux

---

1. *Sine ipso factum est nihil* (Jn 1, 3). Traduction des catholiques : « Sans Lui rien n'a été créé. » Le nœud du problème, c'est de savoir si la négation *nihil*, « rien », peut être substantivée en « *le* rien ». Durand de Huesca alimenta cette polémique grammaticale aux graves implications cosmo-théologique, dès son *Contra Manicheos*, vers 1220.

doctrinaire. Le procès se déroula pendant son consulat. Mais il prit le large huit jours avant sa condamnation. Bien entendu, elle le déclarait contumax, donc hérétique « par sentence définitive ».

Les « sermons généraux » de Toulouse

Entre la fin de leur enquête sur le Lauragais et le procès de Pierre Garcias, soit d'octobre 1246 à mai 1247, Bernard de Caux et Jean de Saint-Pierre avaient installé provisoirement leur tribunal à Pamiers, pour entendre divers suspects du comté de Foix, dont Arnaud de Miglos, dont on a déjà parlé. Le 21 avril 1247, ils prononcèrent sept condamnations à la prison perpétuelle. Revenus à Toulouse, et tout en instruisant au cours de l'été le procès de Pierre Garcias, ils rédigèrent un certain nombre de sentences, travail qu'ils poursuivirent jusqu'à juin 1248.

Ils n'avaient pas attendu la fin de leurs enquêtes pour procéder à des condamnations. De mars à juillet 1246, ils avaient alterné audiences du tribunal et lectures de sentences au cours de « sermons généraux » solennels qui se déroulaient publiquement, soit au cloître de Saint-Sernin, soit à la Maison commune, siège du consulat, en présence d'un grand concours de hautes autorités civiles et religieuses. Une fois le procès de Pierre Garcias terminé, ils ne se consacrèrent pratiquement plus, pendant près d'un an, qu'à tirer les conclusions des enquêtes qu'ils avaient effectuées, et à rédiger leurs sentences. Depuis le début, les « sermons généraux » avaient lieu le dimanche, sauf, deux fois, le jeudi de l'Ascension en 1246 et en 1248, ce qui ne donnait que plus d'éclat à la cérémonie. Cinquante-deux sentences ont été conservées, étalées du 18 mars au 22 juillet 1246 puis du 11 août 1247 au 14 juin 1248 – ce qui fait à peu près, pendant chacune de ces deux périodes, un « sermon général » chaque dimanche ! Comme beaucoup de ces sentences frappent plusieurs personnages, on a en fait deux cent une condamnations. Certains condamnés figurant pour diverses raisons dans plusieurs sentences différentes, d'autres ayant pris la fuite, ce sont finalement quarante-neuf hommes et femmes qui furent condamnés par contumace, et cent cinquante-deux envoyés en prison – dont cent vingt-quatre à perpétuité ; à noter, pour la petite histoire, que dix d'entre elles refuseront d'entrer au « mur », que quatre autres s'en évaderont, et que deux condamnés par contumace, se ravisant, se présenteront au tribunal, qui les enfermera à vie...

Peut-on juger de l'efficacité du travail de Bernard de Caux et de son collègue ? Au plan quantitatif, il est assurément spectaculaire. Imaginons qu'aujourd'hui – on peut multiplier le chiffre de la population par dix – quelque deux mille personnes soient condamnées à Toulouse pour délit d'opinion, pour la plupart des notables, de grands patrons du commerce et de l'industrie, de riches propriétaires terriens... Car nos inquisiteurs ont frappé très haut : une dizaine de familles consulaires sont touchées, les Gameville, les Seilh, les Villeneuve, les Barrau, les Maurand, les Rouaix – dont Jeanne de Rouaix, la femme d'Alaman, lequel, condamné par contumace depuis onze ans, a pris le maquis sur ses propres domaines du Lauragais. La noblesse rurale aussi paie un lourd tribut : seigneurs, chevaliers ou châtelaines de Tarabel, Montgiscard, Montmaur, Saint-Martin-Lalande, Laurac, Montgey, Hautpoul, etc., une Algaia de Loubens – parfaite convertie –, une Béatrice de Roquefort, une Ermessinde Mir-Arrézat, un Gaubert de Puylaurens, retrouvent au « mur » du Château Narbonnais ou à celui de l'évêque la fine fleur de la bonne bourgeoisie toulousaine...

Une chose est quand même certaine. La répression a été beaucoup plus efficace à l'encontre des croyants qu'à l'encontre des parfaits. Certes, l'interrogatoire d'un lépreux du Mas-Saintes-Puelles, en date du 27 mai 1245, porte en marge qu'il a été brûlé. Et puis il y a soixante-dix hommes et femmes que les déposants de l'enquête de 1245-1246 donnent comme ayant été déjà envoyés au bûcher. Il serait certes hasardeux d'imputer la totalité de ces exécutions à Bernard de Caux, il est vraisemblable que Ferrer en avait eu aussi sa part. Mais en tout état de cause, que la répression de 1245-1248 ait plus frappé les croyants que les parfaits est assez compréhensible. L'Église cathare du Toulousain a perdu sur le bûcher de Montségur son évêque, son *fils mineur*, trois diacres, et un certain nombre de parfaits. Il est bien évident que l'événement n'a pas sonné la fin du catharisme occitan, comme on ne l'écrit encore que trop souvent. Mais il est aisé de comprendre que les diacres et les parfaits qui subsistent, du moins ceux qui n'ont pas encore fui en Lombardie, doivent prendre plus de précautions que jamais pour ne pas se faire repérer, surtout au moment où la vaste et minutieuse enquête conduite par le « marteau des hérétiques », comme Bernard Gui appelle Bernard de Caux, les met plus que jamais à la merci des dénonciations. Plus encore qu'au temps de Ferrer, ils doivent être sur leurs gardes.

Mais il y a, surtout, la stratégie même de Bernard de Caux. Ce ne sont pas quelques parfaits de plus ou de moins ramenés à la foi catholique ou jetés au bûcher qui modifieront en profondeur la situation. Il est bien plus efficace de démanteler leurs réseaux de protections, de frapper leurs complices, ceux qui les cachent et les font protéger et ravitailler par leurs gens : un seigneur ou un notable mis sous les verrous, et ce peut être tout un groupe clandestin désorganisé, plusieurs parfaits et parfaites contraints de fuir affamés à travers bois, jusqu'à l'épuisement – ou la conversion. Il est par exemple tout à fait symptomatique qu'un personnage aussi important que le diacre cathare du Lantarès, Bernard Bonnafous, dont toute l'activité clandestine n'avait été possible depuis dix ans que grâce à la complicité active du clan seigneurial des Montesquieu-Villèle, disparaisse de nos sources en 1246 ; or c'est l'année même où Bernard de Caux, après avoir interrogé sept membres dudit clan – deux frères Montesquieu, leurs deux cousins Villèle, et les épouses de trois d'entre eux – en envoya trois en prison et en condamna par contumace un quatrième, le tout assorti de la confiscation de leurs biens[1]...

A la fin de l'été 1248, Bernard de Caux et Jean de Saint-Pierre furent appelés à Carcassonne, pour y remplacer Pierre Durand et Guillaume Raymond qui, étant entrés en conflit ouvert avec le pape Innocent IV, venaient de démissionner – ou d'être démissionnés, on ne sait. Après la reconstitution du tribunal de Toulouse, au printemps 1245, ils s'étaient occupés essentiellement du Razès, et s'étaient installés à Limoux, sa capitale. Ils n'avaient pas chômé : un an plus tard, ils avaient déjà infligé des pénitences pour hérésie à cent cinquante-six habitants de Limoux et des environs. Or il se trouve que les Limouxins étaient en excellents termes avec le couvent de Prouille, à qui l'archevêque de Narbonne avait concédé depuis longtemps les revenus de leur église

---

1. Les sentences concernant ces quatre personnages sont perdues, mais on a, outre leurs interrogatoires, leurs confirmations d'aveux, prélude habituel aux condamnations. Celle de Bernard de Montesquieu est de plus confirmée par un document de 1256. A noter que l'on ne possède pas tous les interrogatoires motivant les sentences de 1246-1248, mais seulement une partie d'entre eux ; sont de même perdues un certain nombre de sentences annoncées par les confirmations d'aveux, ou indiquées par des documents postérieurs. Par ailleurs, Bernard de Caux délivra les sentences d'un certain nombre de personnes qui avaient été interrogées par Ferrer, mais dont ce dernier n'avait pas achevé les procès.

paroissiale. Aussi, en octobre 1246, demandèrent-ils au prieur de Prouille, Raymond Cathala, d'aller plaider leur cause auprès du pape afin qu'il annulât les accusations et levât les sentences. Le dominicain fut un bon avocat : Innocent IV révoqua les pénitences de croix cousues et demanda leur remplacement par des peines moins infamantes – de menues amendes, sans doute. Furieux d'avoir été désavoués, Pierre Durand et Guillaume Raymond annulèrent purement et simplement toutes les pénitences et donnèrent leur absolution à tout le monde. Ce fut le pape à son tour qui, en juin 1248, annula ses propres mesures de clémence, mais les deux inquisiteurs firent la sourde oreille. Pierre Durand se retrouva plus tard lecteur au couvent de Pamiers et Guillaume Raymond ne fit plus parler de lui. Voilà pourquoi Bernard de Caux et Jean de Saint-Pierre arrivèrent bientôt à Carcassonne, où ils reprirent d'ailleurs quelques procédures concernant Limoux.

Bernard de Caux acheva sa carrière d'inquisiteur dans le courant de 1249. Jean de Saint-Pierre œuvra quelque temps seul, puis cessa à son tour ses activités. Juste avant leur retraite, ils avaient écrit de concert un petit manuel pratique d'Inquisition, le *Processus Inquisitionis*, à l'initiative du pape et à l'intention du prieur provincial des Prêcheurs d'Espagne, qui en avait fait la demande.

Le « marteau des hérétiques » s'installa à Agen, où il travailla à la fondation d'un couvent de Prêcheurs. La décision en fut prise en 1252 au chapitre provincial de Montpellier, mais il mourut à la fin de l'année. En 1281, à la faveur d'un agrandissement de l'édifice, on décida de transférer son corps dans le nouveau chœur. Il fut trouvé si parfaitement intact – on a le texte du procès-verbal d'exhumation – que la nouvelle de ce miracle, aussitôt répandue, suscita un mouvement de dévotion populaire si exalté et si difficile à contenir qu'on dut cacher la dépouille du Frère jusqu'à ce que la police intervînt.

16

Le comte, l'Office et les évêques

L'intense travail effectué de 1242 à 1248 par Ferrer et ses quatre collègues, puis par Bernard de Caux et Jean de Saint-Pierre, ne doit pas faire illusion. On verra ce qu'il advint de l'Église cathare durant ces six années. Mais si, au vu de plusieurs milliers d'interrogatoires et de plusieurs centaines de sentences et de lettres de pénitence, l'Inquisition donne un peu l'impression d'avoir été un rouleau compresseur, celui-ci s'est avancé sur un chemin bien cahoteux ! Les obstacles n'étaient pas forcément ceux qu'on attendait ; c'étaient moins les hérétiques que le jeu croisé des pouvoirs qui se côtoyaient, s'affrontaient ou s'alliaient au gré de la vision qu'avait chacun de la situation, mais aussi des circonstances, des ambitions personnelles, des vanités mal placées, des intérêts du moment.

Les Prêcheurs, le haut clergé, le Saint-Siège, Raymond VII : bien étrange partie de poker menteur, où l'on voit jouer tantôt à deux contre deux, tantôt à trois contre un. A ceci près qu'on ne sait jamais – et qu'ils ne savent pas toujours eux-mêmes, – qui est avec qui...

L'enjeu est pourtant simple : chacun veut avoir la main, c'est-à-dire conduire à son gré la répression de l'hérésie. Dès son élection, à l'été 1243, le pape Innocent IV s'est mis avec les inquisiteurs, dont il a renforcé les pouvoirs, contre le plan de Raymond VII, qui était de tout diriger par prélats interposés. Six mois plus tard, le pape a fait passer les prélats dans son camp et jeté les bases d'une collaboration entre eux et les inquisiteurs, comme le montre clairement, au moins sur le papier, le concile de Narbonne. Raymond VII se retrouvant seul contre les trois autres à son retour d'Italie, fin 1244, il fait mine d'abandonner la

partie et ne s'occupe plus que de ses affaires politiques et féodales. L'Inquisition peut donc fonctionner sans encombre : les
inquisiteurs jugent et les prélats leur fournissent « aide et
conseil ». Effectivement, on voit Bernard de Caux et Jean de
Saint-Pierre consulter le nouvel archevêque de Narbonne,
Guillaume de la Broue. Mais c'est en 1248... Jusque-là, ils ont
procédé de façon si indépendante qu'en 1246 le légat avait dû
écrire à l'archevêque de leur réitérer l'ordre de prendre conseil
avant de prononcer des condamnations. Peine perdue ! Bernard
de Caux et Jean de Saint-Pierre promulguent leurs deux cents
sentences de Toulouse sans rien demander à personne.

Ce n'est pas tout. En associant les prélats à la répression de
l'hérésie, ne fût-ce qu'à titre d'auxiliaires et de conseillers des
inquisiteurs, Innocent IV entendait bien ne pas laisser à ces derniers la bride sur le cou. Il savait que le haut clergé aurait un rôle
modérateur, ce qui permettrait de limiter, voire de prévenir les
excès de zèle des Prêcheurs. Il faut croire qu'il y en avait eu, et
que le pape s'en était alarmé, pour qu'à la fin de 1243 il interdise
aux Frères de prononcer des condamnations pendant le temps de
grâce ! Et pour ferme qu'il soit dans l'établissement de la jurisprudence, le concile de Narbonne précise quand même dans son
canon 23 qu'il vaut mieux laisser courir un coupable que de
condamner un innocent...

Occupé toute l'année 1244 par ses démêlés avec l'empereur et
par la recherche d'une résidence sûre, ce n'est qu'une fois fixé à
Lyon, en janvier 1245, que le Saint-Père reprend en main l'affaire
de l'hérésie. Le 25, il envisage la possibilité pour les inquisiteurs
de réduire les peines de prison, voire de les commuer en pénitences, mais en prenant l'avis des prélats. Voici que le déménage-
ment du Saint-Siège à Lyon a immédiatement une conséquence
inattendue : comme il est plus facile d'aller à Lyon qu'à Rome,
c'est en masse que plaintes et plaignants affluent à la Curie et
auprès des pénitenciers pontificaux pour solliciter l'annulation de
telle accusation, la révocation de telle pénitence... L'Inquisition
est la cible d'un tel tir groupé de doléances qu'Innocent IV,
débordé sans doute, et alléguant l'engorgement des bureaux,
mais surtout profondément inquiet, ordonne aux inquisiteurs de
suspendre toutes les poursuites jusqu'au concile qui doit se tenir
en juin. Tollé général en Languedoc ! Sans doute se souvient-on
qu'en 1238 la suspension de l'Inquisition, prévue pour trois mois,
avait duré trois ans... Et ce sont les évêques eux-mêmes qui,

s'étant réunis à Béziers, écrivent au pape pour le supplier de ne pas anéantir l'œuvre des Prêcheurs « sur la foi d'avis mensongers et de discours empoisonnés »... Leur lettre croisa celle par laquelle Innocent IV cassait une sentence de Pierre Durand et de Guillaume Raymond prononcée contre un bourgeois de Pamiers... Le désaveu était manifeste.

La donne a donc changé. Raymond VII, on l'a dit, n'est plus dans la partie. C'est le pape qui joue maintenant contre le haut clergé et l'Office réunis... Qu'en fut-il alors, dans l'immédiat, de l'ordre de suspendre les procédures ? Bernard de Caux et Jean de Saint-Pierre n'en tinrent aucun compte. Ils venaient d'ouvrir le 1er mai leur grande enquête sur le Lauragais...

De la vindicte à la miséricorde

Ils étaient entièrement plongés dans leur enquête, quand, au début de 1246, le légat Pierre de Colmieu publia une ordonnance en huit articles dont les cinq premiers concernaient de très près les inquisiteurs. Elle leur rappelait qu'il leur fallait être d'une rigueur sans faille à l'égard des impénitents, des parjures et des relaps, mais faire preuve d'une charitable indulgence envers les repentis sincères. Elle rappelait aussi que les pénitences ne devaient être infligées qu'après avoir pris conseil des prélats diocésains. C'est à peu de temps de là que le légat pria l'archevêque de Narbonne de rappeler lui-même fermement aux inquisiteurs qu'ils ne pouvaient décider seuls des peines.

A son initiative, un concile d'évêques et d'abbés s'ouvrit en avril à Béziers. Il édicta un directoire en trente-sept chapitres qui, pour l'essentiel, confirmait les procédures définies en 1243 par le concile de Narbonne – elles-mêmes reprises en grande partie du concile de Toulouse de 1229. Donc, à quelques détails près, le code pénal de la lutte contre l'hérésie n'est pas modifié. Ce qui change, en revanche, c'est l'esprit dans lequel le Saint-Père demande qu'on l'applique.

Il exige d'abord du discernement : il ne faut jamais condamner sans preuves. Il ne veut pas que l'Inquisition donne aux populations l'image d'une justice arbitraire.

Ensuite, si le bûcher traduit une légitime vindicte à l'égard de l'hérétique impénitent, il ne faut pas oublier que toutes les autres peines, y compris la prison perpétuelle, ont un caractère pénitentiel, et non point vindicatif : elles laissent donc une place à la miséricorde, voire à la clémence. Par exemple, précise le directoire, rien n'empêche de commuer une peine de prison en pénitence plus légère, pèlerinage ou port de croix cousues ; rien n'interdit de libérer un prisonnier si, libre, il peut aider à l'arrestation d'hérétiques, ou si son maintien en prison est gravement préjudiciable à sa famille – net amendement des décisions de Narbonne, qui avaient dit de ne pas tenir compte de la situation familiale. Dans le même esprit, il faut bien comprendre que l'emprisonnement à vie de conjoints ou simplement de l'un des deux détruit le mariage : si la prison ne peut être évitée, il faut autoriser les visites, voire la cohabitation.

Mais l'amendement le plus spectaculaire est assurément celui qui concerne le pèlerinage en Terre sainte, parce que sur ce point précis la mansuétude du Saint-Père recouvre un vaste projet politique. Dès les débuts de l'Inquisition, le passage outre-mer pour servir contre les Infidèles avait été largement utilisé à titre de pénitence. Puis Grégoire IX l'avait interdit : il trouvait inconvenante la présence sur les lieux saints d'hérétiques, même repentis. Et voici que le directoire de Béziers le rétablit. Mieux : on ne le réinscrit pas seulement dans la liste des pénitences possibles ; on le prône avec force comme la commutation éminemment souhaitable des peines de prison.

La raison de cette bienveillance est claire : Jérusalem est tombée aux mains des Turcs au cours de l'été 1244 ; au concile réuni à Lyon en juin 1245, Innocent IV a proclamé la septième croisade ; la Terre sainte a besoin de troupes fraîches...

Mais cet article a une autre portée : en « conseillant » aux inquisiteurs de procéder à de telles commutations de peines, les prélats réunis à Béziers ne se bornent pas à émettre un simple avis. Il est clair qu'ils expriment les volontés du Saint-Père. Ce dernier, en chargeant le concile de mettre en forme et de proclamer ses propres directives, confère donc aux prélats occitans un rôle qui n'est plus seulement consultatif, mais aussi législatif : on ne saurait mieux faire savoir aux inquisiteurs qu'ils ont à compter avec le haut clergé.

Il n'en fallut certainement pas plus pour rompre le fragile équilibre que le concile de Narbonne avait paru instaurer à la fin de 1243. Toute la correspondance pontificale postérieure au concile de Béziers, c'est-à-dire au mois d'avril 1246, montre que la situation se dégrade inexorablement. « L'aide et le conseil » que le

Saint-Père avait demandé au haut clergé de fournir à l'Office – la formule est d'ailleurs empruntée au droit féodal – n'aura jamais été, finalement, qu'une fiction : sans cesse, le pape blâme les inquisiteurs de ne pas demander conseil aux prélats, et les prélats de ne pas fournir l'aide aux inquisiteurs – en particulier en négligeant de pourvoir à l'emprisonnement et à la garde des condamnés aussi soigneusement qu'ils y étaient tenus. Le 1er mars 1249 encore, dans une circulaire aux archevêques de Narbonne, de Bordeaux, d'Arles, et à leurs suffragants, il se plaint amèrement de leur coupable négligence, les accuse de mettre en péril l'« affaire de la foi », et les adjure d'exécuter ses ordres...

Quant à la notion de conseil, surtout quand il fallait l'appliquer à l'établissement des peines, elle était d'une ambiguïté qui ne pouvait que la vouer à l'échec. Si les inquisiteurs proposent la sanction et la soumettent à l'évêque diocésain, celui-ci est devant une alternative simple : ou il l'entérine sans autre formalité – et l'on n'avait pas besoin de lui – ou il l'amende, voire la refuse – et il désavoue l'Office. Si les inquisiteurs attendent la décision de l'évêque, même dilemme : ou bien ils l'entérinent – donc la sanction leur échappe – ou ils la contestent – et c'est le conflit. Bernard de Caux et Jean de Saint-Pierre avaient trouvé la solution, pour leurs sentences de Toulouse ; leur libellé respecte les formes : « conseil ayant été pris de nombreux prélats... ». Mais on ne dit jamais lesquels. Et pour cause ! Ils n'ont jamais consulté personne...

Bref, la cohabitation consensuelle qu'Innocent IV avait idéalement souhaitée, dont il avait posé les principes, et qu'il avait mise un instant sur pied, n'avait guère duré, pratiquement, que le temps d'un concile... Inexorablement, une brèche s'était à nouveau ouverte entre l'Inquisition dominicaine et l'Église séculière. Le moment venu, Raymond VII, évidemment, s'y engouffrera...

Renversement des rôles...

Pendant qu'il tance les prélats, Innocent IV prêche aux inquisiteurs la modération. En novembre 1247, il leur demande de déployer le maximum d'efforts pour ramener les égarés dans le droit chemin, plutôt que de les condamner : l'Église y gagnera une âme, et un homme – ou une femme – la liberté. Mais surtout, le pape s'arrange pour manœuvrer en quelque sorte par la bande, de façon à rogner insensiblement mais sûrement les pouvoirs d'une Inquisition dont il voit bien qu'elle renâcle à se faire l'instrument de sa politique : sa mission n'est pas de fournir des troupes à la croisade de Terre sainte en ouvrant les prisons, mais d'éradiquer l'hérésie en les remplissant...

Prendre cependant les Prêcheurs de front est très risqué : Innocent IV sait qu'il a affaire à des gens extrêmement jaloux de leurs prérogatives et qui ont depuis longtemps une fâcheuse tendance à confondre mandat apostolique et blanc-seing. On a dit comment se solda l'intervention directe du Saint-Père, à la fin de 1246, dans l'affaire des pénitences de Limoux : par le départ, volontaire ou pas, de Pierre Durand et de Guillaume Raymond. Innocent IV dut penser alors qu'il valait mieux contourner l'Inquisition que d'aller jusqu'à de telles ruptures. C'est aux prélats, et non aux inquisiteurs, que le 12 novembre 1247 il demande de faire restituer aux femmes catholiques leurs dots injustement confisquées avec les biens de leurs maris condamnés pour hérésie. Le 2 décembre à l'évêque d'Albi, le 9 à l'archevêque d'Auch, il demande d'examiner le cas des prisonniers qui se porteraient volontaires pour servir outre-mer. En 1248, il accélère le processus des commutations de peines, car le roi de France et le comte de Toulouse doivent s'embarquer au mois d'août : il faut, dans la foulée, susciter un vaste mouvement de mobilisation au secours de la Terre sainte. Le 2 mars, l'évêque d'Albi est chargé d'étudier la libération, à cette fin, d'hérétiques de la seigneurie de Castres – domaine de Philippe de Montfort. Le 30 avril, une mission du même ordre est demandée à l'évêque d'Agen. Mais la veille même, le pape a pris une décision qui va avoir des conséquences considérables sur l'avenir de l'Office : il a ordonné au prélat de procéder désormais lui-même contre les hérétiques et les relaps, avec pouvoir de prononcer les condamnations... après avoir pris conseil des inquisiteurs ! Saisissant renversement des rôles, à coup sûr humiliant pour les Frères, et qui amorce une profonde mutation dans l'organisation de la répression.

Raymond VII n'avait pas demandé autre chose lorsque, six ans plus tôt exactement, presque jour pour jour, il avait souhaité que les évêques d'Agen, de Cahors, de Rodez et d'Albi prissent en main la lutte contre l'hérésie, avec l'aide éventuelle de religieux de leur choix. Or voici que ce vœu, Innocent IV le réalise, mais dans des conditions qui sont beaucoup plus favorables. Au début de mai 1242, l'initiative du comte de Toulouse avait contre elle trois tribunaux inquisitoriaux, Bernard de Caux et Jean de Saint-Pierre pour les diocèses d'Agen et de Cahors, Guillaume Arnaud et Étienne de Saint-Thibéry pour celui de Toulouse, Ferrer et Pierre d'Alès pour ceux de Carcassonne et d'Albi. En 1248, Innocent IV confie la répression à l'évêque d'Agen, non seulement sur son évêché, mais sur l'ensemble des domaines de Raymond VII, donc aussi sur les évêchés de Toulouse, Cahors et Rodez. Seuls les évêchés de Carcassonne et d'Albi, qui sont sur la sénéchaussée royale, restent à part entière aux mains des Prêcheurs.

Mais c'est l'époque où, justement, à Pierre Durand et Guillaume Raymond succèdent Bernard de Caux et Jean de Saint-Pierre qui, après avoir écrit leur *Processus Inquisitionis,* prendront leur retraite au bout de quelques mois... L'Office se trouve réduit, pour tout le pays cathare, à deux inquisiteurs apparemment en fin de carrière, à qui il ne semble pas qu'on ait l'intention de trouver des successeurs dans l'ordre des Prêcheurs. C'en est fini de l'omnipotence de l'inquisition dominicaine...

En décembre, l'évêque de Toulouse libère de ses prisons, sur l'ordre d'Algise de Rosciate, pénitencier du pape, sept nobles de haut rang condamnés à perpétuité, les uns par Ferrer en 1244, les autres par Bernard de Caux en 1247 – dont Arnaud de Miglos.

En mars 1249, Innocent IV charge Algise d'une mission toute particulière dans toute la province ecclésiastique de Narbonne et les évêchés voisins, avec pleins pouvoirs pour réduire, commuer ou même annuler, s'il l'estime nécessaire et juste, toutes les condamnations prononcées par les inquisiteurs ; pour recevoir desdits condamnés commués ou amnistiés une compensation pécuniaire destinée à la Terre sainte ; et, d'une façon générale, « pour disposer, statuer et ordonner sur l'affaire de la foi et tout ce qui y touche, comme il lui semblera utile ».

Deux mois plus tard – le 14 mai exactement – il donne à l'inquisition dominicaine une sorte de coup de grâce : en termes extrêmement violents, il accuse les inquisiteurs, d'abord de mener, eux et leur suite, un train de vie scandaleusement onéreux – ce qui est manifestement exagéré – ensuite, ce qui est plus vraisemblable, de commettre de non moins scandaleuses et indignes injustices à l'égard des convertis de l'hérésie qui désirent revenir à la foi catholique. La lettre n'eut en fait, comme destinataires, que Bernard de Caux et Jean de Saint-Pierre, alors à Carcassonne. Faut-il s'étonner qu'ils aient bientôt pris leur retraite, préférant sans doute, à de telles avanies, la tranquillité de la vie conventuelle qui avait été leur vocation première ?

Le pape avait donc fini par jouer avec les évêques contre l'Office. Il est normal qu'à un moment ou à un autre Raymond VII soit revenu dans la partie. Ne fût-ce que pour rafler la mise...

Les dernières années de Raymond VII

Après la triomphale chevauchée qui lui avait fait parcourir ses États, au début de 1245, le comte s'était occupé de ses affaires matrimoniales. En juin, il était allé à Lyon pour assister au concile, et voir où en était l'enquête qui devait valider ou non son mariage avec Marguerite de la Marche. Elle était en cours, quand il changea brusquement d'avis. Rencontrant le comte de Provence Raymond-Bérenger, venu lui aussi pour le concile, Raymond VII apprit que sa fille Béatrice restait à marier – et que par testament son père l'avait désignée pour héritière... Intervention de Raymond ? Conclusion légale de l'enquête ? Toujours est-il que le 4 août le pape cassa le mariage avec Marguerite. Raymond sollicita immédiatement une autre dispense... pour épouser cette fois Béatrice de Provence. Là-dessus, le comte catalan mourut. Au terme d'un extraordinaire nœud d'intrigues, qui vit Jacques d'Aragon se précipiter à Aix pour marier son fils avec l'héritière, et Blanche de Castille envoyer son fils Charles d'Anjou avec une armée pour en découdre avec Jacques, ce furent les Capétiens qui l'emportèrent : le frère du roi de France épousa l'année suivante la sœur de la reine[1].

Le dernier rêve de Raymond VII s'était effondré. On raconta à l'époque qu'à la faveur d'un pèlerinage à Saint-Jacques-de-Compostelle, il avait secrètement épousé une dame inconnue. C'est peu vraisemblable. Il est certain en revanche que ses manœuvres matrimoniales répétées ne trompaient personne, et surtout pas le roi de France qui, le convoquant à la Cour au début de 1247, le pressa de partir avec lui en Terre sainte. Comme il dit qu'il n'avait pas d'argent, Blanche de Castille promit de payer les frais de son voyage et de lui restituer son titre de duc de Narbonne, confisqué par le traité de Paris. Alors il prit la croix

---

1. Béatrice était sœur de Marguerite de Provence, que Louis IX avait épousée en 1234.

– ce qui n'était, en fin de compte, que se décider enfin à accomplir le « pèlerinage » que lui avait imposé le traité...

Il faut dire qu'en ce début de 1247, Louis IX s'active aux préparatifs de croisade, que les travaux d'Aigues-Mortes sont commencés pour que la France n'ait plus besoin des ports provençaux, qui sont terres d'Empire, et que le roi entre tout à fait dans la stratégie du Saint-Père : associer le « pays albigeois » à la défense de la Terre sainte est la plus belle façon de sanctionner la commune victoire, sur l'hérésie, de la Couronne et de l'Église. Dans le temps même, donc, qu'Innocent IV fait commuer les peines de prison, le roi rallie à lui quelques-uns des plus redoutables *faidits*, des plus obstinés ennemis de la France : un Olivier de Termes, un Raymond Trencavel. Il leur pardonne. Ils prennent la croix. Olivier de Termes s'illustrera si vaillamment outre-mer qu'il fera l'admiration de Joinville, et que le roi lui rendra le château d'Aguilar, dans les Corbières.

Toute l'année 1247 se passe en préparatifs. Le pape prend Raymond VII sous sa protection. Le roi lui fait rendre divers châteaux qu'en vertu du traité de Paris des garnisons françaises occupaient depuis 1229. Bref, la Couronne et le Saint-Siège font peu ou prou de ce croisé de très haut rang une sorte d'otage privilégié. On le voit d'ailleurs prendre ses distances – c'est le moins qu'on puisse dire ! – à l'égard de la bonne bourgeoisie toulousaine dont il avait été longtemps si proche, et qu'il avait si longtemps tenté de défendre contre l'Inquisition. Non seulement les deux cents sentences rendues par Bernard de Caux et Jean de Saint-Pierre de 1246 à 1248 ne suscitent chez lui, autant qu'on le sache, aucune réaction, mais on le voit, le 2 février 1248, faire donation à un Quercynois, et sans états d'âme semble-t-il, de tous les biens meubles et immeubles saisis sur Pierre de Rouaix, membre de la célèbre famille consulaire avec laquelle il était personnellement très lié. C'était entériner la condamnation par contumace de ce dernier, comme relaps, par les deux Prêcheurs Où était le temps où le comte se mettait en travers des jugements inquisitoriaux ?

En fait, Raymond VII continuait, comme il l'avait toujours fait, à manœuvrer, et à manœuvrer sans trop de scrupules. Il avait sacrifié Montségur à son opération de 1242. Maintenant il lâchait sans vergogne ses sujets compromis dans l'hérésie, parce que se tourner ostensiblement contre celle-ci allait lui permettre de parvenir à ses fins au moins sur un point, l'élimination de l'Office.

Le 29 avril 1248, en effet, le pape répercute à l'évêque d'Agen la lettre que Raymond vient de lui écrire : il s'y disait scandalisé par la lenteur et le relâchement de la répression de « la souillure de la perversion hérétique » – un beau pavé dans la mare des inquisiteurs –, assurait que le danger était plus grand que jamais car de nouveaux hérétiques arrivaient de toute part dans le pays – c'était un mensonge : les Languedociens fuyaient en Lombardie – et suggérait donc au Saint-Père de remédier à tous ces maux... en confiant la poursuite de l'hérésie aux prélats. Ce qu'Innocent IV fit illico, par ce même courrier du 29 avril dont on a parlé plus haut. Le lendemain, il écrivit derechef à l'évêque d'Agen pour lui dire que, « poussé par les prières de notre cher fils le noble comte de Toulouse », il avait demandé que fussent commuées les peines de prison des condamnés volontaires pour la Terre sainte, mais que les inquisiteurs y faisaient obstacle ; il chargeait donc l'évêque de procéder à ces commutations. En entrant insensiblement, pas à pas, dans le jeu du Saint-Père, en prenant lui-même la croix, en se faisant le promoteur du recrutement pour l'outre-mer, tout en réclamant contre l'hérésie des solutions efficaces, bref en se conduisant comme le plus soumis des fils, Raymond avait, dans une large mesure, manipulé tout le monde.

Il ne s'en tint pas là. A l'art de la manipulation, il savait joindre celui du leurre. A la mi-août, il rejoignit à Aigues-Mortes le roi, qui s'embarqua le 25 pour la Terre sainte avec ses frères Charles et Robert, Trencavel, Olivier de Termes, Philippe et Guy de Montfort. Lui-même poursuivit jusqu'à Marseille pour y attendre le grand vaisseau qu'il avait fait armer en Bretagne. Quand le navire arriva, il estima que la mauvaise saison était trop proche, qu'il y aurait danger à naviguer, et remit son départ à l'année suivante. Le 25 octobre, il était en Rouergue. Il ne s'occupa plus, huit mois durant, que de ses États.

En juin 1249, il alla à Agen pour régler un conflit entre deux de ses vassaux gascons, le comte d'Armagnac et le vicomte de Lomagne. C'est alors qu'avec l'évêque du lieu, qui avait depuis un an la haute main sur la répression de l'hérésie, il se livra à une opération inattendue. « Il fit brûler à Agen au lieudit Béoulaygues, environ quatre-vingts croyants des hérétiques qui avaient avoué judiciairement ou avaient été convaincus devant lui. » Cette phrase laconique de la *Chronique* de Guillaume de Puylaurens jette une ombre d'autant plus opaque sur le comportement du comte qu'il s'agit là d'une des toutes dernières actions de sa vie, et qu'on ne sait donc pas quelle suite il lui aurait donnée. Le geste outrepasse tellement les pires excès de zèle de l'Inquisition dominicaine, qui ne brûla jamais en masse[1], et qui pendant un demi-siècle encore ne brûlera pas de simples croyants, qu'il est difficile de lui trouver une explication rationnelle. Peut-être était-ce un coup d'éclat propre à démontrer au pape qu'il avait eu raison d'enlever l'Inquisition aux inquisiteurs...

En août, Raymond alla saluer à Aigues-Mortes sa fille Jeanne et son gendre Alphonse de Poitiers prêts à s'embarquer pour la Terre sainte. Il ne les suivit pas. Il avait à faire en Rouergue et en Quercy. La fièvre le prit à Millau. Il dut s'aliter. L'évêque d'Albi se précipita à son chevet, bientôt rejoint par ceux de Toulouse, Agen, Cahors, Rodez, par les consuls de Toulouse, les comtes de Comminges et de Rodez, des abbés, des officiers comtaux et maints chevaliers. Il dicta son testament le 23 septembre, instituant sa fille Jeanne héritière de ses biens et de ses États, confiant le gouvernement à Sicard Alaman pendant l'absence de Jeanne et de son mari, et faisant un certain nombre de généreuses donations à maints établissements religieux. Il dicta deux jours après un codicille pour dire que s'il guérissait il accomplirait son pèlerinage en Terre sainte...

Il mourut le 27, venant tout juste d'atteindre ses cinquante-deux ans. Il fut inhumé, selon son vœu, en l'abbaye bénédictine de Fontevrault, où reposaient sa mère Jeanne d'Angleterre, son oncle Richard Cœur de Lion et son grand-père Henri II Plantagenêt.

Vingt ans durant, il avait œuvré pour mettre en échec les clauses successorales du traité de Paris. Il n'y avait pas réussi. Quinze ans durant, il s'était opposé à ce corps étranger qu'était l'Inquisition monastique. Là, il avait gagné. Non point que l'Inquisition, en tant que telle, ait disparu. Mais elle avait été peu à peu arrachée aux « juges délégués » issus des couvents de Prêcheurs, pour être confiée aux Ordinaires.

Raymond VII ne vécut pas assez pour voir véritablement à l'œuvre – l'étrange bûcher de Béoulaygues mis à part – cette inquisition épiscopale qu'il avait tant appelée de ses vœux. Pas assez, du même coup, pour voir combien sa victoire allait être éphémère.

---

1. Rappelons que le bûcher de Montségur fut, formellement parlant, un bûcher de croisade, et non un bûcher d'Inquisition.

17

L'après-Montségur : état des lieux

Le transfert de l'Inquisition aux mains de l'évêque d'Agen avait eu lieu en avril 1248. Il est curieux qu'aucune procédure inquisitoriale concernant le diocèse de Toulouse n'apparaisse, dans les documents connus, avant janvier 1251. Quant au tribunal de Carcassonne, où les Prêcheurs Bernard de Caux et Jean de Saint-Pierre restèrent en fonction jusqu'à l'été 1249, il faut attendre mars 1250. Même si l'on imagine une perte massive de documents, il serait étonnant que les procédures ultérieures ne contiennent aucune trace, ne fassent aucune allusion à ce qui s'est passé pendant cette période. Il n'est pas invraisemblable, en revanche, qu'il y ait eu une sorte de mise en veilleuse de la répression, d'une durée variable selon les diocèses. et ce pour deux raisons au moins.

Les pleins pouvoirs donnés par le Saint-Père à Algise de Rosciate, en mars 1249, expriment une politique certaine de modération : c'est alors la vague des commutations de peines au profit de la Terre sainte, mais aussi de libérations, par pures mesures de clémence, de condamnés qui ne partiront pas pour autant se battre outre-mer, par exemple les dames du Lauragais Véziade de Festes et Michèle de Saint-Michel Même un *faidit* aussi notoire que Raymond de Niort obtient son absolution d'Innocent IV en personne, en septembre 1249. Ce qui ne veut certes pas dire que le Saint-Siège va négliger la lutte contre l'hérésie. Même s'il entend qu'elle soit conduite sans arbitraire et sans esprit de vindicte, il est certain qu'il veut mener à son terme l'« affaire de la foi ». Mais de l'avoir enlevée aux Prêcheurs – à ces religieux qui, une fois nommés inquisiteurs, n'avaient plus guère de liens avec leur ordre et se consacraient à plein temps à leur mission – pour la confier à des évêques, allait impliquer une réorganisation complète du travail. Incontestablement, c'était imposer aux prélats un surcroît de charges. On ne s'étonnera donc pas de ne les voir que rarement officier en personne, déléguant même parfois l'office inquisitorial à des religieux séculiers de rang bien subalterne. Mettre en place le nouveau système, prendre le relais des procédures effectuées par les Prêcheurs, et parfois inachevées, cela dut demander un certain temps. La centralisation du travail et, dirions-nous aujourd'hui, le traitement des informations, en ont certainement souffert.

L'évêque d'Agen lui-même se déchargea le premier sur les évêques de Cahors et de Rodez, pour ce qui concernait leurs diocèses, entre 1250 et 1255, sur l'évêque de Toulouse en janvier 1251. Ce dernier, Raymond du Fauga, se fit aussitôt suppléer en nommant juges tour à tour le curé de la cathédrale, le chancelier de son chapitre, un chanoine, l'archidiacre de Lézat, celui de Villemur, le curé de Labécède en Lauragais, l'official de Pamiers – c'est-à-dire le juge ecclésiastique ordinaire – et quelques autres curés ou personnages parés du titre de « Maître » mais demeurés tout à fait obscurs. Le même système s'étendit vite aux évêchés qui relevaient du tribunal de Carcassonne. Quand Bernard de Caux et Jean de Saint-Pierre partirent, à l'été 1249, ils ne furent pas remplacés par d'autres Prêcheurs et leur mission fut confiée aux évêques. Celui de Carcassonne, quand il ne conduira pas lui-même les interrogatoires, fera tenir le tribunal par des juges délégués par ses soins à l'inquisition, l'official, un archiprêtre, divers gradés en théologie ou en droit canon, même un ancien notaire de Ferrer. L'évêque d'Albi fera venir deux chanoines de Lodève.

Du travail de cette inquisition diocésaine dans l'évêché de Toulouse, on n'a conservé que des lambeaux de documents. D'abord d'expéditives confirmations d'aveux, faites de 1251 à 1254, de personnages déjà interrogés par Bernard de Caux et Jean de Saint-Pierre en 1245 et 1246. Elles sont réparties dans la copie, faite en 1260, du registre qui contient leur grande enquête sur le Lauragais. Ensuite douze folios de parchemin consignant les confessions de quatre parfaits et de deux parfaites. Elles ont été faites de 1254 à 1256, pour une part devant Raymond Resplandis, archidiacre de Lézat, et Arnaud de Gouzens, archidiacre de Villemur. Ces feuillets ont été manifestement arrachés à un registre spécial, aujourd'hui perdu, consacré aux convertis.

Ce ne sont là, certes, que des épaves. Mais, combinées avec les informations que fournit le registre de Bernard de Caux pour les années 1245-1246, et quelques données rétrospectives contenues dans des procédures ultérieures, elles permettent de parler un peu, enfin, de ce qu'est devenue l'Église cathare au lendemain de la chute de Montségur.

Comté de Foix : l'Église en perdition

Elle s'est donnée un évêque pour succéder à Bertrand Marty. C'était un notable toulousain, Arnaud Rougier, d'un âge avancé, puisqu'il avait été consul en 1222-1223. Et croyant cathare depuis les années 1226-1229 au moins, car pendant la croisade royale il hébergea le *fils majeur* de Guilhabert de Castres, Bernard de Lamothe, et le diacre de Verfeil Guillaume Salamon. A la même époque, il louait une maison à des parfaits et des croyants qui avaient fui Les Cassès et Avignonet. En 1235, avec son fils Raymond, consul cette année-là, il participa au soulèvement de la ville contre les Prêcheurs, ce qui valut aux deux hommes d'être excommuniés et condamnés comme hérétiques par contumace. Tout le reste de sa carrière est très flou. On le voit apparaître comme simple parfait au printemps de 1243, à Rabat, en haut comté de Foix. Attesté comme évêque en 1246, il ne se risque nullement en pays toulousain : on ne le voit que dans le haut comté, où il fréquente la bonne noblesse du pays. C'est lui qui convainc de devenir parfaite la jeune Stéphanie de Château-verdun, sœur du Pons Arnaud de Châteauverdun qui, au début de 1244, avait abrité un temps, dans la grotte fortifiée qu'il commandait, le trésor de Montségur. Un autre frère, Pierre Arnaud, avait épousé la sœur de l'abbé de Saint-Volusien de Foix, Agnès de Durban – qui, devenue parfaite, sera plus tard brûlée. Un troisième, Ath Arnaud, mort *consolé* vers 1232, avait épousé Séréna, la sœur de Pierre-Roger de Mirepoix, qui finira sur le bûcher en même temps qu'Agnès... Stéphanie se fit ordonner en 1247 à Rabat par Arnaud Pradier, qui avait longtemps exercé clandestinement au Mas-Saintes-Puelles avant de devenir vers 1240 diacre de Laurac. L'enquête que Bernard de Caux avait ouverte en 1245 l'avait incité à fuir le Lauragais pour le comté de Foix.

Las ! L'évêque Arnaud Rougier disparaît de nos sources à

l'époque même où Bernard de Caux et Jean de Saint-Pierre ont installé leur tribunal à Pamiers : 1246-1247. La hiérarchie cathare n'est plus représentée en comté de Foix que par Arnaud Pradier et son homologue Raymond de Couiza, diacre du Sabarthès. Une trentaine de parfaits et une vingtaine de parfaites font alors comme Stéphanie de Châteauverdun : ils courent sans cesse d'une cachette à l'autre, de la grotte de Bédeilhac à quelque maison accueillante de Châteauverdun, de Rabat, de Perles, de Vernaux ; une vingtaine de refuges au total, où croyants et croyantes se relaient pour les héberger et les ravitailler. Si Église il y a encore, elle n'a évidemment plus de centre, et il n'est plus question, comme au temps de Montségur, d'avoir des escortes armées quand on se déplace.

Puisque j'ai pris Stéphanie pour exemple, poursuivons notre chemin avec elle. En 1248, Raymond de Couiza juge prudent de la cacher, avec sa *sòcia*, dans un bois proche de Prades d'Alion. Elles y vivent quatre mois dans une cabane. Arrêtée ? Découragée ? Toujours est-il qu'en 1255 Stéphanie se retrouve, comme parfaite convertie, devant les inquisiteurs, soit les diocésains Raymond Resplandis et Arnaud de Gouzens, soit, plus vraisemblablement, Renaud de Chartres et Jean de Saint-Pierre – un homonyme du collègue de Bernard de Caux – deux Prêcheurs qui, l'Inquisition dominicaine étant revenue sur le devant de la scène, et l'on va en reparler, ont pris la place des inquisiteurs diocésains.

Un détail extraordinaire vaut qu'on s'arrête un peu à la confession de Stéphanie. C'est elle qui raconte son ordination, à Rabat, par Arnaud Pradier. « Arnaud Pradier, diacre des hérétiques de Laurac, qui est aujourd'hui mon mari... » précise-t-elle ! On serait presque en droit d'être incrédule, si le livre de comptes des deux inquisiteurs ne nous révélait ce qu'ils avaient dépensé, du 24 juin 1255 au 9 février 1256, pour l'entretien, nourriture et vestiaire compris, d'Arnaud Pradier, de sa femme... et de leur enfant, tous trois logés au Château Narbonnais – autrement dit sous l'aile de l'Inquisition. Le diacre a donc abjuré lui aussi, il a épousé celle-là même qu'il avait ordonnée, et l'Inquisition les a sous sa garde, sans doute pour se servir d'eux auprès des prisonniers qu'on essaie de convertir. Un Bon Homme épousant une Bonne Dame, et lui faisant un enfant, voilà qui est suffisamment rare pour mériter d'être relevé. On ne connaît que deux autres cas.

L'histoire d'Arnaud et de Stéphanie pourrait bien témoigner

du délabrement rapide de l'Église cathare en comté de Foix après la chute de Montségur. Mais ne nous y trompons pas. Faute de parfaits, il y aura encore des croyants : la foi va se maintenir sans faille comme tradition familiale dans la quasi-totalité des lignages nobles, elle va même gagner maints bourgeois cultivés ; ce sera du haut comté de Foix que partira le spectaculaire sursaut de la fin du siècle, que l'Inquisition mettra plus de vingt ans à réduire.

Pays toulousain : la peau de chagrin

Si l'on se transporte maintenant en pays toulousain, notamment dans cet épicentre de l'hérésie qu'avait été le Lauragais, que constate-t-on ? Si l'on considère d'abord l'évêché cathare de Toulouse dans son ensemble, il faut dire que lorsque Bernard de Caux achève sa grande enquête en 1246, au moins trente-trois parfaits et trente-sept parfaites ont déjà été brûlés, par lui ou par Ferrer, voire par Guillaume Arnaud – outre, évidemment, les deux cent vingt-quatre victimes du bûcher de Montségur. A peu près autant ont été arrêtés. Enfin seize, au moins, ont récemment abjuré. Soit un minimum de trois cent soixante-dix personnes retranchées en quelques années du clergé hérétique. Vont suivre une dizaine de conversions encore, et une soixantaine de départs pour l'Italie. Conversions et départs connus. Il y en eut sans doute beaucoup plus.

Si l'on songe que la grande enquête de 1245-1246 est suivie des deux cents sentences prononcées à Toulouse jusqu'en juin 1248, et qui décapitent quelques-uns des grands réseaux nobiliaires complices d'hérésie, on ne s'étonnera pas que faire un état des lieux pour l'immédiat « après-Montségur » débouche sur le constat d'une inexorable déchéance de l'implantation du catharisme. Mais du même coup sur le constat en quelque sorte anticipé de l'incroyable capacité de résistance de la religion interdite, qui va malgré tout passer au travers de cette vague de répression – et de quelques autres d'ailleurs : nous sommes encore à quatre-vingts ans du dernier bûcher !

Le signe le plus patent de la dégradation qui suivit la chute de Montségur et les procédures inquisitoriales des années 1240 est l'état des diaconés cathares. Pour le seul évêché de Toulouse, on pouvait, jusqu'en 1240, en répertorier vingt-trois. Après 1244, on n'en trouve plus que cinq ou six. Les autres sont tombés en complète déshérence. Le diacre d'Auriac, absent de nos sources à partir de 1243, aurait pu avoir un successeur dans le parfait Arnaud Faure, qui était médecin : il fut arrêté et brûlé en 1245. Aux Cassès, personne ne prend la suite du diacre, l'ancien seigneur des lieux, brûlé à Montségur. Aucun successeur connu, non plus, au diacre de Fanjeaux, Pierre Bordier, attesté jusqu'en 1244. Plus de diacre à Puylaurens après Raymond de Carlipa, à Vauré après Guillaume Incaritz, à Saint-Félix après Raymond Sans ; ni à Verfeil après Guillaume Salamon, ni à Lavaur, ni à Villemur... Même Bernard de Mayreville, qui avait été l'un des plus actifs d'entre eux, disparaît de nos sources quelques mois après la chute de Montségur, alors que, venant de Pech-Luna, il est arrivé au Mas-Saintes-Puelles.

La façon dont les choses se sont passées aux Cassès, par exemple, est très significative. Quand Guillaume Arnaud et Étienne de Saint-Thibéry y étaient arrivés, fin 1241 ou début 1242, les seigneurs, Bernard et Raymond de Roqueville, avaient imposé à la population le complot du silence. Interrogés par Bernard de Caux en 1246, les deux frères sont condamnés à la prison perpétuelle, refusent de faire leur peine, prennent le maquis, puis, leurs biens ayant été confisqués, partent pour la Lombardie où ils se font ordonner parfaits... Entre-temps, la trahison d'un ancien croyant, parmi les plus dévoués, Arnaud de Clérens, devenu un dangereux délateur, a permis d'arrêter d'autres croyants très actifs, les Sirvent, les Bouffil, ainsi que deux parfaites qu'il hébergeait et qu'il livra lui-même au curé. Deux parfaits prennent de leur côté le chemin de l'exil. D'autres restent, et la résistance religieuse continue, certes, mais de façon tout à fait informelle : tout le système des réseaux croisés, celui des parfaits, celui des complices, s'est effondré. Treize Bons Hommes étaient connus aux Cassès en 1244 ; on n'en trouve plus que sept en 1250. Un départ collectif pour la Lombardie a lieu, une nuit, dans un bois situé entre Les Cassès et Folcarde. Deux parfaits des Cassès en font partie. Des cinq qui restent, deux disparaissent à leur tour, et l'on n'en voit plus que trois poursuivre quelque temps encore leur périlleuse carrière – dont Hugues Domergue, qui avait quitté Montségur juste avant le bûcher. Il est arrêté au début des années 1250... Les deux autres, les frères Ainard, exercent encore vers 1258. La dernière fois qu'on les voit, c'est quand, dans un taillis, ils demandent à un croyant revenu en cachette de Lombardie comment, là-bas, les choses se passent. Ils y sont sans doute partis. Dès lors, en tout cas, on ne voit plus de parfaits aux Cassès.

Il a quand même fallu une quinzaine d'années, après la chute de Montségur, pour parvenir à ce qu'on peut considérer comme l'éradication du catharisme dans une localité aussi emblématique que Les Cassès. L'exemple vaut pour bien d'autres villages. Mais de là à éradiquer l'hérésie de tout le Lauragais, il y avait loin ! Si le découpage en diaconés devient de plus en plus incertain, autrement dit si l'organisation territoriale de la résistance religieuse est peu à peu ruinée, une demi-douzaine de diacres maintiennent une hiérarchie certes très amoindrie, mais réelle. Oh ! Une dizaine d'années seulement ! Si Arnaud Pradier, le diacre de Laurac, a fui, comme on l'a vu, en haut comté de Foix, où il se joint à Raymond de Couiza le diacre du Sabarthès, l'ancien diacre de Mirepoix, devenu diacre de Montmaur son village natal, Raymond Mercier, sillonne le Lauragais, passe à Fanjeaux, aux Cassès et ailleurs avant de gagner la Lombardie en 1250 ou 1251. Raymond de Montouty, diacre de Toulouse, de son vrai nom Raymond Donati, prêche encore dans un bois près de Verdun-Lauragais aux alentours de 1254. Pons de Sainte-Foy, diacre de Lanta, arrêté en 1244, s'évade ou est racheté, et exerce dix ans encore de Montgaillard à Avignonet. Pierre Doat est diacre de Caraman vers 1251. Raymond du Mas, diacre du Mas-Saintes-Puelles, succède dans le diaconé du Vielmorès au vieil Arnaud Huc – un ancien prêtre catholique, qui finira d'ailleurs par abjurer – et déploie une très intense activité de prédication et de *consolaments* dans tout le Lauragais oriental avant de prendre en 1252 la route de l'exil.

Malgré l'obstination de ces hommes, la peau de chagrin, inexorablement, s'est rétrécie. 1255 est même une année particulièrement critique pour l'Église interdite. L'inquisition diocésaine va cesser, les évêques vont renoncer à diriger la poursuite de l'hérésie, qui va être rendue aux Frères prêcheurs. C'est chose faite au tribunal de Toulouse au cours de cette année-là, quand les archidiacres Raymond Resplandis et Arnaud de Gouzens cèdent la place aux dominicains Renaud de Chartres et Jean de Saint-Pierre. Sans doute la désagrégation de l'Église cathare doit-elle plus à l'exil en Lombardie qu'à la répression active proprement dite. Mais l'exil lui-même dit assez combien la situation devient peu à peu intenable. Il n'y a plus un seul diacre en Lauragais en 1255. L'Église en exil s'en alarme – les Bons Hommes et les Bonnes Dames restés au pays ne pourront plus faire leur *apparelhament* ! – au point qu'elle crée un diacre en la personne d'un parfait originaire de la région de Saint-Félix, un certain Aymard, et qu'elle l'envoie en Vielmorès avant la fin de l'année...

Cause ou effet de la désagrégation de la structure ecclésiale, il importe peu : ce qu'on a pu sauver du registre consacré aux convertis permet de prendre la mesure d'une situation qui, offrant de moins en moins de sécurité, offre de moins en moins de chances de survie entre l'exil et le renoncement.

On a parlé de Stéphanie de Châteauverdun. Son abjuration a tout lieu d'avoir été spontanée. Pour d'autres, on ne sait pas, mais, qu'on se convertisse sans attendre d'être arrêté ou une fois arrêté, au bout du compte il n'y a pas très grande différence : l'Église a de toute façon perdu un Bon Homme ou une Bonne Dame.

Quand Ferrer avait cité des habitants de Fanjeaux, en 1243, Saurine Rigaud, parfaite et sœur d'un parfait, avait pris la fuite avec son fils Pons. Elle vécut deux ans à Fenouillet en Roussillon, où son fils mourut, *consolé* par un diacre, puis deux ans encore dans le château voisin de Puilaurens, où un réseau de croyants cachait déjà un nombre conséquent de parfaits et de parfaites, dont la sœur du seigneur d'Albedun. Revenue en Lauragais, elle se partage, quelque six ans durant, entre Bram et Fanjeaux. Trois mois encore avant d'être entendue, à l'automne 1254, par les inquisiteurs diocésains Raymond Resplandis et Arnaud de Gouzens – qui l'interrogeront au mois six fois –, elle était avec sa *sòcia* Guillelme Cailhavel chez des croyants de Mortier, entre Laurac et Fanjeaux, où son frère Raymond Rigaud et son *sòci* vinrent donner le *consolament* à un mourant.

Né à Montgey, employé comme bouvier à Avelanet près de Montgaillard, Guillaume Carrère s'était fait ordonner par Bertrand Marty à Montségur, à Pâques 1241, après six mois de noviciat. Reparti avant le siège, il réussit à mener huit années durant la vie clandestine d'un parfait modèle, exerçant dans tout le Lauragais oriental avec plusieurs *sòcis* successifs. Il donne le *consolament* à des malades, il prêche, il prêche beaucoup : de garrigue en verger, de potager en vieux moulin, de forêt en vallon boisé, au risque de se faire une fois repérer par un chien dont les aboiements alertèrent son maître, en train de garder son troupeau... Au printemps 1254, il se trouve avec une dizaine de parfaits sur les bords du Tenten, alors que l'Inquisition fait une descente de police à Verdun-Lauragais. Cinq femmes de Verdun et de Dreuilhe viennent leur faire leurs adieux : elles partent se faire ordonner parfaites en Lombardie – indice supplémentaire qu'on ne trouve déjà plus de diacre en Lauragais pour procéder à des ordinations. Craignant d'entrer dans Verdun, où les croyants n'oseront plus leur ouvrir leur porte, Guillaume Carrère et deux compagnons passent deux mois encore dans les vallons du Tenten et de l'Aiguebelle, où l'on vient quand même les ravitailler. Début mai, Guillaume se cache aux Pierres Blanches, aux portes de Verdun. Le 8 juin, il dépose, en tant que « converti de l'erreur de la perversion hérétique à la foi catholique », devant un inquisiteur diocésain, « maître G. ».

Sicard Lunel : de l'Albigeois au Quercy

Des six confessions qu'on a sauvées du registre des parfaits convertis, la plus spectaculaire est certainement celle de Sicard Lunel, dont quatre fragments subsistent. Ceux-ci présentent d'autant plus d'intérêt qu'ils contiennent les rares données qu'on peut avoir sur le catharisme en Quercy et en Albigeois pour cette époque. On y apprend d'abord que l'Église d'Albigeois avait pour évêque en 1243 un certain Jean du Collet, auquel succéda son frère Aymeric, auparavant diacre d'Hautpoul. Aymeric et Jean avaient activement exercé autour d'Hautpoul, dans la Montagne Noire, refuge privilégié de parfaits et de croyants – et même siège, semble-t-il, de l'évêché –, efficacement secondés par les diacres Pierre Capelle et Sicard Lunel, notre converti de 1255. Il était d'Ambres, près de Lavaur, où ses parents vivaient encore en 1249, avec sa sœur et son tout jeune frère, quand il prêchait soit chez eux, soit dans les mas et les bois des bords de l'Agout ou du Dadou : un saisissant tableau, évoqué avec force détails, de quelques mois de son ministère clandestin, où on le voit construire un four pour cuire son pain, ou pêcher dans le Dadou pour son repas... Un autre fragment raconte avec non moins de précisions le long périple qu'il avait fait récemment avec deux autres parfaits jusqu'au-delà du Lot. Il révèle que sur une falaise de la vallée du Vers, une grotte abritait la bibliothèque des parfaits. Cours, Bias, Bach, La Curade près de Cordes, Saint-Marcel, Fiac... Une autre tournée de prédication l'avait amené, avant

1244, avec Pierre Capelle, de Montégut – aujourd'hui Lisle-sur-Tarn – à Lagarde, Puicelci, Penne d'Albigeois, où un passeur les attendait pour leur faire franchir l'Aveyron ; puis ce fut Caussade, et Somplessac près de Puylaroque. Partout, accueil chaleureux des croyants, complicité de la noblesse, de Rabastens à Caussade et à la vallée du Vers, assistance nombreuse aux sermons : on se croirait dans le Lauragais d'avant Ferrer et Bernard de Caux !

On ne sait si Sicard Lunel fut arrêté ou s'il se livra spontanément. Ce qu'on sait, en revanche, c'est que, non content d'abjurer, il fut retourné par l'Inquisition, qui le prit à son service. Il y resta trente ans. D'abord simple messager, il porte des citations à Albi. Puis courrier diplomatique, il est envoyé en 1264 auprès du prince d'Apulie, Manfred, pour faire arrêter des hérétiques exilés en Italie. En 1274, puis en 1284, il siégera au tribunal inquisitorial de Carcassonne comme témoin de plusieurs audiences...

Le contraste est assurément grand entre ce que sa confession révèle de la situation de l'hérésie dans les pays tarnais, aveyronnais et lotois autour de 1250, et ce que nous savons du Lauragais comme du comté de Foix : à aucun moment, même s'ils ont la prudence de ne voyager que la nuit, Sicard et ses compagnons ne paraissent dans une situation aussi difficile et aussi précaire que leurs collègues du pays toulousain ou de la haute vallée de l'Ariège. Il est vrai que l'Inquisition n'y avait pas sévi comme Guillaume Arnaud, Ferrer et Bernard de Caux l'avaient successivement fait en Lauragais, puis le même Bernard de Caux en comté de Foix. Le pays que Sicard Lunel connaissait bien n'avait d'ailleurs pas d'inquisiteurs particuliers : le diocèse catholique d'Albi relevait du tribunal de Carcassonne, ceux de Rodez et de Cahors du tribunal de Toulouse. Et quand la poursuite de l'hérésie passa aux mains des évêques de Cahors et de Rodez, même si ce dernier fit brûler en 1252 un hérétique de Najac, il ne semble pas que l'inquisition diocésaine ait, sous leur direction, sévi longtemps ni avec beaucoup de rigueur. Le sénéchal du Rouergue se plaignit même un jour au comte de Toulouse – c'était Alphonse de Poitiers – que l'évêque de Rodez avait condamné six habitants de Najac à des peines si légères qu'elles n'entraînaient pas la confiscation de leurs biens, ce qui lésait ledit comte, bénéficiaire du produit des saisies...

On ne sait rien de Pierre Capelle après 1242. Quant à l'évêque Aymeric du Collet, il apparaît encore une fois, entre la Toussaint et la Noël 1249, à Fiac près de Lavaur. Puis il partit pour l'Italie. Il paraît bien qu'en 1255 l'Église cathare n'a plus, en Albigeois ni en Quercy, de hiérarchie connue. Quand celle-ci réapparaîtra, ce sera en Italie, comme Église des Albigeois en exil. Y eut-il donc, sur place, un effondrement somme toute assez brutal ? Cela paraîtrait contredire la solide implantation du catharisme chez les croyants, dont Sicard lui-même avait dressé le tableau. En fait, si l'on y regarde de près, toute la vie clandestine du catharisme paraît avoir reposé, depuis les années 1240, sur une petite poignée de Bons Hommes. Les quelques parfaits qu'on voit dans l'entourage de Sicard, Bernard Carbonnière, Guillaume de Caussade, Foulque de Darnagol, même le diacre Bernard Feuillade, ne font dans nos documents que des apparitions très fugitives. La disparition de Pierre Capelle, le départ d'Aymeric du Collet, laissait Sicard de Lunel pratiquement seul. Est-ce cela qui l'a découragé ?...

Carcassès : du Val de Daigne au Cabardès

Pour l'évêché de Carcassonne et l'action qu'y mena l'inquisition diocésaine, les choses se présentent bien différemment. Tout d'abord parce qu'on possède un volumineux registre dont les deux cent soixante-dix premières pièces, étalées de mars 1250 à février 1258, nous montrent l'évêque en personne, Guillaume-Arnaud Morlane, procédant à des adoucissements de peines, pour cause de maladie ou d'infirmité, pour aller faire des travaux de maçonnerie au monastère de Rieunette, pour accoucher, etc. – voire à des libérations ou à des commutations de peines par simple mesure de clémence. Pèlerinages divers, port de croix cousues, passage outre-mer, viennent ainsi se substituer une cinquantaine de fois à l'incarcération Quand un prisonnier est libéré, l'évêque reçoit des cautions pécuniaires et des garanties diverses de la part de parents ou d'amis qui s'engagent soit à ce qu'il réintègre la prison dans le délai fixé, quand il s'agit d'une permission de sortie, soit à ce qu'il accomplisse la pénitence de substitution.

Suivent quarante-cinq interrogatoires, concernant trente-neuf personnes, et conduits jusqu'en août 1255 par l'évêque ou par des inquisiteurs diocésains nommés par ses soins.

Ce que nous révèlent toutes ces pièces est étonnant. C'est la première fois qu'on se trouve devant des informations circonstanciées sur l'implantation du catharisme dans le diocèse de Carcassonne. On apprend que quarante-sept localités, soit presque la moitié des paroisses, sont touchées. Il y a trois foyers principaux. L'un est le Cabardès, avec les vallées de l'Orbiel et de ses affluents, de Cabaret aux Martys, par Salsigne, Villardonnel, Villanière, Fournes, Roquefère, Cuxac, Labastide-Esparbairenque, La Tourette, les Ilhes ; pays auquel il faut ajouter le piémont de la Montagne Noire qui le prolonge au sud, d'Alzonne à Conques, avec Moussoulens, Pézens, Ventenac, Aragon. Les documents nous font connaître cent dix croyants, plus un parfait converti, Pierre d'Alassac. Des procédures ultérieures feront allusion, rétrospectivement, à l'activité de Pierre d'Alassac, mais aussi à celle de ses collègues des années 1250, son *sòci* Isarn de Canois – l'ancien curé de Salsigne – et quelques autres auxquels l'Inquisition s'intéressera longtemps, un Guillaume Pagès, un Pierre Marty, un Raymond Mazelier.

Les deux autres foyers sont plus au sud, et d'ailleurs assez proches l'un de l'autre : le Val de Daigne, dans les Corbières, avec les villages de Rieux-en-Val, Serviès-en-Val, Taurize et Villetritouls ; puis, en amont de Carcassonne, la région de Cavanac, Couffoulens, Preixan, Pomas, Verzeille, Villefloure, et surtout Leuc et Cornèze. On apprend qu'une vingtaine de parfaits exerçaient là depuis quelque trente ans, sous la protection de quelques lignages de croyants très dévoués, comme, pour prendre l'exemple de Cavanac, la famille Sicre, père, mère, fils, filles, gendres, oncles, tantes, servante, et le cousin forgeron à Villefloure : ils sont treize à constituer un solide réseau de receleurs et de guides de parfaits, jusqu'à ce que l'official de Carcassonne y mette bon ordre. Interrogé le 15 mars 1250, le chef de famille, qu'on appelait Sicre tout court, commença par dire qu'il ne savait rien de l'hérésie. Jeté en prison, et interrogé de nouveau le surlendemain, il parla. Une annotation à son interrogatoire dit qu'il fut brûlé, sans doute sur un excès de zèle du sénéchal du roi, car on ne sache pas qu'il se soit jamais fait ordonner parfait. En revanche, le ministre le plus actif de la région, et que les Sicre connaissaient bien, Bernard Acier, fut arrêté et abjura avant 1259.

Ce qui frappe néanmoins, dans cette période de résistance religieuse active en Carcassès, c'est la rareté des diacres. Il s'est produit à peu près la même chose qu'en Lauragais et en Albigeois.

Les diacres du Cabardès, les frères Guillaume et Pierre Paraire, disparaissent de nos sources en 1242 – Pierre a d'ailleurs fui l'Albigeois pour le Fenouillèdes, au sud des Corbières. Après cette date, on n'en connaît plus qu'un, Bernard Gaubert, *sòci* en 1242 de l'évêque Pierre Paulhan, puis vu à Bram, à Moussoulens à Arzens, à Rieux-en-Val, jusqu'en 1245. Il abjura entre cette date et 1251, dans des circonstances qu'on ignore.

Tout aussi pauvres que pour les diacres sont les renseignements qu'on a sur Pierre Paulhan lui-même, cinquième évêque cathare connu pour le Carcassès[1]. Sa carrière s'acheva entre 1244, année où il disparaît des documents, et l'automne 1258, lorsque Guillaume Sicre récupéra dans un bois du Razès le trésor que l'évêque y avait enfoui – on ne sait quand ni pourquoi. La présence d'un tel dignitaire en Lombardie aurait laissé des traces dans quelques-uns des si abondants témoignages d'exilés. Si sa fin demeure un mystère, il paraît certain, en revanche, qu'il ne fut pas remplacé.

Alphonse de Poitiers : le retour des Prêcheurs

La « parenthèse diocésaine » s'était donc refermée. A une date un peu indécise pour le tribunal de Toulouse, où les archidiacres Raymond Resplandis et Arnaud de Gouzens cédèrent la place, au plus tard en janvier 1255, aux dominicains Renaud de Chartres et Jean de Saint-Pierre. A Carcassonne, il faut attendre le printemps 1259 pour voir les Frères Baudouin de Montfort et Guillaume-Raymond de Pierrecouverte recueillir des interrogatoires.

Mais alors que la correspondance d'Innocent IV nous avait permis de suivre pas à pas, de 1243 à 1249, l'éviction progressive des inquisiteurs dominicains au profit des tribunaux diocésains, les choses sont plus floues sur les circonstances dans lesquelles les Prêcheurs récupérèrent la poursuite de l'hérésie, et sur les raisons exactes de leur retour. Elles paraissent d'ailleurs multiples, et il n'est pas impossible que les pouvoirs politiques aient joué un rôle dans ce renversement de la situation. Les pouvoirs : Alphonse de Poitiers et Saint Louis.

Raymond VII était mort au moment même où l'inquisition

---

1. On connaît successivement Guiraud Mercier, élu au concile de Saint-Félix en 1167, Bernard de Simorre, attesté dans les années 1200, Pierre Isarn, capturé et brûlé en 1226, puis Guiraud Abit, à qui Pierre Paulhan, ou Poullain, succéda avant l'automne 1240.

diocésaine, décidée dans son principe, allait se mettre en place.
Il faut donc regarder d'abord dans quelles conditions fut réglée
sa succession.

Informée des événements par le sénéchal de Béziers, Blanche
de Castille fit savoir aux consuls de Toulouse que le comté et le
marquisat de Provence revenaient à son fils Alphonse et à Jeanne
sa femme – ce que tout le monde savait, d'autant mieux que
Raymond l'avait bien stipulé dans son testament. La reine mère
envoya immédiatement des commissaires en prendre possession.
Les serments qui furent prêtés dès décembre 1249 entre leurs
mains ne laissent cependant planer aucun doute : la dévolution des
États raymondins au comte capétien est faite en vertu, non du
testament du comte défunt, mais des clauses successorales du
traité de Paris. Si bien que quand Alphonse revient de Terre sainte
dix-huit mois plus tard, il n'a que faire du testament de son beau-
père, parfaitement inutile – inutile, et gênant : tout cet argent et ces
trésors que Raymond a généreusement légués et que ses légataires
ont déjà distribués, selon ses vœux ! Alphonse demandera que
le testament soit cassé pour vice de forme. Il l'obtiendra, ce qui lui
permettra de récupérer les biens légués, allant même jusqu'à
contraindre l'abbesse de Fontevrault à restituer les joyaux que le
testament lui avait attribués.

La rapacité, en effet, ne fut pas le moindre défaut du nouveau
comte. Les vingt années de son règne allaient être marquées par
une très pesante pression fiscale, dont le principal mobile était les
dépenses de croisade. Les juifs, en particulier, furent cruellement
victimes de spoliations de tout ordre. Par ailleurs, bénéficiaire
des confiscations opérées sur les hérétiques condamnés, dès lors
qu'ils étaient ses sujets, Alphonse avait intérêt à ce que la répression de l'hérésie fût conduite avec sévérité, et son administration
le savait : on a dit plus haut comment son sénéchal du Rouergue
avait déploré que les peines données par l'évêque à six habitants
de Najac fussent trop légères pour entraîner la saisie de leurs
biens... On raconta aussi que le même évêque monnayait commutations et adoucissements de peine, bref, faisait preuve d'un coupable laxisme dont il savait tirer de petits profits, alors que la
rigueur avait le double avantage d'être efficace contre l'hérésie et
de remplir le trésor comtal. Il y eut mieux : quand les dominicains
Renaud de Chartres et Jean de Saint-Pierre prirent les choses en
main, en janvier 1255, ils s'aperçurent que les juges civils – des
fonctionnaires d'Alphonse, donc – avaient brûlé des gens que les

inquisiteurs diocésains avaient seulement condamnés à la prison perpétuelle... « Pouvons-nous garder le silence sur de tels faits sans péril pour nos âmes ? » écrivirent-ils, scandalisés, au comte, en le menaçant de le dénoncer au pape...

En avril 1251, six mois après son retour de Terre sainte, Alphonse, gagnant enfin Toulouse, s'arrêta à Lyon pour y voir le Saint-Père. Et le 17 juin, ce dernier écrivit au prieur provincial des Prêcheurs pour lui demander de nommer les inquisiteurs... Alors qu'elle se mettait tout juste en place, l'inquisition diocésaine était soudain reniée par celui-là même qui l'avait ordonnée ! Deux questions se posent alors.

Pourquoi ce revirement ? Même s'il est le résultat de pressions exercées par Alphonse, il fallait bien que le Saint-Père eût quelque raison d'entrer dans les vues de ce dernier, au point de faire aussi manifestement marche arrière. Il était un peu tôt, semble-t-il, pour avoir des tribunaux diocésains une opinion certaine, pour craindre par exemple qu'un excès de modération ne mît en péril la lutte contre l'hérésie. C'est pourtant ce qui semble s'être passé – encore que la légalisation de la torture par la constitution *Ad extirpendam* du 15 mai 1252 ait été destinée aux podestats, recteurs et consuls des villes italiennes, et non aux inquisiteurs du pays d'oc, qui en feront certes usage, mais quelque trente ans plus tard.

Pourquoi, ensuite, les ordres d'Innocent IV sont-ils demeurés lettre morte ? Au point qu'il lui fallut revenir à la charge un an plus tard : en mai 1252, il informe les évêques du comté de Toulouse qu'il a confié l'Inquisition aux Prêcheurs, et qu'il leur a demandé de sévir très fermement contre l'hérésie. En juin, Alphonse réunit à Riom ces mêmes prélats, qui écrivent aux Prêcheurs de reprendre en main les tribunaux : ils n'y mettront eux-mêmes aucun obstacle, disent-ils, à condition que rien ne soit décidé sans leur conseil, et que tout soit conduit selon les règles canoniques. Les Prêcheurs ne bougèrent pas de leurs couvents...

En réalité, le conflit couve entre Alphonse et le haut clergé. La raison en est que les prélats et le comte se disputent les bénéfices qu'il y a à retirer de la répression de l'hérésie, soit directement par la vente des biens confisqués aux condamnés, soit indirectement en monnayant adoucissements et commutations de peines. Chaque fois qu'une confiscation va bénéficier à l'un, c'est l'autre qui se met en travers en la commuant en une amende ou un don qu'il empoche. L'évêque de Rodez est accusé de faire

racheter, non seulement des peines de prison, mais des pénitences de pèlerinage. En mai 1253, c'est l'archevêque de Narbonne qui, de concert avec les évêques de Béziers, Lodève et
Agde, reproche à Alphonse de restituer, moyennant finances, des
biens confisqués... Bref, le climat est d'année en année plus détestable entre le comte capétien et le haut clergé local, sauf peut-
être avec Raymond du Fauga, l'évêque dominicain de Toulouse.

En octobre 1253, Innocent IV, revenu à Rome, écrit derechef
aux Prêcheurs de Toulouse. Comme ils font toujours la sourde
oreille, il demande directement au prieur de Paris de nommer les
inquisiteurs. Toujours rien. Alphonse s'impatiente : au printemps
1254, il envoie au pape un mémoire qui propose de réorganiser
la répression dans le sens d'une plus grande sévérité dans la procédure et d'une aggravation des peines. Innocent IV repart alors,
le 11 juillet, à l'assaut des dominicains de Paris. Mais voici que le
21 du même mois, sans attendre la réponse des Prêcheurs, si tant
est qu'il en attende une, il a soudain l'idée de confier l'Inquisition
aux franciscains. Il n'en fallait pas plus pour que les dominicains
se manifestent...

Nommés par le prieur de Paris, Renaud de Chartres et Jean
de Saint-Pierre entraient bientôt en fonction comme inquisiteurs
à Toulouse. Ce sont eux qui découvrirent et dénoncèrent, en janvier 1255, quelques excès criminels autant qu'intéressés de la
justice comtale.

On prendra garde, cependant, de juger des vingt années de
règne alphonsin sur l'État toulousain d'après les seules exactions
qui purent être commises sous couvert de lutte contre l'hérésie.
L'Histoire a souvent reproché au comte capétien de n'avoir passé
en tout et pour tout que quatre semaines à Toulouse, et d'avoir
donc gouverné à distance l'héritage de Raymond VII. Ce fut
peut-être, en fait, de la sagesse, que de ne pas trop se montrer
dans un pays dont la mémoire collective était lourde encore des
ravages de la croisade et des humiliations de la défaite : il suffit,
pour s'en convaincre, de lire les poésies des troubadours les plus
« engagés », un Guilhem Figueira, un Bernard-Sicard de Marve-
jols, un Guilhem Montanhagol, véritables pamphlets politiques
contre « la paix des Français et des clercs ». Alphonse gouverna
donc de loin. Mais du moins gouverna-t-il, et il eut l'intelligence
de le faire en ne confiant pas les plus hautes charges exclusivement à des Français – tels ses sénéchaux successifs de Toulouse,
de Rouergue ou d'Albigeois, Pierre de Voisins, Geoffroy de

Chènevières, Pierre de Landreville ou Thibaut de Nangerville – mais aussi à des hommes du pays qui étaient garants à eux seuls d'une certaine continuité : Raymond Gaucelm, seigneur de Lunel, demeura sénéchal du Venaissin, et Sicard Alaman le « premier ministre » qu'il avait été sous Raymond VII. Le chancelier de ce dernier, Pons Astaud, occupa un poste suprême dans l'administration de la justice, tandis que le fils du chancelier de Raymond VI, Guy Foucois, un jurisconsulte natif de Saint-Gilles, se révélait un précieux conseiller politique pour Alphonse – comme aussi, d'ailleurs, pour son frère Louis IX – avant de devenir le pape Clément IV. Sans doute y eut-il des frictions entre le pouvoir alphonsin et bien des autorités indigènes, en premier lieu les consuls de Toulouse, toujours attentifs à la sauvegarde de leurs prérogatives et des libertés municipales, ou comme l'abbaye de Boulbonne, dont les domaines furent ravagés en 1256 par l'armée alphonsine qui réglait ses comptes avec Foix. Sans doute Alphonse dut-il faire face à la fronde de tel ou tel vassal, comme celle du comte d'Armagnac en 1264, et intervenir dans diverses guerres privées. Sans doute l'administration comtale elle-même, par viguiers et bayles interposés, se livra-t-elle à de trop nombreuses irrégularités et malversations, extorsions de fonds, spoliations et injustices de toute sorte, souvent, d'ailleurs, au détriment du comte lui-même. Soucieux d'ordre, Alphonse enverra sans cesse des commissions d'enquêtes chargées de recevoir les plaintes des populations et de leur faire droit.

L'achèvement de la conquête française

Sur la sénéchaussée de Carcassonne, la situation fut sur certains points identique, bien différente sur d'autres. Terre de conquête devenue partie intégrante du domaine royal, elle n'avait ni un Sicard Alaman pour gouverner sans trop de ruptures, ni un Alphonse de Poitiers pour limiter les dégâts d'une administration cupide et sans scrupules. L'assassinat du premier sénéchal en 1229, les soulèvements armés de 1240 et de 1242, la guérilla que le *faidit* Chabert de Barbaira, entre autres, mena en 1246 contre le sénéchal Hugues d'Arcis, les opérations qu'il fallut conduire en pays de Sault contre les Niort, disent assez les résistances que rencontrait la colonisation française, en un pays où un nombre assez considérable de grands fiefs étaient passés par droit de conquête à une noblesse venue du nord – des Lévis aux Voisins, des Bruyères aux Goloin et aux Montfort – et où le domaine propre du roi était livré à la discrétion des sénéchaux, tous français, et de leurs officiers subalternes. Comme son frère, Louis IX envoya maints enquêteurs écouter les plaintes et réparer les injustices les plus criantes. Mais comme son frère, il avait de très lourdes dépenses de croisade à assumer. Et comme son frère sur ses terres, il était sur les siennes bénéficiaire des saisies opérées pour cause d'hérésie...

Ce qui différencie cependant la sénéchaussée du comté alphonsin, c'est que la répression de l'hérésie s'y déroule sur une toile de fond éminemment politique : les enquêteurs d'Alphonse ne reprochent à personne d'avoir servi Raymond VII ; ceux de Saint Louis, tout en enregistrant les plaintes pour spoliation, repèrent soigneusement les opposants politiques, veulent savoir si le père ou tel parent de tel ou tel plaignant a été *faidit* « au temps du comte de Montfort », c'est-à-dire pendant la croisade, « dans la guerre du vicomte » – la rébellion de Trencavel en 1240 – ou « dans la guerre du comte » – la coalition fomentée par Raymond VII en 1242. Autant d'éléments qui pèseront sur les jugements des enquêteurs. Une bonne partie de la société du Carcassès a ainsi lourdement payé sa double résistance à l'ordre catholique et à l'ordre royal.

Mais ne croyons pas que l'attention portée par l'administration royale au passé de chacun repose sur on ne sait quelle rancune. Il y entre en revanche beaucoup de méfiance. Car la conquête a fait de l'ancienne vicomté des Trencavel une marche frontière avec les domaines catalans de la puissante couronne d'Aragon, avec qui tous les contentieux sont loin d'être réglés. Il y a notamment, dans les hautes Corbières, le Peyrapertusès – en principe français depuis la reddition de son seigneur en 1240 – et, tout près, la petite vicomté de Fenouillèdes, vassale de Jacques d'Aragon : un vrai repaire d'hérétiques et de *faidits*, tenu par une famille occitane chassée de la Montagne Noire par la défaite de la rébellion de 1240, les Saissac. Avec eux, Chabert de Barbaira, le *faidit* du Carcassès, qui, au nez et à la barbe des Français, occupe une forteresse satellite de Peyrepertuse, Quéribus, puissante sentinelle sur l'une des deux ou trois voies de passage qui, en traversant la chaîne méridionale des Corbières, relient le Carcassès devenu français et le Roussillon demeuré catalan.

Or, en octobre 1254, les Montpelliérains, ligués avec l'évêque de Maguelonne et le vicomte de Narbonne, se révoltèrent contre la tutelle de Jacques d'Aragon. Ce dernier mobilisa et, comme Montpellier formait une enclave dans la sénéchaussée française, il demanda au roi de France l'autorisation de faire passer ses troupes. Louis IX accepta, mais en y mettant des conditions qui témoignent de son extrême prudence, de sa volonté de rester hors du conflit tout en mobilisant lui-même et en consolidant ses positions pour parer au pire. C'est ainsi qu'en mai 1255 il envoya Olivier de Termes assiéger Quéribus, que Chabert de Barbaira livra assez rapidement, quitte, une fois libéré, à reprendre la guérilla contre les troupes du roi, jusqu'à être défait et capturé par Olivier au cours d'un combat de cavalerie – mais on ne sait où ni quand.

Loin d'avoir été la chute de « la dernière forteresse cathare »[1], l'affaire de Quéribus marqua le début du règlement politique auquel il fallait bien que les rois de France et d'Aragon aboutissent un jour. Par le traité de Corbeil, signé en juillet 1258 après de très longues négociations, les deux couronnes décidèrent de tracer une véritable frontière, chacune renonçant à ses droits et à ses prétentions sur les terres situées au-delà. La France tira un trait sur ses revendications concernant les comtés de Barcelone, de Roussillon, de Besalu, d'Empurdan, de Cerdagne et de Conflent. La couronne aragono-catalane fit de même pour le Carcassès, le Lauragais, le Razès, le Minervois, le Nîmois, le Gévaudan. Le Peyrapertusès et le Fenouillèdes eux-mêmes étaient laissés à la France. Cette frontière demeura intangible jusqu'au traité des Pyrénées de 1659.

1208-1258 : il avait fallu exactement cinquante ans pour que fussent sanctionnées les ultimes conséquences des derniers appels de croisade lancés par Innocent III. L'exposition en proie avait réussi. Tout le pays hérétique était passé sous la coupe d'un roi catholique, dont la conquête était entérinée et reconnue par son puissant voisin d'outre-Pyrénées.

Il ne restait plus qu'à se débarrasser définitivement de l'hérésie. Trois quarts de siècle encore...

---

1. Qu'en 1241-1242 Chabert de Barbaira ait donné asile à plusieurs parfaits à Quéribus, où l'évêque cathare du Razès, Benoît de Termes, s'était déjà réfugié après le traité de Paris, a longtemps incité à faire du redoutable nid d'aigle des Corbières « la dernière forteresse cathare » – y compris dans mes *Citadelles du vertige* (1966). Il faut finalement convenir, en fonction du contexte, que l'affaire fut d'ordre purement politique et stratégique. Aucun des documents qui la concernent ne fait d'ailleurs la moindre allusion à l'hérésie.

18

Le temps de l'exil

Les Prêcheurs tiennent de nouveau l'Inquisition. Ils ne vont plus la lâcher.

Ce qui ne veut pas dire que pendant ces trois quarts de siècle qu'il reste encore à vivre au catharisme occitan, le système répressif ne va pas connaître bien des aléas, même si, après les crises qu'il a traversées depuis sa fondation, il fonctionne désormais selon quelques principes intangibles. Son indépendance est chose maintenant acceptée de tous les pouvoirs, de l'administration royale ou alphonsine comme du haut clergé. Longtemps, ses rapports avec ce dernier ne poseront guère de problèmes, on verra même une collaboration s'instaurer spontanément entre l'évêque d'Albi et les inquisiteurs de Carcassonne, dans un contexte il est vrai très particulier, où chacun trouvera largement son intérêt. Le système, en revanche, suscitera de tels sentiments de révolte chez les justiciables, et notamment dans les élites urbaines de Carcassonne et d'Albi, que l'opposition de la société civile gagnera certains milieux religieux, comme les franciscains, et qu'elle finira par prendre des formes extrêmement violentes, du complot politique à l'émeute populaire. Alarmé par les excès de l'Office, assailli de plaintes, le pape Clément V tentera de calmer le jeu en demandant au haut clergé d'enquêter lui-même sur les prisons inquisitoriales mais quand, en 1312, il décidera d'associer à parité un évêque et un Prêcheur, ce sera un tollé de la part des deux inquisiteurs alors en fonction, comme au temps où l'Office défendait bec et ongles ses prérogatives : les Prêcheurs lutteront jusqu'au bout pour essayer de garder l'exclusivité de la répression de l'hérésie.

La restauration du principe de la délégation par mandat du

Saint-Siège rétablit une sorte de discipline dans le fonctionnement des tribunaux. En quelques années, neuf inquisiteurs épiscopaux avaient alterné au tribunal de Toulouse, sept à celui de Carcassonne – sans compter les juges diocésains d'Albigeois, de Rouergue et de Quercy, tous hommes d'origine, de formation et de compétence extrêmement diverses. Avec le retour des Prêcheurs, choisis désormais par le prieur de Paris avec l'aval du Saint-Siège, la fonction d'inquisiteur redevient un travail à plein temps, avec deux postes de juge par tribunal, pas un de plus – mais deux postes fixes. A l'un de ces postes comme à l'autre, et au tribunal de Toulouse comme à celui de Carcassonne, se succéderont évidemment de nombreux titulaires – on en connaît trente et un, de 1259 à 1328 – mais les périodes de vacance entre un départ et une nomination seront rares.

Quant à la définition du ressort de chacun des deux tribunaux, il lui arrivera de subir des variations, pour diverses raisons. Des raisons liées aux structures juridiques du pays lorsque, par exemple, Pons du Pouget et son collègue Étienne de Gâtine sont à partir de 1262 « inquisiteurs pour les domaines du roi de France situés dans les provinces ecclésiastiques de Narbonne et d'Arles, plus les diocèses d'Albi et de Cahors », autrement dit pour tout le pays touché par le catharisme, mais « excepté les terres du noble seigneur Alphonse, comte de Toulouse ». Autrement dit, le tribunal de Carcassonne s'occupe du domaine royal – y compris de cette terre vassale qu'est le comté de Foix, bien qu'elle soit dans le diocèse de Toulouse – alors qu'il revient à l'Inquisition toulousaine de gérer la répression sur l'ensemble de l'État raymondin devenu l'État alphonsin – certes vassal du roi de France, mais dans une position quand même assez particulière du fait que le seigneur en est le frère du roi. Des raisons certainement liées à des difficultés financières amèneront les tribunaux de Toulouse et de Carcassonne à n'en constituer qu'un seul en 1268, puis ils redeviendront indépendants en 1273. Et puis – difficultés financières encore, ou difficultés de recrutement – on ne voit plus qu'un inquisiteur par tribunal, à partir de 1286 pour Carcassonne, de 1289 pour Toulouse, chacun s'intitulant désormais « inquisiteur délégué par autorité apostolique dans le royaume de France ». Le principe de la collégialité est cependant sauf, dans la mesure où, si chacun peut enquêter seul de son côté, les deux juges doivent travailler ensemble à l'élaboration des sentences. Bernard Gui, en particulier, inquisiteur de Toulouse de

1307 à 1324, collaborera très étroitement avec ses collègues successifs de Carcassonne, Geoffroy d'Ablis et Jean de Beaune, l'évêque de Pamiers Jacques Fournier menant de son côté ses propres enquêtes, mais s'associant aux Prêcheurs dans les années 1320 pour prononcer diverses sentences.

Tel est, schématiquement présenté, le cadre institutionnel dans lequel va fonctionner, jusqu'aux derniers bûchers connus, la répression du catharisme occitan. Un cadre à la fois rigide dans ses principes, mais sachant rester souple dans ses modalités d'applications. Le système se révélera d'une redoutable efficacité – bien qu'on puisse quand même s'étonner que, compte tenu des moyens coercitifs dont il disposait, il ait mis tant de temps à avoir raison du catharisme.

Les inquisiteurs, de 1255 à 1300

Sur cette vingtaine d'inquisiteurs qui se succédèrent ou travaillèrent conjointement à partir de la reprise en main de la répression par les Prêcheurs, notre information est très inégale.

De Baudouin de Montfort, en poste à Carcassonne en 1259, on ne sait rien. De son collègue Guillaume-Raymond de Pierre-couverte, on sait seulement qu'il était prieur de Bordeaux avant d'être nommé inquisiteur, puis qu'après il fut prieur de Narbonne, avant de revenir au couvent de Bordeaux pour y mourir en 1261 ou 1262. Absolument rien en revanche sur les deux Frères qui prirent ensemble en 1262 le relais des deux précédents, Étienne de Gâtine jusqu'en 1276, et Pons du Pouget jusqu'en 1267. Quant aux successeurs de ces derniers, tout ce qu'on peut dire de Jean Galand, en poste à la fin de 1278 et inquisiteur jusqu'en avril 1286, c'est qu'il était originaire du pays d'oïl, non du pays d'oc. Égale carence d'informations sur la personnalité de son collègue Jean de Saint-Seine, qu'on voit travailler avec lui à partir de 1284, et qui continuera seul après le départ de Galand jusqu'à la fin de 1291, tout comme sur Nicolas d'Abbeville, qui entrera en jeu en décembre 1299.

Est-on mieux renseigné sur le tribunal de Toulouse ? Le retour des Prêcheurs se fit en 1255, on l'a vu plus haut, avec Renaud de Chartres et Jean de Saint-Pierre. Deux inconnus ! De Guillaume-Bernard de Dax, en revanche, qui succéda à Jean de Saint-Pierre en 1257, on sait au moins qu'il venait du couvent de Bayonne, qu'en 1263 il quitta l'Office pour succéder deux ans à Étienne de Salagnac comme prieur de Toulouse, et qu'il mourut prieur de Bordeaux en 1268. C'était, nous dit Bernard Gui, « un homme doué et une personnalité digne d'un grand respect ». Des deux frères qui se succédèrent en 1263 au poste de Renaud de Chartres, le premier, Jean de Saint-Benoît, n'est pas autrement connu, le second, Guillaume de Montrevel, venait du couvent de Périgueux dont il avait été prieur à deux reprises.

Rattaché en 1268 au tribunal de Carcassonne, confié par conséquent à Pons du Pouget et Étienne de Gâtine, le tribunal de Toulouse redevint autonome avec la nomination, en mai 1273, d'un Prêcheur saintongeais, Raoul de Plassac, à qui on donna comme collègue, en décembre, le Quercynois Pons de Parnac, un juriste, éphémère prieur du couvent de Perpignan en 1272. Au poste de Parnac fut nommé, le 27 juillet 1277, Pierre Arsieu, qui était originaire de Mauvaisin près de Cintegabelle en Lauragais, et qui venait d'être cinq ans prieur de Carcassonne. Il était encore inquisiteur quand il mourut, le 1er août de l'année suivante. Lui succéda immédiatement Hugues Amiel. Natif de Castelnaudary, ce Prêcheur avait été, à partir de 1261, prieur de Montauban, puis d'Agen, puis de Carcassonne, enfin de Toulouse. Lui aussi mourut inquisiteur, alors que, se rendant à Rome, en 1281, il avait fait étape au couvent de Nice.

Jean Vigouroux occupa sa place de 1281 à 1289. Haute personnalité de l'ordre dominicain, ce Montpelliérain avait été envoyé en Angleterre pour y enquêter sur l'enseignement antithomiste. Prieur du couvent de Narbonne, puis de Montpellier, il revint dans cette ville en 1289, permutant avec le prieur Pierre de Mulcéon. Transféré à Saint-Maximin en 1297, il sera prieur provincial en 1303, et mourra très vieux à Montpellier, en 1304.

Son successeur le Limousin Pierre de Mulcéon, nommé à la Noël 1289, avait été, avant Montpellier, prieur de Brive, puis lecteur du couvent de Limoges. Il quittera sa charge d'inquisiteur en 1293 pour devenir prieur provincial à Toulouse, et mourra dans cette fonction en 1295. Son successeur Bertrand de Clermont, originaire de Bergerac, avait fait profession chez les Prêcheurs de Périgueux en 1256. Successivement prieur de Bergerac, du Puy et de Narbonne, il fut inquisiteur de 1293 jusqu'à fin septembre 1300, date à laquelle il succéda à Bernard Gui comme prieur de Carcassonne, avant d'être élu en 1303 prieur provincial.

Tels sont les hommes qui conduisirent l'Inquisition méridionale jusqu'au seuil du XIVe siècle. Fastidieuse énumération, sans doute, qui se limite trop souvent à un simple nom, mais qui montre plusieurs choses. Tout d'abord que le recrutement des inquisiteurs se fait largement dans le pays d'oc ; qu'un grand soin est apporté à ce qu'aucun poste ne reste vacant entre deux changements de titulaire, de façon à ce que la collégialité soit respectée ; enfin, que les inquisiteurs sont pris chez des religieux qui ont exercé des priorats ou en exerceront après, et dont plusieurs ont même exercé ou exerceront la haute fonction de prieur provincial. Sur ce point-là, le recrutement est nettement sélectif.

Malheureusement, ces quelque vingt inquisiteurs qui ont opéré de 1255 à 1300 ne nous ont pas laissé un corpus homogène de leurs procédures – interrogatoires ou sentences. Du fonctionnement de cette machine judiciaire soigneusement huilée, nous n'avons pas un enregistrement continu, seulement quelques ensembles de traces et de témoins de nature et d'importance fort diverses, entre lesquels subsistent d'importantes lacunes. Mais force est bien de faire avec ce qu'on a, c'est-à-dire, essentiellement, avec les cent soixante interrogatoires, concernant quatre-vingt-deux personnes, que Pons de Parnac, Raoul de Plassac, Pierre Arzieu, Hugues Amiel et Hugues de Bouniols menèrent de mai 1273 à février 1280 pour le compte de l'Inquisition toulousaine ; pour le tribunal de Carcassonne, les enquêtes de Jean Galand dont on a trace à partir de 1284, puis celles de ses successeurs immédiats, dont nous parlerons dans le prochain chapitre.

Toulouse et Lauragais : le dernier réseau

Sur la situation du catharisme à Toulouse et en pays toulousain postérieurement à ce que nous avaient appris les fragments conservés du registre de 1254-1256 consacré aux parfaits convertis, les procédures de Pons de Parnac et de ses collègues présentent un double intérêt. Elles nous renseignent, essentiellement, sur la désagrégation locale de l'Église interdite, et du même coup sur son corollaire, l'exil en Lombardie. Tout s'articule en effet rigoureusement : il n'y aura plus de catharisme à Toulouse ni en Lauragais – du moins plus de catharisme militant – dès lors que les deux derniers parfaits qui y exerçaient, Prunel et Tilhols, auront eux-mêmes pris la route de l'Italie.

Guillaume Prunel était originaire de Saint-Paul-Cap-de-Joux, entre Castres et Lavaur. Dix ans durant, de 1258 à 1268, il avait été particulièrement actif avec son *sòci* Bonnet de Saintes dans le Lauragais oriental où, au Touzeilles, près de Puylaurens, la famille de Grazide de Saint-Michel, chez qui sa sœur était servante, offrait un refuge sûr – du moins jusqu'à l'arrestation de Grazide. D'un premier voyage en Italie, Prunel revint au printemps 1272 avec le parfait Bernard de Tilhols et tous deux trouvèrent asile non loin de Puylaurens, tantôt dans la cave des frères Huc à Roquevidal, tantôt au mas des Delpech à Prades. Pendant deux ans, tous deux prêchent dans la région de Lavaur et de Saint-Paul et *consolent* les malades, dont plusieurs dames nobles ainsi que le père du curé de Roquevidal, la belle-sœur du curé de Viviers... On vient d'un peu partout les visiter et les écouter, même de Toulouse. On voit des croyants leur apporter des anguilles, du froment, du pâté de poisson, des fouaces, une fois « une surtunique et un capuchon de serge bleue avec de la fourrure blanche », et de l'argent à faire parvenir aux exilés de Lombardie.

Prunel et Tilhols sont certainement, au début des années 1270, les deux derniers parfaits du pays toulousain. D'abord, les sources n'en citent pas d'autres. Mais il y a surtout le fait qu'ils se partagent entre leurs repaires du pays vaurais et Toulouse même, où ils sont connus des deux derniers foyers de croyants qui subsistent dans la ville elle-même. L'un se trouve dans l'île de Tounis, et c'est un milieu de fustiers, de fabricants de tonneaux. La femme d'un de ces artisans, Fabrissa Vital, avait eu sa mère *consolée* par Prunel et Tilhols au moment de mourir. Elle avait hébergé deux hommes qui, sous couvert de colportage – ils avaient un âne chargé d'aiguilles – faisaient la liaison avec les exilés de Lombardie. L'autre foyer, de composition sociale très différente, tout en ayant des relations avec le premier, se composait de riches bourgeois qui habitaient hors des remparts, derrière la cathédrale Saint-Étienne. Une fois, les deux parfaits passent un mois chez l'un de ces croyants et s'occupent à carder de la laine pour son épouse – façon d'être fidèle à la règle du travail manuel tout en payant à leurs hôtes le gîte et le couvert. On était allé les chercher à Roquevidal pour donner le *consolament* à un enfant qui se mourait. Ce fut chez l'un de ces bourgeois que, huit jours avant le Carême de 1273, Fabrissa Vital amena sa mère malade pour qu'elle reçût le sacrement des mains des deux Bons

Hommes. En retour, les croyants toulousains allaient les écouter prêcher à Roquevidal, et profitaient du voyage pour leur apporter divers dons.

A la Toussaint 1273, Prunel fait part à ses protecteurs de son désir de regagner l'Italie, mais pour l'instant il n'en a pas les moyens. Avec l'arrestation du fils de Grazide de Saint-Michel, qui est interrogé le 12 novembre, le filet commence à se resserrer dangereusement autour des deux parfaits. Les Toulousaines Fabrissa Vital et sa fille Philippa Maurel, méchamment dénoncées par une voisine jalouse, sont citées et entendues en février 1274 ; les frères Huc, puis Bonne Delpech, sont arrêtés chez eux en avril ; le sénéchal fait torturer Bernard et Raymond Huc ; ils parlent beaucoup, mais ne révèlent pas où se cachent Prunel et Tilhols. Bernard de Montesquieu, damoiseau de Puylaurens, est contraint de déposer le 7 mai ; c'était un croyant fidèle qui connaissait et aidait les deux Bons Hommes. Mais c'est trop tard pour l'Inquisition : elle les manque de peu, ils sont partis pour la Lombardie. Elle réussit quand même à capturer Pierre Maurel, d'Auriac-sur-Vendinelle, le passeur le plus actif du pays, à qui tant de parfaits et de croyants devaient d'avoir pu quitter secrètement le pays.

C'en est alors fini du dernier réseau religieux qui subsistait à Toulouse et en Lauragais. Privée de ses deux derniers ministres, la société des croyants s'abandonne à une conversion qui, dans beaucoup de cas, n'est certainement que de façade, mais enfin les abjurations collectives auxquelles l'Inquisition procède jusqu'en 1279 sanctionnent incontestablement la défaite du catharisme, de Toulouse jusqu'au piémont de la Montagne Noire.

Philippe le Hardi : l'amnistie de 1279

Le synchronisme est éloquent, entre les résultats obtenus par les procédures conduites par Pons de Parnac et ses collègues du 31 mai 1273 au 1er février 1280, et l'intervention du roi Philippe le Hardi en août 1279.

Le destin voulut que le prince Philippe ait hérité, en l'espace d'un an, à la fois de son père le roi Louis IX, mort devant Tunis en août 1270, et de son oncle Alphonse de Poitiers, mort en août 1271. Ce dernier n'avait pas eu d'enfant de Jeanne de Toulouse, qui l'avait suivi de trois jours dans la tombe – ce qui évitait un éventuel remariage et la transmission de son héritage à un autre que le roi... L'année suivante, au printemps, Philippe alla se montrer en Poitou. Il y apprit que des choses très louches se tramaient du côté des Pyrénées, que l'infant Pierre d'Aragon complotait depuis la mort d'Alphonse pour mettre la main sur le comté de Toulouse, que le comte de Foix avait attaqué, avec son beau-frère le comte d'Armagnac, des châteaux gascons placés sous la sauvegarde du roi et massacré leurs populations. Ces deux dangers n'en faisant peut-être qu'un, Philippe fit proclamer le ban et l'arrière-ban et se précipita à Toulouse, où il arriva le 25 mai. Il convoqua les deux barons. Géraud d'Armagnac vint se soumettre, mais le comte de Foix se fortifia dans ses châteaux. Alors l'armée royale fonça sur le comté, droit jusqu'à sa capitale, dont elle assiégea la forteresse. L'intervention de Jacques d'Aragon, beau-père du roi de France, convainquit Roger-Bernard de Foix de capituler et, dans le même temps, coupa l'herbe sous le pied de l'infant Pierre, en interdisant à quiconque de lui apporter aide et conseil.

L'alerte avait été chaude. Les vieilles *Annales de la couronne d'Aragon* assurent d'ailleurs que ce sont les Toulousains eux-mêmes qui avaient appelé l'infant Pierre à s'emparer du comté ! A défaut d'en avoir la preuve, on sait en tout cas par l'interrogatoire d'un fils de marchand toulousain, Bernard-Raymond Baragnon, daté de septembre 1274, qu'il y avait à Toulouse un milieu suffisamment hostile à l'ordre des vainqueurs pour véhiculer sous le manteau les poésies les plus engagées des troubadours qu'on dirait aujourd'hui « patriotes ». Bref, non content de traîner encore avec lui des séquelles d'hérésie – on offrit au roi, en spectacle, à la fin mai, le bûcher d'un clerc qui avait dit qu'on digérait l'hostie comme n'importe quelle nourriture – le pays pouvait se révéler politiquement instable. Les Toulousains, assurément, étaient à l'affût de la moindre maladresse du roi, et quand ses commissaires annoncèrent que les bourgeois devaient restituer les fiefs nobles qu'ils avaient acquis, ce fut un beau tollé chez les nantis ! Le consulat envoya quatre ambassadeurs à Paris et le roi, en juin 1273, dut amender quelque peu ses prétentions. Il n'y eut pas que cela. Au début de 1279, l'exaspération contre l'administration royale était à son comble, le Parlement de Paris était assailli de plaintes : les consuls, des religieux, des notaires, tout le monde avait quelque grief à formuler. Les consuls allèrent même jusqu'à demander qu'on cessât les poursuites pour hérésie.

C'était moins de la fronde, sans doute, que le constat qu'elles étaient devenues sans objet.

Fort bien conseillé par son procureur pour les sénéchaussées de Toulouse et d'Agen, Gilles Camelin, un chanoine de Meaux qui avait fait partie de l'administration alphonsine et qui connaissait bien les Toulousains, le roi eut la sagesse d'écouter soigneusement toutes les doléances des citoyens, et de prendre la mesure qui allait certainement désamorcer tout esprit de rébellion dans une ville dont il avait éminemment besoin : Toulouse était le siège d'une administration civile et militaire, la base opérationnelle de la puissance royale aux confins, à la fois, des Pyrénées catalanes et de la Gascogne anglaise.

Au mois d'août, il délivra aux Toulousains un document au ton très solennel par lequel la Couronne, « par grâce spéciale », arrêtait les poursuites pour détention de fief noble, et révoquait toutes les saisies faites avant 1270 pour quelque motif que ce fût, hérésie, homicide, vol, faux ou tout autre crime... Suivait la liste des deux cent soixante-dix-huit personnes dont les héritiers allaient être bénéficiaires de la royale bienveillance. Ne nous y trompons pas ; les mots « pour homicide, vol, faux ou tout autre crime » ne sont qu'une clause de style, afin de ne pas paraître absoudre les seuls faits d'hérésie : la moitié de ces personnages avaient vu leurs biens saisis à la suite de condamnations prononcées, qui en 1237 par Guillaume Arnaud, qui en 1246-1248 par Bernard de Caux. On a conservé les sentences[1]. Quant aux autres, on a les preuves, même si les sentences sont perdues, qu'ils étaient impliqués dans l'hérésie. Par ailleurs, il ne s'agit pas à proprement parler d'une amnistie. Les condamnés pour hérésie restent condamnés. Le diplôme royal ne réhabilite personne, ni mort ni vivant. Le roi suspend seulement l'article qui, dans l'ordonnance *Cupientes* promulguée par son père Louis IX en avril 1229, stipulait que les confiscations opérées pour faits d'hérésie seraient définitives et sans appel... C'était extrêmement habile. Deux cent soixante-dix-huit familles allaient rentrer en possession des héritages dont l'Inquisition les avait frustrées ! Seront ainsi restitués les biens d'une vingtaine de consuls et de leurs parents, de sept Maurand, de treize Rouaix, de Raymond Centoul, qui avait été brûlé à Montségur, de Pierre Garcias, qui

---

1. Cf. John Hine MUNDY, *The repression of catharism at Toulouse ; the royal diploma of 1279*, Toronto, Pontifical Institute of Medieval Studies, 1985.

avait fait de la propagande hérétique jusque dans le couvent des franciscains, et même d'Arnaud Rougier, le successeur de Bertrand Marty à la tête de l'évêché cathare... Un certain nombre de ces riches citoyens de Toulouse étaient chevaliers d'un village du Lauragais, où ils possédaient des domaines agricoles. Quelques vieilles châtelaines nobles, comme Austorgue de Baziège et Assaut Hunaud, dame d'Aurin, tout en restant en prison, virent aussi leurs biens revenir à leurs descendants. Outre l'effet psychologique d'une telle mesure, on peut imaginer aisément son impact au plan social et économique : l'hérésie avait conduit à la désagrégation des patrimoines sous l'effet de la répression ; le roi donnait les moyens de les reconstituer.

La Lombardie, terre d'accueil

En réalité, au moment même où le roi délivrait son diplôme, il y avait une Église cathare de Toulouse. Mais elle n'était plus là.

L'ancienneté du catharisme en Italie, son organisation – six évêchés au milieu du XIIIe siècle – et surtout le fait qu'il bénéficiait largement du conflit qui opposait le Saint-Siège et l'Empire, faisaient du nord de la péninsule une terre toute désignée pour les croyants qui fuyaient la persécution. Certes, la Lombardie aussi avait son Inquisition, mais le recul, dans les grandes cités, du pouvoir épiscopal, corollaire de la montée en puissance des institutions communales, sur le fond des rivalités entre guelfes, partisans du pape, et gibelins, partisans de l'empereur, fit souvent pencher la balance en faveur d'une tolérance de fait contre laquelle les constitutions antihérétiques de Frédéric II n'avaient pas beaucoup d'effets. « Ici nous vivons dans la tranquillité et la paix », avait écrit l'évêque cathare de Crémone à Bertrand Marty, pendant le siège de Montségur...

C'était, alors installé à Crémone, l'évêque des Toulousains de Lombardie. Ce qui est tout à fait remarquable en effet, c'est que le catharisme de l'exil ne se fondit pas dans le catharisme de l'accueil : l'Église languedocienne demeura indépendante des Églises italiennes, gérant même parfois, dans la mesure de ses moyens, ce qu'il subsistait de résistance religieuse en Languedoc – par exemple, on l'a vu, en envoyant un diacre en Vielmorès vers 1255.

Les va-et-vient avec la péninsule avaient commencé très tôt

Quatre parfaits occitans sont signalés à Milan dans les années 1220, mais peut-être s'agissait-il de simples voyages d'information. L'un d'eux, le diacre Géraud de Lamothe, le frère de Bernard de Lamothe, *fils majeur* de Guilhabert de Castres, eut la malchance de se faire arrêter à son retour, lors de la prise de Labécède par l'armée royale en 1227, et d'être brûlé. Il faut attendre 1230-1231, pour voir deux croyants escorter jusqu'à Crémone, où trois de leurs consœurs sont déjà installées, deux parfaites quercynoises – lesquelles rencontrent, entre Susa et Turin, un barbier de Najac qui rentre chez lui. Sans doute la croisade royale et le traité de Paris ont-ils provoqué un premier exode, mais il n'est pas possible de connaître son importance. L'entrée en jeu de l'Inquisition en entraîna un autre, d'autant que la victoire de Frédéric II à Cortenuova, en 1237, lui livra toute l'Italie du Nord, à la suite de l'écrasement de la Ligue lombarde favorable au pape. Puis ce fut l'assassinat des inquisiteurs à Avignonet, en 1242, qui provoqua la fuite de quelques-uns de ses participants, dont Bertrand de Quiders et Pierre de Beauville – les plus anciens exilés dont on ait conservé les témoignages, car Quiders fut interrogé deux fois par Bernard de Caux à son retour, en 1246, et Beauville onze fois par Arsieu, Amiel et Parnac en 1278 et 1279... La confession de ce dernier est un véritable journal de voyage : pour fuir, il s'était fait commerçant, était allé acheter des marchandises aux foires de Champagne, avait gagné Gênes, puis avait passé sept ans à Coni – où il avait retrouvé Bertrand de Quiders – cinq à Plaisance, deux à Crémone, encore deux à Plaisance, puis quatorze à Pavie, séjours entrecoupés de voyages clandestins, à la fois pour voir sa famille en Lauragais et pour s'approvisionner à Toulouse en marchandises d'importation. La liste qu'il donne des croyants qu'il a connus pendant ses trente-six années d'exil est un véritable annuaire de l'émigration langue-docienne : à Coni, il a connu un drapier toulousain, un boucher de Rabastens avec sa maîtresse, un chevalier de Laurac qui avait pendu les sergents de l'archiprêtre qui avait fait arrêter et brûler sa mère. Et puis un certain nombre de parfaits, ministres attitrés de la colonie des croyants, dont Raymond Imbert, qui était de Moissac, Raymond du Vaux, qui venait du Lauragais ; tous deux fabriquent des courroies. De son premier voyage à Avignonet, où sa femme le cacha quinze jours chez elle, car on ne lui avait pas confisqué ses biens propres, il revint à Coni avec quatre parfaits, dont Raymond Mercier, l'ancien diacre de Mirepoix, qui deviendra à Pavie le diacre des Toulousains en exil. Mais c'est à Plaisance que vers 1250-1255 Beauville rencontra l'évêque des Toulousains, Messer Vivent – peut-être celui qui avait écrit de Crémone à Bertrand Marty en 1244. Personnage au demeurant très mal connu, très peu cité par les sources, et dont on ne connaît pas l'origine. Son entourage, en revanche, est bien attesté : à ses côtés, un *fils majeur*, Guillaume Delpech, deux parfaits du Lauragais, et un noble du comté de Foix qui s'est fait ordonner, Ath Arnaud de Châteauverdun, neveu de Pierre-Roger de Mirepoix le défenseur de Montségur.

Un jour, Beauville décida de faire venir sa femme Guillelme en Lombardie. Il alla à Narbonne, d'où il lui écrivit. Ce fut le seigneur de Montgaillard, Bec de Roqueville, qui organisa le départ. Vers 1260, Arnaud de Beauville vint rejoindre pour un an ses parents. Son père l'intéressa à l'affaire de colportage ou de transport qu'il avait montée, malheureusement Arnaud dilapida sottement le capital qui lui avait été confié.

La chute de Montségur et la vigoureuse répression qui s'ensuivit, de 1244 à 1248, jusqu'aux sentences de Bernard de Caux, provoquèrent une nouvelle vague de départs qui, celle-là, sera continue, jusqu'aux abords des années 1280.

Guillaume Fournier, par exemple, qui nous a laissé le plus ancien récit circonstancié sur l'émigration. C'était un Toulousain, que sa mère Alazaïs avait endoctriné de longue date. Au début des années 1250, avec d'autres croyants, il fréquente divers parfaits du Lauragais, dont les diacres de Lanta et de Caraman, Pons de Sainte-Foy et Pierre Doat. Sans doute très compromis par l'aide qu'il avait dû leur apporter, il se rendit en 1252 dans un bois, entre Lanta et Caraman, et se joignit à trois parfaits et deux parfaites en partance, de nuit, pour Coni. De Coni, il gagne Pavie, où il s'installe chez le diacre Raymond Mercier. Il y retrouve Raymond du Mas, Pierre de Bélesta, Peytavi Laurent – l'un des quatre derniers évadés de Montségur. Au bout de quelque temps, il se fait ordonner, de même que le chevalier Bernard de Roqueville, seigneur des Cassès, que nous connaissons déjà. Il passe un an à Crémone, aux côtés de l'évêque Messer Vivent, fréquentant l'importante colonie de parfaits et de croyants où se mêlent des Toulousains, des gens de Fanjeaux, d'Issel, de Saint-Martin-Lalande, d'Avignonet, de Cailhavel, de Saint-Paulet, même de Cordes en Albigeois. Vers l'été 1255, il abandonne l'état de parfait, tout en continuant à fréquenter le milieu des exilés. Il passe

huit mois à Pise, puis vit à Plaisance, revient à Crémone. Finalement, il demanda à l'Inquisition lombarde de lui délivrer un sauf-
conduit qui lui éviterait d'être arrêté en chemin, car il voulait
rentrer à Toulouse. Il se confessa le 5 juillet 1256 devant maître
Amiel, curé de la cathédrale de Toulouse, suppléant des dominicains Renaud de Chartres et Jean de Saint-Pierre, qui prirent le
relais en interrogeant cinq fois, d'août à novembre, l'éphémère
parfait détenteur d'une foule de renseignements passionnants sur
l'Église cathare en exil...

Avec Raymond Baussan, de Lagarde-Lauragais, nous revenons
aux exilés interrogés presque vingt ans plus tard par Pons de
Parnac. On a droit, de nouveau, à des listes de parfaits et de
croyants, qui se recoupent d'ailleurs largement avec les autres
confessions. Baussan donne même l'adresse de la maison où
vivent à Plaisance les parfaits Guillaume Déjean, de Lagarde lui
aussi, Raymond Bonnet, de Pechbusque, et Raymond Déjean, de
Saint-Martin-Lalande : c'est Via Levata.... Il nous fait connaître
nombre de nouveaux venus, dont Guiraud Hunaud de Lanta, fils
du parfait Guillaume-Bernard qui avait été brûlé à Toulouse en
1237, et qui se fera lui-même ordonner. Et c'est par le récit de
Baussan qu'on voit plusieurs communautés quitter brusquement
la Lombardie avec Messer Vivent et gagner une bastide sise aux
confins de la Campanie et des Pouilles, à l'est de Naples,
Guardia-Lombardi. Baussan ne donne pas la raison de ce démé-
nagement, mais il est certainement lié à la situation politique et
à l'évolution des rapports de force entre le Saint-Siège et l'Empire. C'est d'ailleurs sur les domaines de Manfred, fils de Frédéric
II et roi de Sicile, qu'est située Guardia-Lombardi. Nos exilés y
restent jusqu'à ce qu'en 1234 l'Inquisition ordonne au roi de les
arrêter. Il n'en fît rien : ils regagnèrent la Lombardie, de nouveau
contrôlée par les gibelins. Baussan passe alors sept ans à Alexandrie, où il voit peu de parfaits mais un nombre impressionnant
de croyants, et où il a l'occasion de voir Beauville qui, installé à
Pavie, voyage pour son travail. Allant un jour passer trois mois
chez lui, Baussan y trouva des parfaits dont l'un, Pons Boyer, le
convainquit de faire son noviciat. D'ailleurs, il y a des parfaits
partout dans la ville : Philippe Cathala, diacre de Catalogne
devenu *fils majeur*, Bernard Olieu, qui est de Verdun-Lauragais,
Pierre Bon, Guillaume Bousquière, de Saint-Paul-Cap-de-Joux,
Bernard Barbe, de Fanjeaux, Raymond du Vaux, Guillaume
Audouy, de Montégut, Jean Lauzeral, de Montesquieu, et tant

d'autres. On comprend pourquoi il n'y a plus d'Église cathare en Lauragais !... Et puis voici de nouveaux croyants, un apothicaire de Castres et sa femme, les Bélissen père et fils, qui sont de Fanjeaux, un chevalier de Paulhac qui vit en fabriquant des coffres, une veuve des Cassès qui sert les repas aux Bons Hommes... Mais Baussan, assurément, n'avait pas la vocation : lassé des privations que lui imposent les parfaits, il va se confesser à un dominicain et dénonce Beauville et quelques autres, ce qui lui vaut un sauf-conduit lui permettant de rentrer tranquillement au pays. Il fut interrogé en mai 1274 par Pons de Parnac.

On pourrait continuer longtemps ce tableau de l'émigration. Outre Baussan, Quiders, Beauville et Fournier, un Guillaume Raffard, de Roquefort dans la Montagne Noire, qui avait vendu son troupeau pour payer son voyage afin de se faire ordonner ; un Bernard Escoulan, de Saint-Paul-Cap-de-Joux, parti retrouver son père à Pavie en 1272, qui passa trois ans avec lui mais, finalement, se disputa et rentra, nous en disent assez pour alimenter largement la chronique des Languedociens de Lombardie. Beaucoup moururent là-bas. Quant aux six qui, une fois revenus, se confessèrent à l'Inquisition, et restent nos témoins essentiels, ils connurent des destins fort divers. Bertrand de Quiders, le premier rentré, ne dit pas comment il fut amené à comparaître les 6 et 7 février 1246 devant Bernard de Caux, mais sa confirmation d'aveux, en juillet 1256, indique qu'il dut être condamné. Guillaume Fournier et Raymond Baussan, on l'a vu, se livrèrent volontairement. Bernard Escoulan, interrogé sans doute sur citation, le 14 avril 1277, dit qu'il ne savait rien de l'hérésie et qu'il n'avait jamais vu de parfaits. Il fut incontinent jeté en prison, ce qui lui délia la langue pour son interrogatoire du 2 mai. Beauville, lui, quitta Pavie à la Toussaint 1277 et, malade, rentra par petites étapes en passant par Coni et Avignon. Arrivé à Avignonet, il alla chez sa cousine, dont la fille ne le reconnut pas. Puis il alla chez sa propre fille Ermengarde, qui le prit dans ses bras et pleura de joie, tandis que son mari, apeuré et réticent, lui demanda s'il était hérétique. C'est chez Ermengarde que Beauville fut arrêté par les sergents de l'Inquisition. « Lundi dernier », précise-t-il dans son interrogatoire du jeudi 13 janvier 1278.

Le cas le plus pathétique est celui de Guillaume Raffard. Jeune, il avait perdu sa mère, morte *consolée*. A trente ans, il se laisse persuader par un ami, futur parfait lui-même, qu'il doit aller en Lombardie pour s'y fait ordonner. Il lui faut attendre cependant plus de dix ans pour avoir suffisamment d'argent, en vendant ses vaches, pour entreprendre le voyage de Lombardie. C'est Pierre Maurel qui le fait passer. Après trois mois à Pavie, il rejoint Sirmione sur le lac de Garde, où il se fait ordonner. Revenu à Pavie, il y fait un séjour chez Beauville, puis décide de rentrer chez lui. Au Carême 1273, il se mêle à une caravane de marchands et arrive vers Pâques dans la Montagne Noire, à Fraisse-Cabardès, où habite sa sœur, avec son mari et son fils. Il va ensuite à Roquefort, où son frère et divers croyants se relaient pendant plusieurs mois pour le cacher. Arrive la vaste enquête déclenchée par Pons de Parnac et Raoul de Plassac. Raffard prend peur, et traverse tout le Lauragais pour gagner Saverdun sur l'Ariège. Il passe un an à errer en mendiant, puis gagne la Gascogne et finit par se faire héberger par une pauvresse, à Latrape en Volvestre. Sans doute dénoncé, il est arrêté le dimanche 7 août 1278, et interrogé quatre fois dans les jours qui suivent. Dérisoire fin d'un parfait qui avait bien failli donner un *consolament*, le seul apparemment de sa carrière : c'était à Roquefort, mais le fils et la bru de la malade qui le demandait s'y étaient opposés.

Sirmione, ou le nouveau Montségur

Guillaume Raffart a parlé de Sirmione. Et c'est à cette presqu'île fortifiée du lac de Garde que se rattachent les informations à coup sûr les plus intéressantes qu'on peut avoir sur l'Église des exilés. L'évêque Vivent disparaît de nos sources après l'affaire de Guardia-Lombardi, en 1264. Quel fut son successeur ? Il est question, en 1272, d'Aymeric du Collet, dont nous avons vu qu'il était originaire de l'Albigeois, où il se trouvait encore à la Noël 1249, et avec rang d'évêque. Il est d'autant plus vraisemblable qu'il fut en Lombardie l'évêque de l'Église albigeoise – et non de celle de Toulouse – qu'on trouve en 1277 à Pavie le Quercynois Bernard Lagarrigue qui, interrogé en 1285, dit lui-même avoir été *fils majeur* de cette Église d'Albi – mais on ne le voit jamais avec ce titre en Albigeois même. Quoi qu'il en soit, quand Guillaume Raffard arriva à Sirmione, il y trouva un véritable état-major de l'hérésie . Il y avait Enrico d'Arusio, évêque des *Albanenses*, c'est-à-dire des dualistes absolus de l'Église cathare italienne de Desenzano, lui-même deuxième successeur de

Giovanni di Lugio, ou Jean de Lugio, de Bergame, l'auteur du *Livre des deux Principes*, dont un résumé nous est parvenu. Il y avait Guillaume-Pierre de Vérone, « évêque des hérétiques de France », autrement dit de cette Église que Robert d'Épernon avait représentée en 1167 au concile de Saint-Félix-Lauragais, et en laquelle il faut certainement voir l'Église cathare de Champagne, celle-là même que le bûcher de Mont-Aimé décima en 1239, mais dont on ne peut rien dire de plus tant elle est mal connue, faute de sources.

Et puis il y a Bernard Olieu, ce parfait originaire de Verdun-Lauragais, et qui a cette fois rang d'évêque. Croyant, il avait jadis assisté à la prédication de Guillaume Carrère, de Raymond du Mas et de quelques autres. Il avait porté assistance aux parfaits qui se cachaient dans les vallons boisés, au pied de la Montagne Noire. Et puis on le retrouve, ordonné à son tour, à Pavie et à Alexandrie dans les années 1260-1268. Il a d'ailleurs émigré avec ses deux frères et sa belle-sœur. Le voici donc à Sirmione vers 1270-1272, entouré d'une bonne vingtaine de parfaits, dont Guiraud Hunaud de Lanta, Bernard de Montciron, de Roque-vidal, Guillaume Ricard, d'Avignonet, et Bernard, seigneur de Scopont, rescapé du siège de Montségur, qui avait fui après son interrogatoire par Bernard de Caux et s'était fait ordonner en Lombardie.

Pourquoi Sirmione, et pourquoi trois évêques cathares ? Huit ans après que Vivent a disparu de nos sources et que la communauté de Guardia-Lombardi est revenue dans la plaine padane, la situation a évolué. Un habitant de Roquefort qui allait en Lombardie rebroussa chemin une fois arrivé à Montpellier, parce qu'il avait entendu dire que les exilés étaient aussi persécutés qu'ici... C'est qu'en 1265, le parti guelfe avait remporté une grande victoire sur Manfred, qui avait même été tué, et que la balance s'était mise à pencher du côté des partisans du Saint-Siège, ce qui avait permis à l'Inquisition lombarde de lancer une grande offensive. Il paraît qu'à Plaisance vingt-huit charrettes de cathares italiens furent portées sur le bûcher ; à Vérone on inquiéta la marquise d'Este, dont la dame d'honneur fut arrêtée et brûlée. En 1269, le château de Mangano, que le comte de Cortenuova avait mis à la disposition des évêques cathares, était tombé aux mains des inquisiteurs de Milan. Toutes choses qui n'avaient certes pas empêché parfaits et croyants occitans de continuer à émigrer – on l'a vu avec Guillaume Prunel, Bernard de Tilhols, le passeur Pierre Maurel et bien d'autres – mais qui avaient incité l'Eglise de l'exil, comme celle de Desenzano, puis celle de Mantoue avec son évêque Lorenzo da Brescia, à se doter d'un réduit fortifié, au sein d'un pays où la noblesse était assez largement acquise à leur cause – exactement comme Guilhabert de Castres et l'Église de Toulouse l'avaient fait avec Montségur, en 1232.

Et tout se passa, à peu de chose près, comme à Montségur. En 1276, l'Inquisition lombarde, de concert avec le podestat de Vérone, décida de liquider Sirmione. Alberto et Mastinio della Scala, accompagnés de l'évêque Timoteo de Vérone, mirent le siège. La place se rendit le 12 novembre, et dut livrer cent soixante-six parfaits et parfaites. Le bûcher ne fut cependant dressé que le 13 février 1278, dans les arènes mêmes de Vérone.

Les soixante-dix parfaits occitans que l'on peut répertorier au sein de l'Église de l'exil ne périrent cependant pas tous à Vérone. Bernard Olieu aurait été vu à Gênes en 1277, tout comme Raymond du Vaux et Guillaume Audouy, en compagnie de l'ancien passeur du Lauragais, Pierre Maurel, qui faisait alors son noviciat...

19

Le temps des révoltes et des complots

Le dernier interrogatoire conduit par Hugues Amiel, et conservé dans le registre de Pons de Parnac et de ses collègues, est du 1er février 1280. Le 26 janvier 1282, l'inquisiteur de Carcassonne, Jean Galand, en poste depuis 1278, et successeur d'Étienne de Gâtine, procéda au sixième interrogatoire de Guillaume Raffard, ce parfait revenu de Lombardie et capturé dans les conditions qu'on a vues. Puis Jean Galand revint dans son ressort principal. Le 14 mars 1284, il interrogea un habitant de La Tourette en Cabardès, Guillaume Gomesenc ; audience dont le procès-verbal ouvre un très volumineux registre inquisitorial : à la cinquantaine d'interrogatoires menés par Galand lui-même jusqu'en avril 1286, vingt-deux succèdent, conduits par son collègue Guillaume de Saint-Seine jusqu'en décembre 1291, puis trois par Bertrand de Clermont au cours de l'été 1293. Au total, soixante-quatorze procès-verbaux, mais qui concernent seulement vingt-six prévenus différents, car plusieurs d'entre eux furent interrogés plusieurs fois. Ce n'est là cependant, si l'on en croit un document pontifical ultérieur, qu'une partie des procédures de l'Inquisition carcassonnaise pour cette période de dix années. Le registre n'en est pas moins extraordinaire à plus d'un titre.

Carcassonne : cent dix-sept *consolaments*...

On ne sait rien, nous l'avons dit, de Galand, ni de Saint-Seine avant leur nomination comme inquisiteurs, mais le zèle que tous deux déployèrent au tribunal de Carcassonne révéla tant de choses, aboutit à de tels résultats et eut de telles incidences qu'on ne cesse de s'interroger encore sur la véracité des confessions qu'ils ont recueillies. Dès les interrogatoires de Guillaume Gomesenc, leur méthode est aisément décelable : elle consiste essentiellement à répertorier systématiquement le plus possible de *consolaments*, avec nom du *consolé*, lieu et date de la cérémonie, et à enregistrer les noms de tous les assistants. Le résultat est étonnant. Guillaume Gomesenc révèle d'abord une cérémonie, puis cinq autres, puis trois, puis une. Dans ses trois premiers interrogatoires, Arnaud Mazelier, après avoir commencé à dire qu'il ne savait rien, en révèle deux, puis deux autres, et enfin dix-neuf d'un coup à sa quatrième comparution, quatorze de plus à la cinquième. C'est une femme qui bat le record, la Carcassonnaise Rica Toupine ; le 16 septembre 1290, elle avoue avoir assisté à un *consolament*. Le 4 octobre, elle en raconte quarante et un... Il faut dire que l'Inquisition n'y allait pas par quatre chemins : les prévenus étaient incarcérés et, en juillet 1282, Galand avait adressé au gardien du mur de Carcassonne une note destinée à mettre fin aux adoucissements dont on avait pris l'habitude, promenades, visites, repas à la conciergerie. Il avait même interdit que les prisonniers jouent entre eux, sans doute aux dés ou aux osselets. Il faut remarquer en outre que certains interrogatoires ont lieu, non point dans le local réservé aux audiences, la « chambre neuve du mur », mais dans la « chambre » du gardien, en laquelle il n'est pas interdit de voir la chambre de torture, dont il est bien certain que Galand a fait usage, ce qui explique la progression parfois géométrique des aveux d'un interrogatoire à l'autre.

Dressons un rapide bilan. Vingt et un des vingt-six prévenus révèlent un total de cent dix-sept *consolaments* — dont une dizaine antérieurs à 1270 — plus, évidemment, divers autres faits condamnables tels que salutations rituelles, hébergement de parfaits, assistance aux sermons, etc., dont certains remontent à l'époque de l'Inquisition diocésaine, c'est-à-dire aux années 1250. Les recoupements, faciles à effectuer, entre les divers interrogatoires, conduisent à un répertoire de croyants ayant assisté à un ou plusieurs *consolaments*, riche de près de huit cents noms — autant de *consolés* en puissance, évidemment...

Si tout cela est véridique, le premier enseignement à en tirer, c'est que l'Inquisition diocésaine n'a pas été d'une grande efficacité. Certes, elle paraît avoir démantelé le foyer du Val de Daigne et celui de Leuc. Dans le Cabardès et son piémont, en revanche, le catharisme n'a pas fait que se maintenir, il a gagné du terrain. Il a même contaminé, on va le voir, le clergé catholique et l'administration royale... Et puis il y a Carcassonne, pour qui nous n'avions jusqu'ici que de très pâles renseignements. Bref, alors qu'à Toulouse et en Lauragais le catharisme a inexorablement reculé à partir des sentences de 1246-1248, pour disparaître complètement, semble-t-il, aux abords des années 1280, il s'est maintenu en Carcassès, où il a même trouvé une vigueur nouvelle. Il faut dire que le Cabardès, labyrinthe de petites vallées sauvages profondément encaissées, garnies de bois et de garrigues, constitue à lui seul le décor d'un maquis idéal. C'est d'ailleurs du Cabardès qu'est issue la poignée de parfaits qui constitue l'Église cathare de 1260 à 1290, un Isarn de Canois, ancien curé de Salsigne, qui avait été un temps le *sòci* de Pierre d'Alassac, converti par l'Inquisition diocésaine ; un Raymond Mazelier, qui est de Rivière-Cabaret ; un Pierre Marty, issu de Villardonnel ; un Guillaume Pagès, qui est de La Tourette, tout comme, sans doute, son inséparable *sòci* Bernard Coste. Similitude, quand même, avec le Lauragais, et qui n'a rien de surprenant : les Bons Hommes vont se raréfier rapidement ; Pagès disparaît après 1283, Mazelier meurt en 1284, Canois est pris en 1287 et se convertit, Marty abjure en 1289, il ne reste en 1290 que Bernard Coste, dont le sort final est inconnu...

C'est quand on établit la sociologie de l'enquête de Galand et Saint-Seine, qu'apparaissent les surprises. Les *consolés*, d'abord. La noblesse est fort bien représentée, mais cela est normal : Jourdain de Saissac le Vieux, son fils Arnaud de Dourgne, Isarn Bonzom d'Hautpoul, qui s'était fait moine chez les cisterciens de Villelongue pour échapper aux poursuites, Isarn vicomte de Lautrec, le chevalier Pélestieu d'Aragon, les seigneurs de Sallèles et de Cuxac ; sans oublier les dames, Jordane de Capendu, Blanche de Villegly, Ermessinde de Sallèles, et la châtelaine de Conques. Il y a trois notaires, respectivement de Carcassonne, d'Azille et de Laure ; deux grands bourgeois carcassonnais, dont on reparlera, Castel Fabre, receveur de la sénéchaussée, et le consul Guillaume Serre, qui réchappa de la maladie au cours de laquelle il s'était fait *consoler* en 1265 ; quelques artisans, comme le cordonnier Arnaud Pelet. Là où cela devient intéressant, c'est quand on voit parmi les *consolés* l'abbé de Montolieu, le curé de Roquefère, le recteur d'Alzonne, celui de Pennautier Arnaud

Morlane – qui guérit, et fut plus tard sénéchal du comte de Foix – ainsi que son parent Guillaume-Arnaud Morlane, chanoine de la cathédrale de Carcassonne et prieur du Mas-Cabardès. *Hérétiqué* vers 1248 par Isarn de Canois au cours d'une maladie dont il guérit, et devenu évêque de Carcassonne, il sera l'inquisiteur diocésain de 1250 à 1255... Et là où cela devient vraiment captivant, c'est quand on nous dit qu'ont été *consolés* aussi, au moment de mourir, les châtelains royaux qui commandaient les châteaux de Lastours, à savoir Cabaret, Surdespine et Quertinheux, ainsi que la femme de l'un d'eux...

Quant aux quelque huit cents croyants qui ont assisté à un ou plusieurs de ces *consolaments*, on ne peut que se borner à dire ici qu'il y a Sicard de Puylaurens, l'autre fils de Jourdain de Saissac, la femme et le frère du vicomte de Lautrec, une bonne vingtaine de chevaliers, les bayles de divers seigneurs. L'élite intellectuelle de Carcassonne est particulièrement présente, avec trois copistes ou écrivains publics, dix-neuf notaires dont six notaires royaux, sept avocats, six jurisconsultes, dont deux professeurs de droit qui avaient fait leurs études à Bologne, Guillaume Garric et Guillaume Brunet ; l'official du Razès, un légiste qui sera plus tard juge royal ; deux douzaines de clercs. On peut nommer encore dix consuls de Carcassonne, et plusieurs officiers royaux, dont les viguiers du Bourg de Carcassonne et de Caunes, le connétable Geoffroy de Caudayron, deux procureurs aux encours, c'est-à-dire aux confiscations, plus le châtelain royal de Minerve... Ajoutons trois médecins, une vingtaine de marchands carcassonnais, quelque trente artisans représentent de nombreux métiers : épicerie, boucherie, coutellerie, serrurerie, cordonnerie, tissage ; deux forgerons, trois charpentiers, trois peaussiers, un tailleur, un pareur de drap. Mais seulement un laboureur, un bouvier et un berger : le catharisme n'a pas touché — pas encore ! — ou très peu, le petit peuple des campagnes. Ce n'est pas la religion des paysans. L'Église catholique enfin : l'abbé de Caunes, cinq prêtres, les curés ou recteurs d'une vingtaine de paroisses, plus Sans Morlane, archidiacre majeur de la cathédrale de Carcassonne, frère du recteur de Pennautier...

Il y a de quoi, évidemment, se poser des questions.

Le complot contre les archives

Ce n'est pas tout.

Le 15 juillet 1285, un écrivain public de Carcassonne, Bernard Agasse, est interrogé pour la quatrième fois. Après une première déposition, entièrement négative, il avait pris la fuite mais, arrêté et emprisonné, il avait de nouveau comparu, le 5 décembre 1284, puis le 13 février 1285, ne révélant, jusque-là, que huit *consolaments* auxquels il dit avoir assisté. Or voici que le 15 juillet, il avoue avoir participé à l'automne précédent à une étrange affaire. Parmi ceux qui, comme lui, en avaient été complices, il dénonce Bernard Lagarrigue et Arnaud Mathe.

Lagarrigue est entendu le lendemain même. Ce fut facile, on n'eut pas besoin de l'arrêter : il travaillait pour Jean Galand et vivait à la Maison de l'Inquisition, dans la Cité. C'était un ancien parfait, d'origine quercynoise, qui avait même été *fils majeur* de l'Église d'Albigeois, sans qu'on sache trop si c'était en Albigeois même, ou chez les Albigeois exilés. Car il avait émigré en Lombardie, d'où il était revenu vers 1270. Qu'il soit alors passé au service de l'Inquisition ne l'empêcha pas, sous la pression de ceux qui l'avaient connu, d'assister à quelques *consolaments*. Le 16 juillet 1285, il déclare ne rien savoir de l'hérésie depuis son retour de Lombardie. Ce n'est que le 2 septembre, à sa deuxième audition, qu'il avoue l'affaire en question et, au nombre des Carcassonnais qu'il dénonce, cite le consul Guillaume Serre. Convoqué ou arrêté, celui-ci comparaît le 13 septembre, dit ne rien savoir, est jeté en prison, d'où on l'extrait le 18 après l'avoir certainement mis à la question[1]. Il avoue alors avoir lui-même été *consolé*, il y a quelque vingt ans, au cours d'une maladie dont il guérit. Il avoue aussi sa participation à l'affaire en question. Le tribunal s'occupe alors d'Arnaud Mathe, un clerc de Carcassonne qui, entendu le 10 juillet, sur convocation, avait dit ne rien savoir, mais qu'Agasse dénonça le 15. On l'interroge de nouveau le 30 septembre, puis les 4 et 10 octobre. Ce n'est que le 11 qu'il avoue.

Il y a quelques divergences de détail dans les récits que firent

---

1. Le délai légal entre deux séances de torture était au minimum de trois jours pleins. Il ne fut cependant pas toujours respecté, les inquisiteurs de Toulouse ayant reçu du pape Alexandre IV, le 7 juillet 1256, puis ceux de Carcassonne le 27 avril 1260, le privilège de s'absoudre mutuellement des irrégularités qu'ils pourraient commettre dans l'exercice de leurs fonctions.

ces quatre personnages, mais on peut néanmoins résumer les choses ainsi :

Les notables de Carcassonne et plusieurs autres personnes mises en cause par les enquêtes de Jean Galand, ou craignant de l'être, avaient tout simplement décidé de s'emparer de ses registres et de les détruire. Mais comment s'y prendre ? Il faudrait quelqu'un d'audacieux, de malin, et qui sût lire, afin de ne pas se tromper de livres. Une première réunion eut lieu chez Arnaud Morlane, le recteur de Pennautier. Le consul Guillaume Serre y était. On pensa à Bernard Lagarrigue. Morlane dit qu'il lui en parlerait. Deuxième réunion, chez un consul cette fois, Bertrand Luc. On y a convoqué Lagarrigue, on le met au courant, et on lui promet pour la peine cent livres tournois. Troisième réunion, chez Guillaume Brunet, professeur de droit et juge ecclésiastique ! Le clerc Arnaud Mathe est chargé de mettre au point l'opération avec Lagarrigue. Quatrième réunion : Lagarrigue, un peu réticent, dit qu'il faudra soudoyer le notaire de l'Inquisition. Mathe promet cent livres de plus. Cinquième réunion chez Brunet ou chez Morlane, on ne sait trop : on s'accorde sur les deux cents livres de prime qu'il y aura à débourser, quatre consuls se portent caution de la promesse, et tous les conjurés se lient par serment. Ultime réunion, chez Arnaud Mathe, avec l'écrivain public Bernard Agasse, avec qui contact a été pris à Salsigne. On lui dit qu'il lui faudra accompagner Lagarrigue, car ce dernier ne sait pas lire... « Montez demain matin, dit Lagarrigue à Agasse, vous me trouverez à la Maison de l'Inquisition, et nous expédierons notre affaire ». Las ! Le moment venu, Lagarrigue ne trouva pas la clef de la salle des archives dans le coffre où elle aurait dû être : Jean Galand s'était absenté de Carcassonne, et l'avait emportée avec lui... Trente-cinq personnes au total avaient été impliquées dans ce complot raté, dont onze consuls, le recteur de Pennautier, son frère Sans Morlane, archidiacre majeur de la cathédrale, et deux juges ecclésiastiques...

S'agit-il d'une affaire montée de toutes pièces par Jean Galand à partir d'aveux mensongers extorqués par la torture ? La question se pose aussi pour tous les autres aveux qui mettent en cause abbés, curés, clercs, juges ecclésiastiques, officiers royaux, etc. Toutes personnes dont on est quand même surpris qu'elles aient assisté à tant de *consolaments*, et que tant d'entre elles aient été *consolées* sur leur lit de mort ! Le bruit courut à l'époque que c'étaient les deux notaires de l'Inquisition, les Frères Jean de Falgous et Raymond de Malviès, qui avaient manigancé de fausses accusations et des extorsions d'aveux, parce que Jean Galand se plaignait de n'avoir pas d'hérétiques notoires à juger, et qu'ils craignaient par conséquent de perdre leur emploi s'il venait à quitter le pays... Mais alors quelle grandiose imposture, et quel génie, que celui des deux Frères se livrant à un tel montage d'informations et de faits, en lui-même parfaitement cohérent, et capable d'abuser, huit années durant, outre Jean Galand et Guillaume de Saint-Seine, l'évêque d'Albi Bernard de Castanet — dont on verra la part qu'il prit aux enquêtes — et tous les personnages de haut rang qui figurent comme témoins des audiences, le prieur provincial des Prêcheurs, le chancelier du roi, deux sénéchaux, un archidiacre majeur procureur de l'évêché, etc. ! Cependant, même si les accusations sont parfois excessives et si les aveux ont été sollicités par divers moyens, il est vraisemblable que le tout repose sur un fond de vérité qui peut se ramener à un constat somme toute acceptable. Dans la noblesse de la Montagne Noire et de son piémont, le catharisme était une vieille tradition, il n'y a pas lieu de s'étonner que celle-ci ait été vivace encore dans les années 1280. L'oligarchie carcassonnaise, de son côté, peut très bien avoir été gagnée au catharisme : consulat, gens de la justice et de l'écrit – avocats, notaires, juristes –, maîtres artisans et bourgeoisie marchande. On est globalement dans le schéma sociologique traditionnel de l'hérésie en milieu urbain. Qu'au sein de cette noblesse et de cette oligarchie le catharisme ait été florissant au temps de Jean Galand n'a rien pour surprendre : il n'y a pas eu, en Carcassès, l'équivalent des deux cents sentences toulousaines de Bernard de Caux et Jean de Saint-Pierre. Et c'est justement cette survie du catharisme qui pourrait expliquer la complaisance, à son égard, du haut clergé de Carcassonne même, solidaire de la haute bourgeoisie, et du bas clergé de la Montagne Noire, familier de la noblesse locale. Que Jean Galand ait alors œuvré pour donner à cette complaisance les allures d'une participation active, afin de frapper fort, est très vraisemblable. Qu'il ait fait par ailleurs de la famille Morlane sa bête noire, c'est évident, et c'est explicable. Le siège épiscopal est vacant depuis 1282. L'autorité diocésaine est donc partagée entre les deux archidiacres majeurs, Guillaume de Castillon et Sans Morlane. La connivence de ce dernier avec l'oligarchie consulaire peut très bien déboucher sur une hostilité ouverte envers cette Inquisition qui ne cesse de tracasser et de déstabiliser la société dominante. Pour l'inquisiteur, il est d'autant plus aisé d'attaquer Sans Morlane que son frère Arnaud, le recteur de Pennautier, joue avec quelque impudence, au su de tout le monde, sur les deux tableaux, le catholique et l'hérétique. De là à attaquer, pour faire bonne mesure, la mémoire de feu leur parent Guillaume-Arnaud en faisant accroire qu'à la veille d'accéder en 1248 à l'épiscopat il s'était fait *consoler*, il n'y avait qu'un pas, que Jean Galand fut d'autant moins gêné de franchir que, l'évêque étant mort depuis trente ans, on ne se bousculerait pas pour venir le défendre...

Quant aux officiers royaux en poste à Carcassonne, ils étaient naturellement amenés à fréquenter les couches les plus aisées plutôt que les plus démunies. Il en était de même pour les châtelains des forteresses du Cabardès et du Minervois, socialement plus proches des hobereaux locaux que des paysans.

Que Jean Galand ait développé, dans ce contexte, et face à l'hostilité qu'il rencontrait, une sorte de syndrome de paranoïa, voilà qui n'a rien d'étonnant non plus. Car les Carcassonnais ne l'ont pas ménagé ! Dès juillet 1283, ils avaient porté leurs doléances devant le roi qui, à la faveur d'un voyage en Languedoc, avait tenu parlement à Carcassonne. Au début de 1285, après l'avortement du complot contre les archives, les notables mirent sur pied une véritable ligue anti-inquisitoriale. Arnaud Mathe fut même envoyé auprès des consuls de Castres pour les associer à l'action en appel que ceux de Carcassonne allaient intenter contre Jean Galand, tant devant le roi que devant le Saint-Père... Des crieurs publics étaient passés dans les rues avec un notaire qui recueillait les signatures des citoyens. Neuf consuls firent alors rédiger par un notaire le texte de l'appel, qui fut lu devant le chapitre des Prêcheurs, en présence de Jean Galand. C'était une mise en accusation extrêmement violente de ce dernier : il arrête de bons catholiques, il les fait torturer jusqu'à les rendre infirmes, il a construit un nouveau « mur » qu'on ferait mieux d'appeler « l'enfer », car les conditions de vie y sont si épouvantables et si dégradantes que des détenus se suicident. Protestant de leur propre orthodoxie et de celle de tous les habitants du pays, et bien qu'ils soient persuadés, précisent-ils, qu'il n'y a plus trace d'hérésie, les consuls ne demandent pas la suppression de l'Inquisition. Ils demandent simplement aux deux archidiacres majeurs de l'assumer désormais...

On comprend que Jean Galand ait pris peur, et qu'il ait fui au plus vite une ville que la diffusion de l'appel des consuls avait mise en effervescence. Il partit pour Albi, où l'évêque Bernard de Castanet l'accueillit avec grande déférence et lui offrit le gîte et le couvert en son palais. La venue de l'inquisiteur était une aubaine pour le prélat : il était lui-même aux prises avec la haute bourgeoisie de sa ville... Une étroite collaboration s'instaura aussitôt entre les deux religieux.

Le premier procès d'Albi

Galand était encore à Carcassonne le 15 juillet, date du troisième interrogatoire de Bernard Agasse. Le 6 septembre, Bernard de Castanet lui-même entendait à Albi Bernard Lagarrigue, que Galand avait fait transférer sous bonne escorte par le gardien du mur de Carcassonne. C'est à Albi qu'est révélé le complot contre les archives, que Galand et Castanet mettent six semaines à instruire, interrogeant chacun séparément, ou tous les deux ensemble. Puis Galand, à la fin octobre, revint à Carcassonne et compléta les procédures concernant les châtelains royaux. Craignant que dans l'affaire du complot contre les archives on ne l'accuse encore d'avoir extorqué de faux aveux, il prend les devants : le 16 avril 1286, il fait entendre par Frère Guillaume de Saint-Seine, qui va bientôt lui succéder, et Frère Jean Vigouroux, l'inquisiteur de Toulouse, appelé à la rescousse, Bernard Agasse, qui confirme tous ses aveux précédents. Et pour couper court à « la rumeur qui, dit-on, circule à Carcassonne » et « faire cesser toute suspicion », les trois Prêcheurs certifient de concert par écrit que ladite confirmation d'aveux a été faite sous serment, sans contrainte, suggestion ni torture... Les doléances des Carcassonnais n'avaient reçu aucune satisfaction. Ils étaient revenus à la charge auprès du roi en·remettant le texte de leur appel à son chancelier Pierre de Chalus, de passage au printemps de cette même année 1286. Mais Galand avait joué plus fin : il avait demandé à Chalus de venir siéger comme témoin à la confirmation d'aveux de Bernard Agasse. Le chancelier trouva la procédure parfaitement régulière, et ne jugea pas nécessaire d'intervenir.

Peu après, Galand retourna à Albi, en compagnie cette fois de Saint-Seine et de Vigouroux, pour seconder Bernard de Castanet dans les poursuites qu'il avait intentées à onze personnes : sept habitants d'Albi, dont un avocat et deux marchands très en vue ; les autres étaient deux habitants de Castres, dont un ancien consul, un habitant de Rabastens et un de Serviès dans le pays de Vielmur. Soixante audiences au total, conduites de janvier 1286 à avril 1287, et qui mirent en cause quatre cent deux croyants : deux cent six Albigeois, soixante-trois Castrais, et cent trente-sept habitants du Lautrecois, du Gaillacois et des confins du Toulousain. Comme à Carcassonne, ce sont les couches les plus aisées de la population qui sont concernées, des personnes qui proviennent du milieu des gens de loi — avocats, juges, notaires — ou de celui de l'économie, commerçants, avec trente-trois marchands de gros et de détail, maîtres artisans qui ont pignon sur rue ; plus une famille de gros financiers brasseurs d'affaires, les Fenasse. Les accusations sont identiques à celles des procès de Carcassonne : aide et assistance apportée à des parfaits, présence à des *consolaments*, éventuellement réception du sacrement. On ne connaît pas entièrement l'issue du procès d'Albi. On sait quand même qu'au moins cinq Albigeois furent envoyés au mur de Carcassonne, où ils rejoignirent les victimes de Jean Galand. Certains y étaient encore incarcérés vingt ans plus tard.

Les inquisiteurs rentrèrent à Carcassonne. Jean Galand semble avoir quitté bientôt ses fonctions, car Guillaume de Saint-Seine poursuivit seul, de février 1288 jusqu'à la fin de 1291, les enquêtes commencées en 1284 par son confrère : vingt-deux interrogatoires connus, qui ne le cèdent en rien à ceux qui les avaient précédés. C'est à lui que Rica Toupine, en octobre 1290, raconta quarante-deux *consolaments*... Cette reprise des interrogatoires exaspéra de nouveau les Carcassonnais, surtout quand on apprit l'arrestation de Barthélemy Vézian, le notaire qui avait rédigé et lu publiquement l'appel des consuls, en 1285. A la fin de 1290, le roi — c'était maintenant Philippe le Bel — ayant envoyé des enquêteurs pour contrôler l'administration, ces derniers reçurent les plaintes, les mêmes que les précédentes : l'Inquisition arrêtait, torturait et condamnait des innocents. Sitôt informé, le souverain, cette fois, réagit, et violemment : il écrivit au sénéchal de Carcassonne qu'il fallait immédiatement faire cesser ce scandale — le mot est de lui — et interdire l'arrestation de quiconque tant qu'on n'avait pas la preuve formelle de son hérésie. Il allait envoyer des commissaires pour réparer les abus...

Non que le roi de France fasse preuve d'une quelconque tolérance à l'égard de l'hérésie : au contraire, dès 1288, il avait demandé qu'on veillât à ce que les descendants d'hérétiques fussent exclus des charges publiques, comme l'exigeaient à la fois le droit canonique et les ordonnances royales. Ce qu'il n'accepte pas, en revanche, c'est que l'Office se conduise comme un pouvoir absolu en ignorant l'autorité des représentants du roi, et en persécutant sans contrôle les sujets de ce dernier. On croirait revivre le conflit qui, cinquante ans plus tôt, avait opposé Raymond VII aux Prêcheurs ! Et l'on peut mesurer à quel point la situation s'est renversée, quand on songe au temps où c'étaient les inquisiteurs qui se plaignaient des excès de la justice civile. Maintenant c'était le roi qui, par le canal de son administration, se faisait le défenseur du droit des gens...

Guillaume de Saint-Seine contre-attaqua. Le 13 septembre 1292 — et c'est son dernier acte connu — il demanda aux curés de la ville basse de Carcassonne de confirmer chaque dimanche, à la messe, que l'excommunication frappait quiconque entravait la marche de l'Inquisition, notamment les gens qui poussaient les prévenus à rétracter leurs aveux, et les notaires qui enregistraient ces rétractations.

Nicolas d'Abbeville et la « rage carcassonnaise »

Et puis, pendant un an et demi, plus de trace d'inquisiteur à Carcassonne. C'est celui de Toulouse, Bertrand de Clermont, qui vint au cours de l'été 1293 recueillir les trois dépositions d'un ancien consul, le damoiseau Pierre d'Aragon. Mais cette vacance du siège carcassonnais, pour laquelle on n'a aucune explication certaine, ne dura pas : un nouveau Prêcheur arriva en 1295, Nicolas d'Abbeville. Il cita immédiatement sept personnes, dont les professeurs de droit Guillaume Garric et Guillaume Brunet. Ce fut l'émeute. C'est Bernard Gui lui-même qui le dit, mais, écœuré, il se refuse à entrer dans les détails. On sait mieux ce qu'il advint lorsque le bras droit de l'inquisiteur, le Frère Foulque de Saint-Georges, prieur des Prêcheurs d'Albi, se présenta avec une vingtaine de sergents au couvent des franciscains, portant leurs citations à des suspects qui s'y cachaient. Il fut éconduit par le portier et par le lecteur du couvent, Frère Bernard Délicieux. Celui-ci fit sonner le tocsin et allumer un grand feu pour que la fumée alertât la foule. On poursuivit Foulque et sa police à coups de pierres jusqu'aux abords de la Cité...

Le roi fit face à l'offensive de Nicolas d'Abbeville. Le 3 janvier 1296, il renouvela à ses officiers l'interdiction de procéder à des arrestations sur la seule injonction des Prêcheurs. Le 15 mai, il assura le sénéchal de Carcassonne de son entière confiance dans la conduite qu'il tiendrait. L'inquisiteur tenta de tourner les ordres royaux en s'adressant directement au lieutenant du sénéchal et au viguier du Minervois, mais ce fut en vain. Alors, le 28 juin, il fit proclamer en chaire l'excommunication des sept suspects qui avaient refusé de répondre aux citations et qu'il n'avait pu faire arrêter.

Les choses en restèrent là, jusqu'à ce que Nicolas d'Abbeville, faute de pouvoir s'en prendre aux vivants, eût l'idée d'ouvrir en 1297 un procès posthume contre Castel Fabre, un très riche bourgeois qui avait été receveur royal de la sénéchaussée, et dont les enquêtes de Jean Galand avaient révélé qu'il avait reçu le *consolament* au moment de sa mort. Mais Castel Fabre était inhumé depuis vingt ans au couvent des franciscains... Ceux-ci refusèrent qu'on vînt déterrer le corps, protestant que Castel Fabre, qui avait été leur bienfaiteur, était mort en bon catholique... Son fils, l'ancien consul Aymeric Castel, ayant décidé d'en appeler au Saint-Siège, trouva tout de suite un appui auprès de Bernard Délicieux.

Mais voici qu'assez soudainement, l'attitude du roi changea. Sans doute soucieux de normaliser ses relations avec le Saint-Siège, il publia en septembre 1298 une ordonnance mandant à tous ses sénéchaux de faire respecter la constitution récemment promulguée par le pape Boniface VIII, autrement dit de répondre à toute réquisition, tant du haut clergé que de l'Office, pour rechercher, arrêter et garder à vue les hérétiques et leurs complices... L'oligarchie carcassonnaise, qui n'avait plus d'alliés que chez les franciscains, se sentit abandonnée et incapable de lutter contre l'Inquisition, le Saint-Siège et la Couronne réunis. Ce ne fut quand même qu'après de longues et difficiles négociations auxquelles participèrent les officiers royaux, plusieurs évêques et abbés ainsi que l'inquisiteur de Toulouse, que les consuls de Carcassonne acceptèrent au nom de la ville de faire la paix avec l'Inquisition, c'est-à-dire de recevoir pardon et absolution. Ce qui se fit le 8 octobre 1299 au couvent des Prêcheurs. Nicolas d'Abbeville exigea cependant que les consuls, au nom de toute la population, abjurent l'hérésie... Une clause en vérité extrêmement dangereuse et qui, pour cela, ne fut pas rendue publique : il suffirait désormais d'être simplement suspecté de complicité d'hérésie pour tomber sous le coup de la relapse, laquelle conduisait immanquablement au bûcher. Furent par ailleurs exclus de l'absolution quatre anciens consuls, dont Aymeric Castel, quatre conseillers, deux avocats et deux notaires.

Encore Albi : le procès politique

Nicolas d'Abbeville partit ensuite pour Albi, afin de prêter à son tour main-forte à Bernard de Castanet. Le prélat avait bien préparé son affaire. Il n'envoya pas de citations. En quatre opérations successives, étalées de début décembre 1299 à fin mars 1300, il fit arrêter trente-cinq personnes. Sept autres le seront à la fin de 1301. Les choses furent rapidement menées : soixante et une audiences en quatre mois, et vingt-quatre sentences délivrées au fur et à mesure : ce sont toutes des condamnations à perpétuité au « mur strict », c'est-à-dire à l'eau, au pain sec, et les fers aux pieds. Elles frappaient maître Raymond Claverie, notaire royal, dont la propriété servait de rendez-vous à des parfaits et à des croyants ; les frères Jacques et Bérenger Fumet, d'une famille de juristes, et dont le père ou le frère avait été inculpé lors du procès de 1286 ; Jean Baudier, un riche marchand drapier qui possédait de grands domaines fonciers ; son beau-frère et associé Guiraud Austor ; le consul Guillaume Fransa, le financier Guillaume Fenasse, et puis quelques marchands. Tous étaient convaincus d'avoir favorisé les hérétiques et d'avoir assisté à divers *consolaments*, celui de maître Durand le jurisconsulte, celui de maître Barthélemy Maurel docteur ès lois, celui de Raymond Vassal, fils du seigneur de Lescure, etc. Et, tout comme les enquêtes de Jean Galand avaient révélé qu'en Carcassès tout reposait sur une poignée de parfaits, le procès de 1300 met en évidence les trois Bons Hommes qui incarnent l'Église d'Albigeois : Guillaume Delboc et les frères Guillaume et Raymond Didier.

Curieusement, la démarche de Bernard de Castanet est inversée — comme l'avait été celle de Jean Galand — par rapport à ce qu'avait été celle de Pons de Parnac en Lauragais dans les années 1270. Ce dernier interrogeait les croyants pour identifier les derniers parfaits, repérer leurs cachettes et tenter de les arrêter. Les trois parfaits du procès d'Albi, au contraire, ont l'air de ne servir qu'à inculper des croyants, on ne déploie aucun zèle pour les capturer.

Que les condamnés de 1300 aient eu des liens avec l'hérésie, que Bernard de Castanet a en horreur, on ne peut en douter. Mais il y a autre chose. Quand le prélat avait été promu au siège d'Albi, en mars 1276, il avait trouvé un évêché en mauvaise posture. Contrairement à Carcassonne, dont le seigneur est le roi, le seigneur de la ville, ici, c'est l'évêque. Or le développement des libertés urbaines, soutenu par la politique royale, avait fait un bond spectaculaire dans les dernières décennies, au détriment du pouvoir féodal exercé par le prélat. De surcroît, le siège était resté vacant de 1271 à 1276, ce qui l'avait considérablement affaibli au plan économique et financier. Bernard de Castanet se livre donc à une véritable guerre de reconquête du pouvoir sur la bourgeoisie montante. Reconquête de l'autorité en faisant place nette, en se débarrassant des bourgeois les plus entreprenants et les plus gênants ; sans compter l'aubaine qu'étaient les confiscations, dont le produit, ici, allait à l'évêque, non au roi. Au moment où le grand bâtisseur que fut Bernard de Castanet avait besoin d'argent pour financer cette merveille du gothique occitan qu'est la cathédrale Sainte-Cécile, et le palais de la Berbie qui la jouxte, la répression de l'hérésie fournissait un appoint aux finances épiscopales — au demeurant fort bien restaurées par une excellente administration du temporel.

Revenu d'Albi en juin 1300, Nicolas d'Abbeville rouvrit le dossier Castel Fabre. Il se présenta en personne au couvent des franciscains. Dans le cadre de l'enquête en cours, qui pouvait aboutir à une sentence d'exhumation et de crémation, il voulait interroger, dit-il, des témoins. Il convoqua pour le 4 juillet Bernard Délicieux, que le provincial de son ordre avait personnellement chargé de défendre la mémoire de Castel. Mais quand, le jour dit, le Frère se présenta à la Maison de l'Inquisition, on refusa de l'entendre et on lui dit de revenir une autre fois. Quand il revint, il trouva porte close. Alors, le 10 juillet, il fit placarder sur la porte de l'inquisiteur un document incendiaire, annonçant qu'il en appelait au Saint-Siège et interdisant de façon comminatoire à Nicolas d'Abbeville de continuer sa procédure... Ce dernier, craignant peut-être que l'exalté franciscain ne provoquât de nouvelles émeutes, interrompit son enquête — mais en garda les pièces pour ses successeurs...

A la fin de septembre, le prieur des Prêcheurs d'Albi, Foulque de Saint-Georges, fut nommé inquisiteur à Toulouse, pour succéder à Bertrand de Clermont, promu prieur de Carcassonne avant de devenir provincial en 1303. Peu de temps après arrivèrent deux nouveaux enquêteurs-réformateurs envoyés par le roi. Bernard Délicieux se précipita à Toulouse avec plusieurs parents d'Albigeois condamnés et emprisonnés, pour se plaindre aux enquêteurs à la fois de Bernard de Castanet et de Foulque, qui s'était fait la réputation d'avoir été le mauvais génie de Nicolas d'Abbeville. Il fut décidé que les plaignants iraient voir le roi à Senlis. Ils y allèrent à l'automne 1301. A la délégation albigeoise et carcassonnaise s'était joint le consul Élie Patrice, un homme très riche et si influent dans là ville basse de Carcassonne qu'on l'avait surnommé « le petit roi du Bourg ». Délicieux accusa devant le souverain Jean Galand et l'évêque d'Albi d'avoir été plus occupés à condamner des innocents qu'à rechercher les parfaits cathares... Le roi reçut aussi Foulque de Saint-Georges et Nicolas d'Abbeville mais, paraît-il, ne leur témoigna pas beaucoup d'aménité. Sans doute Bernard Délicieux avait-il su se montrer convaincant : en décembre, le roi demanda aux Prêcheurs de Paris d'enlever à Foulque sa charge d'inquisiteur. Sur le moment, ils n'en firent rien, mais quand le mandat de Foulque arriva à expiration fin avril 1302, ils ne le renouvelèrent pas et nommèrent à son poste le Toulousain Guillaume de Mouriès, ancien sous-prieur du couvent de Toulouse qui avait succédé à Foulque à la tête du couvent d'Albi. Entre-temps, le roi avait demandé à ses sénéchaux de saisir en leurs mains les prisons inquisitoriales et d'empêcher Foulque d'exercer ses fonctions.

Les commissaires royaux s'occupèrent alors de Bernard de Castanet. Tant de plaintes leur étaient parvenues contre lui, de Cordes comme d'Albi, qu'ils commencèrent par mettre son temporel sous séquestre, firent hisser la bannière du roi sur le palais de la Berbie, et convoquèrent le prélat à Toulouse. Il présenta sa défense mais, quand il revint à Albi, il y fut accueilli par une manifestation populaire fort menaçante — à laquelle il fit face, d'ailleurs, courageusement. En juin, Philippe le Bel amenda l'ordonnance *Cupientes* d'avril 1229, de façon à interdire que fussent automatiquement condamnées par contumace au bout d'un an, comme hérétiques avérés, les personnes excommuniées pour complicité d'hérésie. Le même mois, il fit savoir que l'enquête contre Bernard de Castanet avait suivi son cours et qu'il était condamné pour abus d'autorité à deux mille livres d'amende. Le 5 juillet, il demanda à ses sénéchaux de Toulouse et de Carcassonne de restituer à l'Inquisition toulousaine la possibilité d'exercer, ainsi que l'administration de ses prisons. Par un soigneux équilibre maintenu entre l'Office et les justiciables, le roi, en apparence, avait réussi à ce que tout rentrât dans l'ordre.

Or voici qu'un mois avant la Noël, le dimanche de l'Avent, une très violente émeute eut lieu à Albi contre les Prêcheurs : on expulsa des églises ceux qui allaient monter en chaire, on les poursuivit jusqu'à leur couvent, dont on saccagea le potager et dont on fit le blocus. Dans les jours qui suivirent, on mit littéralement les Frères au ban de la ville, on les empêcha de sortir du couvent, on interdit de leur faire des aumônes ou d'élire sépulture chez eux. On sut plus tard que le soulèvement avait été formenté par deux avocats, deux jurisconsultes, dont le juge royal, le viguier même d'Albi, Guillaume de Pézens — qui avait été familier, soit dit en passant, des parfaits Isam de Canois et Pierre d'Alassac —, et le sous-viguier. Mais derrière eux il y avait un autre homme, l'âme même de la révolte. Bernard Délicieux...

Le complot de l'infant de Majorque

Huit mois avant les événements d'Albi, le roi avait convoqué à Paris une grande assemblée de barons et de prélats pour débattre du conflit qui opposait la Couronne et le pape Boniface VIII, à propos de l'affaire Bernard Saisset. Saisset était l'ancien abbé de Saint-Antonin, au comté de Foix, pour qui le Saint-Père avait créé en 1295 l'évêché de Pamiers, démembré de celui de Toulouse. Il aurait alors tramé contre Philippe le Bel un complot visant à faire passer tout le Languedoc sous la coupe du comte de Foix. Le roi avait fait arrêter le prélat, qui s'était retrouvé inculpé de trahison et de lèse-majesté. Or voici que le provincial des franciscains avait demandé à Bernard Délicieux d'aller à sa place à l'assemblée de Paris. Le Frère partit avec des Albigeois, des femmes de condamnés, et deux autres Mineurs, car il allait évidemment profiter de ce voyage pour se plaindre à nouveau de l'Inquisition dominicaine devant le souverain. Revenu à Albi après n'avoir reçu du roi que de vagues promesses, il organisa sur place la résistance. Il rassembla quelque cinq cents partisans, et leur demanda de cotiser pour organiser

des campagnes de prédication contre les Prêcheurs... Et il se mit
en effet à prêcher dans tout le pays. Le plus spectaculaire résultat
en fut sans aucun doute le soulèvement d'Albi, à la fin de
novembre 1302.

Carcassonne n'était pas en reste. En janvier 1303, Nicolas
d'Abbeville fut remplacé par un Prêcheur originaire d'Ile-de-
France qui avait fait ses études à Chartres puis avait enseigné la
théologie, Geoffroy d'Ablis. Le roi le recommanda à ses sénéchaux. Au mois de mai, un enquêteur, Jean de Picquigny, vidame
d'Amiens, vint à Carcassonne pour voir l'état des prisons.
Bernard Délicieux alla le trouver, lui dit certainement pis que
pendre des dominicains puis, tandis que le vidame repartait à la
Cour pour y faire son rapport, se rendit à Cordes, où il prêcha
avec plus de violence que jamais. Quand Picquigny revint à Carcassonne en juillet pour s'entretenir avec Geoffroy d'Ablis, le
franciscain alla derechef le trouver, tout en mobilisant ses propres
partisans, dans l'espoir de faire pression sur lui. Picquigny, pour
y voir plus clair dans une situation assez confuse en vérité,
demanda alors communication de l'acte par lequel les Carcassonnais avaient été absous par Nicolas d'Abbeville le 8 octobre 1299.
Les consuls qui le détenaient commencèrent par refuser de le
communiquer, puis cédèrent. Alors Bernard Délicieux entra en
jeu. Les crieurs publics annoncèrent le 3 août qu'il prêcherait le
lendemain au cloître des Mineurs. Il prêcha, en effet, et il y avait
foule. Il révéla le vrai contenu du document de 1299, c'est-à-dire
la clause secrète par laquelle les consuls avaient abjuré l'hérésie
au nom de tous les habitants, ce qui, nous l'avons dit, exposait
chacun d'eux, au moindre manquement, à l'accusation de relapse,
donc au bûcher. Explosion de colère dans la foule, panique chez
les consuls qui avaient signé l'acte... On détruisit une quinzaine
de maisons qui leur appartenaient, tandis que deux d'entre eux
se précipitaient à Toulouse pour avertir Geoffroy d'Ablis, qui s'y
trouvait alors. Élie Patrice se mit à la tête d'une véritable milice
qui fit la chasse aux gens soupçonnés d'avoir des sympathies pour
les Prêcheurs... Il reçut bientôt en renfort quelque quatre-vingts
Albigeois. Un jour, tout le monde se rassembla au couvent des
franciscains, dans l'intention de donner l'assaut à la prison inquisitoriale, sise au pied de la Cité, sur la berge de l'Aude. Soucieux
d'éviter le pire, Picquigny se rendit lui-même à la prison avec sa
troupe et, s'étant fait ouvrir la porte non sans difficulté par les
Prêcheurs qui la gardaient, ordonna le transfert immédiat des

emmurés à la prison royale de la Cité. Bernard Délicieux les y rejoignit pour recueillir leurs témoignages afin de les transmettre au roi. Après quoi il réussit à faire conclure entre ses partisans de Carcassonne, Cordes et Albi, une ligue antidominicaine. La cotisation était de dix sous par jour et par ville, ce qui permettait de couvrir ses frais de voyage, maintenant qu'il avait vendu le peu qu'il possédait et même engagé sa bibliothèque pour continuer sa prédication — laquelle consistait à dire le plus grand mal des dominicains et le plus grand bien des commissaires royaux... L'Office tenta alors de discréditer ceux-ci auprès du Saint-Siège et de la Couronne. Le 22 septembre, Geoffroy d'Ablis cita Picquigny à comparaître. Comme le vidame ne se présenta pas, il l'excommunia le jour même comme fauteur d'hérésie... Sitôt informé, Picquigny interjeta appel devant le pape Benoît XI, et écrivit le 29 octobre aux consulats de Carcassonne, Albi, Montauban, Béziers et quelques autres villes pour dénoncer l'iniquité du Prêcheur.

Comme il l'avait promis, le roi arrive à Toulouse à la Noël 1303, pour un voyage de dix semaines en Languedoc, qui s'achèvera à Nîmes. Il trouve une atmosphère détestable ; Picquigny et le juge royal d'Albi l'assaillent de plaintes, le provincial des Prêcheurs prend la défense de l'Inquisition... Le roi est devant un dilemme : comment calmer les esprits et enlever à ses sujets le sentiment d'être persécutés, sans affaiblir la répression de l'hérésie, toujours nécessaire à ses yeux ? Ne pouvant remettre en question le principe même de l'Inquisition, il tente d'en modérer les effets sur deux points bien précis : il interdit les arrestations arbitraires et demande que les évêques aient un droit de regard sur les procédures ; il prescrit de traiter humainement les prisonniers... Les Carcassonnais, qui avaient pavoisé leur ville pour son arrivée, déchantèrent. Exaspéré par les pressions qu'on tentait d'exercer sur lui, le roi lui-même se montra de méchante humeur et refusa les traditionnels présents de bienvenue. Là-dessus éclata une tragique affaire.

Le roi Jacques de Majorque avait gagné Montpellier avec son fils Ferrand, pour y saluer le roi de France quand il y passerait[1]. Bernard Délicieux, qui, étant né à Montpellier, était sujet, non

---

1. A la mort du roi Jacques le Conquérant, en 1276, ses États avaient été partagés entre ses fils. Pierre était devenu comte de Barcelone et roi d'Aragon. A Jacques était échu le royaume de Majorque (les Baléares, les comtés de Roussillon et de Cerdagne, et la seigneurie de Montpellier), avec Perpignan pour capitale.

de Philippe le Bel, mais de Jacques, alla voir ce dernier avec divers bourgeois de Carcassonne et d'Albi. Fût-ce alors que naquit le projet d'enlever au roi de France ce Languedoc qui n'attendait plus rien de lui, pour le donner à l'infant Ferrand, contre la promesse qu'il en chasserait les Prêcheurs ? Élie Patrice et Bernard Délicieux s'en allèrent prêcher la révolte contre Philippe le Bel, à Limoux, Alet, Réalmont, Caunes, Lagrasse... Au début d'avril 1304, le franciscain alla voir Ferrand pour lui porter l'hommage des consuls de Carcassonne. Le roi Jacques subodora qu'il se tramait quelque chose. Il convoqua le Frère, puis l'infant. Ils finirent par avouer le complot. Alors Jacques alerta aussitôt le roi de France.

Arrestations, enquête, procès, jugement : quarante habitants de Limoux furent pendus le 29 novembre, quinze Carcassonnais le 28 septembre de l'année suivante — dont Élie Patrice et plusieurs consuls. Aymeric Castel aurait dû l'être aussi, mais il avait réussi à prendre la fuite. La ville basse de Carcassonne fut frappée d'une amende de soixante mille livres, le consulat fut supprimé, et les prisonniers incarcérés à la prison royale de la Cité furent rendus au mur de l'Inquisition. Quant à Bernard Délicieux, il fut remis au pape, alors à Lyon avant de se fixer en Avignon. L'Église plaça le bouillant franciscain sous un régime de liberté surveillée. Ce sera Jean XXII qui, douze ans plus tard, le fera arrêter et juger, quand, incorrigible insurgé, il aura pris la défense des Spirituels, ces franciscains marginaux qu'on avait commencé à jeter au bûcher...

Les déboires de Bernard de Castanet

Dès que l'archevêque de Bordeaux Bertrand de Got avait été élu pape en juin 1305, succédant sous le nom de Clément V au dominicain Benoît XI, il avait été assailli de plaintes contre l'Inquisition, mais aussi contre Bernard de Castanet, accusé par le chapitre de sa propre cathédrale et par l'abbé de Gaillac de conduire le pays à sa ruine. En janvier 1306, ce furent dix consuls d'Albi, assistés de quatre conseillers juridiques et accompagnés de quarante-cinq citoyens représentant la communauté urbaine, qui déléguèrent huit personnes pour se faire les accusateurs de Bernard de Castanet devant le Saint-Siège. Le prélat prit un avocat, et le conflit fut donc porté à Lyon devant la Curie. Le Saint-

Père nomma, pour instruire l'affaire, une commission composée
de Prêcheurs et de représentants des villes d'Albi, Carcassonne
et Cordes. En attendant ses conclusions, il ordonna à Bernard
de Castanet et aux inquisiteurs d'arrêter immédiatement toute
incarcération et toute torture. Le prélat était de surcroît sus-
pendu, l'abbé de Fontfroide, Arnaud Nouvel, étant chargé de son
intérim. Une autre commission, composée des évêques de Toulouse et de Béziers, Pierre de la Chapelle-Taillefer et Bérenger
Frézoul, récemment nommés cardinaux, fut chargée le 13 mars
d'aller visiter les prisons inquisitoriales. Le rapport qu'ils remirent quelques semaines plus tard dit qu'ils avaient été épouvantés
par les conditions de vie des quarante prisonniers qu'ils avaient
trouvés au mur de Carcassonne. Certains étaient là depuis dix
ans, depuis vingt ans, depuis les procès conduits par Jean Galand
à partir de 1284... Il y avait le consul Guillaume Serre, le professeur de droit Guillaume Garric, le bayle de Villegly, et maître
Raymond Mestre le notaire ; et vingt-neuf Albigeois, issus pour
la plupart de familles de notables, plus le notaire de l'official et
celui du roi... Les cardinaux ordonnèrent qu'on aménageât aux
étages supérieurs des cellules aérées et mieux éclairées, au moins
pour les malades et les vieillards, et qu'on revît la literie et la
nourriture. Ils révoquèrent les gardiens subalternes, qu'ils rem-
placèrent par des clercs. En mai, ils visitèrent la prison épiscopale
d'Albi : ce qu'ils y trouvèrent était pire qu'à Carcassonne...

Le procès s'ouvrit à Bordeaux le 25 juin, devant le Saint-Père
en personne. L'inquisiteur de Carcassonne, Geoffroy d'Ablis,
avait pris lui aussi des avocats : son propre collègue de Toulouse,
le vieil Arnaud Duprat, qui avait été trente ans lecteur de théologie et un an prieur de Toulouse, Frère Pierre d'Orviéto,
procureur général des Prêcheurs auprès de la Curie, et maître
Guillaume de Revel, déjà chargé des intérêts de Bernard de
Castanet. Parmi les représentants des villes plaignantes, il y avait
Aymeric Castel.

Il est bien étrange qu'aucun document connu ne témoigne de
l'issue du procès ! Seule la suite des événements permet d'inférer
ce qui s'y décida : les plaignants n'eurent pas gain de cause,
Bernard de Castanet fut rétabli sur son siège, et l'Inquisition ne
se retrouva pas affaiblie... Ce furent alors les chanoines d'Albi
qui passèrent à l'offensive contre le prélat ! Le libelle qu'ils adressèrent à Clément V était un assemblage d'accusations plus infamantes les unes que les autres, qui mettaient en cause la vie

privée et les mœurs de l'évêque... Le Saint-Père, perplexe, demanda au cardinal Frézoul d'ouvrir une enquête de moralité. Avec l'audition de cent quatorze témoins, elle occupa tout le printemps 1308. Le 27 juillet, Clément V délivra au prélat une lettre qui le rétablissait officiellement dans son honneur injustement diffamé. Mais le 30, il transféra le maître d'œuvre de Sainte-Cécile d'Albi à l'évêché de Puy, un diocèse pauvre où il ne construirait pas de monumentales splendeurs, mais où il ne provoquerait pas de révolution...

20

Derniers Bons Hommes, derniers bûchers

Pendant que Jean Galand, Guillaume de Saint-Seine, Nicolas d'Abbeville et Bernard de Castanet, par une vigoureuse politique de répression, s'employaient à avoir raison de l'hérésie en Carcassès et en Albigeois, un étrange phénomène de vases communicants se préparait à relancer de façon très inattendue, mais ailleurs, l'histoire du catharisme occitan. Aux trois inquisiteurs et à l'évêque dont ils avaient été, ô combien ! solidaires, il n'avait fallu que sept ans – 1284-1300 – pour neutraliser, sans être très regardants sur les formes, les élites urbaines qui, à défaut peut-être d'avoir entretenu l'hérésie aussi puissamment qu'on voulait le faire croire, constituaient à coup sûr le plus solide obstacle au travail de l'Inquisition. Mais alors même qu'ils jetaient en prison, dans les conditions qu'on a vues, des fournées de notables, d'avocats, de juristes, de notaires et de gros marchands, ils ne voyaient pas le danger qui était à leurs portes.

Pierre Authié : l'Église de la reconquête

Le premier qui s'aperçut de ce qui se passait fut Geoffroy d'Ablis, ce Prêcheur maître en théologie qui, venu du pays de Chartres, avait succédé à Nicolas d'Abbeville en 1303. Il s'en aperçut alors même que tous les esprits étaient accaparés par deux choses : le couronnement, à Lyon, d'un pape gascon, puis, immédiatement après, les déboires de l'évêque d'Albi. Geoffroy d'Ablis se rendait justement au couronnement de Clément V, en septembre 1305, lorsque, confiant l'Office, en son absence, au prieur Géraud de Blomac et au Frère Jean de Falgous, tous deux du couvent de Carcassonne, il leur recommanda la plus grande vigilance car, selon ses informations, il y avait toute une vie secrète de l'hérésie qui continuait. Quelques jours auparavant, il avait lui-même fait arrêter à Limoux, à la suite d'une dénonciation, deux parfaits originaires du haut comté de Foix, Jacques Authié, fils d'un notaire d'Ax-les-Thermes, et son *sòci*, un tisserand, André Tavernier, qu'on appelait Prades Tavernier parce qu'il était de Prades au pays d'Alion. On allait bientôt découvrir qu'ils n'étaient en fait que deux des ministres d'une véritable Église qui en comptait douze, plus leur chef, et que, depuis plusieurs années, elle était partie du haut comté de Foix à la reconquête spirituelle de l'ancien pays cathare, notamment du Lauragais et de la basse vallée du Tarn, aux confins du Quercy...

Le comté de Foix était dans le ressort inquisitorial de Geoffroy d'Ablis. Les procédures qu'il conduisit ne nous sont parvenues que très partiellement ; celles qui sont conservées ne s'étalent que sur les seize mois allant de mai 1308 à septembre 1309 et ne concernent que dix-sept croyants. Mais elles sont d'une extraordinaire richesse, que dépasseront seulement celles de Jacques Fournier à partir de 1318. Les personnes interrogées parlent d'abondance, au point qu'elles racontent pratiquement leur vie, avec une surprenante liberté de ton qui leur permet d'accumuler une foule de détails – qui n'ont rien à voir avec l'hérésie – sur les mœurs et la vie quotidienne.

Pendant ce temps, après les courts passages de Guillaume de Mouriès, puis d'Arnaud Duprat, consécutifs au non-renouvellement du mandat de Foulque de Saint-Georges en avril 1302, le tribunal de Toulouse était occupé par un inquisiteur d'une exceptionnelle envergure, qui allait devenir, aussi, un précieux historien et un théoricien rigoureux de l'Inquisition.

Bernard Gui était né peu après 1260 à Royère, près de La Roche-l'Abeille en Limousin. Étudiant en philosophie et en théologie, d'abord chez les Prêcheurs de Limoges, puis à Montpellier, revenu à Limoges comme sous-lecteur, puis successivement, à partir de 1291, lecteur à Albi et à Carcassonne, prieur d'Albi, puis de Carcassonne, de Castres et de Limoges, il se vit confier l'Inquisition de Toulouse le 16 janvier 1307. Quatorze années presque entièrement passées en Carcassès et en Albigeois l'avaient parfaitement mis au fait du problème hérétique. On n'a pas conservé les procès-verbaux de ses interrogatoires ; on a en revanche les neuf cent trente sentences qu'il rendit en dix-huit sermons généraux prononcés de 1308 à 1323 ; comme le plus souvent elles résument, dans leurs attendus, le contenu des interrogatoires, leur intérêt va bien au-delà du simple énoncé d'une peine. Enfin, les procédures de Jacques Fournier lui-même ajoutent à ces deux ensembles de documents l'irremplaçable registre de l'Inquisition ariégeoise, conservé au Vatican : cent un prévenus et témoins dont les récits sont autant de petits romans personnels que des tableaux à caractère ethnographique et sociologique, tant l'évêque-inquisiteur était curieux, avide de détails et soucieux de connaître, à défaut de comprendre, le pourquoi et le comment des choses. Ces enquêtes conduites de 1218 à 1225 éclairent à maintes reprises, rétrospectivement, l'histoire de l'Église de la reconquête cathare.

Tout est parti d'Ax-les-Thermes. Un riche notaire, Pierre Authié – le comte de Foix était de sa clientèle –, discutait de l'âme, un livre à la main, avec son frère Guillaume, un jour d'automne 1296. De concert, ils se demandèrent ce qu'ils faisaient là, tous deux, à se perdre dans la vie mondaine. Le temps était venu de se soucier de leur salut – et aussi de celui des autres. Pierre pouvait avoir la cinquantaine : dès 1273, il était notaire public. Sa sœur était mariée à un notaire de Tarascon. De sa femme Alazaïs, il avait trois fils et quatre filles, dont l'une avait épousé un médecin-notaire, également de Tarascon, Arnaud Teisseyre. De sa maîtresse Monette, sœur d'un notaire d'Ax, il avait un garçon et une fille. Milieu très aisé – Pierre, en plus de son étude, possède d'importants domaines – et cultivé : Pierre a la réputation d'avoir chez lui des livres. Si l'on en juge par une conversation qu'il eut avec son gendre Teisseyre, un jour de 1293, il pourrait avoir possédé celui que nous appelons le *Traité cathare anonyme*, car il reproduit fidèlement son exégèse du prologue de l'évangile de Jean, avec sa théorie de la mauvaise création comme néant et celle des deux universalités[1]. Peut-être est-ce d'ailleurs celui qu'il donna à lire à son frère en 1296... Si l'on songe qu'un autre Pierre Authié – son père ? son grand-père ? – avait reçu Bertrand Marty chez lui, à Ax, vers 1233, et était devenu parfait, force est de penser qu'une vieille tradition d'hérésie avait perduré dans la famille – même si un neveu de Pierre était dominicain à Pamiers. Les Authié, en tout cas, n'avaient pas remis leur bibliothèque à l'Inquisition...

---

1. Cf. ci-dessus chap. 15, le procès du Toulousain Pierre Garcias

Pierre et son frère Guillaume décidèrent donc, après leur conversation de 1296, de partir en Lombardie pour s'y faire ordonner. La première chose à faire était de trouver leur compatriote Pons-Arnaud de Châteauverdun. Ce qu'ils firent près de Coni, où ils restèrent un temps. Puis ils prirent contact avec l'Église en exil. Elle existe, certes, mais réduite à un état squelettique. Elle n'a plus d'évêque. En tout cas les sources n'en mentionnent aucun, après que Bernard Olieu a disparu de celles-ci en 1277. D'ailleurs, le plus haut dignitaire cathare occitan connu pour les dernières années du XIIIᵉ siècle n'est même pas en Lombardie, mais en Sicile, tombée depuis peu aux mains des ennemis du Saint-Siège. Et encore n'a-t-il pas le titre d'évêque : on le dit « diacre majeur », ce qui désigne certainement un diacre devenu *fils majeur*, mais pas plus. C'est Raymond Isarn, peut-être de Fanjeaux comme tant d'autres Isarn. Les deux parfaits qui sont auprès de lui, Raymond Mestre et Guillaume Salles, pourraient être originaires, d'après leurs patronymes, le premier de Carcassonne, le second de Lordat en Sabarthès. Mais les frères Authié sont en Lombardie, non en Sicile. Le seul dignitaire qu'ils trouvent pour les ordonner, c'est un parfait de Montégut-Lauragais, Bernard Audouy, qui n'est ni évêque, ni *fils*, mais simplement *ancien*, échelon le plus bas de la hiérarchie qui désignait le parfait placé à la tête d'une communauté, d'une « maison ». Audouy avait pour *sòci* un certain Pierre-Raymond de Saint-Papoul. Après l'ordination, il prit Pierre Authié pour *sòci*, tandis que Saint-Papoul s'associait un jeune parfait récemment ordonné, Mathieu Germa. Guillaume Authié, lui, fit équipe avec Prades Tavernier, ce tisserand du pays d'Alion qui lui aussi s'était fait ordonner en Lombardie, et que Geoffroy d'Ablis fera arrêter en 1305.

Car nos parfaits du comté de Foix reviennent au pays, à la fin de l'hiver 1299-1300. Pierre-Raymond de Saint-Papoul et Prades Tavernier sont même accompagnés d'un vieux parfait, un habitant du Sabarthès nouvellement ordonné, Amiel de Perles. Voyageant peut-être sous couvert de colportage, car Pierre Authié a avec lui des couteaux de Parme, on s'arrête à Toulouse, où Pierre dépose de l'argent chez un changeur très connu, Raymond Ysalguier. Ils arrivèrent peu avant Pâques à Ax, où le frère de Pierre et de Guillaume, Raymond Authié, les cacha dans sa cave. En cours de route, ils avaient fait étape chez des amis, à Tarascon, à Quié, à Larnat. Ils étaient même allés jusqu'à

Mérens, au-delà d'Ax. Leur retour s'étant ébruité, ils faillirent bien être arrêtés, mais le neveu dominicain les prévint à temps. Des amis des Authié firent un mauvais sort à leur dénonciateur en le précipitant dans un aven... Plusieurs mois durant, Pierre et ses quatre compagnons allèrent de village en village, prenant contact avec la noblesse locale, avec ces lignages qui avaient fait jadis la force du catharisme en Sabarthès. Apparemment, ils n'eurent pas grand mal à raviver chez eux la foi que l'ébranlement consécutif à la chute de Montségur en 1244, puis le démantèlement de la hiérarchie locale dans les dix années qui suivirent, avaient condamnée à se mettre en sommeil sans pour autant la faire disparaître des souvenirs personnels ni de la mémoire collective. Les Bayard et les Niaux à Tarascon, les Rabat, les Belpech à Génat, Alliat et Quié, les Bédeilhac, les Arnaud de Capoulet, les époux Junac, leurs six fils et leurs deux filles, les Larnat, les Arnaud de Châteauverdun, les Lordat, les Luzenac, les Planissoles, à Montaillou le bayle Bernard Clergue, à Pamiers le chevalier Bertrand de Taïx, etc., hobereaux désargentés ou riches bourgeois, notaires, châtelains ou bayles du comte, c'est une véritable résurrection de la société des croyants, maintenant que chacun est assuré de recevoir le *consolament* au moment de mourir.

Et voici que nos cinq parfaits, non contents d'avoir ravivé dans leur pays *l'entendensa del bé*, « l'entendement du bien », comme on disait entre soi pour désigner la foi cathare – on pouvait même dire *l'entendensa* tout court – vont se faire missionnaires. A l'automne 1300, ils se séparent en deux groupes et partent littéralement évangéliser, d'une part le haut comté, avec le pays d'Alion, le pays de Sault et de là les Corbières, de l'autre le pays toulousain, où ils apporteront le catharisme dans des zones qu'il n'avait jamais touchées par le passé... Leur équipe s'est peut-être déjà grossie de trois autres parfaits, Jacques Authié, que son père Pierre a ordonné de ses mains, comme il a ordonné le fils d'un notaire de Tarascon, Pons Bayle, et un croyant originaire d'Avignonet, Pons de Na Rica. Car Pierre Authié a pouvoir de procéder à des ordinations : c'est avec le grade d'*ancien* qu'il est revenu de Lombardie.

Ils sont huit maintenant. « Il prêchait comme un ange... » dira de Jacques Authié un prévenu de l'Inquisition... Et Jacques suit son père à Toulouse, puis dans la basse vallée du Tarn : Mirepoix-sur-Tarn, Saint-Sulpice, Lagarde, Rabastens, Villemur et ses alentours, jusqu'au Tescou. Pendant ce temps, Guillaume Authié et Prades Tavernier sont dans le haut comté de Foix, à Prades, à Montaillou, où ils rencontrent les bergers de la transhumance, qu'ils suivront au-delà de l'Aude, à Coustaussa, à Arques, à Cubières. Ils iront aussi à Limoux.

On ne peut douter qu'il s'agisse d'une véritable Église, et non d'une prédication désordonnée. A plusieurs reprises, nos parfaits se regroupent, confèrent entre eux, puis se séparent de nouveau. A Pâques 1301, la réunion a lieu à Ax. La suivante à Limoux, chez un croyant très sûr, Martin Francès. Y participe un jeune homme de Coustaussa, Philippe d'Alayrac, qu'on décide d'envoyer en Sicile auprès du « diacre majeur » Raymond Isarn. Il en reviendra ordonné, – ce qui fera neuf parfaits – et accompagné d'une Limouxine, Aude Bourrel, dite Jacquotte, qui est parfaite, la seule parfaite connue de cette Église de la reconquête. Décidément chargé de la liaison avec les exilés, Alayrac va à Gênes, avec Jacquotte. A son retour, il s'installe avec Pierre-Raymond de Saint-Papoul à Toulouse, d'où tous deux, avec Pierre Authié parfois, rayonnent dans tout le Lauragais : Lanta, Francarville, Auriac, Montaudran, Tarabel... Avant la fin de 1305, Philippe d'Alayrac, Pons Bayle et Pons de Na Rica ont quitté Toulouse pour la Gascogne – Fleurance, Condom. Est-ce pour évangéliser des régions qui n'avaient jamais vu de cathares, ou bien pour fuir ? Car 1305, c'est l'année où Geoffroy d'Ablis fait arrêter à Limoux Jacques Authié et Prades Tavernier – qui d'ailleurs s'évadent bientôt ! – l'année, aussi, où il fait opérer une grande rafle à Verdun-Lauragais.

On a souvent dit, sur la foi des récits faits devant l'Inquisition, que le catharisme prêché par Pierre Authié et ses compagnons était une religion abâtardie qui n'avait plus que de lointains rapport avec le catharisme de la grande époque, un ensemble de croyances populaires où la superstition avait une large part. On a même imaginé parfois que Pierre Authié avait ramené d'Italie un catharisme au dualisme non plus absolu, mais mitigé ou modéré. En fait, ce qui peut tromper, c'est que la méthode de prédication de la nouvelle Église paraît utiliser, beaucoup plus que par le passé, le mythe, et que par ailleurs elle ne s'adresse pas seulement aux couches les plus éclairées de la population, mais, bergers des Corbières et du Razès ou paysans du Lauragais, touche des milieux parfois très humbles où l'on pense plus, si l'on peut dire, par images et par réflexes de la sensibilité que par savants argumentaires. Ainsi arrive-t-il que la théologie des deux créations glisse, pour les ouailles de nos parfaits, dans un dualisme assez naïf et presque touchant, où la frontière entre la bonne création et la mauvaise passe moins entre l'esprit et la matière, entre les réalités spirituelles et le monde visible, entre l'éternité et le temps, qu'entre, par exemple, les animaux utiles et les animaux nuisibles... « Ce n'est pas le bon Dieu qui a pu faire le loup, ni la vipère... » L'essentiel était d'innocenter totalement Dieu de tout ce qu'il pouvait y avoir de mauvais dans le monde, et cela c'était, malgré une formulation candide, du catharisme pur et dur.

Ce changement de style, en quelque sorte, de la prédication, s'explique largement par le fait qu'en dehors du pays de Foix, l'Église de Pierre Authié ne réussit pas à toucher la noblesse ni la bourgeoisie. C'est particulièrement flagrant à Toulouse et en Lauragais où, à de très rares exceptions près, ni les hobereaux ni les notables ne sont atteints par ce *revival*. L'oligarchie toulousaine a récupéré depuis vingt ans les patrimoines confisqués, elle ne va pas prendre le risque de les voir de nouveau lui échapper. La noblesse rurale a été décimée par les confiscations, les emprisonnements, quelques bûchers, et surtout l'exil. Peu soucieuse de voir son sort empirer, elle est sur ses gardes. Elle a d'ailleurs assez largement rallié la Grande Église : faut-il s'étonner de voir des Villèle, des Hunaud de Lanta, des Lautrec – au même titre que des bourgeois comme les Rouaix et les Maurand – dans les bonnes grâces du haut clergé catholique ou de l'Inquisition, quand ils ne sont pas purement et simplement devenus dominicains ou franciscains, et témoins des audiences de l'Office ou du prononcé des sentences ?...

Alors, l'Église nouvelle recrute ses croyants chez les artisans des villages et les paysans des mas. C'est chez eux que les parfaits sont reçus et hébergés, et qu'ils *consolent* les mourants, ce n'est plus dans les châteaux ni sous la protection des chevaliers et des dames. Dans les quelque cent vingt-cinq localités où l'on a trace de leur passage, ils réussissent, curieusement, à faire du catharisme ce qu'il n'avait jamais été véritablement avant eux : une religion populaire.

Bernard Gui : la répression

Ce fut une dénonciation qui, en permettant à Geoffroy d'Ablis d'arrêter Jacques Authié et Prades Tavernier à Limoux en septembre 1305, déclencha la vague de répression qui allait anéantir l'Église des frères Authié. Dès novembre, ce fut la rafle opérée à Verdun-Lauragais, qui se solda par l'envoi au mur de Carcassonne de dix-huit habitants. Comme Verdun avait vu défiler toute l'Église des Authié, plus Bernard Audouy lui-même, qui était venu un temps de Lombardie, il fut aisé à Geoffroy d'Ablis de bien cibler ses adversaires et de les prendre en chasse. Dès lors, cinq années durant, ce sera un tragique jeu de cache-cache entre la poignée de Bons Hommes qui, à la fois, fuient, prêchent et *consolent*, – et même ordonnent – et l'Inquisition qui les traque. Situation qui ne décourage nullement – pour l'instant – nos missionnaires : Pierre Authié ordonne, à la fin de 1306, un de ses fidèles auxiliaires, Pierre Sans, puis, à Verlhac sur le Tescou, un jeune homme qu'Alayrac avait rencontré à Coustaussa et qui l'avait suivi, Raymond Fabre. Pierre Sans, à son tour, ira diriger le noviciat d'un jeune homme de Tarabel à qui Pierre Authié avait confié un de ses livres, Pierre Fils.

En janvier 1307 arriva Bernard Gui. Le premier dimanche du Carême 1308, le premier de ses sermons généraux sanctionna, en la cathédrale de Toulouse, le travail qu'il avait effectué en quatorze mois : deux commutations de peines de prison en pèlerinages ; exhumation et crémation d'un homme et d'une femme morts *consolés*, l'un au Born, l'autre à Villemur ; deux abattis de maisons ; enfin trois remises au bras séculier, autrement dit trois bûchers : un habitant de Lagarde près de Verfeil, la vieille Philippa Maurel, veuve d'un fustier de l'île de Tounis à Toulouse, dont l'Inquisition s'était déjà occupée vers 1270, et une autre Toulousaine. Aucun d'eux pourtant n'est « hérétique accompli », aucun n'a reçu le *consolament* d'ordination ni celui des malades. Ce ne sont que des croyants. Mais deux, ayant jadis abjuré, sont convaincus de relapse – ce qui ne pardonne pas. La troisième a bien confessé sa foi hérétique, mais a refusé d'y renoncer... Ce n'est qu'au pied du bûcher que, le lendemain, elle demandera à abjurer, verra son excommunication levée et sera envoyée faire pénitence en prison. Neuf sentences donc le même jour. Le sermon général suivant, le 25 mai 1309, en comprendra quatre-vingt-onze : quatre grâces du port des croix, six commutations de peines de prison, seize condamnations aux croix, cinquante-neuf peines de prison perpétuelle, six exhumations, dont celle de la parfaite Jacquotte, morte on ne sait quand, enfin une remise au bras séculier, celle d'un croyant de Verdun évadé de prison mais repris et condamné à mort comme relaps.

Pendant que Geoffroy d'Ablis et Bernard Gui travaillent consciencieusement à leurs enquêtes et que leurs polices s'activent – Jacques Authié a été repris au début de 1309 – Pierre Authié continue à donner des *consolaments* aux mourants, et procède même à deux ordinations : celle du fils d'un maître de forge de Junac en Sabarthès, Arnaud Marty, et celle d'un jeune tisserand du Born près de Villemur, Sanche Mercadier. Bernard Audouy reparti à Coni, Jacques Authié revenu au mur de Carcassonne, l'Église de la reconquête se maintient quand même à son effectif maximum, dont on ne sait pas si elle a perçu la valeur hautement symbolique : ils sont douze autour de l'ancien notaire d'Ax-les-Thermes qui avait tout abandonné, femme, maîtresse, enfants, étude prospère et riches domaines – tout, sauf ses livres.

Un maître et douze disciples. Pas pour longtemps ! Au Carême 1309, c'est Philippe d'Alayrac qui est arrêté et emprisonné à Carcassonne, mais il s'évade. Le 10 août, Bernard Gui lance un avis de recherche contre Pierre Authié. Ce dernier vit depuis deux mois dans une borde de Beaupuy, en Lomagne – à deux pas de l'abbaye de Grandselve. Il est arrêté alors qu'il vient juste de la quitter. Il est jeté au mur de Toulouse, où il retrouve Amiel de Perles, qu'on vient de capturer dans une ferme près de Verdun. Le 8 septembre, toute la population de Montaillou au pays d'Alion est arrêtée après qu'on a fait cerner le village et boucler toutes les issues par les sergents. Geoffroy d'Ablis s'installe dans le château du bayle du comte et interroge les habitants un par un. Quelques-uns seront plus tard envoyés en prison. Le mois suivant, c'est au tour du parfait Raymond Fabre d'être pris à Verdun.

Le 23 octobre, Bernard Gui remet au bras séculier Amiel de Perles. Il faut faire au plus vite, précise la sentence, car il est en danger de mort. Par quoi il faut comprendre que, pour éviter de finir dans les flammes, il s'est mis en *endura*, il a commencé à se laisser mourir de faim. Pendant ce temps, Pierre Sans se cache en Lauragais au mas des Hugoux, à Tarabel. Philippe d'Alayrac et Guillaume Authié viennent passer quelques jours avec lui. Le

2 janvier 1310, les sergents de l'Inquisition viennent pour l'arrêter, mais ses hôtes l'ont fait fuir.

Pierre Authié attendit sa sentence jusqu'au 9 avril. Elle fut lue en la cathédrale, Geoffroy d'Ablis s'étant joint pour la circonstance à Bernard Gui. Un témoin assurera quelque temps après que lorsqu'il monta sur le bûcher dressé sur la place, Pierre Authié déclara que si on le laissait prêcher il convertirait à sa foi le pays tout entier.

Son fils Jacques, son frère Guillaume et leur compagnon Arnaud Marty furent également brûlés, mais à Carcassonne.

Il restait encore sept parfaits. Pierre Sans, ayant quitté Tarabel, alla se réfugier à Marnhac, près de Monclar-de-Quercy. Sanche Mercadier l'y rejoignit et se suicida, sans doute de désespoir, en s'ouvrant les veines. Pierre Sans repartit pour le Lauragais, où on peut le suivre deux années encore, mais il est apparemment seul, sans *sòci*. Arrêté, Prades Tavernier fut brûlé peu après Pierre Authié. Pierre-Raymond de Saint-Papoul, Pons Bayle, Raymond de Na Rica, disparaissent de nos sources. Il n'en reste plus qu'un dont on sache qu'il soit vivant, Philippe d'Alayrac, l'évadé du mur de Carcassonne. Il passe en Fenouillèdes, puis en Roussillon, et de là en Catalogne. Il a la malencontreuse idée de revenir pour aller voir des croyants en Donezan. Il est arrêté à Roquefort-de-Sault, et vraisemblablement brûlé.

L'histoire de l'Église cathare occitane se serait arrêtée là, si Philippe d'Alayrac avait été réellement le dernier parfait. Dernier de l'Église de la reconquête, assurément. Mais il s'était évadé du mur de Carcassonne avec un homme dont il y a tout lieu de penser qu'il l'avait lui-même ordonné, un certain Guillaume Bélibaste. Assurément pas un parfait de profession, que ce fils d'une famille de paysans aisés de Cubières, dans les hautes Corbières. Non, ce qui l'avait amené au *consolament*, ce n'était pas la vocation, mais le meurtre qu'il avait commis sur un berger au cours d'une rixe. Et le *consolament* l'avait conduit en prison. Son évasion valut à l'Église cathare un sursis de dix années, et une fin, définitive celle-là, dans des conditions où le rocambolesque se mêlera au tragique.

Le dimanche qui avait précédé le supplice de Pierre Authié, Bernard Gui avait rendu cent treize sentences : quatre remises de peines, vingt condamnations au port des croix, soixante-deux peines de prison, six exhumations, quatre abattis de maisons où Pierre Authié avait procédé à des ordinations ou donné le *consolament* à quelque malade, et dix-sept remises au bras séculier. Jamais il ne prononcera autant de sentences de mort en un seul sermon général ! Là encore, ce ne sont que des croyants, mais convaincus de relapse pour avoir apporté de l'aide aux parfaits en fuite, comme par exemple le couple des Hugoux, à Tarabel.

Encore Albi et Carcassonne...

Pendant qu'à Toulouse, Bernard Gui enquête et juge sans traîner, au moins dix procédures sont en panne à Albi : huit habitants d'Albi, un de Lescure et un de Cordes, qui sont emprisonnés depuis huit ans au mur de Carcassonne et qui attendent leur jugement. Le départ de Bernard de Castanet, à l'été 1308, n'a pas tellement arrangé leurs affaires, car son successeur Raymond Desbordes n'ose rien faire. Le pape s'en inquiète et ordonne en février 1310 qu'ils soient transférés à Albi et qu'on termine dans les formes leurs procès. Desbordes ne fait rien, et en 1313 c'est Béraud de Farges qui hérite des dix dossiers. C'est donc auprès de lui que le Saint-Père revient à la charge en avril 1313. Trois prisonniers étaient morts entre-temps. Bernard Gui prit finalement l'affaire en main, en 1319. Il condamna les trois défunts à titre posthume, ce qui permettait de saisir leurs biens, trouva que dix-neuf ans de prison préventive pour l'habitant de Cordes était suffisant, et le gracia. Des six autres, on sait seulement qu'au moins un Albigeois eut ses biens saisis.

A Carcassonne, deux importantes affaires n'avaient toujours pas trouvé de solution quand Nicolas d'Abbeville avait cédé la place à Geoffroy d'Ablis, en 1303. Que faire du cadavre de Castel Fabre ? On ne pouvait tirer un trait sur un événement qui avait suscité tant de troubles, d'autant qu'Aymeric Castel continuait à défendre bruyamment la mémoire de son père, ce qui n'était pas fait pour calmer les esprits. Que faire du professeur de droit Guillaume Garric, bien vivant, lui, mais emprisonné au mur ? Clément V demanda à Philippe le Bel de le faire libérer et de lui restituer son château. Son hôtel de la ville basse aussi avait été confisqué, mais sa femme, lors de la vente aux enchères, avait réussi à l'acquérir. Cependant, le chapitre de la cathédrale convoitait l'immeuble : on fit donc à Garric un nouveau procès, qui aboutit en 1321 à une sentence d'expulsion sous trente jours et d'exil en Terre sainte, moyennant quoi l'hôtel fut de nouveau confisqué et mis aux enchères. Cette fois, il fut acquis par le chapitre, mais pour une somme inférieure de presque la moitié à sa valeur réelle. C'est du moins ce que conclut l'expertise demandée après coup par les héritiers de Garric. On les dédommagea, afin qu'ils abandonnent leur plainte.

Et Bernard Gui, à Toulouse, continuait ses sermons généraux : deux cent vingt-cinq sentences le 23 avril 1312 – son record absolu. Onze grâces de croix, trois libérations du mur, cinquante condamnations aux croix et quatre-vingt-huit au mur, plus dix par contumace, ce qui entraîne la confiscation des biens ; trente-six exhumations de *consolés* ; une exposition au pilori, seize abattis de maisons ; enfin cinq condamnations au bûcher, toujours pour relapse, dont celle de Raymond Sans, le frère du parfait Pierre Sans qui avait fait partie de l'Église de la reconquête. Ces sentences frappent essentiellement des habitants de la région de Villemur-sur-Tarn et du Lauragais, de Verfeil à Verdun et Saint-Papoul, mais aussi quelques localités des environs de l'abbaye de Grandselve en Lomagne, Bouillac, Comberouger, où Pierre Authié avait passé ses derniers mois de liberté et où il avait fait de toute évidence, des adeptes. Un seul bourgeois de Toulouse dans cette brassée de condamnés : le changeur Bernard de Gomerville, envoyé au mur à vie. Deux Gomerville déjà étaient tombés dans les rets de l'Inquisition : un homme et son petit-fils, ordonnés parfaits vers 1237, capturés et brûlés à Castelnaudary à Pâques 1243.

Nouveau sermon général le dimanche suivant, 30 avril 1312 : dix-neuf sentences, dont dix-sept remises de peine, une pénitence de pèlerinage et une condamnation à mort par contumace. Il faut ensuite attendre quatre ans – sauf, le 20 septembre 1313, l'envoi au bûcher d'un membre de la famille des Hugoux qui avait été si accueillante à l'Église de Pierre Authié ; il fut accusé de relapse pour avoir dit que Pierre Authié, justement, était un saint homme.

La méthode Bernard Gui a porté ses fruits. Elle était très différente de celle de tant d'inquisiteurs qui, par le passé, s'étaient attaqués aux réseaux des complicités dans l'espoir que l'Église hérétique, privée d'appui, se détruirait elle-même. Pons de Parnac et ses collègues, au fond, n'avaient pas trop mal réussi, dans les années 1270. Bernard Gui fait l'inverse : démanteler d'abord l'Église, jusqu'au dernier parfait, ce qui lui prit à peine un peu plus de trois ans ; s'occuper ensuite de châtier les croyants. Ce fut certes beaucoup plus long, puisqu'il prononça des sentences jusqu'en 1323, mais aucune, évidemment, ne frappe un parfait ou une parfaite : il n'y en a plus. Les treize personnes qu'il envoya au bûcher de 1313 à 1323 étaient de simples croyants, tombés sous le coup de cette arme redoutable, imparable, implacable et sans appel, qu'était la condamnation pour relapse.

Clément V s'alarma d'une telle rigueur, qui ne laissait au coupable découvert aucune chance de contrition ni de pardon. Le 30 avril 1312, à l'issue d'un concile qui venait de se tenir à Vienne, il promulgua la constitution *Multorum querella*. Elle réactualisa un bien vieux problème. Car il n'y avait jamais eu mille moyens de limiter le zèle de l'Office. Le seul qu'on avait trouvé, par le passé, c'était de contrebalancer le pouvoir des inquisiteurs par le contrôle du haut clergé. En fait, l'équilibre n'avait jamais été trouvé ; quand les évêques s'étaient mêlés de l'Inquisition, en 1250, les Prêcheurs s'étaient retirés – de gré ou de force ; quand les Prêcheurs étaient revenus, à partir de 1255, les évêques leur avaient abandonné les procédures. Bref, Office, ou clergé, jamais les deux ensemble – sauf lors de cette ponctuelle collaboration qui s'était établie par deux fois entre le tribunal de Carcassonne et l'évêque d'Albi pour abattre leur adversaire commun, l'oligarchie urbaine, mais que nul texte, semble-t-il, n'avait codifiée. Clément V en tira-t-il néanmoins la leçon ? Toujours est-il qu'il décréta l'obligatoire association, désormais, du juge délégué – le Prêcheur ayant reçu mandat d'inquisiteur – et du juge ordinaire, c'est-à-dire l'évêque. Chacun d'eux pourra enquêter seul et incarcérer, mais l'accord des deux sera requis pour mettre le prévenu à la question, et pour prononcer la sentence définitive. Geoffroy d'Ablis et Bernard Gui envoyèrent de concert au pape un mémoire protestant avec véhémence contre cette décision qui, à leurs yeux, ne pouvait qu'affaiblir la lutte contre l'hérésie, alors qu'il fallait au contraire l'intensifier en renforçant les pouvoirs des inquisiteurs. Ce fut le successeur de Clément V, Jean XXII, qui reçut leur plainte, mais il n'en tint pas compte et maintint le décret de Vienne. C'est à ce décret qu'on doit de voir l'évêque de Pamiers, Jacques Fournier, devenir inquisiteur associé au Prêcheur Jean de Beaune, successeur, au tribunal de Carcassonne, de Geoffroy d'Ablis, mort en septembre 1316.

Quelques mois auparavant, en mars, Bernard Gui et Geoffroy d'Ablis avaient rendu en la cathédrale de Toulouse, en un sermon général, soixante-seize sentences ; une seule condamnation au bûcher cette fois, celle d'un vaudois. Et puis vingt-six grâces, quinze condamnations aux croix, vingt et une au mur, neuf exhumations, trois condamnations par contumace et une exposition au pilori. Un grand coup fut frappé à nouveau, le 30 septembre 1219 : Bernard Gui et Jean de Beaune, assistés cette fois de l'autorité « ordinaire » c'est-à-dire des évêques de Cahors, Saint-Papoul et Montauban pour les cas qui relevaient de leurs diocèses respectifs, prononcent cent soixante et une sentences, dont soixante-dix-sept grâces, cinq pénitences de pèlerinage, vingt de port de croix, vingt-huit de prison, et quatre peines de mort. Pendant ce temps se déroulait, à Castelnaudary, le procès de Bernard Délicieux...

La fin de Bernard Délicieux

Le bouillant franciscain, en effet, avait recommencé à faire parler de lui. Dans les dernières décennies du XIIIᵉ siècle, un mouvement de contestation était apparu sur la frange la plus radicale de l'ordre des Mineurs. On appela ces dissidents Spirituels en France, Fratricelles en Italie. Les laïcs du tiers-ordre franciscain des béguins et des béguines partagèrent leur aspiration à la pauvreté et au dévouement charitable envers les malades et les déshérités. En Languedoc, ils avaient eu un maître en la personne de Pierre-Jean Olieu, dont on ne doute pas qu'il ait influencé le jeune Bernard Délicieux. Dès l'année de sa mort, en 1298, on avait commencé à persécuter ses disciples, condamnés par un concile qui s'était tenu à Béziers. Le concile de Vienne renouvela la condamnation en 1312 et, en 1317, Jean XXII demanda que fussent traités en hérétiques tous les dissidents. En avril, plusieurs franciscains languedociens furent cités devant la Curie. Bernard Délicieux se mit à leur tête et les accompagna à Avignon. Il fut arrêté le 15 mai. En décembre, le pape supprima toutes les communautés franciscaines marginales. Un an et demi plus tard, en juillet 1319, il chargea l'évêque de Pamiers, Jacques Fournier, et celui de Saint-Papoul, Raymond de Mostuéjouls, d'instruire le procès de Bernard Délicieux, qui s'ouvrit donc le 3 septembre de la même année. Bernard Gui et Bernard de Castanet, devenu

cardinal de Porto, soutinrent l'accusation. Essentiellement accusé
d'entrave à la marche de l'Inquisition, le franciscain fut torturé,
avoua tout ce qu'on voulut, et fut condamné le 8 décembre à la
dégradation et à la prison perpétuelle au « mur strict ». Bernard
Gui délivra publiquement la sentence sur le marché de Carcassonne. Les deux évêques qui avaient jugé Bernard Délicieux
demandèrent le jour même à Jean de Beaune que, vu son âge et
son état de santé, on lui épargnât les fers et la pénitence alimentaire. Ce fut refusé, et le pape à son tour interdit tout adoucisse-
ment de peine. Le franciscain mourut au bout de quelques
semaines.

D'autres sermons généraux, en juin, juillet et août 1321, en
juillet et septembre 1322, en juin 1323, clôturèrent la carrière
inquisitoriale de Bernard Gui. Deux mois après ses dernières sentences, il fut nommé évêque de Tuy en Galice. Un poste qui,
apparemment, ne lui plaisait pas. Il fit suffisamment traîner les
choses pour accéder, en fait, au siège épiscopal de Lodève en
juillet 1324. C'est là qu'il consacra les huit dernières années de
sa vie à la rédaction de divers ouvrages d'histoire, aussi bien une
chronologie des rois de France qu'une vie des empereurs
romains, laissant après sa mort le souvenir d'un infatigable tra-
vailleur, d'un érudit curieux et enthousiaste, et d'un homme au
commerce particulièrement agréable, d'une gaieté très communi-
cative. En seize années passées au service de l'Inquisition, il avait
rendu neuf cent trente sentences. Il avait fait grâce des croix à
cent trente-deux personnes, de la prison à cent trente-neuf. Il en
avait incarcéré trois cent sept. Il avait fait détruire vingt-deux
maisons et procéder à l'exhumation et à la crémation publique
de soixante-neuf *consolés*. Il avait envoyé quarante-deux personnes au bûcher – dont Pierre Authié et la quasi-totalité de la
petite Église que le notaire ariégeois avait constituée. C'était
assurément moins que ce que Bernard de Caux et Ferrer avaient
fait de 1242 à 1248. Mais sa méthode intelligente et rigoureuse
avait eu raison du catharisme. Il faut dire aussi que sa cible, limitée à Pierre Authié et à la douzaine de parfaits qui avaient constitué sa petite Église, aux croyants qui les avaient aidés et à ceux
qu'ils avaient *consolés*, était plus facile à cerner que les vastes
réseaux de résistance religieuse des années 1240, où la solidarité
de clan jouait largement, au sein de la noblesse croyante, en
faveur de l'Église clandestine

Jacques Fournier et le comté de Foix

Quand fut prononcé le jugement de Bernard Délicieux, Jacques Fournier avait ouvert depuis un an ses fameuses enquêtes sur le haut comté de Foix. Comme avec Bernard Gui, l'Inquisition trouva en lui un homme d'exception. Il était né vers 1280 à Saverdun, dans le bas comté. Un Occitan de souche donc. Son oncle Arnaud Nouvel, abbé de Fontfroide, fut sans doute pour quelque chose dans la vocation qui le poussa vers les cisterciens. Après avoir fait ses études de théologie à Paris, il revint en Languedoc, succéda à son oncle en 1311, puis devint évêque du jeune évêché de Pamiers en 1317. Son transfert à Mirepoix en 1326 le déchargea de la fonction d'inquisiteur ordinaire qu'il assumait en vertu de la bulle *Multorum querella*, travaillant avec les inquisiteurs successifs de Carcassonne, Jean de Beaune, puis Jean Duprat, mais aussi ceux de Toulouse, Bernard Gui et Pierre Bru. Fait cardinal en 1327, il devint pape en 1334 sous le nom de Benoît XII et mourut en 1342, non sans avoir suscité, par sa volonté de réformer les ordres religieux, l'hostilité des franciscains comme celle des dominicains.

On a dit l'immense intérêt de son registre inquisitorial. Comme il s'intéressait à tout ce qui pouvait avoir une teinture de déviance – les cathares et les vaudois, mais aussi les sorciers, les illuminés, les ivrognes, les homosexuels – il fit défiler devant lui des personnages d'une étonnante variété, souvent pittoresques. Ce fut à lui, par exemple, que se confessa Béatrice, fille de Philippe de Planissoles le seigneur de Caussou, veuve du châtelain de Montaillou Bérenger de Roquefort et héroïne d'un feuilleton hérético-sentimental avec son amant le curé de Montaillou, Pierre Clergue. C'était une sorte d'aventurier conquérant aussi rompu aux sophismes théologiques et moraux qu'aux jeux de l'amour. Il entraîna Béatrice à la fois dans une passion très sensuelle et dans un catharisme auquel, en bon libertin, il ne croyait pas, mais à la dialectique duquel il trouvait de la délectation. Arrêté et condamné à la prison, où il mourut, Pierre Clergue fut exhumé et brûlé en 1329. Béatrice fut condamnée au mur en 1321, mais libérée l'année suivante. Sept siècles et demi plus tard, les deux amants terribles pouvaient devenir des héros d'opéra[1]...

---

1. *Beatris de Planissolas*, texte occitan de René Nelli, musique de Jacques Charpentier, fut créé au Festival d'Aix-en-Provence en 1971.

Leur histoire, finalement, n'avait pas eu grand-chose à voir avec le catharisme. Elle témoignait quand même de l'imprégnation des esprits, dans ce haut comté de Foix où la religion interdite allait vivre une longue et pathétique agonie, trois quarts de siècle après le bûcher de Montségur.

Guillaume Bélibaste : le dernier des Bons Hommes

On ne peut tout raconter, mais on ne peut évidemment éluder la traque et la fin du dernier parfait, celui-là même qui s'était évadé du mur de Carcassonne, en 1309, avec Philippe d'Alayrac. Il n'appartenait pas, on l'a dit, à l'Église de Pierre Authié. Il ne se serait sans doute jamais fait ordonner si, au cours d'une rixe, il n'avait tué un berger. Il chercha à fuir la justice civile. Mais comme il était d'une famille de croyants, il fut rattrapé par l'éthique cathare : elle exigeait que les criminels fissent pénitence en se faisant parfaits. Philippe d'Alayrac, qui évangélisait alors le plateau de Sault, le Razès, les Corbières, ne fut certainement pas étranger à son ordination – encore que s'il la pratiqua lui-même, lui qui n'était ni diacre ni *ancien*, on pût discuter de sa validité ! Les deux Bons Hommes furent-ils arrêtés ensemble ? On ne le sait pas, mais ils s'évadèrent ensemble et passèrent ensemble en Catalogne. Quand Alayrac fut capturé, alors qu'il avait repassé les Pyrénées, Bélibaste se retrouva seul. Il vécut l'année 1310 dans la région de Berga, puis descendit vers le sud et vers la mer : Lérida, Granadella, Flix, Tortosa, Morella, San Mateo. Pour vivre, il exerça divers métiers, tisserand, cordonnier, fabricant de peignes, berger.

Mais voilà qu'au cours de cette errance catalane, il rencontre les petites colonies de croyants cathares émigrés du comté de Foix. Elles ont pris racine – par exemple les Maury de Montaillou, ou les Marty qui leur sont apparentés – le long de la vallée du rio Segre, le long de la route qui, par la Cerdagne, mène du Sabarthès à Valence. Et ces croyants n'ont pas de ministre pour *consoler* les mourants...

Certes, au début de 1314, à Flix, Bélibaste a rencontré un homme arrivé depuis peu de la région de Toulouse, qui se disait apparenté aux Maury, évadé du mur, et parfait. Vraisemblablement un illuminé ou un mythomane : il racontait que lors de son arrestation il avait confié le trésor de son Église – seize mille pièces d'or ! – à son neveu, mais qu'il n'avait jamais retrouvé ni l'un ni l'autre. Il mourut à Granadella à la fin de 1316. Cette fois, Bélibaste est pour de bon le seul et le dernier parfait. Mais quel parfait, en vérité ?...

Au lendemain de son évasion, il avait fait la connaissance, à Torroela, d'une femme de Junac en Sabarthès, Raymonde Piquier, qui avait fui l'Inquisition avec sa fille Guillelme. Depuis lors, il voyageait avec elles. Elles lui servaient d'alibi : on prenait Raymonde pour sa femme et Guillelme pour leur fille, nul ne pouvait soupçonner qu'il était un parfait. Guillaume et Raymonde s'attachèrent bientôt réellement l'un à l'autre, et se mirent à vivre maritalement.

En 1319, Raymonde tomba enceinte. Il voulut sauver son honneur, et du même coup le sien. Il lui fit épouser un de ses amis rencontré dans une des colonies d'émigrés, Pierre Maury. Bientôt il le regretta, et reprit Raymonde chez lui... Mais voici que ce mauvais parfait qui transgresse de façon éhontée la règle imposée par son ordination, et qui sait qu'il est un mauvais parfait, se pique au jeu de son ministère et se pose véritablement en pasteur des croyants qu'il connaît. Il prêche chez les uns et chez les autres, et, au travers des souvenirs que divers témoins évoqueront devant Jacques Fournier, on est surpris de la tenue de ses propos – et admiratif ! Il a une bonne connaissance de la foi cathare et de ses supports scripturaires, une sûre mémoire des mythes par lesquels s'expriment par exemple la Chute ou la migration des âmes, et, sur le plan de la morale, une belle hauteur de vue qui le faisait parler en termes émouvants de la miséricorde divine, de l'amour du prochain, ou du péché de désespoir. Toutes choses qui donnent à penser que, soit en prison, soit auparavant, Philippe d'Alayrac lui avait donné un enseignement sérieux et assez poussé.

Ce fut son dévouement qui le perdit. Un jour arriva chez les Maury, à San Mateo, un jeune homme, Arnaud Sicre. Il était le fils d'un notaire de Tarascon. Sa mère, bonne croyante cathare, s'était séparée de son père, et on la connaissait sous son nom de naissance, Sibille Bayle. Arrêtée, elle avait refusé d'abjurer et avait été brûlée, tandis que ses biens étaient confisqués. Arnaud avait eu un frère qui s'était fait ordonner, et qui n'était autre que Pons Bayle – car il avait pris le patronyme de sa mère –, l'un des compagnons de Pierre Authié. Sicre se fit embaucher chez un cordonnier. Un jour, les Marty l'invitèrent à boire chez eux, et la maîtresse de maison lui demanda, comme incidemment, s'il n'aurait pas plaisir à rencontrer « le Bien ». Comprenant ce qu'elle voulait dire, il acquiesça. Revenant quinze jours plus tard, il trouva Bélibaste assis au coin du feu. Il mit tout le monde en confiance en assurant qu'il avait connu Pierre et Jacques Authié. Et puis, un jour, il raconta qu'il avait décidé de repartir au pays voir ce que devenaient sa jeune sœur et sa vieille tante, qui vivaient ensemble dans les montagnes du Pallars. Il essaierait de les convaincre de venir vivre ici, « près du Bien ». Comme la tante était très riche, tout le monde y trouverait son compte. Et comme la sœur était jeune et jolie, Arnaud Marty serait sans doute heureux de l'épouser. Sicre partit.

Il revint, peu avant la Noël 1320. Il dit que sa tante aurait bien voulu venir, mais que son grand âge, et la goutte, l'empêchaient de marcher, même de monter à cheval. Mais elle serait si heureuse, elle qui était si bonne croyante, d'avoir un jour la visite d'un Bon Homme ! Quant à la sœur, elle épouserait volontiers Arnaud Marty, mais ne pouvait quitter sa vieille tante. Celle-ci avait d'ailleurs été si contente de tout ce que lui avait dit Arnaud Sicre, qu'elle lui avait donné de l'argent pour qu'il fêtât joyeusement Noël avec ses amis.

Quelques semaines plus tard, Sicre voulut repartir voir sa tante et sa sœur. Il suggéra que Bélibaste l'accompagne, afin que la vieille dame ait le bonheur de voir un parfait avant de mourir. Arnaud Marty pourrait être aussi du voyage : sa fiancée était certainement impatiente de le voir... Pierre Maury décida de les accompagner. Tous quatre partirent au Carême 1321. On peut suivre leur voyage auberge par auberge, jusqu'aux abords de la Seu de Urgell où, s'engageant dans la vallée de Castelbon, ils entrèrent sur les domaines du comte de Foix. Une dernière étape à Castelbon, et le lendemain matin on gagna Tirvia, où on passa la nuit suivante. A l'aube, le bayle du lieu fit irruption dans la chambre avec des sergents. Les quatre voyageurs furent arrêtés et ramenés à Castelbon. Sicre dit au bayle que ni Pierre Maury ni Arnaud Marty n'avaient rien à voir dans cette affaire, et ils furent libérés. Lui-même fut conduit avec Guillaume Bélibaste au sommet d'une tour, où on le laissa, les fers aux pieds.

« Judas ! dit Bélibaste, je savais bien que tu mentais quand tu disais avoir connu Pierre et Jacques Authié ! » Il avait en effet remarqué que Sicre ne savait pas saluer les parfaits comme il convenait de le faire... Il n'empêche, il était tombé dans le piège.

Arnaud Sicre était un vulgaire chasseur de primes. On sait tout par la déposition qu'il fit en octobre devant Jacques Fournier, après avoir reçu les vives félicitations de celui-ci pour avoir remarquablement mené à bien le plan qu'ils avaient tous deux mis au point. Sicre espérait qu'en aidant l'Inquisition elle lui rendrait les biens confisqués à sa mère, ou qu'à défaut il se ferait un peu d'argent. Il eut l'idée d'aller voir en Catalogne s'il n'y avait pas quelque parfait à faire capturer. Quand il eut trouvé Bélibaste, il revint, non point pour voir sa tante – purement imaginaire – mais pour informer Jacques Fournier lui-même, à Pamiers. L'évêque, à peu près certain de tenir en Bélibaste le dernier parfait occitan et préférant s'en occuper lui-même plutôt que de le laisser à l'Inquisition d'Aragon, s'accorda avec Sicre : il fallait amener le Bon Homme, pour pouvoir le capturer dans les formes légales, sur une terre du comte de Foix, afin que le tribunal inquisitorial de Carcassonne – en l'occurrence Jacques Fournier et Jean de Beaune – pût instruire son affaire. Et c'était l'évêque qui avait donné à Sicre l'argent destiné à fêter Noël à San Mateo...

Avant d'être libéré de ses fers, Sicre avait eu tout le loisir de discuter avec Bélibaste au sommet de la tour de Castelbon. Et voici que le dernier des Bons Hommes, qui n'avait jamais donné un *consolament* de sa vie, essaya de sauver l'âme de celui qui l'avait si bassement trahi... « Puis nous nous précipiterions au bas de cette tour, et aussitôt mon âme et la tienne monteraient auprès du Père céleste, où nous avons des couronnes et des trônes tout préparés... Quarante-huit anges portant des couronnes d'or et de pierres précieuses viendraient chercher chacun de nous... »

Le dernier des Bons Hommes fut remis à l'archevêque de Narbonne, son seigneur temporel. Il refusa d'abjurer, et fut brûlé, sans doute à l'automne 1321, au cœur des Corbières, à Villerouge-Termenès, domaine du prélat.

L'Inquisition d'Aragon rattrapa un peu plus tard Pierre Maury et Arnaud Marty, et les livra à Jacques Fournier, qui les condamna au mur perpétuel en août 1324. Ce fut le frère de Pierre, Jean Maury, qui, arrêté lui aussi, nous transmit, en le récitant devant les inquisiteurs aragonais, le célèbre *Pater* des cathares : « Père saint, Dieu légitime des bons Esprits, qui jamais n'a failli, ni menti, ni erré, ni douté par peur de prendre mort au monde du dieu étranger, donne-nous à connaître ce que tu connais et à aimer ce que tu aimes... » Bélibaste le lui avait soigneusement appris.

Les quatre derniers croyants

Pendant que se déroulait, outre-Pyrénées, l'aventure tour à tour cocasse, touchante et finalement pathétique de Guillaume Bélibaste, l'Inquisition du Languedoc continuait à travailler, en dosant savamment la miséricorde et la vindicte. En mars 1320, la ville d'Albi fut solennellement réconciliée : Jean de Beaune et l'évêque, Béraud de Farges, donnèrent aux consuls l'absolution canonique. En juin 1321, ce fut au tour de Cordes. Mais cela ne signifiait pas du tout qu'étaient amnistiés les prévenus et les suspects incarcérés qui étaient l'objet de poursuites. D'ailleurs, à Toulouse, Bernard Gui continuait à prononcer des sentences d'emprisonnement et d'exhumation. Le dernier parfait brûlé, la « chaîne apostolique » rompue, on savait bien qu'il ne pourrait plus y avoir de *consolament*. Ce n'était pas une raison pour relâcher la vigilance. Il fallait extirper du cœur des croyants la moindre trace d'*haeretica pravitas*, cette « perversion hérétique », cette déviance en laquelle la chrétienté romaine avait cru voir le plus grand péril de son histoire. Il fallait frapper à mort tous ceux qui, après avoir abjuré, manifesteraient la moindre tentation d'y revenir, ou proféreraient la moindre parole de bienveillance ou de regret à son égard ; il fallait en arracher le souvenir aux cadavres mêmes de ceux qui, de leur vivant, y avaient adhéré.

Tant à Carcassonne qu'à Albi, il y avait encore, dans les années 1320, un grand nombre de procès restés en suspens. Ce n'est qu'en février 1325 que l'inquisiteur Jean Duprat prononça la condamnation, à titre posthume, d'Arnaud Morlane, le curé de Pennautier, de Guillaume Raseire, le viguier d'Albi, et de deux bourgeois d'Albi dont Jean Galand et Bernard de Castanet s'étaient occupés quarante ans plus tôt... Il envoya aussi au bûcher une croyante de Tarascon, Guillelme Tournier, qui avait eu le malheur de dire à un codétenu que Pierre Authié, son fils Jacques, ainsi que Bélibaste, étaient de véridiques amis de Dieu. Ce n'était pourtant pas faute d'attention aux excès possibles, de la part du Saint-Siège ! Jean XXII avait imposé que les sentences ne fussent rendues qu'après une « consultation inquisitoriale », c'est-à-dire un délibéré aussi long qu'il serait nécessaire, et dont les débats et l'issue seraient consignés par des procès-verbaux. A partir de 1324, certaines de ces consultations réunirent ainsi plus de trente personnes, abbés, chanoines, jurisconsultes, dominicains, franciscains, cisterciens, carmes, bénédictins, etc. On examinait les dossiers un par un, on discutait, et l'on votait. Le tribunal n'était pas tenu de suivre automatiquement les propositions de l'assemblée ; du moins la sentence n'était-elle pas décidée, comme trop souvent par le passé, dans la précipitation et l'arbitraire.

Le 11 novembre 1328, Henri Chamayou, inquisiteur à Carcassonne, et Pierre Bru, inquisiteur à Toulouse, prononcèrent quinze sentences d'exhumation, frappant entre autres les châtelains royaux de Cabaret, divers membres de leur famille et Blanche, la femme de l'ancien consul Guillaume Serre, toujours emprisonné, lui, au mur de Carcassonne. En 1330, les deux juges s'apprêtaient à ouvrir dix-huit autres procès posthumes, quand le Saint-Père, excédé par ces macabres procédures, demanda communication des dossiers, qu'il transmit à un consultant, lequel conclut à leur irrecevabilité. A quelques mois près, Jean XXII aurait pu éviter, peut-être, l'excès de zèle dont fit preuve la commission inquisitoriale réunie le 8 septembre 1329 à la Cité de Carcassonne. Cinquante et un conseillers eurent à débattre, en deux jours, de quarante cas. On décida de l'exhumation de Rixende, la femme de Castel Fabre, mais aussi de la condamnation, comme relaps, de quatre personnes : Raymonde Arrufat, une Narbonnaise ; Isarn Raynaud et Adam Baudet, citoyens, respectivement, d'Albi et de Conques ; enfin, le vieux, le très vieux Guillaume Serre, « retourné à l'hérésie comme le chien à son vomi », dit la sentence. Emprisonné depuis quelque quarante ans, il en avait plus de quatre-vingts.

Les quatre derniers croyants cathares furent brûlés sur la berge de l'Aude, au pied de la Cité.

*

De vastes domaines annexés à la couronne capétienne alors même qu'ils allaient finir d'être absorbés par la maison de Barcelone, et qu'ils étaient en passe de constituer sous son égide un très vaste État féodal allant de l'Èbre aux Alpes, très largement ouvert sur la Méditerranée, et qui n'eût été ni la France ni l'Espagne : voilà pour les bouleversements politiques nés de la volonté de l'Église romaine de se débarrasser par la force du catharisme occitan.

Ce catharisme, ce christianisme dissident, éradiqué après vingt ans de guerre et cent ans d'Inquisition de cette partie de l'Europe occidentale où il s'était si solidement implanté : voilà pour l'aspect religieux des choses. Une éradication qui laissait un grand vide dans les esprits et les cœurs, au sein d'une société qui avait en partie adhéré à la religion des Bons Hommes, des Amis de Dieu, comme elle les appelait elle-même. Un vide que l'Église victorieuse sut habilement combler par la multiplication des couvents d'ordres mendiants, franciscains et dominicains, qui récupérèrent au profit de l'orthodoxie les aspirations à la vie évangélique qui avaient suscité tant de vocations de parfaits et de parfaites.

La reconquête catholique sut aussi soigneusement encadrer les hommes et marquer son territoire. Le quadrillage serré des nouveaux évêchés créés en 1317 – Montauban, Lavaur, Castres, Saint-Papoul, Mirepoix, Rieux et Lombez – tandis que celui de Toulouse était érigé en archevêché, donnait à l'Église les moyens de contrôler au plus près le pays, l'université créée à la faveur de la défaite occitane de 1229 veillant de son côté à l'alignement des intelligences.

Quand brûlaient les derniers cathares occitans, ceux d'Italie avaient disparu depuis une génération à peu près, à la fois sous les coups de l'Inquisition et sous l'effet de la prédication des mendiants. Mais il était un pays où l'on oublia presque que l'hérésie dualiste subsistait, et qu'elle était même peu ou prou devenue religion nationale depuis que son prince, Kouline, s'y était converti vers 1200, avec sa famille et plusieurs de ses vassaux.

Le Saint-Siège avait tenté d'envoyer en croisade contre cette Bosnie hérétique le très catholique roi de Hongrie, mais sans succès. Les « chrétiens » de Bosnie, car on les appelait tout simplement ainsi, se maintinrent jusqu'à l'arrivée des Turcs au milieu du XVe siècle. Mais, minorité religieuse au sein du vaste Empire ottoman, ils ne furent pas reconnus et demeurèrent pris en tenaille entre l'Église latine et l'Église grecque. Hérétiques aux yeux de tous, ils refusèrent de se rallier à Rome comme à Constantinople et, plus ou moins forcés d'ailleurs, ces Slaves passèrent à l'islam. Leurs lointains descendants sont toujours musulmans, et toujours en butte à la vindicte de leurs voisins catholiques romains, les Croates, ou orthodoxes, les Serbes. Mais leur pays demeure parsemé des seules tombes de dignitaires cathares qu'on puisse voir encore.

Francarville en Lauragais
28 février 1999

Sources

SOURCES CATHARES

Traité cathare anonyme (en latin) : édition par Christine Thouzellier, *Un traité cathare inédit du début du XIIIᵉ siècle, d'après le Liber contra Manicheos de Durand de Huesca*, Louvain, Publications universitaires, 1961.

Livre des deux principes (en latin) : édition et traduction française par Christine THOUZELLIER, Paris, Cerf, coll. Sources chrétiennes nᵒ 198, 1973.

Rituel de Lyon (en occitan) : édition par Léon CLEDAT : *Le Nouveau Testament traduit au XIIIᵉ siècle en langue provençale, suivi d'un Rituel cathare*, Paris, Leroux, 1888, et Genève, Slatkine Reprint, 1968.

Rituel de Florence (en latin) : édition et traduction française par Christine THOUZELLIER, Paris, Cerf, coll. Sources chrétiennes nᵒ 236, 1977.

Rituel de Dublin et **Glose du Pater** (en occitan) : édition par Theo VENCKELER, « Un traité cathare : le manuscrit A.6.10 de la Collection vaudoise de Dublin », Bibliothèque du Trinity College, dans *Revue belge de philologie et d'histoire*, t. 38, 1960, p. 816-834 (pour le Rituel) et t. 39, 1961, p. 759-793 (pour la Glose). – Traduction française du Rituel par Anne BRENON : « L'Église de Dieu » dans *Heresis* nᵒ 20, p. 51-55, été 1993.

A ces textes issus du catharisme occidental, il convient d'ajouter l'apocryphe bogomile dit **Interrogatio Johannis**, ou **La Cène secrète**, édité et traduit par Edina BOZOKY, *Le livre secret des cathares*, Paris, Beauchesne, 1980.

Tous les textes ci-dessus ont été réunis en traduction française dans *Écritures cathares* de René NELLI, Paris, Denoël, 1959 ; Planète, 1968 ; nouvelle édition actualisée par Anne BRENON, Monaco, Le Rocher, 1995 ; en traduction italienne, avec une très importante introduction, par Francesco ZAMBON, *La cena segreta ; trattati e rituali catari*, Milan, Adelphi, 1997.

SOURCES POLÉMIQUES

De la trentaine d'ouvrages de controverse écrits contre les cathares ou les bogomiles aux XIIe et XIIIe siècles, je n'indique que ceux qui, en raison de leur édition relativement récente, sont facilement accessibles :

[ANONYME] *De heresi catharorum in Lombardia*. Éd. par Antoine DONDAINE, « La hiérarchie cathare en Italie » dans *Archivum Fratrum Praedicatorum*, vol. XIX, Rome, Istituto storico domenicano, 1949, p. 306-312.

ANSELME D'ALEXANDRIE : *Tractatus de hereticis*. Éd. par Antoine DONDAINE, « La hiérarchie cathare en Italie » dans *Archivum Fratrum Praedicatorum*, vol. XX, Rome, Istituto storico domenicano, 1950, p. 308-324.

COSMAS LE PRETRE : *Traité contre les bogomiles*. Trad. par Henri-Charles PUECH et André VAILLANT, *Le Traité contre les Bogomiles de Cosmas le Prêtre*, Paris, Droz, 1945.

DURAND DE HUESCA : *Liber antiheresis*. Éd. partielle par Christine THOUZELLIER dans *Hérésie et hérétiques*, Rome, Edizioni di storia e letteratura, 1969, p. 166-188.

DURAND DE HUESCA : *Liber contra Manicheos*. Éd. par Christine THOUZELLIER, *Une somme anti-cathare, le Liber contra Manicheos de Durand de Huesca*, Louvain, Université catholique, 1964. Éd. et trad. du chap. XIII, par la même, « Controverse médiévale en Languedoc relative au sens du mot Nichil » dans *Annales du Midi*, n° 99, octobre-décembre 1970, p. 321-341.

SALVO BURCI : *Liber supra stella*. Éd. partielle par Ilarino DA MILANO dans *Aevum*, t. XIX, 1945, p. 307-341. Éd. partielle avec trad. par Christine THOUZELLIER, « Sur l'égalité des deux dieux dans le catharisme », dans *Annales du Midi*, n° 99, octobre-décembre 1970, p. 343-347.

SOURCES NARRATIVES

GUILLAUME DE TUDÈLE et son continuateur anonyme . *La Chanson de la croisade albigeoise*, texte et traduction par Émile MARTIN-CHABOT, 3 vol., Paris, Champion, 1931, et Les Belles Lettres, 1957 et 1961 Texte de l'édition MARTIN-CHABOT et adaptation française de Henri GOUGAUD, Paris, Berg-International, et Livre de Poche, coll. Lettres gothiques, 1989.

Version en prose de la Chanson de la Croisade albigeoise . édition du Ms du château de Merville, par Dirk HOEKSTRA, *Huit ans de guerre albigeoise*, Groningen, Rijkuniversiteit, 1998.

PIERRE DES VAUX-DE-CERNAY, *Historia albigensis*, éd. par Pascal GUE-

BIN et Ernest LYON, 3 tomes (Paris, Champion 1926, 1930 et 1939), trad. par Pascal GUÉBIN et Henri MAISONNEUVE, *Histoire albigeoise*, Paris, Vrin, 1951.

GUILLAUME DE PUYLAURENS : *Chronique*, éd. et trad. par Jean DUVERNOY, Paris, Éditions du CNRS, 1976.

GUILLAUME PELHISSON : *Chronique (1229-1244)*, éd. et trad. par Jean DUVERNOY, Paris, Éditions du CNRS, 1994.

BERNARD GUI : *De fundatione et prioribus conventuum provinciarum tolosanae et provinciae ordinis praedicatorum*, éd. par P. A. ARMAGIER, Monumenta ordinis fratrum praedicatorum historica, vol. XXIV, Rome, 1961.

Deux chroniques composées à Toulouse dans la seconde moitié du XIIIe siècle, éd. par Patrice CABAU dans *Mémoires de la Société archéologique du Midi de la France*, tome LVI, 1996, p. 75-120.

SOURCES INQUISITORIALES

Manuscrites

Procès inquisitorial de Bernard-Othon de Niort et de sa famille (mars 1233 ou 1234) : Paris, Bibliothèque nationale, Manuscrits du Fonds DOAT, vol. XXI, f° 34 à 50.

Sentences et lettres de pénitence de Guillaume Arnaud et Étienne de Saint-Thibéry (1235-1241) : DOAT XXI, f° 143v° à 185.

État des condamnations prononcées en Quercy par Pierre Seilan (1241-1242) : DOAT XXI, f° 185 à 312.

Enquêtes inquisitoriales de Ferrer, Guillaume Raymond, Pons Gary et Pierre Durand (1242-1244), Registre FFF des Archives de l'Inquisition de Carcassonne : DOAT XXII, f° 108v° à 296 ; XXIII en entier ; XXIV, f° 1 à 237. Les interrogatoires des rescapés de Montségur ont été édités et traduits par Jean DUVERNOY, *Le dossier Montségur*, Toulouse, Le Pérégrinateur, 1998, pour la traduction ; Carcassonne, Centre de valorisation du patrimoine médiéval, pour le texte latin.

Sentences de Ferrer, Pierre Durand et Guillaume Raymond (1244) : DOAT XXI, f° 313 à 323.

Cahiers de parchemin de Bernard de Caux et Jean de Saint-Pierre (1243-1247) ; DOAT XXII, f° 1 à 88. Transcription, traduction, introduction et notes par J. DUVERNOY, travail dactylographié inédit déposé au Centre d'études cathares de Carcassonne.

Registre de Bernard de Caux et Jean de Saint-Pierre (1245-1246) : Toulouse, Bibliothèque municipale, Ms 609.

Fragments d'un registre de confessions de parfaits convertis, devant

Maître Guillaume [de Puylaurens ?] Raymond Resplandis, Arnaud de Gouzens, Maître Amiel, Jean de Saint-Pierre et Renaud de Chartres (1254-1256) : Toulouse, Archives départementales de la Haute-Garonne, Ms 124 et Ms 202. [Éditions partielles par R. BELHOMME, dans Mémoires de la Société archéologique du Midi de la France, t. VI, 1852, p. 101-146 ; Annie CAZENAVE, « Les cathares en Catalogne et Sabarthès » dans Bulletin philologique et historique, année 1969, vol. I, Paris, 1972, p. 429-436 ; H. BLAQUIÈRE, « Les cathares au jour le jour : confessions inédites de cathares quercynois », dans Cathares en Languedoc, Cahiers de Fanjeaux n° 3, Toulouse, Privat, 1968, p. 259-277 ; J. DUVERNOY, « La vie des prédicateurs cathares en Lauragais et dans l'Albigeois vers le milieu du XIII° siècle » dans Revue du Tarn n° 121, printemps 1986, p. 25-54.]

Compotus Inquisitorum (Livre de comptes des inquisiteurs Jean de Saint-Pierre et Renaud de Chartres, mai 1255-février 1256) : Paris, Archives nationales, J 330 b n° 59.

Registre d'Inquisition de Raoul de Plassac et Pons de Parnac (1273-1280) : DOAT XXV en entier et XXVI, f° 1 à 77. Transcription, traduction, introduction et notes par J. DUVERNOY, travail dactylographié inédit déposé au Centre d'études cathares de Carcassonne.

Registre d'Inquisition de Jean Galand et Guillaume de Saint-Seine (1284-1289) : DOAT XXVI, f° 80 à 314. Transcription, traduction, introduction et notes par J. DUVERNOY, travail dactylographié inédit déposé au Centre d'études cathares de Carcassonne.

Procédures de Jean Galand et Bernard de Castanet contre des hérétiques du diocèse d'Albi (1286-1287). Bibliothèque nationale, Ms lat. 12856, f° 1 à 62 (copie de 1574).

Sentences et commutations de peines des inquisiteurs Jean de Beaune, Jean Duprat et Henri Chamayou (1318-1329) : DOAT XXVII, f° 1 à 250.

Éditées

Confirmations d'aveux devant les inquisiteurs Ferrier et Pons Gary, juillet-août 1243. Fragment de registre, Archives départementales de l'Aude, Ms 3 J 596 (Manuscrit Cayla) ; éd. par J. DUVERNOY, dans Heresis n° 1, Villegly, Centre national d'études cathares, hiver 1983, p. 9-23.

Sentences de Bernard de Caux et Jean de Saint-Pierre (1244-1248) ; Bibliothèque nationale, Ms lat. 9992 ; éd. par C. DOUAIS, Documents pour servir à l'histoire de l'Inquisition dans le Languedoc, tome II, p. 1-89, Paris, Renouard, 1900.

Processus Inquisitionis attribué à Bernard de Caux (1244), éd. par E. VACANDARD, L'Inquisition, Paris, Bloud, 1907. Appendice p. 313-321.

Registre de Bernard de Caux, Pamiers 1246-1247 (Registre HHH des Archives de l'Inquisition de Carcassonne) ; DOAT XXIV f° 240 à 286 ; éd.

et trad. par J. DUVERNOY, dans *Bulletin de la Société ariégeoise des Sciences, Lettres et Arts*, 1990, et tirage à part.

Dépositions contre Pierre Garcias, reçues par Bernard de Caux et Jean de Saint-Pierre (1247) ; DOAT XXII, f° 89 à 106 ; éd. par C. DOUAIS, *Documents...*, tome II, p. 90-114. Trad. annotée inédite, par J. DUVERNOY, déposée au Centre d'études cathares de Carcassonne.

Registre du greffier de l'Inquisition de Carcassonne (1250-1267) ; Bibliothèque de Clermont-Ferrand, Ms 160 ; éd. par C. DOUAIS, *Documents...* tome II, p. 115 à 301.

Fragment de registre de Jean de Saint-Pierre et Renaud de Chartres (1256) ; Manuscrit Bonnet ; éd. par C. DOUAIS en Appendice aux *Sources de l'histoire de l'Inquisition dans le Midi de la France au XIIIe et au XIVe siècle*, Paris, 1881, p. 119-132.

Fragment d'un registre concernant des parfaits convertis (vers 1266-1270), Carcassonne, Bibliothèque municipale, Ms Mb 161 ; éd. et trad. par J. DUVERNOY, « Cathares et faidits en Albigeois vers 1265-1275 » dans *Heresis*, n° 3 (1984).

Procédures de Nicolas d'Abbeville et Bertrand de Clermont contre des hérétiques du diocèse d'Albi (1299-1300), Bibliothèque nationale, Ms lat. 11847 ; éd. par G. W. DAVIS, *The Inquisition at Albi,* New York, Octagon Books, 1974, p. 103-266.

Registre d'Inquisition de Geoffroy d'Ablis (1308-1309) ; Bibliothèque nationale, Ms Lat. 4269 ; éd. et trad. par A. PALES-GOBILLIARD, *L'inquisiteur Geoffroy d'Ablis et les cathares du comté de Foix* (1308-1309), Paris, CNRS, 1984.

Sentences de Bernard Gui (1307-1323) publiées par Ph. LIMBORCH, « Liber sententiarum Inquisitionis tholosanae », en Appendice à son *Historia Inquisitionis*, Amsterdam, 1692.

Registre d'Inquisition de Jacques Fournier (1318-1325) ; Bibliothèque Vaticane, Ms Vat. Lat. 4030 ; éd. par J. DUVERNOY, 3 vol., Toulouse, Privat, 1965, et trad. française, 3 vol., Paris, Mouton, 1978.

Processus Bernardi Delitiosi (Procès du franciscain Bernard Délicieux, 1319), éd. par Alan FRIEDLANDER, Philadelphie, American philosophical Society, 1996.

BERNARD GUI, *Practica Inquisitionis heretice pravitatis* (v. 1322-1325), éd.. par C. DOUAIS, Paris, 1886 ; éd. et trad. de la cinquième partie par G. MOLLAT, *Bernard Gui : Manuel de l'Inquisiteur,* Paris, 1926, réédition, 2 vol., Les Belles Lettres, 1964.

J'ai publié un répertoire chronologique, avec références, de 525 documents diplomatiques relatifs à la croisade albigeoise et à ses prémisses, dans *L'épopée cathare*, tomes I, II et III. Comme les documents utilisés pour les volumes ultérieurs, ils sont pour la plupart extraits des recueils suivants :

Actes divers provenant des archives du Languedoc et réunis dans le Fonds DOAT, Paris, Bibliothèque nationale.

BAUDON DE MONY Charles : *Relations des comtes de Foix avec la Catalogne jusqu'au commencement du XIVe siècle*, t. II, Paris, Picard, 1896.

COMPAYRÉ Claude : *Études historiques et documents inédits sur l'Albigeois, le Castrais et l'ancien diocèse de Lavaur*, Albi, 1841.

DEVIC Claude et VAISSETE Joseph : *Preuves* publiées aux tomes V, VIII et X de l'*Histoire générale de Languedoc*, Édition de Toulouse, Privat, 1875, 1879 et 1885.

DOSSAT Yves : *Saisimentum Comitatus tolosani*, Paris, Bibliothèque nationale, 1966.

Enquêteurs royaux, dans *Histoire générale de Languedoc*, tome VII, Édition de Toulouse, Privat, 1879.

FOURNIER Pierre-Fr. et GUÉBIN Pascal : *Enquêtes administratives d'Alphonse de Poitiers. Arrêts de son Parlement tenu à Toulouse et textes annexes, 1249-1271*, Paris, Imprimerie nationale, 1959.

FREDERICQ Paul : *Corpus documentorum Inquisitionis haereticae pravitatis neerlandicae*, tomes I et II, Gand, Vuylsteke, 1889 et 1896.

HAGENEDER Othmar et HAIDACHER Anton : *Die Register Innocenz III*, Graz-Cologne, Hermann Böhlaus, 1964.

KOUDELKA Vladimir J. O. P. : *Monumenta diplomatica S. Dominici.* dans *Monumenta Ordinis Fr. Praedicatorum Historica*, t. XXV, Rome, Istituto storico domenicano, Santa Sabina, 1966.

LA RONCIÈRE M. de : *Registres d'Alexandre IV*, Collection de l'École française de Rome, 1895.

LIMOUZIN-LAMOTHE R. : Cartulaire du Consulat, dans *La Commune de Toulouse et les sources de son histoire,* Toulouse, Privat, 1932.

MAHUL M. : *Cartulaire et archives des communes de l'ancien diocèse et de l'arrondissement administratif de Carcassonne*, 7 vol., Paris, Didron et Dumoulin, 1857-1883. Reprint des vol. I, II et III, Rennes-le-Château, Schrauben, 1980.

MANSI J.-D. : *Sacrorum conciliorum nova et amplissima collectio*, Florence-Venise, 1759 et ss, et Paris, 1901 et ss.

MIGNE : *Patrologia latina*, tome 216 et ss., 1871 et ss.

MIRET Y SANS J. : « Itinerario del Rey Pedro I de Cataluña, II en

Aragon » dans *Boletin de la Real Academia de Buenas Letras de Barcelona*, tome IV, Barcelone, 1907-1908.

MOLINIER Auguste : *Correspondance administrative d'Alphonse de Poitiers*, 2 vol., Paris, 1894-1900.

MUNDY John Hine : *The repression of catharism at Toulouse. The royal diploma of 1279*, Toronto, Pontifical Institute of Medieval Studies, 1985.

POTTHAST Auguste : *Regesta pontificum Romanorum inde ab anno post Christi nativitatem 1198 ad annum 1304*, 2 vol., Berlin, 1874-1875.

PROU Maurice : Registres d'Honorius IV, Paris, Thorin, 1888.

Regestum papae Clementis V, par les Bénédictins du Mont-Cassin, Rome, Imprimerie du Vatican, 1885 et ss.

RHEIN A. : Actes des seigneurs de Montfort, dans « La seigneurie de Montfort en Iveline », *Mémoires de la Société archéologique de Rambouillet*, tome XXV, Versailles, 1910, p. 124-261.

TEULET et DELABORDE : *Layettes du Trésor des chartes*, 3 vol., Paris 1863-1875.

VIDAL Jean-Marie : *Bullaire de l'Inquisition française au XIVe siècle*, Paris, Letouzey et Ané, 1913.

VILLEMAGNE A. : *Bullaire du Bienheureux Pierre de Castelnau*, Montpellier, La Charité, 1917.

Bibliographie

Les plus récentes études particulières ayant été citées en notes, je n'indique ici, en fait d'ouvrages généraux parus ces dernières décennies, que des travaux de première main :

BRENON Anne : *Le vrai visage du catharisme*, Toulouse, Loubatières, 1988 et 1990.

BRENON Anne : *Les femmes cathares*, Paris, Perrin, 1992.

[Collectif] *Les cathares en Occitanie*, par Robert LAFFONT, Jean DUVERNOY, Michel ROQUEBERT, Paul LABAL, Philippe MARTEL, Paris, Fayard, 1982.

DUVERNOY Jean : *Le catharisme* I : *La religion des cathares*, Toulouse, Privat 1976 et 1986 ; II : *L'histoire des cathares*, Toulouse, Privat, 1979 et 1986.

GRIFFE Élie : *Les débuts de l'aventure cathare en Languedoc*, Paris, Letouzey et Ané, 1969 ; *Le Languedoc cathare de 1190 à 1210*, 1971, *Le Languedoc cathare au temps de la croisade*, 1973 ; *Le Languedoc cathare et l'Inquisition*, 1980.

LAMBERT Malcolm : *The Cathars*, Oxford, Blackwell, 1998.

NELLI René : *La philosophie du catharisme*, Paris, Payot 1975.

NELLI René : *Le phénomène cathare*, Toulouse, Privat / P. U. F., 1964, rééd. 1978.

THOUZELLIER Christine : *Catharisme et valdéisme en Languedoc à la fin du XIIᵉ et au début du XIIIᵉ siècle*, Paris, PUF, 1966.

Sur la croisade albigeoise, je renvoie le lecteur désireux d'avoir plus de détails que le présent ouvrage n'en contient aux trois premiers tomes de mon *Épopée cathare*, Toulouse, Privat, 1970, 1977 et 1986 ; pour ce qui concerne Montségur, au tome IV, *Mourir à Montségur*, Toulouse, Privat, 1989 et, pour l'histoire du catharisme occitan sous l'Inquisition, à *Les cathares, de la chute de Montségur aux derniers bûchers, 1244-1329*, Paris, Perrin, 1998.

Sur l'Inquisition proprement dite, rien n'est venu remplacer les travaux devenus classiques d'Yves DOSSAT : *Les crises de l'Inquisition toulousaine au XIIIᵉ siècle*, Bordeaux, Bière, 1959 et de Henri MAISONNEUVE : *Études sur les origines de l'Inquisition*, Paris, Vrin, 1960.

Pour la sociologie du haut comté de Foix au début du XIVe siècle, au temps du catharisme finissant : Emmanuel LE ROY LADURIE : *Montaillou, village occitan, de 1294 à 1324*, Paris, Gallimard, 1975.

Indiquons que la revue internationale *Heresis* (deux volumes par an depuis 1983, Carcassonne, Centre d'études cathares/Centre René-Nelli) et la *Collection Heresis* (Actes des colloques annuels du Centre René-Nelli) contiennent, sur le catharisme, son historiographie et les problèmes connexes, de nombreux articles de médiévistes français et étrangers, Martin ALVIRA-CABRER, Claudie AMADO, Jacques BERLIOZ, Jean-Louis BIGET, Jean BLANC, Monique BOURIN, Anne BRENON, Annie CAZENAVE, Benoît CURSENTE, Lydia DENKOVA, Jean DUVERNOY, Alan FRIEDLANDER, Henri GILLES, Giovanni GONNET, Ylva HAGMAN, Michel JAS, Pilar JIMÉNEZ, Beverley KIENZLE, Gauthier LANGLOIS, Malcolm LAMBERT, Michèle LEBOIS, Fay MARTINEAU, Krystel MAURIN, Emilio MITRE-FERNANDEZ, Robert MOORE, Daniela MÜLLER, Suzanne NELLI, Georges PASSERAT, Jacques PAUL, Roland POUPIN, Franjo SANJEK, Georgi SEMKOV, Walter WAKEFIELD, Francesco ZAMBON, etc., dont le détail ne peut être donné ici.

Rappelons enfin que la collection d'histoire religieuse du Languedoc médiéval *Les Cahiers de Fanjeaux* (un volume par an depuis 1966, sous la direction du R. P. VICAIRE O. P. puis de Jean-Louis BIGET, Toulouse, Privat) contient de très nombreux travaux sur tout le contexte historique, économique, spirituel, littéraire, artistique, dans lequel s'est développé et a été réprimé le catharisme.

Index

Les noms de lieux et de pays sont en *italiques*. Les noms de personnes sont en caractères romains. Sauf pour les rois de France et les papes, répertoriés à leur prénom, les personnages sont classés par leur patronyme, ou par le nom du lieu d'origine (sous sa forme française moderne), le second prénom ou le surnom, lorsque ceux-ci nous ont paru avoir valeur de patronyme.

Pour les patronymes d'origine toponymique, nous avons adopté systématiquement la forme française moderne pour une simple raison de commodité : *Foix* pour *Fois*, *Dalou* pour *Adalo*, *Usson* pour *So*, *Mirepoix* pour *Mirapeis*, etc. Dans les autres cas, nous avons adopté la forme française la plus proche et la plus courante : *Mercier* pour *Mercer*, *Roquefeuil* pour *Rocafuelh*, *Roqueville* pour *Rocavilla* etc. Par souci de cohérence, les prénoms ont de même été francisés (par ex. *Pierre-Roger de Mirepoix* pour *Peire-Rotger de Mirapeis*) sauf les prénoms des troubadours fixés sous leur forme occitane par la tradition littéraire (*Peire* Vidal, *Guilhem* Montanhagol etc.).

Abréviations : archev. : archevêque ; év. : évêque ; parf. cath. : parfait/parfaite cathare.

Table des matières

collection tempus
Perrin

À PARAÎTRE

Cet ouvrage a été imprimé en France par

BUSSIÈRE

à Saint-Amand-Montrond (Cher)
en mai 2013
pour le compte des Editions Perrin
76, rue Bonaparte 75006 Paris

N° d'édition : 1707 – N° d'impression : 2002704
Dépôt légal : juillet 2002
Suite du premier tirage : mai 2013
K01894/13